SÉRGIO BUARQUE DE HOLANDA

ESCRITOS COLIGIDOS

SÉRGIO BUARQUE DE HOLANDA

ESCRITOS COLIGIDOS

LIVRO II – 1950-1979

Marcos Costa (org.)

editora unesp

EDITORA FUNDAÇÃO PERSEU ABRAMO

CIP – Brasil. Catalogação na fonte
Sindicato Nacional dos Editores de Livros, RJ

H669s
v.2

Holanda, Sérgio Buarque de, 1902-1982
Sérgio Buarque de Holanda: escritos coligidos: livro II, 1950-1979 / Marcos Costa (org.). – São Paulo: Editora Unesp: Fundação Perseu Abramo, 2011.
2v. (648, 496p.): il., retrs.

Contém cronologia
Inclui bibliografia
ISBN 978-85-393-0092-1 (Editora Unesp)
ISBN 978-85-7643-095-7 (Fundação Perseu Abramo)

1. Holanda, Sérgio Buarque de, 1902-1982 – Coletânea. 2. Brasil – História – Século XX. 3. Brasil – Civilização. 4. Sociologia. 5. Antropologia. I. Costa, Marcos. II. Fundação Perseu Abramo. III. Título. IV: Título: Escritos coligidos: livro II, 1950-1979.

11-0795. CDD 981
CDD 94(81)

As editoras Unesp e Fundação Perseu Abramo agradecem ao Acervo Sérgio Buarque de Holanda pelas imagens cedidas para esta obra.

Fundação Editora da UNESP (FEU)
Praça da Sé, 108
01001-900 – São Paulo – SP
Tel.: (0xx11) 3242-7171
Fax: (0xx11) 3242-7172
www.editoraunesp.com.br
www.livrariaunesp.com.br
feu@editora.unesp.br

Editora afiliada:

Asociación de Editoriales Universitarias de América Latina y el Caribe

Associação Brasileira de Editoras Universitárias

Editora Fundação Perseu Abramo
Rua Francisco Cruz, 224
04117-091 – São Paulo – SP
Tel.: (0xx11) 5571-4299
Fax: (0xx11) 5571-0910

Correio eletrônico:
editora@fpabramo.org.br

Visite a página eletrônica da Fundação Perseu Abramo
www.fpabramo.org.br
www.efpa.com.br

Sumário

Década de 1950

Década de 1960

Década de 1970

Década de 1950

Sérgio Buarque de Holanda na redação do *Diário Carioca*. Rio de Janeiro, 1956.

Acervo SBH

Do mirante do padre Cardim*

No prefácio que escreveu para o último livro de Gastão Cruls,[1] explica-nos Gilberto Freyre como, tendo há quinze anos publicado um guia prático, histórico e sentimental da cidade do Recife, pensou em alargar seu plano e preparar outros compêndios de cidades brasileiras: o de Salvador da Bahia, o de Santa Maria de Belém, o de São Sebastião do Rio de Janeiro. Todos eles também guias práticos, históricos e sentimentais. "Todos", acrescenta, "misturando notas sobre igrejas velhas com informações sobre mercados, arte popular encontrada nas feiras, doce a comprar dos tabuleiros de rua, quitutes a pedir nos restaurantes".[2]

Entretanto as circunstâncias só lhe deixaram ocasião para abordar outra velha cidade daquela mesma terra pernambucana, que ele ama e estima sobre quase todas as outras coisas. E creio um pouco que a arte de compor desse tipo de tratados que inventou ou, ao menos, introduziu entre nós, não é das que se forjam simplesmente a golpes da vontade

* Artigo originalmente publicado no *Diário de Notícias*, Rio de Janeiro, 12 fev. 1950. (N. O.)
1 Cruls, *Aparência do Rio de Janeiro.*
2 Freyre, Prefácio. In: Cruls, op. cit.

ou inteligência. Por isso, talvez, não é tão lamentável que tenha enfim desistido do projeto no que toca ao Rio de Janeiro. Por isso e também porque se encarregou de levá-lo adiante quem estaria mais naturalmente apto para isso.

Gastão Cruls nasceu no antigo Morro do Castelo, como a cidade de São Sebastião, não a primitiva, é certo – o incipiente núcleo que o Capitão Estácio estabeleceu nas areias da Praia Vermelha –, mas a definitiva, que Mem de Sá mandou construir quando viu livre a enseada dos intrusos franceses e dos Tamoios. E para contemplar o pobre arraial, agora convertido na admirável metrópole, não custa imaginar o escritor carioca numa eminência ideal, parada no espaço, ali mesmo onde a cidade teve seu berço. Eminência ideal, semelhante àquele quarto do poeta que, demolida a casa,

> Vai ficar na eternidade
> Com seus livros, com seus quadros
> Intacto, suspenso no ar!

É interessante como foi precisamente Manuel Bandeira, quando lhe sucedeu empreender tentativa comparável às de Gilberto Freyre e a esta *Aparência do Rio de Janeiro*, quem mais estritamente do que os outros cuidou em atender à curiosidade normal do turista, despreocupando-se de ensinar-lhe seus próprios gostos e vontades. Talvez porque, faltando-lhe necessariamente o "amor endogâmico" que sempre há de associar a alguma lembrança da meninice e realçar, sem querer, esse ou aquele espetáculo, foi levado a considerar todos eles com o mesmo cuidado, de maneira que ficou sendo o mais exato e prestimoso dos cicerones. Ou, talvez melhor, porque em Ouro Preto a poesia permanece tão presente e viva nas aparências cotidianas que querer sublinhá-la é cair numa espécie de redundância.

O fato é que de todos esses guias práticos, históricos e sentimentais é o de Manuel Bandeira incomparavelmente o mais "prático" e o menos sentimental ou, se quiserem, o menos poético. Assim, por exemplo, o ultimo capítulo de seu livro é simplesmente a enumeração seca e sem comentário de "várias informações" úteis ao forasteiro, fechada com a clássica lista dos restaurantes. Pormenor semelhante também não há de faltar nos guias de Gilberto Freyre, uma vez, é claro, que os restaurantes em apreço se tornem recomendáveis por uma especialidade da terra ou um traço de cor local. A casa da preta Rosa, em Olinda, com seu "doce de amor" ou o antigo Dudu do Recife, com a gaiola de papagaio ou passarinho.

Quanto a Gastão Cruls, este ousa muito menos descer a essas particularidades. E ao leitor que porventura tenha dúvidas sobre seu verdadeiro propósito, não deixa ele de advertir expressamente que o livro não quer ser "um baedecker, que o turista folheará diante do obelisco da avenida ou sobre a mesa de um bar à procura de restaurantes".[3] É que o próprio mirante ideal, de onde ele vê e mostra o espetáculo da sua cidade, não deixa esquadrinhar tais minúcias. Quem folheie esse livro em busca do simples pormenor pitoresco e colorido, do episódio apenas anedótico e peculiar, ficará muito provavelmente decepcionado. Os aspectos parciais engrenam-se entre si para dar um quadro de conjunto, que temos de percorrer na sua ordem natural, como se assiste ao desenrolar de um filme. A perspectiva resultante é sobretudo histórica e não admira se entre as seiscentas e tantas páginas que abrange a obra, ao menos dois terços são devotados ao Rio de Janeiro de ontem.

Ao longo dela vamos seguindo o crescimento e a formação da cidade desde que começa a descer a encosta do Morro do Castelo, por onde fica a atual Rua da Misericórdia e alcança um dos raros trechos enxutos dessa imensa planície coberta de alagadiços, riachos e paus que abrange a princípio a parte mais importante da atual metrópole, o trecho cortado hoje pelas ruas de São José da Ajuda e 1º de Março. Durante algum tempo a povoação é contida por esses obstáculos num quadrilátero cujos vértices são os morros de Santo Antônio, Conceição, Castelo e São Bento. A Lagoa de Santo Antônio, que cobre larga extensão do Centro de hoje, chega a ser francamente navegável e Gastão Cruls nos refere como, em

3 Cruls, op. cit.

começo deste século, quando se abriam cavas para os alicerces do Teatro Municipal, foi encontrado o casco de uma embarcação.

E se na orla do lago houve curtume por volta de 1610, não é nada impossível que nele crescessem mangues, já que a indústria de atanados andou sempre associada no Brasil colonial à presença dos manguezais. O outro elemento indispensável para a mesma indústria também não faltaria, pois bem ali ao lado ficavam os pastos e os currais de Antônio de Marins.

A narrativa que nos fez o autor da expansão do Rio seiscentista e mesmo setecentista é a história de uma luta incessante contra as águas. Só uma sequência de aterros parciais e, sobretudo, a construção da Vala (Rua Uruguaiana) e depois do Cano (Rua 7 de Setembro) para escoamento de brejos e alagadiços assegurarão enfim o definitivo triunfo da planície sobre o morro. Em 1639 já desce do Castelo a casa da Cadeia e Câmara. E nove anos mais tarde, poderá um viajante estrangeiro, Fleckno, dizer que estavam quase em ruínas as casas da cidade antiga.

Gastão Cruls não parece assinalar devidamente o fato que mais terá contribuído para o progresso da povoação, antes da vinda da família real. No entanto, sem o caminho novo das Minas, que se abriria nos primeiros anos do setecentos e que resultaria finalmente na instalação ali do Vice-Reinado, imagina-se mal o desenvolvimento alcançado pela cidade no curso do século XVIII. Desenvolvimento que ainda é condicionado, durante longo tempo, pelo combate às brenhas e aos brejos. De 1720 datam as tentativas de canalização do Rio da Carioca mediante a construção dos Arcos, refeitos em 1740 por obra de Gomes Freire, que ganha do povo a alcunha ciceroniana de Pai da Pátria. Depois acaba de enxugar-se a área da antiga Lagoa do Boqueirão da Ajuda para abrir-se no seu lugar o Passeio Público, "primeira obra de urbanismo", diz o autor, "na Zona Sul da cidade".

Na Zona Norte o progresso só se faz lentamente e à custa de aterros sucessivos visando a conquistar a área imensa da Lagoa da Sentinela, que inclui a futura Cidade Nova até a Praia Formosa e São Cristóvão. Mas passada a lagoa não cessam os estorvos enquanto não se expulsam os padres da Companhia, senhores das terras para além da Sentinela.

Mas o desenvolvimento de São Cristóvão só se acentuará efetivamente a partir da chegada da Corte Lusitana e da mudança do príncipe para a Quinta da Boa Vista. O de Botafogo principia pela mesma época, mas vai tomar vulto já depois da Independência. O progresso ulterior determinado em grande parte pelos novos recursos de comunicação – os ônibus em 1839, depois as gôndolas, as diligências, os bondes que permitem a incorporação de arrabaldes distantes à vida ativa da cidade – traz-nos ao limiar do Rio de Janeiro de hoje. E agora vai travar-se a campanha vitoriosa contra a febre amarela que ainda é, ao seu modo, um aspecto da luta contra as águas, um traço insistente da vida antiga da cidade.

Mesmo diante da realidade atual e cotidiana Gastão Cruls não abandona, entretanto, a perspectiva histórica. E para o leitor que o acompanhou em seu itinerário no espaço e no tempo, o asfalto do Largo da Carioca acabará confundido nas águas da Lagoa Grande, assim como os guarda-sóis coloridos de Copacabana acabarão evocando a imagem longínqua dos espinheiros de Sacopenopã. Essa presença contínua do passado na vida do presente é dos aspectos distintivos do livro de Gastão Cruls, mesmo se o compararmos às obras que a princípio lhe terão servido de modelo ou de estímulo. Só a princípio, é verdade, e antes de escrita a primeira página, porque desse momento em diante ele se delineia como criação à parte e *sui generis*.

Mas a simples "poesia da história" não é mais responsável pela sedução da obra do que o amoroso zelo com que o autor se debruça sobre a aparência de sua terra. Por vezes o encantamento dessa aparência parece querer adiantar-se à narração concisa dos fatos, mas tudo, ao cabo, vai resolver-se num sábio equilíbrio. Dizer como ele diz de Martim Afonso, que teria escolhido seu quinhão na distribuição das capitanias, lembrado das belezas da Guanabara, é atribuir talvez ao futuro donatário de São Vicente alguma coisa daquele seu amoroso zelo. Em um tratado de história caberia lembrar que corriam já em 1531 notícias de prodigiosas riquezas minerais no sertão da capitania – caminho do Paraguai e do Peru –, e a esperança de as ver confirmadas pode explicar a demora dos expedicionários junto à "boca do Rio de Janeiro".

O importante, entretanto, é que aqui os acontecimentos do passado não são, em nenhum momento, retorcidos para lisonjear o amor do pitoresco ou do romanesco, esses adversários constantes da verdade histórica e às vezes do simples bom gosto.

Romance brasileiro*

Na origem dessa obra de Arsène Isabelle, *Emigration et colonisation*, publicada há um século em Montevidéu, está a presença de Aimé Bonpland – Jacques-Aimé Goujaud, dito Bonpland, o amigo e colaborador de Humboldt, o intendente dos jardins de Malmaison, o prisioneiro de Francis, o admirável "Don Amado", sábio eminente da velha Europa, mas perfeito cidadão americano, pois a todas as solicitações da glória na terra natal, preferiu o trabalho humilde na sua chácara de São Borja, ou na chácara de Sant'Anna. Já então percorrera 9 mil léguas de regiões desconhecidas, de parceria com Humboldt, conseguindo classificar 6.300 espécies novas da flora tropical americana.

O nome de Bonpland está ligado para sempre à crônica rio-grandense. Em 1830, quando o ditador do Paraguai permitiu, enfim, que saísse dos seus domínios, foi estabelecer-se em São Borja, onde viveu 23 anos e constituiu família. Tinha uma botica de sua propriedade na praça da vila e cultivava uma pequena chácara, mas frequentemente viajava pela campanha, a herborizar e coligir material para seus estudos científicos.

* Artigo originalmente publicado no *Diário Carioca*, Rio de Janeiro, 4 jun. 1950. (N. O.)

Foi esse mesmo Aimé Bonpland quem deu a conhecer a Isabelle o relatório do presidente da Província do Rio Grande do Sul, o general Francisco José de Souza Soares de Andreia, o qual continha, no capítulo referente à agricultura, um projeto de colonização progressiva de grandes extensões latifundiárias. Como esclarece na introdução:

> Quando Aimé Bonpland fez a gentileza de remeter-me o último relatório anual do presidente do Rio Grande do Sul, fiquei maravilhado com os progressos materiais dessa bela província, bem como com os numerosos melhoramentos introduzidos em seu sistema administrativo, depois que lá estive. Mas o que, para mim, constitui um raio de luz e um verdadeiro motivo de satisfação foram os planos de colonização recentemente postos em execução ali, com rara sagacidade. Resolvi logo meter de novo mãos à obra, para levar ao conhecimento dos pensadores e escritores de meu país as boas notícias que me enviou o ilustre naturalista, admirador não menos fervoroso do que eu da excelência do clima e da fertilidade das terras, nos vastos ermos que acabava de percorrer.[1]

Não vejo, portanto, fundamento algum que justifique a tão repisada aversão de Isabelle ao Rio Grande do Sul; da leitura desse livro, e de sua própria ordem de composição, ressalta pelo contrário a simpatia mais viva pela terra dos Farrapos, então, já em plena convalescença da áspera luta intestina. Ao amigo dos americanos, que perdeu o filho mais velho no combate do Cerrito e, radicado no Uruguai, tanto sofria com as devastações da guerra civil, não passou despercebido o exemplo oportuno daquela gente capaz de lutar dez anos contra os caramurus, mas logo apaziguada e unida contra o inimigo comum e o contágio do caudilhismo. Havia, também, para ele outro motivo de interesse no caso: o rápido crescimento da Colônia de São Leopoldo, experiência de êxito singular, parecia-lhe uma confirmação dos princípios que defendia pela imprensa e apregoava há muitos anos – a emigração selecionada para a América.

1 Isabelle, *Emigration et colonisation*.

Foi mesmo Arsène Isabelle, como observou Carlos Von Koseritz, o primeiro a revelar nos meios interessados da Europa a existência de um núcleo ativo e industrioso na província do extremo sul.

Em seu relatório, Soares de Andreia referia-se às grandes estâncias, ou "grandes desertos", cujos donos, dedicando-se exclusivamente e de modo muito rudimentar à criação de gado, vedavam o acesso a seus domínios a desgraçadas famílias que vagueavam pelos campos em busca de um rincão qualquer onde lhes fosse permitido vegetar ao menos, porque trabalho não lhes davam. E depois de mostrar que alguns estancieiros eram possuidores de "desertos mais extensos que alguns estados da Alemanha", traçava um plano de distribuição gradual das terras, revelando uma orientação da política social buscada nas ideias mais avançadas da época.

Isabelle tomou-se de entusiasmo pelo relatório de Andreia, apresentado à Assembleia Legislativa em 1º de junho de 1849. Desde 1845, vinha publicando no jornal *Le Patriote Français* vários artigos sobre a navegação do Paraná, o comércio francês no Porto de Montevidéu, a imigração e a colonização, o pauperismo e seus efeitos. A colonização de vastas regiões inaproveitadas da América por elementos europeus selecionados, à base de impressões colhidas em sua viagem pelo Rio Grande do Sul, era uma de suas constantes preocupações e assunto principal de sua atividade consular e jornalística. Como observou Teodemiro Tostes, ao apresentar sua tradução de *Voyage à Buenos Aires et à Porto Alegre*, a primeira obra de Arsène Isabelle, editada em 1949 por Zélio Valverde:

> Não pode compreender que países tão propícios ao desenvolvimento de uma colonização daquele gênero prefiram conservar inaproveitadas milhões de hectares de terras, a abrir suas portas à imigração, por meio de tratados inteligentes. Sofre ao pensar na multidão de proletários franceses que vegetam no desconforto e na miséria, enquanto, neste lado do Atlântico, há um solo virgem que só espera braços.[2]

2 Tostes, Apresentação. In: Isabelle, *Voyage à Buenos Aires et à Porto Alegre.*

A comunicação do surpreendente relatório do futuro Barão de Caçapava, por intermédio de Bonpland, foi poderoso estímulo na publicação da pequena obra, hoje raríssima. Trata-se de uma brochura impressa em papel ordinário e revestida de uma capa amarela, com a indicação: *Prixa um patacon*, 152 páginas de texto, mais 32 de apêndice e uma errata, sendo 72 páginas, além de algumas notas, dedicadas ao Rio Grande.

Quando do seu aparecimento sob a forma de artigo, provocaram estes debate e comentários na imprensa montevideana, ele próprio, em nota de pé de página, indica ao leitor o *Comercio del Plata*, de 14 de novembro de 1849, e o *Nacional*, de maio ou junho de 1845.

Creio que não teve repercussão alguma, ao sair em volume, pelo menos entre nós. Que eu saiba só o cônego Gay, na *História da República Jesuítica do Paraguai*, aludindo à "excelente obra de monsieur Isabelle", transcreve um trecho identificado pelo saudoso mestre Rodolfo Garcia, com a meticulosidade e a segurança de sempre.

É praticamente impossível contar com as nossas obras de referência para qualquer informação menos incompleta sobre Arsène Isabelle. No terceiro volume da *Biblioteca exótico-brasileira*, de Alfredo de Carvalho, omitiu-se a indicação desse trabalho, agora apresentado em edição brasileira, e a nota biográfica é mais que superficial. Em *Estrangeiros ilustres*, o Visconde de Taunay vagamente dizia: "Arsène Isabelle, conhecido pelas suas excursões no Rio Grande do Sul", dando, pois, a entender que certamente só teve notícias ou conhecimento direto do trecho de "Voyage" publicado em *Nouvelles Annales des Voyages*, tomo LXV, 1835. Mario de Lima Barbosa, em *Les français dans l'histoire du Brésil*, repete a mesma vaga referência.

História da literatura brasileira: 1870-1920*

Diante do volume com que Lúcia Miguel Pereira acaba de enriquecer os estudos de História literária do Brasil, impõe-se, quase ao primeiro relance, uma consideração metodológica.[1] A quem encare a História da Literatura como simples província das disciplinas históricas tomadas em seu conjunto e pretenda aplicar-lhes rigorosamente os padrões impostos para essas disciplinas, poderá parecer insuficiente a atenção dedicada pela autora a romancistas e contistas menores (no sentido mais literal, não o consagrado pela expressão "poetas menores") em confronto com o interesse minucioso e prolongado que lhe merecem nomes conspícuos.

Aqueles são geralmente abordados e despedidos em poucas palavras e de passagem para mais ilustres; estes é que são o objeto de todo o cuidado. De modo que cada capítulo vem a ser uma constelação de ensaios, mais ou menos independentes, precedida do panorama sumário, que serve principalmente para justificar seu agrupamento segundo as tendências

* Artigo originalmente publicado na *Folha da Manhã*, São Paulo, 7 jun. 1950. (N. O.)

1 Pereira, *História da literatura brasileira*, XII.

dominantes em cada autor. O método há de parecer plausível e, no caso, talvez o único verdadeiramente plausível, enquanto não se recorra ao símile daqueles historiadores, que só tinham olhos para os grandes feitos políticos e guerreiros, ou para os heróis que os encarnaram. Pois não parece certo que, desdenhando a germinação, o movimento, o crescimento, a continuidade das formas, em favor do fruto maduro, se arriscavam aqueles historiadores a abranger um aspecto quando muito parcial dos fatos que pretendiam estudar?

Sucede, entretanto, que o símile se aplica mal ao caso presente. Em primeiro lugar, porque o Brasil intelectual era, e ainda é, filho de outro continente. Lá, não aqui, se preparavam os produtos que nos vinham acabados, sem que nos fosse dado acompanhar perfeitamente as etapas da elaboração. O historiador que não quisesse ampliar desmedidamente seu campo de estudo poderia, até certo ponto, desprezar certas criações indígenas mais toscas, que não eram intermediárias para as outras, as maiores, mas quase sempre adaptações malogradas de algum modelo peregrino.

Além dessa justificativa, de natureza histórica, ainda caberá invocar a circunstância especial de se tratar de uma história literária. E a História literária deve ser inseparável da visão estética. A par da gênese das grandes obras da literatura, das influências que as condicionam, do clima espiritual que tornou possível sua eclosão, há o fenômeno, irredutível a qualquer consideração estritamente genética, que certos autores puderam denominar, com alguma solenidade, de o milagre da criação estética. Isto é, em termos um pouco mais pedestres, a relativa independência das obras de arte, dignas desse nome, com relação aos antecessores, aos contemporâneos e – pois que em sua essência são únicas e inimitáveis – aos sucessores. É claro que essa unicidade só existe em estado de pureza no reino das abstrações, e tão limitado será o relativismo histórico, que vê tudo num contínuo processar-se enquanto essa espécie de absolutismo estético – apenas capaz de contemplar as quinta-essências sublimes e imutáveis – e, levada às consequências últimas, redundará em concepções tais como a do poeta Ezra Pound, para quem a História da Arte é "a das obras-primas, não a dos malogros ou a da mediocridade". O resultado está em que, assim como a crítica não pode prescindir verdadeiramente do horizonte histórico, também a História literária não subsistirá sem a perspectiva estética. Se em seu livro Lúcia Miguel Pereira pôde sacrificar um pouco os malogros e mediocridades a escritos e autores significativos, chegando a dizer, na introdução, que deixa de tratar de certas peças de teatro porque nenhuma substitui e "nem merece ser exumada", não é por falta de senso histórico, mas por uma noção justa do caráter *sui generis* da história propriamente literária.

A sua não procura é erudita e exaustiva, porém crítica e compreensiva. E se em alguns casos a visão histórica toma francamente a dianteira, nem sempre, creio eu, com muita felicidade – como onde tende a inscrever a obra de Machado de Assis numa espécie de linha evolutiva de que seria o ponto culminante, correspondendo a uma suposta maturidade de nosso meio social –, isso não perturba em nada a agudeza de visão do crítico. Precisamente nesse capítulo sobre Machado existem algumas páginas que eu ousaria situar, sem nenhuma hesitação, entre as maiores que já produziu a crítica literária entre nós. Nem por ter escrito anteriormente todo um livro sobre o mesmo tema, a autora rediz o que dissera ou o que disseram outros. Em menos de cinquenta páginas, temos um quadro exemplar, no qual nada de essencial foi olvidado e nada de supérfluo foi acrescentado. No entanto, algumas breves observações feitas de passagem e sem timbre de novidades bastam para enriquecer nosso conhecimento e nossa compreensão da arte de Machado de Assis. As observações, por exemplo, sobre a natureza, acumpliciada com os atos humanos. Ou sobre a visão relativista das coisas. Ou sobre a "alma exterior" e as sensações compensadoras, finalmente ilustradas com a teoria a que Brás Cubas batizou de equivalência das janelas. Ou ainda, e principalmente, sobre essa forma característica em Machado, de desdobramento do observador, ora misturando-se com as personagens, ora separando-se e distanciando-se delas. Seria talvez lícito tentar associar ainda essa última forma àquela atitude perspectiva, que um grande crítico de nossos dias (Leo Spitzer) pôde discernir excelentemente em Cervantes, e que servindo para isolar o criador de sua criatura é uma afirmação pessoal bem definida, sendo ao mesmo tempo uma proclamação de independência do artista. Por esse desdobramento de personalidade do observador, que é, em verdade, o contrário da desintegração ou dissolução da personalidade tão típica de certos autores modernos – de um Proust, um Joyce, um Pirandello, uma Virginia Wolf –, Machado estaria situado nos antípodas de tais autores.

Não sei se Lúcia Miguel Pereira admitiria de bom grado essa esplêndida inatualidade de nosso romancista. Se ao menos nesse livro ela não acentua – como o fizeram alguns outros críticos – seu modernismo, no sentido restrito e recente da palavra, a verdade é que se esforça por associá-lo de algum modo aos romancistas e à sociedade de sua época, e nisso se revela antes o historiador do que o crítico. Mas as pontes que laboriosamente erigiu servem-lhe para denunciar, com notável penetração crítica, o erro de uma concepção do romance que Machado teria ultrapassado onde a observação só se insinua[2] pela tangente do pitoresco e que parece ser até hoje uma constante ou ao menos uma intermitência assídua em nossa novelística.

Essa penetração há de amparar-se, sem dúvida, para existir em algum sistema tácito de referências, que não precisa estar formulado nem reduzir-se a um corpo de doutrina estreito e dogmático. Nele se situaria, por exemplo, a convicção de que aquela busca do pitoresco pelo pitoresco só pode gerar formas inferiores e imaturas de arte. E deve situar-se ainda a ideia relacionada à mesma convicção, de que o humano há de sobrepor-se ao nacional, ao regional, mesmo ao social. Certamente essa ideia pode desgarrar-se para a superstição de que o social repugna a verdadeira arte e de que esta há de erigir-se em torre de marfim e refúgio contra a vida, quando a verdade é que em toda a criação artística existe uma "impureza vital"[3] que não se ajusta sequer ao gosto exagerado da composição. Por outro lado, não cabe contra os que assim sobre-estimam a arte, aceitar a atitude dos que veem no romance, por exemplo, o deleite de um espírito tranquilo – o caso dos autores tratados no capítulo que, segundo uma frase conhecida de um deles, Afrânio Peixoto, intitula-se

2 Ibid., p.30.
3 Ibid., p.234.

"Sorriso da Sociedade". É que, existindo um "dom total",[4] a arte não pode ser simples jogo ou distração como parece aos diletantes e aos timoratos. E enlaçando-se à vida também não é por isso cópia servil da realidade,[5] uma vez que há de ter sua coerência própria. De modo que a incapacidade de superar a realidade tangível e prolongar a observação pelo senso poético[6] é quase sempre indício de impotência. Impotência de que geralmente padeceram os nossos naturalistas, ao menos um dos mais ilustres dentre eles: Aluízio Azevedo.

Ideias nítidas e despretensiosas, que se podem rastrear através das páginas desse livro e que formam como seu esqueleto invisível. Sendo penhor da acuidade crítica da autora, elas fazem com que essa história não seja, ou não seja apenas, uma narração exaustiva de fatos remotos sem relação clara com a vida atual. E sendo uma "história", vem a ser a par disso uma constante advertência para os nossos dias, realizando, nisso, a grande missão dos estudos históricos, segundo a sábia concepção goetheana, ou seja, servir ao presente e ao futuro, emancipando do passado.

4 Ibid., p.235.
5 Ibid., p.199.
6 Ibid., p.153.

Apologia da História*

Encerrando uma das crônicas desta seção tive oportunidade de lembrar, recentemente, a noção goetheana de que a História não é mais do que um meio de nos emanciparmos do passado. Não me fora possível verificar, então, os termos exatos da fórmula originária; tinha contudo a certeza de que não lhe traíra o espírito.

Em realidade, a fórmula acha-se expressa pelo menos uma vez na obra de Goethe – na parte segunda das *Máximas e reflexões* – e, traduzida com fidelidade possível, diz o seguinte: "Escrever História é um modo de desembaraçar-se do passado".[1]

Pode parecer um contrassenso que se invocasse e aprovasse essa aparente negação do passado em favor do presente ou do futuro, expressa por alguém que, sendo embora poeta e homem de gênio, mostrara por mais de uma vez (no projetado prefácio à terceira parte de *Poesia e verdade*, por exemplo, e também no ensaio sobre a contenda de clássicos e românticos na Itália, datada de 1818) escassa simpatia pelo mister de historiador. E contrassenso, sobretudo, quando a aprovação parte de quem se dedica,

* Artigo originalmente publicado na *Folha da Manhã*, São Paulo, 18 jul. 1950. (N. O.)

1 Goethe, *Máximas e reflexões*.

por gosto pessoal, por formação intelectual e até por dever de ofício, aos estudos históricos.

No entanto, é sem qualquer hesitação que, devendo abordar trabalhos brasileiros de historiografia, começo por inscrever novamente, à testa destes comentários, a palavra de Goethe, na convicção de que, se encerra, de fato, um paradoxo, será este antes verbal do que substancial. E se precisar defender-me ainda da suposta heresia, poderei relembrar a autorizada opinião de um dos mais ilustres historiadores de nossos dias.

Com efeito, em seu admirável painel da sociedade feudal, Marc Bloch, depois de assinalar a incapacidade do homem dos séculos XI e XII para superar, na prática, um sentimento de intensa solidariedade entre o presente e o passado, pergunta em dado momento: "A atitude tradicionalista, que atrai sem cessar o presente para o passado, e assim leva naturalmente a confundirem-se as cores, não se encontra nos antípodas do espírito histórico dominado pelo sentimento de diversidade?"[2]

Para bem atinar com o alcance de semelhante observação, seria bom aproximá-la da anedota referida pelo mesmo Bloch na pequena obra-prima que tinha em preparo às vésperas do seu fuzilamento pelos nazistas, durante a ocupação da França, e cujo texto inacabado está agora impresso com o título de *Apologie pour l'Histoire ou métier d'historien* [*Apologia da História ou o ofício de historiador*] (1949). Em viagem que realizaram certa vez à Suécia, ele e Henri Pirenne, dissera-lhe o historiador belga logo ao chegarem a Estocolmo: "Consta-me que acabam de edificar aqui um novo Paço Municipal. Podemos visitá-lo para começar". E, como que querendo prevenir algum gesto de espanto, acrescentou: "Se eu fosse um antiquário, só me interessariam as coisas velhas. Mas sou um historiador".

É que para o verdadeiro historiador há de importar primeiramente o esforço para a boa inteligência da hora presente, se quiser entender o passado. E, por outro lado, qualquer valorização sentimental do passa-

2 Bloch, *La société féodale*.

do – valorização que só poderá ser fragmentadora e caprichosa – nos levaria a vê-lo com as cores de nossa nostalgia.

É, de fato, por um erro de consequências muitas vezes funestas que certos espíritos, não raro lúcidos e honestos, acreditam descobrir uma amostra de puro zelo pelo passado na tendência para se ver prolongado até o presente ou reproduzido nele aquilo que corresponde nitidamente a outro horizonte histórico.

O estudioso do nosso Segundo Reinado, que se fez monarquista animado de um falso sentimento de coerência, ou o pesquisador das antigas corporações de misteres, que, movido por escrúpulo semelhante, julga discernir na restauração pura e simples desses institutos a panaceia capaz de resolver, para sempre, todos os desequilíbrios sociais e econômicos da atualidade, obedecem, embora muitas vezes sem o saber, a um ponto de vista essencialmente anti-histórico. Ponto de vista que, em sua expressão mais singela, corresponde à crença de que a verdade absoluta, válida para todo o sempre, pode encarnar-se em alguma expressão histórica isolada.

E se tal atitude nasceu e frutificou notavelmente em terras de venerável tradição, não se julgue que estejam imunizados contra ela os países novos. Penso, muito ao contrário, que exatamente entre povos sem longo passado como o nosso, torna-se por isso mesmo frequentemente tirânica a ambição de forjar um passado artificial, e que a "idolatria do ser efêmero", como chamou a essa tendência o historiador britânico J. Toynbee, tende a encontrar os mais fervorosos adeptos. A pungente preocupação dos "homens novos" de todos os tempos, de forjarem para si longas e ilustres linhagens de ancestrais, ou de enfeitarem seus nomes sem história de títulos antigos e sonoros, é bem notória para se insistir em sua verdadeira importância ou significação.

Zelar pelo passado, através de seus autênticos testemunhos, é sem dúvida obrigação precípua do historiador. Mas obrigação que, justamente para ser coerente, requer que se denunciem com vigor o simples pastiche ou a vontade de se ressuscitarem monumentos e instituições de eras transatas.

Uma crescente reabilitação dos estudos históricos, feita segundo esse critério, torna-se, pois, exigência imperiosa, a que devem atender as novas gerações. E essa reabilitação pode efetuar-se em grande parte por uma atenção mais dedicada aos problemas da historiografia. Do interesse por esses problemas é característica, entre outros fatos, a publicação recente de um livro como o de José Honório Rodrigues sobre a *Teoria da História do Brasil*. Sejam quais forem as divergências que possa suscitar essa obra – divergências relativas, sobretudo, ao método de exposição, que nem sempre deixa transparecer com clareza os pontos de vista do autor –, parece certo que sua simples presença constitui passo importante para o estudo desses problemas. Até recentemente ainda dependíamos em grande parte, por esse aspecto, do velho manual de Langlois e Seignobos, publicado ainda no século passado e só há pouco traduzido para o português. Essa teoria, elaborada por quem nos ofereceu, quase simultaneamente, com sua *Historiografia e bibliografia do domínio holandês no Brasil*, um repertório crítico notável das fontes documentárias para o conhecimento de um dos episódios mais importantes da vida colonial do norte do país, é prenúncio de nova e valiosa orientação dos estudos históricos entre nós. Para tal orientação acredito que muito militará a iniciativa do grupo de professores paulistas que vem publicando uma nova *Revista de História*. Apesar de sua modéstia, esse periódico, a que espero dedicar em outra ocasião comentário mais extenso, poderá ter grande papel em nossa cultura. O de mostrar o verdadeiro sentido de uma disciplina, que se vem transformando cada vez mais, de simples devaneio estético, ou exercício erudito, em questão vital para a época presente.

Para uma nova História*

Assim como no domínio da literatura, tomada a palavra em seu sentido mais estreito, temos visto entre nós, ultimamente, uma característica retração do romance e do conto em favor da poesia, e de uma poesia que se pretende cada vez mais próxima de sua inefável essência; em outro domínio – o da historiografia – parece registrar-se na aparência uma correspondente purificação, com o declínio dos trabalhos sobretudo interpretativos, em benefício da exposição objetiva e amplamente documentada.

Não ousarei ver mais do que uma coincidência fortuita, e de fato ilusória, no aparente sincronismo dos dois movimentos. A aproximação entre a poesia pura, poesia bem lavada, bem depurada de todo acidental e prosaico, e a pura história – se assim é lícito dizer – viria de simples sugestão vocabular. Se existe entre elas algum elemento comum, estaria este na ambição dos seus adeptos de atribuírem a cada disciplina conteúdo peculiar, limitado, intransferível. A erudição há de ser simples erudição e a literatura – as belas letras – há de ser poesia, que é sua quinta-essência.

* Artigo originalmente publicado na *Folha da Manhã*, São Paulo, 26 jul. 1950. (N. O.)

O que se toleraria cada vez menos são as formas hesitantes e bastardas. Mas pode-se com justeza dizer que esse paralelismo provenha nos dois casos das mesmas e imperiosas razões, e não resulte, antes, de circunstâncias acidentais?

Não me sinto convencido, por outro lado, de que os dois movimentos, caso signifiquem para nós mais do que uma condição passageira, representam sempre progresso plausível, quer no domínio da literatura estética, quer no da literatura histórica. Temos visto, com frequência, como a poesia não pode reduzir-se a corpo simples, e como, ao contrário, o coloquial, as emoções "negativas", o prosaico, em suma, constituem, muitas vezes, mais um enriquecimento do que uma perda.

Quanto à historiografia, não há dúvida que a demissão da inteligência, e direi também da imaginação – imaginação que escolhe, que simplifica, se necessário, e que recria –, associada a uma exaltação do fato puro e mensurável, pode significar em certos casos um regresso. Bem sabemos que os fatos nunca falam por si, que o verdadeiro historiador não é apenas o que conseguiu acumulá-los no maior número possível, mas o que soube formular-lhes, a esses fatos, as perguntas realmente decisivas, dando-lhes ao mesmo tempo voz articulada e coerência plausível.

Dos que, ainda em nossos dias, se apegam teimosamente ao preconceito positivista do fato puro, pôde dizer no ano passado Lucien Febvre: "Eles conservam em 1949 uma espécie de respeito supersticioso ao fato: espécie de fetichismo do fato, que é em verdade a coisa mais singular que se possa conceber, e a mais anacrônica".[1]

E se à palavra de um historiador, que bem conhece o seu ofício, fosse dado associar a de um filósofo, que busca o sentido dele e sua justificativa, eu lembraria a de Karl Jaspers, no livro por mais de um aspecto desconcertante, porém rico de sugestões e inesperadas iluminações que acaba de publicar sobre a origem e missão da História.[2] Para Jaspers, o processo de transformação de nossa consciência histórica, de que hoje participamos, preservando embora, e prolongando as grandes aquisições

---

1 Febvre, Vers une autre histoire, *Revue de Metafisique et de Morale*, 1949, p.239.

2 Jaspers, *Vam Ursprung und Zeit der Geschichts.*

do trabalho de pesquisa efetuado pelos nossos antecessores, sobretudo no século XIX, tende a ultrapassar a fase da simples coleta erudita de material dos arquivos, a fim de se erigir numa indagação vital dos destinos humanos.

No Brasil, entretanto, onde só há pouco o tirocínio universitário, e um contato mais assíduo com os grandes centros culturais, começa a habituar-nos a não ver nas teorias e ideias seu mero valor fiduciário, apresentação de alguma nova forma, nova fórmula, de conhecimento, reveste-se muitas vezes de caráter sacramental. A fórmula, que deveria ter efeito provisório apenas, e especulativo, converte-se sem dificuldade em dogma definitivo e inapelável, até que se insinue no horizonte quem deva decretar a sua fatal derrocada. Os que ontem juravam por um profeta, congregam-se hoje à invocação de outro, convictos de que, enfim, se apropriaram da verdade.

Assim, entre historiadores, contra os que antes acreditavam no valor final da documentação, ergue-se a seita dos que tendem a proscrevê-la em prol da simples especulação. A muitos destes não ocorreu pensar que, se os fatos materiais objetivamente averiguados, situados, datados, não formam a história, ou toda ela, formam entretanto um dos seus elementos. Mesmo um filósofo como Jaspers já se viu como não hesitou em acreditar na necessidade de preservá-los e integrá-los na nova concepção de História. E um pesquisador atual – Henri Marrou –, por mais que se oponha à exaltação unilateral desses fatos, não deixa de considerá-los como a ossatura e o arcabouço da verdadeira História. As próprias categorias da lógica positivista não seriam para ele completamente inúteis e falsas; são simplesmente exotéricas, elementares, interessando apenas a um nível mais baixo de investigação. Crítica interna, crítica externa, *toilette* dos documentos – tudo, enfim, quanto aprendemos em manuais clássicos –, fazem parte da erudição e são verdadeiramente da História. Mas não se segue daí que devam ser desprezados: o que importa é subordiná-los a uma visão ampla e alta.

Entre nós, que nunca tínhamos chegado, salvo em casos isolados, em verdade excepcionais, a absorver a lição de curiosidade, de paciência, de rigor, de zelo crítico, que ensinavam alguns velhos mestres, cumpre ainda menos desdenhá-la ante o apelo de virtudes mais insignes e menos humildes. Muitos fatos de nosso passado relativamente breve ainda continuam ignorados ou mal conhecidos. Isso não quer dizer que todo esforço de síntese ou interpretação será prematuro, mas que o labor de nossos historiadores há de se tornar duplamente penoso se quiser ser plenamente válido, pois reunirá ao esforço que nossos antecessores muitas vezes não realizaram outro bem distinto, que nossos contemporâneos e sucessores precisam realizar.

Lembro-me, a esse propósito, de certa conversa que em 1941 mantive na Library of Congress, em Washington, com ilustre pesquisador norte-americano, bem versado em coisas da América Latina. Falava-se em dois ilustres historiadores brasileiros, meu interlocutor observou que, apesar de seus méritos eminentes, lhes faltava alguma coisa para que sua obra fosse inteiramente satisfatória.

O mal dos *scholars* brasileiros, dizia-me ele, é que são, na sua quase totalidade, homens incompletos. Assim é que, na obra de A, é profusa a documentação e perfeitamente nula a imaginação. Em B, ao contrário, a imaginação é devoradora e consome toda a documentação. Que imenso historiador não teriam vocês, no dia em que pudessem associar A e B numa só pessoa.

Parece-me ainda que tinha razão quem assim falava. Apenas entendo que, dispondo como dispomos de material documentário ainda pobre ou pouco acessível e de uma imaginação ainda mal-educada, esse historiador ideal, erudito e ao mesmo tempo compreensivo, investigador e também pensador, cheio de humildade e cheio de lúcido discernimento, não poderíamos improvisá-lo de súbito. É necessário, por isso, que apesar das divergências de método, de esforço, de geração, saibam considerar-se uns aos outros com rigor crítico, sim, mas sem rancor dogmático.

À luz desse critério podem e devem examinar-se muitas das produções de nossa ciência histórica. Algumas, e das maiores, realizam-se aos nossos olhos, e bastam, de qualquer modo, para testar a vivacidade desses estudos no momento presente. O décimo e último volume da *História da Companhia de Jesus no Brasil*, de Serafim Leite, acaba de publicar-se. E acaba de publicar-se, ainda, o décimo, e penúltimo, da *História Geral das bandeiras* de Afonso Taunay: o último já se encontra no prelo, em edição do Museu Paulista. Será lícito criticar, em um ou outro desses autores, o método utilizado, ou o ponto de vista adotado, mas quem dirá com segurança e boa-fé que suas obras verdadeiramente monumentais não se asseguraram, desde já, crédito perene?

Outras, certamente mais modestas – o valioso estudo de Maurício Goulart, por exemplo, sobre a *Escravidão africana no Brasil* –, e mesmo algumas coleções de documentos, os vêm publicando a municipalidade de Salvador da Bahia, os textos de Alexandre de Gusmão, que Jaime Cortesão está organizando e divulgando, ou os da Coleção De Angelis, preparados pelo mesmo benemérito historiador, e cujo aparecimento vem sendo aguardado com impaciência. Os documentos paraguaios sobre a expansão bandeirante que acaba de imprimir o Arquivo Municipal de São Paulo não podem deixar de interessar ao crítico empenhado no registro de nossa atividade intelectual. Comentar a todas, nestas crônicas, seria evidentemente ocupar muito do espaço que deveria ser dedicado também – e talvez com mais razão – a outros gêneros de literatura. Por isso, quando tratar de alguma delas, o que será feito em outros artigos, não me moverá a ambição de ser exaustivo. E nem sequer a de tentar recomendar ao interesse dos estudiosos as que, em realidade, dispensam recomendação.

Resenha bibliográfica*

Uma primeira leitura, há sete anos, da vida de Dom Pedro I, de Octávio Tarquínio de Sousa, levara-me a realçar nela a eloquência pacífica, oriunda não do ruído, da ênfase, dos gestos, mas da contenção e da sobriedade, que sabem resistir aos ventos adversos. Eloquência que não parece querida pelo autor, mas é emprestada naturalmente pelos leitores e que, na generalidade dos casos, constitui menos obra da vontade do que obra do tempo: fruto do consenso de sucessivas gerações.

Um novo contato com o mesmo livro, na nova e vasta moldura que tomou agora, só me serviu para ver confirmada essa opinião sobre as virtudes constantes do escritor, historiador e biógrafo que o compôs. Quando muito me levaria, se não a corrigir o juízo que a obra, em sua primeira edição, pudesse sugerir acerca do principal fundador do Império do Brasil, a menos a situá-lo melhor no processo histórico onde ele se integra.

É que há sete anos o crítico se via levado quase insensivelmente a encarar aqui uma figura sobranceira à trama dos acontecimentos de que ela participara com singular eminência. A própria narração dos fatos surgia,

* Artigo originalmente publicado na *Revista de História*, São Paulo, jul.-set. 1950. (N. O.)

como seria lícito esperar-se, filtrada, muitas vezes, e ordenada, segundo o realce que há de tomar um personagem principal capaz de polarizá-los.

Só o mal-entendido zelo de certos censores poderia ver nisso, ou ainda nas partes da biografia em que gloriosas palavras parecem compensar de sobejo os defeitos, por vezes acanhados e mesquinhos do imperador, subtraindo-o, afinal, àquela "ordinária medida" humana de que nos fala o próprio biógrafo, uma distorção da realidade ou uma parcialidade incompatível com a objetividade inerente ao mister de historiador.

Em todo o curso da história existiram, contudo, dessas individualidades que, seja pelo mérito próprio ou simplesmente pela boa fortuna, conseguem empolgar largamente os sucessos de que participam, e quem negará que no quadro brasileiro de português, ao tempo de nossa independência, e ainda mais tarde, Dom Pedro se achou justamente em semelhante situação? A constante referência de dados apurados e rigorosamente documentados sobre um período histórico às figuras que possam até certo ponto centralizá-las é, em verdade, um dos modos válidos e perfeitamente legítimos de se selecionarem e disciplinarem aqueles dados.

Quanto à outra reserva, relativa a uma eventual parcialidade do biógrafo em favor do biografado, não seria demais responder-lhe com as palavras que, em seu belo estudo sobre as finalidades e os métodos da História, escreveu recentemente o professor G. N. Renier, da Universidade de Londres: "Uma parcialidade moderada", são suas palavras,

> é mais admissível na biografia do que em qualquer outro gênero histórico, sempre que a parcialidade seja em prol do biografado. Uma biografia que tenda a denegrir é sempre reprovável. Nesse caso cabe perguntar sobre as razões que levaram o escritor a escolher seu tema. Na medida em que a parcialidade se mantenha dentro de certos limites, acha-se ela plenamente justificada. No fundo, toda criatura humana é boa, louvável. E o biógrafo incapaz de descobrir a menor virtude em seu herói é mau psicólogo e pior historiador.[1]

1 Renier, *History, its Purpose and Method.*

Dessa vida de Dom Pedro I, se ninguém dirá, certamente, que representa uma peça difamatória, quem pretenderá, por outro lado, que seja uma obra louvaminheira? E se até certo ponto, ante a tela singular onde a figura do biografado ocupava por força o primeiro plano, seria fácil a tentação de realçar-lhe desmedidamente o merecimento pessoal, esse mesmo risco tende a dissipar-se desde que ela se inseriu e foi como que absorvida num político harmonioso em todas as suas partes. Seja como for, a parte desejada no conjunto Dom Pedro jamais deixará de ser, por si só, um guia prestimoso e palpitante de vida para quem queira bem conhecer uma das etapas dominantes de nossa evolução nacional. Há duas datas que a balizam, marcam, com efeito, o começo e o fim de seu reinado. E não há exagero em pretender hoje, como o pretender há mais de um século, entre essas duas efemeridades, pois entre o 7 de setembro e o 7 de abril se estende, apesar de todas as suas contradições íntimas, uma era de fecundidade sem precedentes em todo o curso da vida brasileira. Nesse livro no qual tão intimamente se entrelaçam e se completam a vida de Dom Pedro I e a vida brasileira de seu tempo, deu-nos Octávio Tarquínio de Sousa uma obra que já tem seu lugar assegurado entre as que melhor representam nossas leiras históricas e não só as atuais.

Sobre um novo formalismo*

Há três anos, falecia Clemente Ferreira, justamente considerado o "Patriarca da Tisiologia Brasileira", mestre incontestável que todos aprenderam a venerar, procurando nunca esquecer suas magníficas lições e cidadão emérito que deixou, no seio do povo, uma legião enorme de beneficiados com a sua obra grandiosa, tornando-se credor do mais profundo reconhecimento da pátria, à qual prestou os seus melhores serviços.

Clemente Ferreira nasceu na cidade fluminense de Resende, em 1857, sendo filho de lavradores portugueses, que, no árduo trabalho da gleba, vieram aqui encontrar oportunidade para prosperar, radicando-se definitivamente ao nosso meio.

E, depois de formado, é para Resende mesmo que o jovem médico volta a fim de exercer sua profissão, atirando-se à vida fatigante de clínico da roça, ganhando 10 mil réis por légua e 4 mil réis por consulta. Durante cinco anos de sacrifício, dedicou-se ele, assim, com energia incomparável a esse árduo trabalho, sempre estudando e colaborando em diversas revistas médicas europeias. Daí ter sido ele, na época, surpre-

* Artigo originalmente publicado na *Folha da Manhã*, São Paulo, 23 ago. 1950. (N. O.)

endido com o título de membro correspondente da Sociedade de Terapêutica de Paris.

Os horizontes do médico da roça abrem-se, dia a dia, e ei-lo, em 1887, partindo para o Rio de Janeiro, onde vai abrir consultório. Ali, procura o serviço de criança do velho Moncorvo, na Policlínica Geral, e acaba por dirigir o mesmo durante seis anos, e, apesar de clinicar como especialista em moléstias pulmonares, no seu consultório particular, interessa-se vivamente pelos problemas de puericultura, pouco estudados até então. Em 1893, publica ele no *Bulletin de Thérapeutique* o seu primeiro estudo sobre a tuberculose infantil. E logo, também, a Academia Nacional lhe confere o título de membro titular.

Ainda em pleno Império, a febre amarela grassa em São Paulo e, em Campinas, ela flagela terrivelmente sua população desprovida de recursos. O governo apela para a abnegação dos médicos, e Clemente, embora um republicano de boa têmpera, para lá parte como voluntário, enfrentando uma luta titânica contra a morte, em defesa daquela gente do povo que tombava vitimada pela moléstia implacável.

Passada a tormenta, regressa ele ao Rio, ao convívio dos seus e sempre disposto a novas lutas, voltando a dedicar-se ao estudo e tratamento da tuberculose.

Logo mais, é ele chamado a São Paulo, onde é feito inspetor sanitário, empenhando-se, agora, na luta contra os remanescentes da febre amarela, que ainda assolava o interior do nosso Estado.

Clemente Ferreira, no entanto, sentia que a tuberculose era a doença social que mais vítimas fazia em nosso meio, prejudicando seriamente as energias vivas da nação. E, a 17 de julho de 1899, funda a Associação Paulista de Sanatórios Populares para Tuberculosos, que, depois, passou a chamar-se Liga Paulista contra Tuberculose, entidade esta que dirigiu até o fim de sua vida laboriosa e incansável, deixando um exemplo significante de trabalho e dedicação às gerações médicas que se sucederam.

O seu discurso, pronunciado na sessão magna de aniversário da Academia Nacional de Medicina, em 1892, como orador oficial, foi um verdadeiro libelo contra os erros dos governantes na sua indiferença quase que absoluta aos problemas da medicina. E, a certa altura, diz com firmeza:

> Senhores, eu confio que agora, que dirige os destinos da nação um governo sério, honesto e moralizador, ele deixará a senda até aqui trilhada pelos seus predecessores, para enveredar pela estrada larga da justiça ao verdadeiro mérito, onde quer que a modéstia o isole, do auxílio indispensável, da animação fecundadora ao trabalhador desinteressado e consciencioso.

Mas, infelizmente, essa confiança do grande tisiólogo nos futuros governantes se esborrou completamente, pois até o fim de sua vida, nunca mais ele calou sua voz de protesto contra a falta de apoio que sempre os dirigentes da nação emprestaram aos problemas da saúde do povo e notadamente à campanha por ele liderada da luta contra a tuberculose em nosso país.

Já em 1904, em conferência realizada no Clube Piracicabano, afirmava ele: "Lutar contra a tuberculose é trabalhar pelo engrandecimento da pátria". E salientava o fato de que pouco valeriam as medidas curativas, se, ao seu lado, não fossem adotadas medidas profiláticas na luta contra a peste branca, que vitimava, em todo o mundo, cerca de 6.824.801 pessoas por ano, em nossa terra, aproximadamente 59 mil existências, escolhendo esse flagelo atroz, como dizia ele, "de preferência as suas vítimas na idade de maior capacidade produtiva, de 30 a 40 anos, quando o capital humano mais rende, como fator de trabalho, como fonte de produção". E, ao lado das medidas profiláticas, colocava ele como indispensáveis a melhoria das condições de alimentação e habitação do pobre, do homem do trabalho, das unidades produtoras.

> Domiciliamento higiênico, vivenda humana e barata para o proletariado, alimentação suficiente em qualidade e quantidade e ao alcance de todos os que dispõem de poucos recursos ou incertos ganhos apenas, abono às famílias necessitadas, em uma palavra – melhoria do padrão de vida em suas várias faces, sem olvidar a educação sanitária do doente

> e dos que com ele convivem, só praticamente possível e alcançável em futuro ainda remoto... eis o que importa mais que tudo para que a luta contra a endemia feroz se torne eficiente e vitoriosa.[1]

E, já em seu relatório apresentado em 1941, chamava a atenção para a questão dos salários das classes trabalhadoras como responsável imediato pela situação da saúde das mesmas. E dizia:

> Trata-se, pois, sem o mais leve exagero, de ordenados de salários de fome, e isso em quase 50% dos casos. Tal situação econômica, tão baixo padrão de vida, explicam de sobejo a morbidade geral e a tuberculização fácil de semelhantes organismos, que vegetam e se arruínam nas mais precárias condições.[2]

Referindo-se ao problema da habitação, já dizia ele: "O problema da habitação econômica, da vivenda proletária, remonta a datas remotas, e sua solução impôs às cogitações dos governos e coletividades, desde o início da industrialização em vários países da Europa".[3] E, depois de falar sobre as casas de cômodos, cortiços, porões e mocambos, acrescentava Clemente Ferreira: "É, pois, lógico o incremento da morbidade e da mortalidade nessas pocilgas, onde se cultivam todos os germes mórbidos e se estiolam legiões de organismos – presa fácil da tuberculose –, a doença da miséria e da má habitação".[4]

Estudou ele o problema da alimentação e subnutrição de nossas populações urbanas e rurais, chegando à conclusão de que, a continuar esse estado crônico de subalimentação das camadas pobres da população brasileira, pouco ou quase nada se poderia fazer no terreno da tuberculose.

Por fim, afirmou que "o problema da tuberculose é um problema médico e em mais alto grau social", e, mais, que é preciso modificar o

---

1 Veja *Relatório da Liga Paulista contra a Tuberculose,* apresentado à Assembleia Geral Anual correspondente ao exercício de 1939, p.14.

2 Ibid., p.11.

3 Ibid.

4 Ferreira, *Estudos e conferências*, 1939-1943, p.74.

meio social no qual prospera a endemia, sendo certo que "como problema 1/3 médico e 2/3 social, a peste branca necessita de uma profilaxia e de uma terapêutica sociais".

Clemente não somente apontava os efeitos como também remontava às causas verdadeiras da disseminação da tuberculose. Dizia ele:

> O aspecto social da tuberculose e sua feição econômica vão sendo objeto de ponderadas preocupações, pois explicam, em muitos casos, as diferenças profundas que se notam nos diversos países e em uma mesma nação, consoante as fases econômico-financeiras que atravessam, conforme agem fatores vinculados a crises e depressões.

Ligava ele, pois, com uma admirável compreensão de médico-sociólogo, os problemas de saúde (e especialmente da tuberculose) com os problemas fundamentais da nação, quais sejam, o seu desenvolvimento econômico e o seu progresso social pela melhoria das condições de vida das classes trabalhadoras e o seu amparo através do aperfeiçoamento da legislação social, e que somente seria conseguido por meio de outras diretrizes políticas do governo da nação, que não as trilhadas até então.

Por isso, não cessou ele de verberar contra a orientação dos governantes, que nunca haviam estado à altura das reais necessidades do povo. Assim é que, em 1943, já no fim de sua existência, comentava ele num discurso proferido na época:

> Nossa situação de displicência, de conformismo passivo, é inexplicável, mormente após tão longo período de estudos, investigações e debates nos congressos e associações científicas, e depois de formulados os termos do empolgante problema, que espera ansiosamente do espírito de decisão, da energia realizadora dos que presidem aos destinos do país, sua solução completa e definitiva. O adiamento majora as dificuldades da nossa situação.

E, adiante, lamentava: "O que tem sido oficialmente realizado na União e nos estados é, ainda infelizmente, insuficientíssimo. Faz-se imperioso providenciar mais largamente e com menos morosidade".

Foi Clemente Ferreira, pela grandiosidade de sua obra, sem dúvida um desses homens excepcionais voltados para o bem-estar do próximo e um cientista emérito que soube colocar os seus conhecimentos e a sua ação a serviço de uma causa que lhe deu um lugar dos mais destacados na galeria dos maiores vultos da luta pelo nosso engrandecimento. A sua morte foi dessas que o povo sente como a de um dos seus amigos mais ternos, pois todos reconheciam nele, acima de tudo, um coração aberto a sentir todos os sofrimentos alheios e um espírito combativo disposto a lutar com sua inteligência e saber pela sorte da humanidade.

Clima e raça*

Não creio que entre as menores atribuições de um comentador de livros e de ideias figure a de mostrar o interesse amplo de certas obras endereçadas, na aparência, a reduzidos círculos de especialistas e a estes somente, mas que, não obstante, parecem dignas de maior repercussão. De um livro, por exemplo, cuja publicação recente há de permanecer entre as iniciativas beneméritas do Instituto Brasileiro de Geografia e Estatística, e que se encontra, por muitos aspectos, nesse caso, tenho a convicção de que constitui das mais notáveis contribuições que se poderia desejar para o progresso dos estudos brasileiros. E também a de que, não fosse seu título, talvez pouco sugestivo para muita gente e capaz de iludir sobre o alcance do conteúdo, já teria recebido a atenção que sem dúvida merece.

A verdade é que o estudo de Ernst Wagemann sobre a *Colonização alemã no Espírito Santo*, só agora posto ao alcance do grande público brasileiro, embora publicado, primeiramente, há 35 anos, quando seu

* Artigo originalmente publicado na *Folha da Manhã*, São Paulo, 29 ago. 1950. (N. O.)

autor ainda não alcançara a projeção intelectual que viria a obter depois, está longe de dirigir-se apenas àqueles especialistas ou técnicos.

Para iluminar toda uma série de problemas que, dada sua reiteração, às vezes obsessiva, nos quais variados escritos de nossos sociólogos, historiadores, geógrafos, antropólogos, pode-se dizer que não pertencem, entre nós, a nenhuma dessas especialidades tomadas de *per si*, mas se converteram em patrimônio comum a todas elas e, de certo modo, a todos os estudos que visem à melhor inteligência dos nossos rumos e destinos nacionais, as observações de Wagemann proporcionam elementos que já agora não poderão ser facilmente desdenhados.

Num país que, como o nosso, se situa, na sua maior extensão em zonas cálidas, que futuro está reservado à civilização ocidental, de cuja herança nos orgulhamos e cujos valores desejamos preservar? E ainda: em que grau os povos de raça branca, portadores tradicionais daquela civilização, seriam compatíveis com nosso meio físico e com as condições de vida que esse meio favorece? Até onde, finalmente, as formas de vida importadas de terras frias ou temperadas lograrão subsistir entre nós sem mudança ou, como querem outros, sem degenerescência?

As observações feitas por Ernst Wagemann referem-se, é certo, a uma área extremamente limitada de nosso território e às perspectivas de acomodação a essa área de um único povo europeu. Mas quando se considere que precisamente os representantes desse povo passam, não raro, por ser dos mais teimosamente aferrados à lembrança de sua terra de origem, ao longo de gerações sucessivas, e dos menos compatíveis – como coletividade e raça, se não como indivíduos – a climas estranhos; quando se sabe, por outro lado, que o Espírito Santo, assim como a parte mais considerável do território brasileiro se insere geograficamente na zona tropical, então certas observações que à primeira vista parecem padecer de uma limitação exclusivista, tomam caráter exemplar e típico. Por esse aspecto, o caso das populações europeias, sobretudo germânica, instaladas há mais de um século nas terras espírito-santenses, pode ultrapassar em interesse, dado o próprio contraste das situações que naturalmente encerra, o das colônias que se localizam em nossos estados sulinos, onde o imigrante veio encontrar um clima subtropical ou temperado, que não desafia violentamente sua capacidade de adaptação.

Entretanto, ao passo que o caso do Sul, especialmente o do Rio Grande do Sul, já suscitou uma literatura numerosa e respeitável, que envolve desde os estudos históricos, como os de um Aurélio Porto, até as investigações sociológicas mais modernas e complexas, como as de Emilio Williams – para só me referir à bibliografia brasileira e em língua portuguesa –, o do Espírito Santo permanece virtualmente ignorado e esquecido. Nem o fato de já ter inspirado uma das obras clássicas de nossa prosa de ficção – o *Canaã* de Graça Aranha – serviu até aqui de poderoso estímulo contra esse desconhecimento.

Mas não foi apenas entre brasileiros que o caso daquelas dezenas de milhares de colonos germânicos insulados há algumas gerações entre nossas montanhas e florestas, nas bordas da zona tórrida, e que às vésperas da Guerra de 14 equivaliam numericamente, segundo Wagemann, aos de todas as então possessões alemãs reunidas, pôde provocar grande curiosidade científica. É significativo, por exemplo, que em inquérito tão pormenorizado sobre o colono europeu nos trópicos, como o que realizou Grenfell Price, e que a American Geographical Society de Nova York fez imprimir em 1939, não se faz sequer menção da existência dessa verdadeira ilha germânica situada em nossas latitudes tropicais, embora todo um extenso capítulo seja dedicado aos colonos brancos na América do Sul (e na Costa Rica). A quem pretenda conhecer esse problema e não possa investigá-lo *in loco* só cabe o recurso de estudá-lo em obras de alguns especialistas ou viajantes alemães. Nesta de Wagemann, em particular, que acaba de ser traduzida, ou na de G. Giemsa e E. G. Nauck, sobre os resultados de uma expedição efetuada em 1935 por incumbência do Instituto Tropical de Hamburgo e cuja tradução nos é prometida, ou nas extensas e valiosas observações de Otto Maull em seu livro monumental sobre o Brasil, *Vom Itatiaya zum Paraguay*. Já não me refiro ao relator de Lamberg que, tendo percorrido terras capixabas na segunda metade do século passado, pôde colher preciosos dados sobre aquelas colônias durante a fase inicial de seu desenvolvimento.

Em muitos casos, as observações feitas por esses pesquisadores obedecem à inspiração de doutrinas raciais e mesmo de ideologias nacionalistas fundadas em tais doutrinas, o que só por curiosa extravagância puderam oferecer atrativos a certos estudiosos brasileiros. Quando um Nauck, por exemplo, chega a invocar, em 1938, os fundamentos doutrinários do nacional-socialismo em favor da preservação em sua integridade da pureza racial e cultural dos 40 mil alemães ou teuto-brasileiros estabelecidos entre as florestas capixabas, não vejo como seu ponto de vista tenha precisamente por onde nos encantar. Mas também não creio que, tomadas em bloco, as conclusões obtidas nesse caso, e em outros, possam ser fortemente prejudicadas pelo seu colorido racista. Em certo sentido, acredito mesmo que a presença de atitudes semelhantes deva ser, ao contrário, um incentivo para que procuremos conhecê-las.

No caso do livro de Wagemann, publicado, aliás, muito antes do surto hitlerista na Alemanha, parece-me que o ponto fraco da recente versão portuguesa, por outros aspectos de tamanha fidelidade, está no empenho do tradutor em limar certas arestas e velar as asperezas de um texto capaz em mais de um caso de ferir suscetibilidades do leitor brasileiro. Quando, por exemplo, no original, se diz das raparigas de ascendência teutônica,[1] que nada adquiririam da graça lânguida e da elegância das luso-brasileiras, o que atribui à circunstância de não se entregarem, como estas, a um constante "*far niente*" (*Nichstum*), a tradução suprime o texto talvez desabonador para as brasileiras. Pouco adiante, onde o alemão declara que no clima das baixadas, alguns colonos tendem a degenerar e "abrasileirar-se" (*verbrasilianen*), o texto de Santana, diz "acaboclar-se". E onde Wagemann escreve que, em síntese, "o campônio alemão das matas do Espírito Santo surge aos nossos olhos como uma imagem de robustez, em meio de uma gente depauperada e degenerada"[2] (*inmitten eines schwachlichen und entarteten Geschlechts*), o brasileiro deixa cair seu ponto final logo depois da palavra "robustez", omitindo cuidadosamente o resto da frase.

1 Wagemann, *A colonização alemã no Espírito Santo*, p.114.

2 Ibid., p.141.

Essas pequenas e injustificáveis traições de um tradutor demasiado prudente não chegam, todavia, a diminuir a importância de seu esforço e nem a prejudicar o significado das observações que se compendiam na obra de Wagemann. Em próximo artigo tentarei deter-me em algumas dessas observações.

Raça, cultura e clima*

Entre historiadores e sociólogos, que se têm ocupado, mesmo entre nós, do problema da aclimação de europeus, principalmente europeus do norte, às regiões de temperatura tropical, não são poucos os que inclinam de preferência a uma solução negativa. É característico, por exemplo, que Gilberto Freyre, com a autoridade que ninguém lhe contesta, venha insistindo reiteradamente em acentuar a capacidade excepcional revelada pelos portugueses para se adaptarem de corpo e alma às terras de clima quente. Mas isso mesmo só lhe parece explicável na circunstância de achar-se o português predisposto pelo meio original, mais do que outros povos europeus, mais do que os seus próprios vizinhos, os castelhanos, a um contato vitorioso com o mundo dos trópicos. "Nas condições físicas de solo e temperatura", escreve, "Portugal é antes África do que Europa". Não lhe seria extremamente difícil, por conseguinte, vencer onde tantos pereceram, construindo em áreas tropicais uma sociedade moderna dotada de caráter nacional e de qualidades de permanência.

Não são muito diversas, na aparência, algumas das verificações a que foi levado outro estudioso da História Social do Brasil, Oliveira Vianna,

* Artigo originalmente publicado no *Diário Carioca*, 3 set. 1950. (N. O.)

embora partisse de premissas e ideias por vezes opostas às do autor de *Casa-Grande e Senzala*. E há mais de oitenta anos um ilustre precursor desses estudos não deixara, por sua vez, de assinalar o malogro reservado ao branco puro em nosso meio, sobretudo em nossas cidades do litoral. Ao cabo da terceira ou quarta geração, dizia Couto de Magalhães, a "raça" branca pura, sem os "cruzamentos providenciais", só dá produtos inferiores: magros e nervosos ou gordos, de carnes e musculação flácidas e temperamento linfático.

Essas opiniões apoiam-se muitas vezes em depoimentos numerosos e aparentemente bem fundados, ainda quando em alguns casos sua composição científica não seja fácil. E alguns trabalhos realizados recentemente não parecem longe de reforçá-los com argumentos novos. No amplo inquérito empreendido por A. Grenfell Price e a que já se fez referência em artigo anterior, foram os resultados, de um modo geral, desfavoráveis ao estabelecimento em larga escala de europeus nas áreas tropicais;[1] ao menos de europeus que se mostrem mais resistentes à miscigenação com o elemento nativo que já tenha passado por um processo de adaptação às mesmas áreas. Além disso, aquela miscigenação, caso se desse, poderia vir a criar, ainda segundo o mesmo autor, dificuldades sociais particularmente graves e talvez desarmonias biológicas. Quanto à possibilidade de surgirem novos grupos étnicos desse cadinho, grupos já ajustados ao meio, ainda parece cedo para qualquer afirmação positiva nesse sentido.

É certo que o constante insucesso da colonização de europeus brancos em áreas tropicais comporta pelo menos a importante exceção australiana. O Queensland do Norte seria provavelmente, sem falar, aliás, na Flórida do Sul, a única região do globo, assegura-nos Price, que assistiu ao estabelecimento, com bom êxito, de uma numerosa população de brancos de origem nórdica em uma área de clima tropical. Contudo, as condições por vezes extremamente otimistas a que deu semelhante experiência pode-se dizer que autorizam opinião definitivamente favorável?

---

1 Price, *White Settlers in the Tropics*.

"A experiência do Queensland do Norte", observa o autor, "é demasiado imatura para que se possa retirar dela uma estimativa sobre os resultados finais". "Não me foi dado encontrar", acrescenta, "um único indivíduo cujos avós tenham nascido todos nos trópicos, embora encontrasse vários com um ou dois avós oriundos da região, e muitos adultos, filhos de pai e mãe naturais dos trópicos".[2]

A importância da literatura existente em língua alemã e baseada em pesquisas científicas ponderáveis acerca das condições em que vivem dezenas de milhares de descendentes dos colonos germânicos instalados há um século, ou pouco menos, na parte central do nosso Estado do Espírito Santo, está principalmente em que tende a revelar-nos uma segunda e valiosa exceção, tanto ou mais valiosa quanto a dos anglo-saxões do Queensland do norte para a suposta incompatibilidade das populações do norte da Europa com o clima tropical. E exceção que não é mencionada e talvez nem sequer suspeitada pelo autor australiano.

A esse propósito parecem decisivas algumas das conclusões a que chegou Ernst Wagemann no único desses estudos que teve até agora as honras de uma tradução brasileira, por iniciativa do Instituto Brasileiro de Geografia e Estatística. "No curso de três gerações", escrevia esse autor há muito mais de três decênios, referindo-se àqueles teuto-brasileiros,

> o clima não o amoleceu nem o debilitou, nem o consumiu o pesado trabalho na floresta. Ao contrário, saiu referendado na luta pela existência. Ainda continua a ter, juntamente com as pequenas fraquezas e os grandes pecados, as virtudes magníficas do germano, a constância e a tenacidade, a fidelidade e a continência, a piedade e a sinceridade, o senso de independência e o orgulho.[3]

A crença, não raro expressa, de que a adaptação insuficiente dos europeus do Norte aos climas cálidos (mesmo ao clima do Mediterrâneo, na Europa, eles já não se adaptam plenamente, declarava o antropólo-

---

2 Ibid.
3 Wagemann, *A colonização alemã no Espírito Santo*, p.102.

go Eugen Fischer) se revelaria num decréscimo de fertilidade, passadas as primeiras gerações, recebe nesse caso o mais flagrante desmentido. Se além das boas condições de saúde, da excelente disposição física, da aptidão para o trabalho entre os teuto-brasileiros das florestas capixabas fosse preciso invocar ainda o argumento da fertilidade, nada mais significativo do que as cifras obtidas por Wagemann. Fundando-se em dados colhidos dos assentamentos dos templos protestantes, pôde ele averiguar que a proporção de nascimentos para morte é de 6 para 1, e de que a taxa anual de crescimento é de 4%. "São números inauditos", observa. E acrescenta, "Não creio que seja possível acontecer, em muitos outros lugares da terra, coisa semelhante. Pretendo até admitir que é esse o único caso autêntico de cifras demográficas tão favoráveis".[4]

O testemunho de Wagemann sobre esse ponto parece plenamente confirmado por algumas pesquisas posteriores, em particular as da missão confiada aos cientistas Gustav Giemsa e Ernst G. Nauck pelo Instituto Tropical de Hamburgo e realizadas em 1935. O estudo resultante dessa expedição, que saiu às vésperas da última guerra (em 1939), ainda não foi traduzido, ao que parece, embora exista a promessa de publicação de uma versão portuguesa, por iniciativa do Conselho Nacional de Geografia. Não é sem interesse, contudo, registrar desde já que as conclusões dos dois cientistas pouco diferem das cifras anteriormente obtidas. Baseando-se nos dados eclesiásticos referentes aos dez anos que precederam à sua viagem, Gustav Nauck pôde averiguar uma taxa de crescimento, decorrente unicamente do excesso de natalidade sobre os óbitos, de 3,7% (contra os 4% que Wagemann obtivera em 1912). "A existência de uma prole numerosa, com reduzida mortalidade", declara, a propósito, "resulta num aumento que pode considerar-se como excepcionalmente elevado, e que parece prenunciar a persistência através de gerações sucessivas, e sem adição de elementos novos, de uma população de progênie inteiramente germânica".[5]

4 Ibid., p.36.

5 Nauck, *Zeitschrift der Gesellschaft für Erdkunde*, p.91.

Para quem se dedique ao estudo dos problemas de aculturação ou mudança cultural, esses descendentes de colonos teutos ofereceriam dos mais interessantes campos de pesquisa que se poderia desejar. Segundo as informações de Wagemann, a civilização material que eles representam foi vivamente afetada por uma imposição do meio, a que cederam docilmente. Sua lavoura é perdulária, em nada diferente da que puderam aprender dos nossos caboclos. Sua vida econômica está baseada, ou estava, em 1912, na monocultura cafeeira. Fazem mutirões para as roçadas e usam monjolos Wassermuhle (moinho de água) para velar o café ou pilar o milho. Vestem-se como a gente da terra, dispensando os calçados, salvo nas cerimônias domingueiras. Para o transporte dos seus produtos, recorrem às tropas de muares. Na alimentação abandonaram em grande parte os usos ancestrais. O próprio pão de trigo transformou-se em artigo de luxo, mas o feijão preto, o arroz e a farinha de mandioca fazem parte das refeições principais. Às frutas não dão grande importância, nem às verduras, que – exceção feita da couve, na região montanhosa – cultivam pouco e mal sabem preparar.

De modo geral é possível dizer-se que as observações feitas posteriormente por Maull e ainda por Giemsa e Nauck comprovam abundantemente a justeza das conclusões de Wagemann. Ainda em 1930 eram elas todas perfeitamente válidas no tocante às condições de vida do colono teuto-brasileiro. Não, porém, no tocante à extensão da área por eles ocupada, porque durante o intervalo tinham fundado novas comunidades, como Laranja da Terra e Criciúma, e em muitos pontos transposto o Rio Doce. Essa expansão envolveu novos problemas que Wagemann não poderia deslindar em 1912. Por exemplo, até onde se reproduziria, nas baixadas, o bom êxito da colonização nas montanhas? Já se indicou no artigo precedente, como o otimismo de Wagemann se torna mais reservado quando encara a perspectiva de expansão dos colonos teutos nas baixadas. É verdade que só pôde lidar, nesse caso, com dados incompletos, pois mal se iniciara ao seu tempo essa expansão e, por conseguinte, os resultados que consignou dependiam ainda de maior averiguação. A verificação fê-la, porém, muitos anos mais tarde, Otto Maull, quando visitou os colonos teuto-brasileiros das regiões cálidas e úmidas da região do Rio Doce. E assim concluía: no tocante às qualidades psíquicas "os colonos sofreram tão pouco como no que diz respeito à energia física; mal se pode dizer que existe diferença".[6] Pode-se objetar, todavia, como no caso de Queensland do Norte, que iniciada a expansão para as baixadas nos anos que se seguiram à Primeira Guerra Mundial a experiência ainda não se acha amadurecida para autorizar uma conclusão definitiva.

Seja como for, os problemas abordados nessa obra ultrapassam, muitas vezes, em importância, sua significação simplesmente local. Para os que se ocupam da questão da aclimação dos europeus nos trópicos, o caso dos teuto-brasileiros do Espírito Santo oferece um campo de observação talvez mais valioso do que o de qualquer outra região do mundo em condições similares. Para os nossos sociólogos, geógrafos, historiadores e antropólogos, ela suscita novas perguntas, que poderão ampliar ou talvez retificar algumas das suas concepções fundamentais.

6 Maull, *Vom Itatiaya zum Paraguay*, p.130.

Nordeste e Noroeste*

A publicação recente do belo livro no qual Estevão Pinto estuda a *História de uma estrada de ferro do Nordeste* pôde mostrar-nos a que ponto um tema aparentemente limitado, interessando a uma determinada região, pode transcender em muitos casos sua significação simplesmente local, quando abordado por quem esteja longamente afeito ao trato das Ciências Humanas. Antropólogo e autor de alguns livros de leitura vantajosa para quem pretenda estudar nossos povos indígenas e seu papel na formação da sociedade brasileira, o sr. Estevão Pinto não quis limitar-se a encarar no desenvolvimento de uma empresa ferroviária (a Great Western do Brasil) os aspectos técnicos que comportaria seu estudo, ou os da história cronológica. Ao examinar a correlação desse desenvolvimento com o da economia nordestina durante quase um século, procurou aferir, em mais de um ponto, a influência transformadora que a presença do ferrocarril iria exercer sobre a estrutura social herdada da fase de colonização.

O estudo das vias de comunicação realizado do ponto de vista histórico quase se tornara uma tradição entre alguns dos que se aplicam

* Artigo originalmente publicado no *Diário Carioca*, 17 set. 1950. (N. O.)

ao conhecimento dos problemas sociais – e também econômicos – de nosso passado, segundo o modelo de Capistrano de Abreu. Mas esses estudos, quando realizados – e ainda tão poucos –, prendem-se em sua generalidade à história colonial. Por que não ampliá-los à consideração de aspectos da vida contemporânea, que se oferecem aos nossos olhos, mormente dos aspectos sociológicos, geográficos e econômicos associados à abertura dos caminhos de ferro?

O trabalho de Estevão Pinto proporciona-nos desde já uma pequena e sugestiva amostra do quanto se pode realizar nesse sentido. E se não nos deu mais foi possivelmente porque teve de sujeitar-se a restrições que impunha uma encomenda feita ao autor pela própria empresa estudada: motivo ou estímulo para essa obra.

Do livro que quase ao mesmo tempo nos deu Fernando de Azevedo acerca do papel da Estrada de Ferro Noroeste no sistema de viação nacional, pode-se dizer que o tema escolhido quase impõe a abordagem de assuntos que, no trabalho de Estevão Pinto, passariam à primeira vista por subsidiários.[1] Ao passo que no caso da Great Western – e o mesmo cabe dizer da quase totalidade das vias férreas brasileiras – são exatamente os problemas locais e regionais os que logo se insinuam, no da Noroeste somos incessantemente arrastados a um plano mais vasto: nacional e mesmo continental. A vocação pioneira dessa estrada, que, procurando através do sistema ferroviário boliviano abrir caminho até as praias do Pacífico, sugere, sem muito esforço, a lembrança das arrojadas bandeiras seiscentistas, pede naturalmente o recurso às tintas épicas. A visão do futuro que ela estimula inclina sem dúvida àquela espécie de romanesco da geografia e da engenharia que Euclides da Cunha representou tantas vezes de modo magistral, e não é por acaso que ao autor dos *Sertões* coube escrever algumas páginas das mais brilhantes sobre o destino dessa ferrovia, capaz de desvendar "a colonização estrangeira, numa área em que caberiam cinco Bélgicas, um dos mais opulentos recantos do Brasil".

1 Azevedo, *Um trem marcha para o Oeste.*

O próprio Fernando de Azevedo creio que cedeu um pouco a essa sugestão romanesca. A começar pelo título dado à sua obra, que, em verdade, não seria indigno de um romance de Miguel Cholokoff ou de Viana Moog. Contudo, não é ela, aquela sugestão, o aspecto mais importante do tema estudado. As formas embrionárias, não raro simplesmente aluviais, que assumem os núcleos de povoamento instalados à beira da estrada, os centros urbanos que nascem e crescem de um dia para outro, e às vezes estacionam sem ter atingido a maioridade, representam alguns dos fatos que para serem vistos com zelo científico requerem instrumentos mais pacientes e meticulosos do que o telescópio. O professor Fernando de Azevedo, que hoje melhor talvez do que ninguém entre nós oferece o exemplo, cada vez mais raro, de um espírito afeiçoado às boas letras – as letras clássicas –, que não desdenha as minúcias da investigação e da técnica científica mais rigorosas, pareceria excepcionalmente apto para abordar as duas faces da questão.

Se a parte mais volumosa de sua obra até agora publicada se refere especialmente às questões teóricas da Sociologia, particularmente da Sociologia orientada segundo os métodos da escola francesa de Durkheim, o certo é que ele já nos apresentou uma ampla e importante contribuição em que aparecem aliados, sem violência, o rigor da ciência e as virtudes intelectuais de uma formação de humanista. Não será preciso, para comprová-lo, invocar o caso do seu livro *Cultura brasileira*, que forma juntamente com as obras mestras de um Gilberto Freyre e de um Caio Prado Júnior a clássica trindade dos grandes estudos recentes dedicados à melhor compreensão do Brasil.

Nesse seu último livro, o problema encarado reclamava, certamente, uma consideração atenta dos aspectos políticos, e eu quase diria geopolíticos, não fossem certas associações menos felizes que sugere essa fórmula. Nascida sob pressão da necessidade de se "assegurar a união interna do país e a defesa de suas fronteiras", a Estrada de Ferro Noroeste constituiu, economicamente, um saque sobre o futuro que ainda não foi saldado. Os motivos políticos tornam-se, por isso mesmo, absorventes de qualquer outra consideração, quando se estude o seu caso, embora, para as condições atuais, sobretudo, devam enlaçar-se inevitavelmente a sérios problemas de ordem econômica. Mas política e economia em alto estilo, já que o empreendimento nasceu e cresceu em forma superlativa.

Isso não impede, antes requer, que alguns pormenores sejam objeto de consideração atenta, pois que sem eles não haveria terreno para qualquer prognóstico plausível. Um desses pormenores, que mereceria ser amplamente estudado fora dos quadros do presente estudo, é o da organização do trabalho, cujo exame crítico é esboçado às páginas 186 e seguintes. Outro é o que se relaciona à observação sobre a diferença essencial que existiria entre os caminhos de ferro da Europa e os do Brasil ou, em geral, do continente americano. Diferença que consistiria em terem sido traçados, aqueles, sobre redes de viação preexistentes, ao passo que estes careciam de fase intermediária: estaria nisso, segundo o autor, uma das causas decisivas da situação precária com que lutam nossas estradas de ferro.

Sobre esse ponto eu ousaria observar que a diferença não me parece tão essencial como se poderia supor ao primeiro relance. Na América do Norte, conforme já salientou um historiador – J. F. Turner –, as vias férreas encontraram quase sem exceção aquela "fase preparatória". As sendas dos búfalos, dizia ele, se tinham convertido em trilhas de índios, estas em picadas de comerciantes, as últimas alargaram-se para se transformarem nos caminhos reiunos, depois nas vias carroçáveis e por fim nas estradas de ferro. E seria muito diferente a situação entre nós? Em São Paulo, ao menos, pode-se dizer que as vias férreas até fins do século passado acompanharam com pouca diferença o traçado da viação colonial e não raro pré-colonial: o caminho do mar, o do Rio de Janeiro, o roteiro do Anhanguera na direção de Goiás, o do Viamão ou dos tropeiros... E quando deixaram esses traçados já familiares para investirem, neste século, sobre os "sertões desconhecidos e habitados pelos índios", não se pode dizer que do ponto de vista econômico sua temeridade tenha sido constantemente mal compensada. Em mais de um caso esse desbravamento veio a tornar-se para a empresa uma fonte de recuperação e uma garantia – até quando? – de maior estabilidade econômica.

O caso da Noroeste é sem dúvida bem distinto. Transpostas as barrancas do Rio Paraná, ela vai encontrar terras que só se tornam eficazmente produtivas sobre a base de um trabalho preliminar, metódico e bem orientado. Ao empenho de mostrar a necessidade imediata dessas medidas é dedicada uma grande parte do livro de Fernando de Azevedo, esse o seu melhor mérito. Finda a leitura, pode-se perguntar, contudo, se amanhã, empreendido esse trabalho do autor de *Um trem marcha para o Oeste*, não poderá retomá-lo, e dessa vez na região que fica aquém do Rio Paraná. Mas isso, como diria Rudyard Kipling, já é outra história.

Sobre o Colloquium*

A lembrança que me tinha ficado de outra visita a Washington, realizada há cerca de dez anos, pareceu-me completamente plena de uma impressão de silêncio e repouso. Em contraste, não digo apenas com Chicago ou Nova York, mas até com a pequenina cidade universitária do oeste onde eu passara alguns dos melhores dias de uma viagem de poucos meses a esse país, a capital norte-americana associava-se em minha memória a um clima de paz: a paz soberana daquelas extensas alamedas à sombra do capitólio, que vão buscar na distância das águas do Potomac, em face do Mont Vermont.

Se tivesse obedecido então ao conselho de meu douto amigo Lewis Hanke e redigisse minhas impressões da América do Norte, eu tentaria, sem dúvida, fixar aquela sensação de grandeza descansada, segura de si e verdadeiramente imperial na sua tranquilidade sobranceira. Bem diferente da agitação, do nervosismo, da instabilidade aparente nas metrópoles milionárias.

Mas como escrever devidamente de um país que só conhecemos de uma demora de alguns meses? "Agora ainda é possível", responde-me

---

* Artigo originalmente publicado no *Diário Carioca*, 12 nov. 1950. (N. O.)

o diretor da Fundação Hispânica da Biblioteca do Congresso. Já não o será se ficar aqui por mais tempo. Para recuperar em sua plenitude um conhecimento do país, tão válido como o que lhe terá proporcionado esse primeiro contato, deveria permanecer pelo menos um decênio. Dez semanas de visita é tudo quanto lhe basta para poder escrever. Dez semanas – ou então dez anos e talvez muito mais.

Nesta nova e breve visita não vi a necessidade de retificar a antiga impressão. Aquela curiosa aliança do imponente com o gracioso, que constitui apanágio de Washington e que no verão de 1941 parecia dissimular a gravidade das preocupações dos homens da administração e dos agentes diplomáticos às vésperas do assalto nipônico a Pearl Harbor, renovou-se para mim nesses dias, quando outros sucessos voltam a perturbar a paz no mundo.

Pode ser que aquela sensação de repouso, de dignidade discreta, de indiferença a ameaças e a tumultos, também se prenda, no caso, a uma experiência intimamente pessoal. A lembrança de Washington ficou associada para mim à de sua biblioteca – a maior do mundo, diga-se de passagem, para não faltar a nota do americanismo; Novo Serapeum, basílica de livros, como já disse um dos grandes poetas de nosso tempo. A verdade, porém, é que a Library of Congress, ao lado do Capitólio e a poucos passos da National Gallery, é elemento inseparável da paisagem de Washington e inscreve-se harmoniosamente no conjunto urbano.

É certo que o silêncio estudioso dos seus amplos salões e das suas galerias apresenta-nos uma face apenas dessa complexa fisionomia. A reunião a que somos convocados, brasileiros e portugueses, além de norte-americanos, franceses, ingleses e argentinos, todos igualmente interessados em bem conhecer as raízes lusitanas de nossa cultura e as transformações que sofreram neste continente – reunião que faz parte dos festejos comemorativos dos 150 anos da livraria –, recebeu significativamente o nome de Colloquium. E isso já bastou para lembrar de que Washington é ainda e fundamentalmente uma terra parlamentar e discutidora – *a city of conversation*, como foi chamada por Henry James em um dos livros de sua grande fase: *The American Scene*.

E os debates raramente ficavam confinados no recinto do Serapeum, não raro iam continuar no próprio Stratford, o hotel que nos fora reservado na Rua E e que um delegado humorista não deixou de batizar de Stratford-sobre-Potomac. Lembro-me de que ali ganhou corpo e incremento o próprio projeto de iniciativa de Pedro Calmon, chefe da nossa delegação, visando criar um Instituto de Estudos Luso-Brasileiros. É verdade que à aparente limitação do plano primitivo, que acentuava sobretudo os estudos históricos, um cientista como o professor Mendes Correa, do Porto, respondia de algum modo com outra limitação, acentuando o valor dos trabalhos antropológicos. A ampla solução que além dessas disciplinas, postas em momentânea rivalidade, abrangesse os outros assuntos abordados no Colloquium – problemas de Belas-Artes, de Linguística, de Literatura, instrumentos de investigação – seria sem dúvida a mais valiosa. E para o historiador, principalmente as facilidades maiores de acesso às fontes de pesquisa poderão proporcionar resultados dos mais apreciáveis.

Justamente a noção de que é cada vez mais possível e necessário ampliar-se essas fontes foi um dos resultados mais plausíveis dos debates havidos. No setor das Belas-Artes, para tomar um exemplo bem característico, ouvimos Robert Smith, da Universidade da Pensilvânia, e Germain Bazin, do Museu do Louvre, partindo de pontos de vista nem sempre coincidentes, mostrarem as vantagens não apenas de um estudo comparativo do Barroco em Portugal e no Brasil, como ainda de uma investigação que estendesse esse confronto a outros países. Rodrigo M. F. de Andrade, da delegação brasileira, frisou a conveniência das pesquisas em torno do processo de adaptação dos elementos importados às circunstâncias de nossa terra e até dos elementos étnicos que a povoam. Uma revelação surpreendente para muitos, nesse domínio das Belas-Artes, foi a de Mario Buschiazzo, de Buenos Aires, quando assinalou que a influência luso-brasileira sobre a arquitetura e a arte do mobiliário nas áreas platinas foi primordial, mesmo em confronto com a castelhana, que se teria exercido com maior intensidade na área do Pacífico e na Nova Espanha.

Na seção dedicada à Linguística, a importante contribuição de Serafim Silva Neto sobre o aproveitamento das experiências de outros países na elaboração de um atlas linguístico do Brasil, possivelmente do mundo luso-brasileiro, foi amplamente debatido em todo o Colloquium. Medidos, contudo, os prós e os contras, pode prevalecer a opinião de que os trabalhos preliminares nesse sentido seriam desde já viáveis e valiosos.

Na de instrumentos de investigação, a possibilidade de um estudo sistemático e de conjunto do mundo colonial português em três continentes, entre os séculos XV e XIX, foi inteligentemente defendida pelo professor Boxer, da Universidade de Londres. Em sua comunicação mostrou-se, por exemplo, o interesse que poderiam retirar os historiadores de uma comparação entre as *Atas do Senado da Câmara de Goa* e outras colônias asiáticas, semelhante às que vêm sendo divulgadas nos Arquivos de Macau, com as já publicadas, ou em curso de publicação, de São Paulo, de Salvador e de Vila Rica, no Brasil. Esse confronto poderá dar a medida da aclimação das instituições municipais portuguesas nas regiões ultramarinas para onde se transplantaram. Comparações sugestivas poderiam realizar-se igualmente com os cabildos espanhóis das Filipinas, do México, do Peru. Isso contribuiria, certamente, para libertar, cada vez mais, os nossos pesquisadores de um estreito paroquialismo científico.

A essa investigação, por assim dizer, "extensiva" que nos propõe o professor Boxer, caberia associar a investigação em profundidade sugerida por Alice P. Canabrava da USP. Na seção dedicada à História, de que ela participou entre outros brasileiros – Arthur Cesar Ferreira dos Reis, que apresentou importantes contribuições para o exame da colonização da Amazônia, e o autor desta resenha, que abordou a evolução das técnicas rurais no Brasil setecentista, sem falar num brasileiro honorário, o padre Serafim Leite, que presidiu a seção –, a ilustre pesquisadora criticou com presteza a tentativa dos organizadores do Colloquium no sentido de se restringirem os debates, de preferência, aos temas que não foram assiduamente explorados até hoje. Não importa, com efeito, considerar apenas o que não foi estudado, mas reconsiderar, além disso, o que foi estudado de maneira linear e insuficiente. Por esse aspecto, muita coisa, quase tudo, ainda está por fazer-se. Os argumentos da historiadora brasileira pareceram em geral convincentes e contribuíram de certo modo para o convite que recebeu mais tarde, a fim de organizar um seminário na Universidade de Columbia, a realizar-se nesses dias.

A significação dos debates da Library of Congress não pode ser plenamente avaliada pelas amostras mais ou menos desconexas que aqui ficam a título de exemplos. Entre as proposições mais ambiciosas a que deu lugar, tive ocasião de referir-me à da criação de um Instituto de Estudos Luso-Brasileiros, apresentada por nossa delegação. Poderia acrescentar a essa sugestão, lançada ainda por Pedro Calmon e aprovada em plenário, que a língua portuguesa receba nos programas de ensino colegial na América do Norte o mesmo tratamento atribuído a outras línguas oficialmente adotadas por esses programas. O patrocínio dado a tais sugestões por institutos como a Biblioteca do Congresso e a Universidade de Vanderbilt ajuda-nos a esperar, sem grande ceticismo, pelo feliz êxito dessas iniciativas. Não seria o único resultado, certamente, mas seriam os mais espetaculares do Colloquium de Washington.

Tendências filosóficas*

A imaturidade do pensamento filosófico brasileiro, que ainda há pouco se evidenciou, de modo às vezes alarmante, no congresso de filosofia reunido em São Paulo, é motivo para se dedicar alguma atenção às obras que nos conseguem oferecer alguma ideia estimulante e nova num domínio tão mal frequentado entre nós. Uma das exceções pôde ser abordada nestes mesmos artigos, há poucas semanas, a propósito do ensaio valioso que Pero de Botelho consagrou à "mente grega".

Não é exatamente o caso do livro de Horácio Lafer, intitulado *Tendências filosóficas contemporâneas* e que se encontra agora em segunda edição (Editora Nacional, 1950). A surpresa que pode proporcionar esse volume não vem, em realidade, da matéria nele contida, pois se trata estritamente de uma obra de divulgação, e que por isso mesmo não visa à originalidade, mas antes de estudioso zelo com que, já em 1928, data, ao que suponho, de sua primeira edição, um brasileiro se ocupava em esquadrinhar algumas correntes mais expressivas do pensamento moderno, recorrendo, para isso, não aos intérpretes de segunda mão, porém aos textos originais.

---

* Artigo originalmente publicado no *Diário Carioca*, 18 mar. 1951. (N. O.)

Nessa nova edição, Lafer acrescentou apenas, ao antigo material, um novo – todo o capítulo relativamente extenso sobre Martin Heidegger –, além de melhorar e atualizar a primitiva versão. A revisão feita não deixa perceber claramente o significado histórico para nós, brasileiros, de uma obra em que se comentavam, por exemplo, as teorias de Husserl, no tempo, já remoto, em que tais teorias não tinham ainda transposto as fronteiras de seu país natal. Ou na qual se avaliava na justa medida uma contribuição como a de Dilthey, quando o significado dessa contribuição para o desenvolvimento da Filosofia, da Historiografia, até da Crítica Literária e Estética, ainda não pudera ser geralmente reconhecido e estimado.

Que a revisão deve ter equivalido, em certos casos, a uma verdadeira refusão, e não terá nascido unicamente do desejo de pôr em dia aquilo que, escrito ou publicado em 1928, poderia parecer hoje incompleto ou superado, mesmo o leitor desprevenido chegaria a percebê-lo sem extrema dificuldade. E percebê-lo, se for prudente e discreto, com alguma ponta de decepção em face da presteza com que o autor acolhe em sua exposição – para citar só este caso – termos como que algum Castro Lopes da filosofia não hesitou em cunhar ultimamente para naturalizar em português uma expressão alemã em rigor intraduzível: *Weltanschauung*. No pé em que vão andando as ideias não será de espantar se a palavra proposta – *cosmovisão* – se revela ao cabo inadequada e deve ser substituída, então, por outra ainda mais bárbara: *existenciovisão*, por exemplo.

O caso, em si, não tem naturalmente importância desmedida, mas merece ser apontado ao menos como indício de quem a penúria de nossa linguagem filosófica parece autorizar liberalidades nem sempre muito plausíveis. Se, por um lado, a falta de vocabulário convencionalizado, quando suprida pela medicação atenta e livre, pode ser talvez proveitosa, nisso que nos ajudaria a melhor pensar, e com independência, por outro, e mormente quando se trate, como aqui, de um trabalho de divulgação, dá lugar a obscuridades e ambiguidades nem sempre evitáveis.

Não quero dizer, aliás, que Lafer evite, sempre seria possível evitá-las, algumas dessas ambiguidades. É até certo ponto compreensível, por exemplo, que, o propósito de Dilthey, tenha cuidado de fugir a rótulos estereotipados, que, como "historismo" ou "vitalismo", a força de quererem abranger muita coisa, já deixam escassa margem a precisões e nuances. Mas não há dúvida que, optando por outra expressão, apenas etimologicamente defensável – "biologismo histórico" –, veio a introduzir nesse caso uma imprecisão ainda mais enganadora.

Imagine-se a perplexidade do leitor inocente que, depois de se impregnar o conteúdo desse capítulo acerca do "biologismo histórico de Dilthey", vá ler no manual de um autorizado expositor do pensamento filosófico atual, o professor Hans Meyer, de Würzburg, as palavras em que se caracteriza judiciosamente esse "biologismo": "é a partir da vida do espírito", escreve o doutor Meyer,

> que se encontra acesso à filosofia da vida de Dilthey. Com a biologia nada tem a ver seu conceito de vida; nele se abrange um contexto unicamente relacionado ao gênero humano. Vida, nesse caso, equipara-se a "espírito", "alma", a "sujeito", e assemelha-se, na riqueza de seu conteúdo, ao conceito hegeliano de Espírito.[1]

Em favor de Horácio Lafer há a ponderar que a dubiedade de que se tornou responsável provém unicamente, nesse caso particular, de uma impropriedade de expressão, não de interpretação, que esta, em todos os seus aspectos, é de meridiana clareza. Menos justificável, sem dúvida, parecerá o título atribuído ao último e mais recente capítulo de seu livro – "A filosofia existencial de Heidegger" –, quando se sabe que o próprio Heidegger, em mais de um passo de sua obra básica, repudiou a palavra existencial aplicada ao seu pensamento filosófico. Em que na carta, tantas vezes lembrada, que dirigiu em dezembro de 1937 à Sociedade Francesa de Filosofia, escreveu essas palavras bem nítidas: "devo repetir que minhas tendências filosóficas, posto que em *Sein und Zeit* [*Ser e Tempo*] se trata de 'Existência' e de Kierkgaard não podem classificar-se como *filosofia existencial*".

1 Cf. Meyer, *Die Weltanschauung der Gegenwart*.

* * *

É certo que, logo depois dessa frase, não deixa de acrescentar expressamente que semelhante "erro de interpretação será provavelmente difícil de evitar no momento". A dificuldade viria, naturalmente, da circunstância de Heidegger procurar atingir o alvo das suas preocupações, isto é, o ser em seu conjunto e como tal, pelo viés de uma filosofia da existência. E de se ter limitado, até o momento, a visar o alvo sem feri-lo. Não haveria grande engano, por conseguinte, em interpretar segundo sua incompleta aparição um pensamento que, assim como aquele gato de Cheshire, na história famosa de Lewis Carroll, tem a singularidade de se manifestar aos pedaços. E, apesar do título aparentemente inadequado que atribuiu ao estudo, Horácio Lafer não deixa de registrar o intento confessado do autor de *Ser e Tempo* quando diz: "a filosofia de Heidegger é uma filosofia da existência. Mas a interpretação da existência não é senão uma preparação para a resposta mais grave, à pergunta mais ampla, acerca do ser". E à dificuldade de se expor esse pensamento de maneira inequívoca, ele a afirma em outro lugar, quando diz: "e um pensador em formação, e de seu livro capital – *Ser e Tempo* – só foi editada a primeira parte, assim mesmo incompleta. Isso aumenta as dificuldades de uma exposição que, em rigor, não pode ser feita ainda hoje".

* * *

Apesar disso, e apesar, sobretudo, das limitações que afinal ousa discernir na filosofia heideggeriana, o autor não consegue dissimular a admiração fervorosa que lhe inspiram as especulações do antigo professor de Freiburg. Já no prefácio ao livro, alude à "incomensurável importância" desse filósofo. E no corpo do seu estudo endossa, quase sem discrepância, as palavras de um exaltado apologista para quem o pensamento de Heidegger é hoje o caminho real, "uma daquelas afirmações humanas, solenes e totais, que constituem as etapas da história". Entre as restrições finais refere-se, não obstante, a "exageros que parecem inerentes ao começo de toda teoria", o que nos faz duvidar de sua fidelidade integral à filosofia da existência. Pois esta é de tal modo concebida, que a renúncia ao "exagero" inicial só poderá significar, para recorrer à terminologia do próprio Heidegger, uma descaída dos domínios da existência autêntica para a planície do "a gente" (do *man*).

Aqui, como aliás nos outros estudos do seu livro, Lafer denuncia seu constante empenho em evitar compromissos capazes de perturbar a aparente serenidade da exposição. Empenho que deixa perceber a outro propósito – a propósito de certas formas do positivismo, que considera, com justeza, "acontecimento anômalo e passageiro na filosofia alemã" – quando diz, numa ironia quase insensível: "e como a Macli, os marxistas não pouparam a Avenarius, acoimado pelos soviéticos de ideólogos da burguesia reacionária, evidentemente com algum exagero".

Para um expositor, esse gosto da isenção e da mediania é certamente de melhor augúrio. E creio que também para certa raça de filósofos, pois não foi um deles quem colocou o princípio do termo médio entre os fundamentos essenciais do seu método? "*Et, entre plusieurs opinions également reçues*", dizia: "*je ne choisissais que les plus modérées, tant à cause que ce sont toujours les plus commodes pour la pratique, et vraisemblablement les meilleures, tous excès ayant coutume d'être mauvais*".[2] Embora sem morrer de amores pelas doutrinas racionalistas imagino que Horácio Lafer não hesitaria em inscrever à testa de sua exposição esta regra cartesiana, onde se insinua com um humor bem temperado, uma sabedoria radical, mas parcimoniosa.

2 Do francês: "E, entre diversas opiniões igualmente aceitas, eu escolhia as mais moderadas, não só porque são sempre as mais cômodas para a prática, e verossimilmente as melhores, pois todo o excesso costuma ser mau". (N. E.)

Existencialismo*

O livro recente que Alceu Amoroso Lima consagrou ao existencialismo oferece-nos uma ilustração bastante precisa da diferença e, por vezes, da difícil compatibilidade que tendem a reinar entre um pensamento puramente doutrinário e a genuína especulação filosófica.[1]

Não que Amoroso Lima, ao optar de modo pleno pelo primeiro se tenha mostrado insensível às seduções da última. Direi, bem ao contrário, que a vocação especulativa e filosófica parece ter presidido constantemente aos pontos de vista expressos em sua obra e, também, que, entre nós, ninguém mais do que ele tem sabido cumprir semelhante vocação com decoro e eficácia.

O problema sugerido, no entanto, pelo livro que acaba de publicar é, antes de tudo, o de saber-se até onde a posição espiritual que assumiu – e refiro-me aqui a seu "realismo" filosófico, não ao seu catolicismo –, posição que aliás quer descansar e tranquilizar-se sobre venerandas certezas, lhe permite considerar com imparcialidade uma filosofia de crise. Em outras palavras, caberia perguntar se o radicalismo crítico, tão carac-

* Artigo originalmente publicado no *Diário Carioca*, 25 mar. 1951. (N. O.)

1 Amoroso Lima, *O existencialismo e outros mitos de nosso tempo.*

terístico de nosso tempo, estará em condições de ser apreciado na justa medida quando se tentem dissimular suas raízes, más e boas.

Para isso seria preciso, no entanto, que o pensamento doutrinário pudesse hesitar ante o valor soberano das próprias doutrinas, e isso significaria para ele uma verdadeira abdicação de si e um contrassenso. É alheio aos costumes desse pensamento e acomoda-se normalmente a qualquer operação que importe numa renúncia, embora provisória ou metódica, àquelas inflexíveis convicções. Interessam-lhe em realidade os resultados efetivos mais do que os motivos remotos. E mais os frutos visíveis do que as raízes. Esse pensamento nasceu e cresceu nos tempos em que a Filosofia parecia sempre pronta para fornecer uma consolação, uma terapêutica ou um asilo aos que padecem com as misérias do mundo, e até hoje ele guarda a nostalgia daquela idade de ouro.

É o valor do método crítico determinado e limitado por semelhantes condições o que importa considerar aqui. Podem parecer-nos altamente suspeitos certos malabarismos de Heidegger em seus escritos mais recentes ou a fúria exibicionista de um Sartre, sem que por isso devamos admitir a justeza de uma crítica só convincente, talvez, para os que já estão convencidos das suas razões. Crítica perenemente segura do solo onde pisa e que se recusa a ir enfrentar o adversário fora do terreno que lhe é natural e a que já está habituado.

Para invocar um só exemplo, mas exemplo capital, pois que nele se contém o núcleo de toda a sua crítica endereçada ao chamado "existencialismo" (chamado, aliás, segundo o abuso corrente, que designa com esse nome inclusive autores que, como Heidegger ou Jaspers, o repudiam expressamente), leia-se a passagem significativa em que Amoroso Lima, contrapondo o pensamento existencial, por um lado, ao materialismo dialético, por outro, o apresenta como reação ao realismo filosófico de São Tomás.

> Para o realismo filosófico, o pensamento é medido pelo ser. A abstração no verdadeiro realismo, longe de diminuir o ser ou privá-lo de suas contradições e variedades infinitas, é o meio de incluir todas as manifestações do Ente, por mais complexas que sejam, reduzindo-as às suas

> linhas gerais e aos pontos de contato e de afastamento entre as diferentes categorias de entes, do mais concreto ao mais abstrato. A filosofia passa assim a ser, como de fato é, uma incorporação total e objetiva dos entes reduzidos, sem perda de sua individualidade diferencial, ao denominador comum do pensamento, que é sempre a forma mais ampla e mais profunda pela qual as coisas e os homens podem ser apreendidos e reduzidos, sem perda de sua particularidade, a um índice comum.[2]

O quadro grandioso de uma filosofia em que "as coisas e os homens", apesar de apreendidos em linhas gerais e reduzidos ao seu índice comum, nada perdem, no entanto, de sua particularidade, de sua "individualidade diferencial" é, com efeito, para impressionar. Contudo, não parece suficiente nem, talvez, legítimo opor-se simplesmente à amplitude de tal moldura e estreiteza básica e confessa da visão existencial para concluir em favor da infinita superioridade da primeira. A raiz do problema não caberia situar-se nesse contraste estabelecido entre o "parcialismo", o "puro particularismo", a simples evanescência, que, segundo Alceu Amoroso Lima, seria inseparável do pensamento existencial, e de outro lado, aquela noção empolgante do ser, na qual tudo se reduz ao geral sem o mínimo prejuízo do particular, noção essa que a escolástica teria herdado do aristotelismo. O que importa primeiramente é saber e mostrar que tal noção é rigorosamente válida.

Para um simples curioso desses problemas, que é o caso do autor do presente comentário, há de parecer quase um escândalo o fato de Heidegger, por exemplo – que forma sua filosofia no assíduo contato com os antigos teólogos, que principiou sua carreira de pensador com uma tese sobre a doutrina das categorias e dos conceitos de Duns Scotus[3] e que insiste, ainda hoje, em citar frequentemente os escritos de Santo Agostinho e de Doutor Angélico – abandonar, não por ignorância, provavelmente,

2 Ibid., p.24.

3 Scotus, John D. (1265-1308). Filósofo escocês. Pertenceu à Ordem dos Franciscanos. Estudou nas universidades de Oxford e Paris. Foi mestre em Teologia nessas duas universidades, assim como em Cambridge e Colônia. Suas principais obras são a *Opus parisiensis* [Obra de Paris] e a *Opus oxoniensis* [Obra de Oxford], também conhecida como *Ordinatio*. (N. O.)

mas por mero capricho, tão clara e generosa concepção em benefício de um pensamento que procura "passar do indefinido ao definido, do claro ao obscuro, do delimitado ao extralimitado". Pois conhecer, em última análise, segundo o pensamento tradicional, consiste em definir, diz Amoroso Lima.[4]

Mas, por outro lado, a curiosa atitude dos que desprezaram o edifício pujante da escolástica e do tomismo, transviando-se para lúgubres veredas, não nasceria precisamente de uma desconfiança, talvez bem fundada, na precisão e no valor perene daquelas definições? Em verdade, pode-se dizer que tal desconfiança não constitui apanágio do moderno pensamento existencial. Em sua expressão mais nítida, talvez, vamos encontrá-la na obra de um pensador que, para sua apologia do cristianismo e da Igreja pôde dispensar as lições tradicionais. "Não se pode empreender uma definição de ser", escrevia Pascal, "sem cair neste absurdo: pois que não se pode definir uma palavra sem começar por esta, *é*, quer apareça expressa, quer esteja subentendida. Logo, para definir o *ser* seria preciso escrever *é*, e empregar a palavra definida no curso de sua mesma definição".

E de fato não é outra a dúvida que forma o ponto de partida para a ontologia fundamental de Heidegger. O problema do ser ocupa-o desde a primeira página de sua obra mestra, quando nota que, tendo inquietado, em seus primórdios, a filosofia helênica, esse problema veio a cair em olvido. E olvido que perdura ainda hoje, não obstante a pretensão dos nossos contemporâneos de encarar como um progresso a restauração, entre eles, da metafísica.

Já entre os pensadores gregos, porém – escreve Heidegger[5] –, formara-se uma espécie de dogma, que não só tinha por supérfluos a inquisição sobre o ser, como, além disso, sancionava a sumária eliminação dessa pergunta. Dizia-se do ser que é o conceito mais genérico entre todos e o mais vazio. Sendo o mais genérico, o mais amplo, torna-se compreensível que pudesse extravasar os limites de uma definição,

4 Amoroso Lima, op. cit., p.312.

5 Heidegger, *Sein und Zeit*, p.2 e 4.

ainda que os dispensasse. E dispensava-os porque se trataria da evidência mesma, compreensível ao primeiro relance. Ora, o apelo à evidência, no mundo dos conceitos filosóficos fundamentais, como alude o autor de *Ser e Tempo*, não passa de um estratagema suspeito, uma vez que a "evidência", e ela só, ou, para recorrer a atermos kantianos, o "secreto juízo da razão secreta", constitui necessariamente tema de analítica (ocupação de filósofo).

Assim, o problema que ocupara intensamente Platão e Aristóteles torna-se logo intocável e vem a desaparecer por completo como objeto de pesquisa. A solução proposta principalmente pelo último, transmitida mais tarde à escolástica medieval, em particular ao tomismo e ao escolismo, conseguiu prevalecer através dos séculos sem sofrer exame atento, mantida pela força da rotina e pelo prestígio sem par de seu forjador. O que era escuro entre os pensadores da Antiguidade pareceu converter-se, assim, pela usura, numa verdade axiomática de clareza solar, numa evidência que é impossível pôr em questão, sem praticar, com isso, um erro metódico.

Não seria, em suma, essa claridade suspeita o que tanto admira Alceu Amoroso Lima no "realismo" filosófico posto em contraste com o negrume das filosofias da existência? E o que denomina primado, entre estas últimas, do indefinido sobre o definido, do particular sobre o geral, do concreto sobre o abstrato, do absurdo sobre o lógico, não seria, ao cabo, fruto de uma insatisfação – explicável, talvez, em face de definições, generalizações, abstrações, princípios lógicos, que deveriam ser mais bem revistos e esclarecidos?

Alceu Amoroso Lima não aborda essas questões, entretanto, fundamentais para a elucidação do seu problema, limitando-se a enaltecer, contra os filósofos da existência, uma sabedoria que não os satisfaz e que eles têm aparentemente razões para repudiar. Por isso mesmo ocorreu-me dizer que os argumentos críticos do autor só podem convencer os que já estão convencidos. E convencidos não segundo as regras do pensamento tradicional – que, para ele, "coloca a inteligência acima da sensação e faz da Filosofia uma ciência do conhecimento racional".

É certo que esses comentários não envolvem, nem poderiam envolver, o conteúdo da obra que acaba de publicar Amoroso Lima. Livro como esse, tão rico em sugestões de toda sorte, sobre tema de tão flagrante atualidade, sugere observações que, embora sumárias e incompletas, não cabem em um único artigo de jornal.

Ainda o existencialismo*

A apologia do pensamento medieval, cuja vitalidade ainda é patente em nossos dias com a proliferação de correntes filosóficas inspiradas diretamente na lição do Doutor Angélico, pode ser tentada por numerosos e ponderáveis motivos. Entre estes, hesito em crer, porém, que deviam figurar no primeiro plano os que defendeu Alceu Amoroso Lima em livro recente,[1] ao exaltar aquele pensamento que pretenderia abarcar céu e terra numa "incorporação total", em que o abstrato não exclui o concreto e o geral não suprime o particular. Pois não é exatamente a legitimidade de tamanha pretensão o que procuram pôr em choque, servindo-se de bons ou maus argumentos, as tendências filosóficas denunciadas nesse livro? E não seria de justiça que seu autor se detivesse em examinar esses argumentos em vez de se restringir simplesmente, como se restringe, a enaltecer aquilo mesmo que eles tendem a negar?

Foi por deliberação, não foi por distração, que a ideia existencial optou, contra os pensamentos totalizadores, por uma visão "estreita". É certo que, no primeiro momento, essa atitude resultou de uma reação

---

* Artigo originalmente publicado no *Diário Carioca*, 1º abr. 1951. (N. O.)

1 Amoroso Lima, *O existencialismo e outros mitos de nosso tempo.*

contra o sistema hegeliano, que Alceu Amoroso Lima qualifica de "catastrófico". Mas também não há dúvida que os motivos da reação parecem conservar todo o seu vigor em face de outros "totalitarismos" filosóficos, inclusive, talvez, o daquela "incorporação total" da realidade a que alude o pensador brasileiro.

Em um dos seus livros, já Kierkegaard tinha notado como "se pode dizer de certas épocas isentas de paixão e amigas da reflexão que, em contraste com outras, ganham em amplitude o que perdem em intensidade".[2] Páginas depois, no mesmo livro, ainda acrescenta que "na verdade, todo somar é apenas um diminuir; tanto mais se acrescenta quanto mais se subtrai". E em nossos dias, retomando o mesmo tema, não já em nome da paixão, mas do rigor no entendimento, Jaspers pôde escrever que só aquela estreiteza e exiguidade, "não um pensamento universal, ilimitado, que como tal nos leva ao vazio e ao sem fim",[3] há de ser válida para qualquer inquirição verdadeiramente fundamental acerca do problema básico do ser.

Em artigo anterior tentei mostrar como esse mesmo é o pensamento de Heidegger em sua crítica aos fundamentos da metafísica ocidental. Crítica exercida igualmente em nome do rigor, não em benefício de alguma estética do indefinido. A expressão talvez mais enfática, e quase patética, da mesma ideia, encontro-a nas páginas mimeografadas do curso que um intérprete francês das filosofias da existência, Jean Wahl, pronunciou, não há muito, na Sorbonne: "Se ao pensamento filosófico original", dizia, "foi possível possuir simultaneamente profundidade e amplitude, isso já não se dá atualmente. Nossa força é a separação. Nós perdemos a ingenuidade".

Se Amoroso Lima não quis ver nessa voluntária opção pelo "exíguo", considerada condição de intensidade e profundidade, mais do que um capricho, é sem dúvida porque o intento polêmico lhe vedou a consideração de minudências só aparentemente irrelevantes. O resultado é um constante obscurecimento daquelas mesmas razões que, para melhor

2 Kierkegaard, *Kritik der Gegenwart*, p.49.

3 Jaspers, *Vernunft und Existenz*, p.99.

impugnar, convinha melhor clarear. Se é certo, como afiança – e é falso – que a ideia existencial dá primazia ao indefinido e vago sobre o definido e nítido, vemos que os juízos sumários o levam por sua vez a imprecisões traiçoeiras.

Assim, quando diz que "o louvor da indefinição como encontramos no existencialismo, desde Kierkegaard, leva a fazer da filosofia um simples reflexo da opinião comum",[4] não exprime essa descrição exatamente o avesso do que está em quase todo o pensamento existencial, desde Kierkegaard e com singular constância em Heidegger, para quem o juízo da opinião participa expressamente nos domínios da "tagarelagem" e se inscreve entre os modos inautênticos da existência? E quando o crítico brasileiro vê na posição existencial o primado do temperamento, e até da animalidade "como a *única faculdade de revelar a existência*",[5] não há aqui um retrato e mesmo uma caricatura daquela fase "estética", isto é, eudemonística, que, em Kierkegaard, há de ser superada pela ética e finalmente pela religiosidade, na qual o estético não é certamente "abolido", mas destronado?

Há pelo menos uma imprecisão e uma indefinição quando o autor procura, às páginas 141 e seguintes, apresentar a "temporalidade" existencial mais ou menos à imagem do historicismo vulgar para finalmente concluir que, aceitando com outras correntes de pensamento o que se chama aqui "deificação do tempo", o "existencialismo" deixa de ser "uma reação para ser uma persistência".

Nesse caso, como em tantos outros, receio que o recurso a violentas oposições dialéticas tão do gosto de Alceu Amoroso Lima, e que empresta a algumas das suas reflexões um colorido quase hegeliano, resultará em deformação nítida dos fatos. Lembrarei que ninguém, mais do que Kierkegaard e seus herdeiros, parece ter reagido contra a concepção dos que atribuem relatividade histórica a todos os atos humanos e convertem os indivíduos em simples parágrafos de um processo temporal único. Se é cabível metê-los com o historicismo no mesmo saco e falar em "deifica-

---

4 Amoroso Lima, op. cit., p.136.

5 Ibid., p.134.

ção do tempo", seria preciso acrescentar que, no seu caso, só tem sentido o tempo da vida individual não o tempo genérico. E isso já os separa radicalmente daquela concepção que, de fato, vem embebendo todo o pensamento moderno, inclusive o de muitos que supõem reagir contra ela. De passagem, caberia perguntar se a própria tendência de Amoroso Lima para amarrar constantemente certas formas de pensamento a épocas determinadas, e só a elas, por exemplo – "As duas filosofias mais representativas do século XX estão, assim, presas ao século XIX. São filosofias anacrônicas" –,[6] também não constitui, a seu modo, uma forma de tributo ao historicismo.

No âmago de toda a sua crítica está o clássico binômio essência--existência, e ainda aqui entra mais de uma indefinição polêmica:

> Não há existência sem essência, mas pode haver uma essência sem existência, um conceito sem realidade, uma potência sem ato, desde que a essência é um conceito que não implica necessariamente a existência. Logo é o equilíbrio entre essência e existência [...] que representa a verdade.[7]

E o profundo erro do pensamento existencial estaria em que rompeu esse equilíbrio em favor da existência.

A primeira imprecisão estaria, creio eu, onde se descreve o próprio ponto de vista defendido. Em realidade parece difícil supor qualquer equilíbrio entre essência e existência sem implicar que os dois termos designariam parcelas dosáveis, de um todo, e é claro que isso não entra bem nos princípios da filosofia tomista, nem nas intenções de seu intérprete. Pois tem cabimento falar em "equilíbrio" entre a possibilidade e a sua atualidade? A segunda imprecisão, e neste caso a mais importante, está em que Alceu Amoroso Lima toma, do começo ao fim, a palavra "existência" rigorosamente no sentido que tinha a palavra para a filosofia escolástica. A vantagem de semelhante interpretação está em que

6 Ibid., p.143.
7 Ibid., p.104.

lhe permite uma das suas sugestivas construções dialéticas. Para ele o "existencialismo" situa-se no polo oposto ao "essencialismo" platônico; entre um e outro está a boa solução, a do verdadeiro realismo, quer dizer a da filosofia tomista, com seu *equilíbrio* entre essência e existência.

Sucede, entretanto, que nesse contexto vai esmaecer um dos significados legítimos da palavra "existência", justamente o mais forte e que ela pôde adquirir ou recuperar há apenas um século. Um autor dos nossos dias nota como no pensamento filosófico só havia originariamente um pressentimento vago do sentido que, com Kierkegaard e depois de Kierkegaard, se deu à expressão um quilate histórico já hoje bastante possível.[8] Esse significado não se pode dizer que resultasse de mero capricho. É bem notório que, etimologicamente, a palavra "existir" (*exsistere*) comporta sobretudo a ideia de "elevar-se sobre", "sair de". Num léxico latino encontro-a exemplificada numa frase de Varrão – *Exsistunt sata* –, que quer dizer "as sementes saem (da terra)", e em outra de Cícero, que traduzida significa: "a cobiça nasce da avareza". Existência, nesse sentido, é sempre ponto de partida, não é "atualidade" e nem ainda perfeição. Por isso mesmo não se acomoda facilmente ao binômio essência-existência em que procura inseri-la Alceu Amoroso Lima. Pois se há no caso alguma analogia, será por força incompleta e, ao cabo, enganadora. Cumpre notar, aliás, que a simples possibilidade de tal analogia já foi reiteradas vezes contestada por alguns expoentes e, não menos, por adversários desse pensamento.

Em sua obra mestra, já observava Heidegger, há mais de vinte anos, que a palavra existência, na única acepção em que a emprega, "não tem e nem pode ter o sentido ontológico do termo tradicional *existentia*".[9] E em sua recente carta sobre o humanismo pôde reafirmar com alguma veemência esse ponto de vista.

Semelhantes precisões desprezou-as, porém, Alceu Amoroso Lima. Em lugar da inquirição metódica, que estaria à altura de empreender, se o quisesse, preferiu a atitude doutrinária. E, segundo o hábito comum

8 Cf. Jaspers, *Philosophie*, p.13.

9 Heidegger, *Sein und Zeit*, p.42.

nos doutrinadores, firmou-se em definições que aceita com vigor e julga ocioso discutir.

Não penso que seja esse o modo feliz de descrever e combater um pensamento que principia por contestar a legitimidade daquelas mesmas definições. Ao radicalismo crítico só é possível contrapor uma crítica radical, isto é, atenta aos seus verdadeiros fundamentos, não uma posição simplesmente doutrinária, que afirma ou nega, mas em verdade não rebate. E por se ter esquivado a semelhante crítica, tenho a convicção de que não feriu o alvo.

Em torno de um congresso*

Ao abordar, num destes comentários, a imaturidade do pensamento filosófico entre nós, tive ocasião de referir-me ao Congresso Brasileiro de Filosofia, recentemente reunido em São Paulo, para dizer que nele se evidenciara aquela imaturidade de modo, por vezes, alarmante.

Agora, graças à obsequiosidade de seu principal organizador e animador, o professor Miguel Reale, pude melhor conhecer, através dos *Anais do Primeiro Congresso de Filosofia*, datados de março de 1950, mas só impressos ultimamente, o significado e sentido de uma reunião que leve em mira, nas próprias palavras do então reitor da Universidade de São Paulo, a finalidade de se "assentarem as bases de um entendimento mais direto e permanente entre os que se dedicam aos estudos de ordem filosófica em nossa terra".[1]

Desse melhor conhecimento, devo confessar, aliás, que não tirei motivos para modificar minha primeira opinião. De um número considerável de trabalhos apresentados, aceitos e discutidos, não parece grande afoiteza afirmar que se notabilizaram, em realidade, por uma bisonhice,

* Artigo originalmente publicado no *Diário Carioca*, 8 abr. 1951. (N. O.)

1 Reale, *Anais do Primeiro Congresso de Filosofia*.

direi até por um primarismo visível já no primeiro relance, mesmo para os leigos nesses assuntos.

É claro que tal circunstância não chega, por si só, a depor contra a iniciativa do congresso, salvo na medida em que tenderia a revelar nos seus autores a ausência do critério rigoroso da seleção que seria plausível. Pois se entra em algum mérito em iniciativas dessa natureza, será precisamente o de favorecerem encontros de ideias fundamentais para qualquer ação duradoura e fértil. E a própria tolerância com que se houveram, nesse caso, os organizadores da reunião já não denunciaria uma generosa impaciência de construir e de estimular novas construções?

Por esse lado, e com todos os vícios de origem, não será excessiva benevolência dizer-se, como o disse um dos seus mais ilustres membros, o representante de Minas Gerais e de sua Universidade, que o Congresso constitui um dos marcos decisivos para se "fixar doravante, depois dos insanos esforços isolados do século XIX, e dos primeiros deste século XX, o desenvolvimento da inteligência brasileira no que ela tem de mais apurado, isto é, no que diz respeito às coisas da Filosofia".[2] O outro marco, ainda segundo o professor Versiani Veloso, fora o decreto-lei que, em 1939, atendeu à necessidade de formação dos novos professores criando faculdades de filosofia em todo o país.

O aspecto realmente positivo do congresso terá sido, a meu ver, o de espelhar tão fielmente quanto possível o panorama do pensamento filosófico entre nós, com todos os seus altos e baixos. Sem esse trabalho prévio, dificilmente se poderiam fixar as diferentes diretrizes atuais desse pensamento. E ao menos uma vantagem importante ele pôde revelar, quando sugeriu a possibilidade de convívio eficaz entre representantes das correntes mais diversas e mesmo divergentes. Até há pouco parecia-nos inconcebível a ideia de que cada uma das diferentes visões do mundo pudesse ser expressiva de um aspecto da verdade, de uma determinada perspectiva sobre a totalidade do real. A Filosofia era como um sucedâneo, um *ersatz* (substituto) para a religião, e explica-se, assim, que os mais

2 Veloso, *Anais do Primeiro Congresso de Filosofia.*

intransigentes e devotos nesses domínios da especulação não fossem necessariamente os menos suspeitos de filiações e de simpatias eclesiásticas.

A essa, que tem representado com frequência dos escolhos mais decisivos de nossa Filosofia, eu ajuntaria outra falácia, mais recente e não menos grave, que se poderá chamar, com pouco exagero, a falácia paroquial. Mais própria, sem dúvida, de mitólogos do que de amantes do saber, ela consiste na tendência para substituir-se aquele exclusivismo da Verdade absoluta e unívoca, o das pequeninas "verdades" particulares: nacionais, tradicionais, culturais, climáticas, folclóricas, cívicas, edificantes, salubres. Verdades com adjetivo e que, segundo essa atitude, importaria não só acatar com obediência, mas principalmente cultivar com desvelo.

Desse paroquialismo não andaram, infelizmente, imunes muitos dos que cooperaram para o brilho desse Primeiro Congresso Brasileiro de Filosofia. Que outro sentido podem ter, para citar um único exemplo, as razões invocadas por um dos ilustres congressistas para enaltecer a figura e a obra de Maurice Blondel? "Ora", escreve, com efeito, o sr. Alcântara Silveira, "uma filosofia que convém ao Brasil é, sem dúvida alguma, a filosofia de Maurice Blondel. Vários são os motivos que nos levam a nos inclinar pela adoção dessa filosofia pelo brasileiro, dentre os quais salientamos o seu conteúdo otimista".[3] Depois dessas linhas, nada melhor, talvez, para um bom discípulo de Blondel, do que folhear aquelas páginas de 1939, em seu escrito sobre a civilização da paz, onde precisamente se denunciam as filosofias particularistas e "convenientes" como negadoras de todas as doutrinas de transcendência, entre as quais a sua se inscreve.

Embora não se trate, ou já não se trate, propriamente, de uma "filosofia da moda", o fato de só há pouco se ter completado a publicação de sua *Suma* torna explicável a adesão, ao menos declarada, ao blondelismo de mais de um dos congressistas reunidos em São Paulo. Por outro lado, e apesar da exceção importante do sr. Vicente Ferreira da Silva, as filosofias da existência parecem ter suscitado só uma curiosidade assídua,

3 Silveira, *Anais do Primeiro Congresso de Filosofia.*

mas superficial e poucas vezes benévola. É que entre nós a moda do "existencialismo" se tem restringido, em geral, à esfera das belas letras.

O interesse que, entre as novas gerações, continua aparentemente a despertar o movimento da renovação tomista também não se refletiu muito vivamente nos trabalhos da reunião. Contudo, essa corrente esteve representada por alguns dos seus veteranos, e seria injustiça silenciar sobre uma tese como a do sr. Alexandre Correia – sobre a "Noção da análise da filosofia grega" –, que constitui, sem dúvida alguma, dos pontos mais altos do congresso. Não faltou o bergsonismo, com um representante ao menos: o sr. Jessi Santos. Nem o marxismo, com um trabalho de um dos seus adeptos mais ilustres e capazes, que aos temas estritamente filosóficos preferia, no entanto, o das relações de raças. Compareceu ainda meu velho amigo Oswald de Andrade, cuja tese sobre "Um aspecto antropofágico da cultura brasileira – o homem cordial" deixo de comentar por falsa modéstia.

Para muitos, uma surpresa proporcionada pelo congresso terá sido a presença de um adepto genuíno do neokantismo da Escola de Baden, o jovem pensador brasileiro Renato Cirell Czerna, que não há muito publicara um livro sobre *Natureza e espírito*. Deve-se notar, aliás, que o ponto de vista do próprio presidente da reunião parece ter alguma afinidade com essa corrente de pensamento. Já no prefácio ao livro de Czerna, o professor Miguel Reale tentara comparar a presença de Kant, como um motivo de filosofar, a certas roupagens vegetais que "assinalam as terras mais ricas de húmus".

Outra surpresa, ao menos para aqueles que, desde Jackson de Figueiredo, insistem em discernir no pensamento brasileiro uma inclinação constante para certo panteísmo amorfo (Farias Brito?) e antirracional, foi a vitalidade demonstrada pelas correntes associadas ao positivismo. Pode-se dizer, sem muito exagero, que temos também uma espécie de constante positivista, tomado o vocábulo *lato sensu*, já revelada ao tempo do Império com os numerosos discípulos brasileiros de Comte e de Littré, e que, passando pelo empiro-criticismo, vem desembocar agora nas tendências neopositivistas e logicistas.

Particularmente significativa, a esse respeito, foi a recente "conversão" de um dos mais abalizados mestres do pensamento filosófico entre nós. Depois de contato mais estreito com o moderno pensamento filosófico anglo-saxão, vimos que o sr. Eurialo Canabrava não hesitou em abandonar, como se abandonam trastes inúteis, tudo quanto formava até então seu círculo de interesse no terreno da Filosofia. O qual, se não estou esquecido, abrangia desde a fenomenologia de Husserl até a caracteriologia de Klages.

Mas não se descrevia adequadamente essa evolução, ou melhor, essa revolução, nas suas tendências intelectuais, sem frisar, ao mesmo tempo, a atitude de independência que consegue guardar em face dos novos métodos. Insatisfeito com as limitações até agora características e que, em realidade, parecem constitutivas do neopositivismo, ele procura demoradamente superá-las. Creio que em seu escrito anterior sobre a natureza da filosofia já se assinalava vagamente a possibilidade de tal superação. A leitura, mais tarde, dos estudos de epistemologia genética de Jean Piaget teria reforçado sua convicção de que é lícito um conhecimento genético-funcional ao lado do conhecimento matemático formal. E pela expressão genético-funcional quer abranger não apenas a formação ou gênese psicológica, mas ainda a formação em gênese histórica. Nesse sentido acena, sobretudo, para as contribuições de Cassirer no domínio da história das ideias.

Até onde será bem-sucedida sua tentativa ambiciosa de formalização dos setores da experiência psicológica, histórica e social? Não será, talvez, ocioso lembrar que Cassirer só chegou aos resultados que invoca o sr. Canabrava graças a uma posição bastante similar de Dilthey, onde este distingue as ciências culturais ou humanas das ciências naturais. Distinção essa que o nosso pensador não deixa agora de repelir com ênfase, porque lhe parece depender de noções "imprecisas e indefiníveis".

E eu lembraria mais, em livro de 1934, *Freedom and Organization*, outro mestre invocado em uma das suas teses – Bertrand Russel – que chegou a declarar categoricamente que só "por meio de falsificações e omissões" a história poderá sujeitar-se a uma formalização científica.

É claro que essas considerações não devem entender-se como tentativa de refutação às teses do sr. Eurialo Canabrava. Nem a ideia de uma refutação cabe nos propósitos ou na competência do autor deste comentário. Mas servirão, sem dúvida, para sugerir a dificuldade que há de enfrentar, forçosamente, quem procura formular em novos termos um problema que há trezentos anos vem desafiando a argúcia de filósofos e sábios.

Ainda um congresso*

A propósito de algumas observações, nem sempre irrestritamente favoráveis, que se publicaram aqui mesmo sobre o Primeiro Congresso Brasileiro de Filosofia, já tive ocasião de apreciar os comentários que lhes dedicou um dos expoentes mais ilustres daquela reunião.

Partindo de uma atitude naturalmente avessa a toda metafísica e adepto, além disso, de métodos que visam fundar o pensamento filosófico e científico sobre uma rigorosa analise lógica, Euríalo Canabrava representa, sem dúvida, uma corrente das mais ponderáveis na moderna filosofia crítica.

Sua adesão a essa corrente implicou uma renúncia, talvez penosa, a velhos credos, que o tinham apartado da luta contra os ídolos falazes e as mal fundadas devoções. E no fervor às vezes um tanto virulento com que hoje se apega àqueles métodos entra, talvez, uma dose de irritação compreensível em quem se distraíra longamente em devaneios inúteis e precisa recuperar o tempo perdido. Aquiles teria sido menos impetuoso

* Artigo originalmente publicado no *Diário Carioca*, 24 jun. 1951. (N. O.)

do que o foi, na sua arremetida final contra os divinos troianos, domadores de éguas, sem aquela teimosa e surda ociosidade que o retivera nas barracas dos mirmidões. Assim, acontece com demasiada frequência que algumas das nossas mais denodadas convicções não passam, no fundo, de combates interiores, e cuidando investir contra erros alheios é contra nós mesmos, contra nossas ilusões perdidas, jamais inteiramente perdidas, que de fato vamos pelejando.

Deve-se dizer dessa cordialidade que aproxima hoje Canabrava dos imperativos da indagação e fundamentação lógica, que não constituiu das notas dominantes na memorável assembleia de filósofos que se reuniu em São Paulo. E se em certos casos isso se deveu a uma insuficiência própria de muitos daqueles filósofos à "imaturidade alarmante" que julguei vislumbrar nas suas teses, em outros – creio que na maioria – proveio sem dúvida das próprias doutrinas professadas por eles, doutrinas essas que não situam o rigor lógico à base das suas construções.

É o caso, talvez, do blondelismo, o credo perfilhado por um dos meus antagonistas e "defensores" do congresso. Sabe-se que, segundo esse credo, a ação é, em suma, inseparável do pensamento: conceber é ter agido, é agir ainda, é dever agir para o futuro. Mas a solução da antinomia aparente entre o pensar e o agir supõe sempre um salto mortal, quando muito um esforço de síntese que não tende facilmente a satisfazer os partidários de um raciocínio lógico muito rigoroso. Para Blondel esse raciocínio é comparável ao labor do sábio que disseca os órgãos, que analisa os tecidos e que descreve a anatomia do esqueleto, mas não dá o passo necessário para compreender as funções vitais e espirituais. É que sua filosofia, antes e acima de tudo, é uma filosofia da transcendência.

Não me parece o papel de crítico que aspire a uma imparcialidade talvez irrealizável pronunciar-se por esta ou aquela entre as doutrinas em debate. Se tentei oferecer reservas à tese de um dos filósofos que se confessa adepto do blondelismo, não foi por amor ou rancor a essa doutrina, mas porque, secularizando-se como quem não quer, a tese em questão exprimiu com nitidez admirável um gênero de pensamento que, embora bastante frequente entre nós, aparece quase sempre dissimulado nos escritos de autores menos ardentes ou mais ardilosos. Míope por natureza, só me apercebo de tais esquivanças onde elas são muito grossas ou pouco sutis. Aqui foi contra a falsificação inconsciente, e entretanto sintomática, de uma doutrina, não foi contra a mesma doutrina que ousei endereçar algumas objeções.

Nunca a falsidade me pareceu mais gritante, com efeito, do que onde li que um filósofo, num congresso de filósofos, procurou defender semelhante doutrina com a simples alegação de que ela "convém" ao Brasil. Sempre me parecera evidente que a finalidade própria da Filosofia está no conhecimento da verdade e que a verdade, nesse caso, não se mede pela sua serventia. E uma "filosofia" apenas prestativa não vejo como possa estar à altura desse nome.

Isso não quer dizer, como leva a supor Alcântara Silveira, no artigo do suplemento de *A Manhã* em que responde brilhantemente às minhas contestações, que eu prefira a todos os outros os "objetos de estudos sem qualquer finalidade, jogos de espírito sem nenhuma repercussão na vida espiritual do homem". Pois foi, ao contrário, pelo apego a assuntos mais rasteiros que, embora "convidado a nele tomar parte", conforme observou, deixei de comparecer ao Primeiro Congresso Brasileiro de Filosofia. Por isso e ainda porque me sinto incompetente para os altos debates que se haveriam de esperar em uma tal assembleia.

No entanto, alimento ainda suficiente respeito pela Filosofia digna desse nome, e mesmo pela Filosofia de Maurice Blondel para tentar defendê-la contra o que me parece suas deturpações, involuntárias ou não. Bem sei que, desde os sofistas e antes deles, sempre houve partidários de verdades mais ou menos políticas e místicas, e que há ainda hoje os adeptos de verdades históricas, geográficas, raciais ou nacionais, boas para determinada época, eficazes para determinado regime, adequadas para este ou aquele povo.

Sei também, por outro lado, que Blondel não pertence e não quer pertencer a esses. Ele declarou, como lembra Alcântara Silveira, que aspirava a uma filosofia *de plein air*, mas acrescentou, imediatamente em seguida, "que possa ser tão respirável no século vinte e cinco como o teria sido no segundo ou no décimo segundo, e que só espera encontrar o atual depois de procurar o eterno, sempre oportuno, mesmo ou sobretudo quando pareça inatual".[1]

Cita ainda o autor um longo trecho do *Itinerário filosófico*, no qual, falando a Frederico Lefèvre, o filósofo procurava sugerir como as suas teses, inteiramente especulativas na aparência, têm, no entanto, um interesse imediato, decisivo, constitutivo para diferentes atividades, inclusive para a cooperação internacional. Essas e outras palavras aparecem, com efeito, no *Itinerário*, mas não vejo como autorizem a interpretação que lhes quer dar seu intérprete brasileiro.

É normal que um filósofo, por mais avesso ao século e ao mundo (e não é precisamente o caso de Blondel), seja sensível às repercussões de suas ideias para além do domínio puramente especulativo. E as palavras citadas respondem aqui, em realidade, a certo receio expresso por Lefèvre, em que pergunta se o filosofo francês não se interessaria pelas consequências práticas das suas ideias. Pergunta essa relacionada, por sua vez, às palavras de Blondel, quando dizia, citando Spinoza, que a própria verdade e só ela é luz e norma da verdade. A ideia-mestra de sua doutrina ele a exprime dizendo que tudo parece produzir-se de baixo para cima, quando o contrário é que se dá em realidade. Nada, a seu ver, seria cognoscível, nem real, se todas as coisas não fossem atraídas a uma assunção.

Pode-se lembrar ainda como Blondel justifica sua repulsa a William James, dizendo que este não entrevira que o segredo do destino dos homens é inacessível através de um inquérito "nas coisas do tempo e do espaço". E como critica em Bergson certa ideia da inteligência e da ação que nos orienta para uma espécie de "temperalismo espiritual e naturista ao mesmo tempo", assim como o fato de não desaprovar as interpretações dadas por Georges Sorel de uma filosofia na qual, finalmente, nem todos veem o evangelho da "ação direta". E assim, ao futurismo bergsoniano quer opor o que chama seu eternismo.

Mas esse mesmo eternismo irá dissipar-se sem remédio nas mãos daqueles que nele vislumbram apenas o que proporcionaria de conve-

1 Silveira, *Itinerário filosófico*, p.272.

niente e prestimoso. E uma filosofia onde se acentua expressamente o caráter "transnatural" do nosso destino vê-se convertida, assim, em uma espécie de milícia.

É significativo, além disso, que, não tendo encontrado, numa das obras de Blondel que eu invocara, nenhuma condenação expressa às filosofias convenientes, meu crítico acrescenta textualmente: "mesmo que Blondel houvesse dito algo a respeito, pouco valeria essa opinião, expressa num livrinho escrito sob encomenda, quando a sua filosofia é um desmentido a essa afirmação". Por onde se vê como a espécie de milícia também pode converter-se em uma espécie de mercancia.

História e natureza*

O interesse não apenas de curiosidade que, cada vez mais, vem provocando entre nós as questões de ordem filosófica representa o indício talvez característico de uma direção nova nas preocupações dos nossos escritores e, até certo ponto, do nosso público. É frequente, hoje, que se orientem para a simples especulação filosófica muitos daqueles que há quinze ou vinte anos se deixariam empolgar por alguma Sociologia que não passasse, em realidade, de uma aliança da interpretação histórica à propaganda política e à visão profética. Assim como os que ontem se ocupavam da literatura de ficção – e ainda aqui, indiretamente, dos espetáculos, não digo tanto dos problemas, sociais – parecem voltar-se hoje para a poesia, de preferência para a poesia "pura".

Um crítico imbuído de *slogans* marxistas não deixaria de interpretar essa nova preeminência do "humano" e do individual sobre o social como sintomática da alienação dominante entre intelectuais diante das perplexidades da hora presente. O que de certo modo pode ser perfeitamente justo: entretanto não cuidarei, por agora, dos motivos, fictícios

* Artigo originalmente publicado no *Diário Carioca*, 17 jun. 1951. (N. O.)

ou reais, da transformação operada, receoso de me meter com eles pelos desvãos do sociologismo crítico.

Não é de hoje que um ilustre ensaísta francês – Julien Benda – vem sistematicamente denunciando o viés literário de muitas filosofias em voga. Se o fato é verdadeiro, não o será menos sua recíproca. E no gosto atual pela literatura chamada existencialista, eu veria um aspecto, entre muitos, mas esse especialmente famoso, de um fenômeno bem generalizado e rico em consequências.

A consideração desse fenômeno, sugerida por dois comentários ultimamente aparecidos às notas que aqui mesmo se publicaram a propósito das atas do Primeiro Congresso Brasileiro de Filosofia, não implica, certamente, um desconhecimento da atitude oposta. Porque a par daqueles que procuram destruir as possíveis muralhas entre as atividades distintas do espírito e da imaginação, a fim de que cada uma possa respirar por todos os poros a mesma atmosfera comum, existem sem dúvida os outros, os que desejariam ver erigida em cada limite uma barreira, bem espessa e calafetada.

Apenas estou inclinado a supor que estes não existiriam facilmente sem aqueles: quer dizer que o zelo dos partidários das muralhas seria inexplicável sem o ardor dos amigos da indistinção e da promiscuidade. À origem dos seus contrastes encontra-se, assim, uma interdependência bastante sensível.

Precisamente um dos que se deram o trabalho de comentar as minhas notas à margem do Congresso de Filosofia, ou melhor, das suas atas publicadas, situa-se claramente na primeira categoria, a dos que não toleram vãos compromissos, capazes de turvar a nítida visão do filósofo e do cientista. Pertencendo a tribo relativamente pouco numerosa, entre nós, dos que não se encaminharam à Filosofia movidos pelo simples gosto de brilhar, ostentando uma erudição fácil e falaciosa, Eurialo Canabrava não quer saber dos entretons que, podendo satisfazer imaginações generosas, atendem mal às mais elementares exigências de uma lógica precisa.

E se as questões estéticas, sobretudo as poéticas, despertam, não raro, seu interesse, é que, definidas, como as define, por um rigoroso contraste com as filosóficas e as científicas, fica assentado que cada qual tem seu terreno intransferível, cercado de solidas barreiras. Uma vez que a poesia constitui por excelência e com exclusividade sintomática o domínio da magia, do vago, do ambíguo, ficam automaticamente fixadas essas barreiras.

A perspectiva de uma classificação e formalização das diferentes disciplinas poderá fazer-se, livre, enfim, desse embaraço, através de um rigoroso critério lógico. No seu artigo "Natureza e história", publicado recentemente em suplemento de *A Manhã*, Canabrava não deixa, é certo, de louvar o pessimismo dos que duvidam do bom êxito de certos esforços de formalização das disciplinas históricas. "O sr. Buarque de Holanda", escreve ele, "manifesta a esse propósito sérias dúvidas de que tal tarefa possa ser levada a cabo no domínio das disciplinas históricas. As suas observações se aplicam mais rigorosamente às tentativas ingênuas de matematização da História, Psicologia ou Sociologia".

Acrescenta, aparentemente com razão, que a extensão dos métodos científicos à história há de obedecer a princípios estratégicos diferentes dos que se impuseram no "domínio dos fatos naturais". Apesar dessa ressalva, o autor não deixa, é certo, de encarar a possibilidade de uma formalização lógica da história, e é sobre esse ponto que continuo a manter as sérias dúvidas formuladas nas notas sobre o Congresso de Filosofia. Acredito, em realidade, que os historiadores têm a aprender do espírito que preside atualmente o trato das ciências formais muito mais do que julgam os produtos de hipóteses em que a complexidade do passado é sujeita a uma simplificação enganadora. A desconfiança diante dos falsos conceitos é tão válida para o mister do historiador quanto o é para os modernos positivistas e fisicistas. Mas essa mesma desconfiança há de afastá-los justamente da sedução dos padrões rígidos e absolutistas, que nos permitiriam não apenas compreender o passado, como prenunciar o futuro. Só a partir dela é que o historiador poderá vencer cabalmente aqueles "efeitos desastrosos do diletantismo literário e filosófico sobre uma disciplina que não se caracteriza pelo rigor sistemático das suas conclusões".

Se a propósito de determinados fenômenos, em particular dos fenômenos de natureza estatística e econômica, é possível um grau apreciável de previsão; se, por conseguinte, é possível, em parte, algum conhecimento científico rigoroso, a verdade é que o bom êxito alcançado pela disciplina histórica nesses setores só tem servido para mostrar a latitude imensurável dos domínios em que ampliar métodos semelhantes é cair exatamente numa espécie de diletantismo literário ou filosófico. Penso, nesse ponto, com Eurialo Canabrava, que a assimilação da história às ciências suscetíveis de formalização não se dará nas condições em que a unificação da física e da química chegou a ser imaginável, em princípio e idealmente, é certo, na teoria do átomo de Bohr. Mas por outro lado suspeito da possibilidade de uma influência absolutamente eficaz, sobre os historiadores futuros, de trabalhos como os de sociólogos (Lazarsfeld a Lundberg) cujas diretrizes, a seu ver, poderiam encerrar o embrião de uma nova "estratégia" historiográfica.

É bem significativo que, atraídos pelas recentes teorias sociométricas, esses mesmos autores, segundo pode notar um dos seus críticos, sempre se mostraram mais devotos do "*metrum*" do que sensíveis ao "*socium*". Eles nos ensinam a tomar medidas, não a aprender o sentido verdadeiro daquilo que procuram medir. Para isso precisam limitar necessariamente a importância do individual, a fim de favorecerem a do típico. Ora, a História é por excelência o domínio do individual, do espontâneo, do concreto. Ou, nas mesmas palavras de Canabrava, "é o campo em que se movimentam as forças irracionais, os interesses e as tendências afetivas, os valores misteriosos de variáveis desconhecidas e parâmetros ocultos".

Estou convicto de que a precisão nas disciplinas históricas só é verdadeiramente possível na medida em que se abandone de todo a esperança falaz no valor daqueles padrões rígidos, que no século podiam seduzir um Taine ou um Buckle, o que ainda neste nosso século encantam os partidários de um Spengler ou de um Toynbee. A importância de um maior rigor é afirmada com justeza no trabalho de Canabrava. Para ser ainda mais justo, ele precisaria acentuar, sem deixar margem a dúvidas, que o tipo de rigor requerido para as disciplinas formalizáveis não se confunde e nem se equipara ao que reclamam as pesquisas históricas, quando não queiram cair, estas, nas malhas dos mistificadores, dos astrólogos ou dos fabricantes de ouro. Contudo, no fato de ter chamado atenção para a necessidade de um tratamento mais preciso dos problemas da história permanece um dos méritos do trabalho em que Canabrava comentou as observações aqui feitas. O mesmo já não se poderá dizer, com a mesma certeza, de outro comentador, cuja exposição tentarei examinar em artigo posterior.

Algumas técnicas rurais no Brasil colonial I*

A adoção de técnicas numerosas e em parte ainda persistentes de aproveitamento do solo americano resultou, sem dúvida, dos contatos mais ou menos íntimos que manteve o colonizador europeu com os antigos naturais da terra nos tempos que se seguiram à conquista. Em todo o continente foram assíduos esses contatos, e não deixaram de exercer ação transformadora mesmo onde o branco se mostrou aparentemente mais recalcitrante.

É certo que variaram de intensidade nas diferentes áreas coloniais, e que sua influência há de ter variado em grau correspondente. Conhece-se o caso daqueles puritanos da Nova Inglaterra que, regressando do cativeiro entre as tribos do Oeste, surgiam em suas cidades pintados e paramentados ao modo dos índios e falando idiomas nativos. Ou o das crianças mestiças, filhas de mulheres puritanas aprisionadas. Contudo o historiador F. J. Turner, que alude a esses episódios, apresenta-os como

---

* Artigo originalmente publicado em *Anhembi*, São Paulo, jul. 1951. (N. O.)

ocasionais nas possessões anglo-saxônicas. Seria o lado excepcional, quase escandaloso, da história dessas possessões.[1]

Em alguns lugares do mundo americano sabemos, entretanto, que, ao menos em parte, esses casos puderam ser a regra. E que o foram na América portuguesa, inclusive, onde e enquanto o "negro" da terra não cedeu lugar ao negro da África nas fainas agrárias e domésticas. Em São Paulo, por exemplo, e nas terras descobertas e povoadas por paulistas, que constituirão, de preferência, o objeto do presente estudo, atestam numerosos documentos a permanência geral do bilinguismo tupi-português durante todo o século XVII. E há bons motivos para supor-se que a assimilação linguística, favorecida mais tarde pelo crescente afluxo de imigrantes e pela correspondente diminuição do gentio manso, só se completou verdadeiramente nos primeiros decênios do setecentos. Textos de meados desse século, como por exemplo a biografia do padre Belchior de Pontes por Manuel da Fonseca, já se referem como coisa do passado ao predomínio da língua geral entre os moradores da capitania.

Da intimidade das relações entre brancos e índios, o vocabulário brasileiro guarda vestígios ainda hoje. Entre outros sobressaem, em particular, os termos técnicos relacionados à vida rural, e que só por si bastariam para assinalar o grau apreciável da contribuição indígena nesse domínio. Se apesar da integração de áreas paulistas no mundo de língua portuguesa, que se acentuou no decurso do século XVIII, essas expressões vocabulares continuam a prevalecer, é certamente porque o português não lhes oferecia equivalente apropriado. Da população subjugada, nossa gente conserva, em realidade, não apenas numerosos vocábulos, como ainda os objetos que esses vocábulos designam.

O número mais considerável relaciona-se, provavelmente, ao exercício venatório. Não parece exagerado dizer que a quase totalidade dos termos que no interior do Brasil designam armadilhas para caça – e também para pesca – são de ascendência indígena. E esse predomínio seria mesmo de esperar, dada a natural instabilidade de uma população

1 Cf. Turner, *The Frontier in American History*, p.44.

que tirava dessas armadilhas parte apreciável de seus meios de subsistência. Em alguns documentos antigos chega-se a dizer pitorescamente dos índios e também dos sertanistas, brancos e mestiços, que tinham sua melhor bodega nos matos e rios. Outro fato que parece derivar também dessa mobilidade está na persistência de vários termos de procedência tupi na nomenclatura de utensílios, ordinariamente de trançado (samburá, jacá, xuã...) que se destinam a guardar ou transportar certos objetos no curso das jornadas.

Mas mesmo no vocabulário relativo às artes sedentárias, o idioma dos antigos naturais da terra deixou vinco profundo. Não há dúvida que a introdução de ferramentas europeias pôde afetar os primitivos métodos de lavoura, mas raramente os afetou no sentido de sua radical transformação. O machado, a foice, a enxada importados ajudaram, quanto muito, a fazer mais eficazes, por isso, em geral, mais desastrosos, aqueles métodos, afeiçoando-se a eles e substituindo os antigos instrumentos de pau e pedra, assim como o anzol de ferro viera a substituir, na pescaria, os espinhos tortos a que se referia Gabriel Soares em seu tratado quinhentista. Pelo menos desses anzóis sabe-se que no século XVI havia, em Portugal, quem os fizesse de mau fio e impróprio, visando apenas ao lucro de sua exportação para o Brasil. O abuso, denunciado no regimento de anzoleiros de Lisboa em 1572,[2] é sinal da importância que adquirira esse instrumento na possessão ultramarina.

Em nenhum caso parece lícito dizer que as ferramentas chegaram a alterar de modo substancial os usos da terra. Em realidade, o sistema de lavoura dos índios revela quase sempre singular perseverança assegurando-se vitória plena ao ponto de ser adotado pelos adventícios. Os quais, após a primeira geração na colônia, pareciam não raro ignorantes dos hábitos dos seus ancestrais, ao contrário da raça subjugada que

2 "e mandão por os muitos enganos q se fazem nos anzolos q mandão para o Brazil e outras partes q nenhu oficial do dito officio faca anzolos sargueiros senão do fio de sargueiro a que chamão solta e os não farão de fio de gorazeiro sob pena de q lhe serão quebrados e pagar mil réis a metade para a cidade e a outra para que o acusar". A mesma pena era imposta aos oficiais que fizessem anzóis pargueiros para o Brasil que não fossem de fio de pargueiro. Cf. *Livro dos Regimentos dos Officiaes Mechanicos da Mui Nobre Sêpre Leal Cidade de Lixboa*, p.68.

se mostrou de um conservantismo e misoneísmo a toda prova. Isso foi especialmente verdadeiro com relação aos produtos vegetais importados, que não trocava pelos nativos mesmo onde tudo parecia favorecer uma receptividade maior.

Nas missões jesuíticas do Sul, refere-nos o padre Cardiael que os Carijós, doutrinados e domesticados de pais e filhos, jamais puderam acostumar-se ao uso do trigo. Poucos o semeavam, e quando o comiam, era cozido ou em broa sem fermento, que tostavam em pratos assim como o faziam com o milho. Alguns, por terem sido padeiros entre os padres, eram capazes de preparar bom pão, mas largavam o ofício quando voltavam às suas moradas. "Para o índio", diz, "é uma espécie de filosofia isso de moer o trigo, amassá-lo, deitar sal e levedura à massa, esperar que fermente, que cresça, dar-lhe forma e, enfim, cozer o pão. Só o faz, quando obrigado".[3]

Com relação aos animais domésticos trazidos pelo europeu, mostraram-se, é certo, bem mais transigentes, sempre que encontraram facilidades e vantagem em criá-los e servirem-se deles. É particularmente notório o caso da disseminação do cavalo entre os guaicuru. Nos *Comentários* do "adelantado" Álvaro Nunez Cabeza de Vaca, redigidos em meados do século XVI pelo escrivão Pero Hernandez, já se descreviam esses indígenas como "*tan lijeros y recios, que corren trás los venados y tanto les dura el aliento y sufren tanto el trabajo de correr, que los cansan y toman a mano*".[4] Explica-se, assim, que o equino pudesse naturalizar-se facilmente entre eles.

Compreende-se também a rápida difusão entre os índios de todo o continente das aves domésticas trazidas do Velho Mundo ou, como no caso do peru e do pato, transportadas de uma para outra região do próprio continente. Tão rápida, na verdade, que em alguns casos iam encontrá-las os conquistadores em terras nunca antes visitadas por euro-

3 Relación verídica de las Misiones de la Compañia en J. S. en la provincia que fue del Paraguay y solución de algunas dudas sobre las mysmas. Obra del P. N. N., misionero de las dichas misiones escritas a instancias del P. N. N., misionero apostólico en la provincia que fue de Castilla, Faenza, año 1772. Manuscrito da Biblioteca Nacional do Rio de Janeiro. Coleção Benedito Ottoni, I, p.51-2.

4 Cabeza de Vaca, *Naufragios y comentarios*, p.201.

peus, e isso levou um cronista como Oviedo a ter as galinhas domésticas por nativas na América. Em 1540, Orellana já as encontrou, vindas, segundo se presumiu, de Cabo Verde, entre as tribos da foz do Rio Negro. E vinte anos mais tarde, Ursua e Aguirre puderam assinalá-las alguns dias de viagem para o sul da boca do Napo. Nesse último caso, porém, tudo leva a supor que tenham procedido das conquistas espanholas do Pacífico. Uma difusão no mesmo sentido, isto é, de oeste para leste, explicaria igualmente sua presença em terras situadas na área do atual estado de Mato Grosso.[5]

O fato de terem existido galinhas – e também porcos – da Espanha no vilarejo português de São Vicente, antes da expedição de Martim Afonso de Souza,[6] não é muito para admirar-se, quando se sabe que já em 1519 se criavam elas entre os Tupinambá da Guanabara, onde as foi encontrar a frota de Fernão de Magalhães, segundo se lê em Pigafetta. Em meados do século XVI, seriam quase os únicos animais domésticos existentes nas tabas desses índios, se acreditarmos no depoimento de Thevet, e só ocorriam em sítios previamente frequentados pelos portugueses. Entretanto, alguns decênios mais tarde já eram criadas por dentro do sertão 300 e 400 léguas, o que só se pode atribuir ao comércio intertribal. A mesma causa determinaria sua expansão até o extremo-norte, onde em princípio do século seguinte as encontrariam os franceses na Ilha do Maranhão, com o mesmo nome que lhes costumavam dar no Rio de Janeiro.[7]

Esse nome – *arinhâ* ou *arinhã* (*arignan*, em Lory, *arignane*, em Thevet e *araignan* em d'Abbeville) – não seria, provavelmente, mais do que uma deformação fonética da palavra portuguesa "galinha", apesar das várias tentativas efetuadas entre alguns estudiosos a filiá-la a um étimo

5 Cf. Friederici, *Der Charakter der Entdeckung und Eroberung Amerikas durch die Europaer*, I, p.431; Sapper, *Geographie und Geschichte der Indianischen Landwirtschaft*, p.22.

6 Von Wieser, *Die Karten von Amerika in dem Islario General de Indias des Alonso de Santa Cruz*, p.56.

7 Thevet, *Les singularitez de la France Antarctique*, p.224; Cardim, *Tratados da terra e gente do Brasil*, p.106; D'Abbeville, *História da missão dos padres capuchinhos na Ilha do Maranhão*, p.242.

tupi.[8] Com a introdução de outro galináceo, este de origem americana, mas trazido ao Brasil por europeus – o peru –, aplicaram-lhe a mesma designação, acrescida da partícula aumentativa.

Da facilidade com que se naturalizaram entre os índios essas aves, é característico o fato de terem passado eles a fornecê-las a europeus mediante preços muitas vezes irrisórios. Refere Thevet, por exemplo, que a troco de uma pequena faca se obtinham duas galinhas no Rio de Janeiro. E num poema ainda inédito de Anchieta lê-se, a propósito do trato dos brancos com o gentio do Espírito Santo:

La mentira es mui barata
Com qualquer vinte de plata
No escapan, pollos, ni pollas
Gallina, pirú, ni pata.[9]

O curioso é que, adotando embora a ave forasteira, os índios não se utilizavam dela à maneira dos brancos. Os ovos particularmente passariam por venenosos entre os tupinambá, segundo o testemunho de um viajante quinhentista. Outro depoimento da mesma época fala no escândalo que provocavam, entre esses índios, certos cristãos, quando devoravam quatro ou cinco ovos numa refeição. Pois cada ovo, diziam, correspondia a uma galinha, e uma galinha daria para alimentar duas pessoas.[10] Na generalidade dos casos, guardariam essas aves entre si prin-

---

8 Rodolfo Garcia, em nota a D'Abbeville, op. cit., escreve a propósito: "talvez jaçanã; há outras explicações". Ver também, do mesmo anotador, Exotismos franceses originários da língua tupi. In: *Anaes da Biblioteca Nacional*, LXIV, p.143. Plínio Ayrosa, por sua vez, em nota à tradução portuguesa de Jean de Lery, *Viagem a terra do Brasil*, p.133, observa: "parece-nos difícil a etimologia de arinhan ou ariña. Se admitirmos que ela representa mais ou menos a pronúncia do índio será uyrá + ña, ave que corre, ou também guirá + ña, como se vê em Sampaio. Não nos sendo dado restaurar a expressão, nada podemos afirmar a esse respeito".

9 *Auto representado na Villa de Vitória.* folha 103, v. do manuscrito dos arquivos da Companhia de Jesus em Roma. O texto deverá ser brevemente publicado com notas e comentários elucidativos da sra. Maria de Lourdes de Paula Martins, no *Boletim do Museu Paulista*, Tomo III, como parte da publicação integral da obra literária de José de Anchieta. À anotadora ficam aqui os agradecimentos pela indicação da passagem citada no texto.

10 Thevet, op. cit., p.224; Lery, *Histoire d'un voyage faict en la terre du Brésil*, I, p.170.

cipalmente para recreio e distrações, não para alimento. Comparados aos outros xerimbabos, que lhes forneciam, quando muito, as penas necessárias aos enfeites e flechas, teriam a vantagem da procriação doméstica, o que lhes poupava grandes trabalhos.

O caso é bem significativo da extensão do conservantismo que caracteriza essas populações indígenas. A aceitação de um elemento importado não correspondeu, entre eles, a uma indiscriminada aceitação das formas adventícias tradicionais de aproveitamento desse elemento. Ao passo que do europeu se pode dizer que transigiu em tudo com os processos indígenas, sem se dar sequer o cuidado de aperfeiçoá-los.

Dois exemplos são, a esse respeito, bastante significativos e, só por isso, merecem ser mencionados. O primeiro refere-se à viação fluvial, onde, mesmo ao tempo do comércio regular e intenso despertado pelos descobrimentos das minas de Cuiabá e em Mato Grosso, que durante o século XVIII prolongou e, por assim dizer, rematou a obra dos bandeirantes na formação da atual silhueta geográfica do Brasil, dependeu de uma estrita fidelidade às práticas dos antigos naturais da terra. Tão característica foi a dependência que o declínio daquele comércio – e isso já nos primeiros decênios do século passado – se relaciona em grande parte com a diminuição, nas beiradas do Tietê e seus tributários, das perobas e ximbaúvas apropriadas ao fabrico das canoas de madeira inteiriça.

De uma das canoas, que ainda hoje se conserva, embora incompleta em Porto Feliz, no próprio local do embarcadouro antigo das expedições regulares, pode-se dizer que a curvatura do casco, escavado a ferro e fogo, ainda reproduz claramente o perfil do tronco utilizado. Assim, a distância média entre as bordas – 114 cm – é muito inferior à maior largura do bojo – 143 cm –, segundo as medidas que pude apurar pessoalmente.

Em tudo reflete-se, aqui, a técnica indígena de fabrico de embarcações monóxilas, que persistiu sem mudança até o século passado. As expedições que se faziam todos os anos em grandes frotas formadas pelas canoas tinham o nome de *monções,* embora a época de sua realização não fosse determinada pela presença de ventos propícios, como sucedia com as suas homônimas do Oceano Índico, já que não eram movidas a remo, e sim pelo volume de água considerado mais favorável à navegação dos rios em certos meses do ano. Não apenas no fabrico das embarcações como na própria mareagem, os usos fixados antes do advento do europeu sobreviveram sem contraste à subjugação dos primitivos donos da terra. Ao tempo de Francisco José de Lacerda e Almeida, que percorreu numerosos cursos de água brasileiros e africanos em fins do século XVIII, as canoas paulistas eram postas em movimento por alguns remeiros postados em pé e a cada lado da embarcação, na sua parte dianteira, segundo o sistema generalizado entre a maior parte dos índios da terra. O governo das embarcações cabia, nesse caso, a dois remadores instalados junto à proa e também de pé. Nisto principalmente se diferençavam não apenas dos barcões fluviais portugueses, como ainda dos chamados "coches" africanos, em que todos os remeiros iam sentados, de preferência à popa, e se algum ficasse junto à proa seria para ajudar a ação do leme e avisar de eventuais obstáculos.[11]

A ninguém parece ter ocorrido seriamente, salvo, por momentos, a d. Luis Antonio de Sousa Botelho Mourão, o Morgado de Mateus, que exerceu o governo da capitania entre 1765 e 1775, substituir o processo de construção náutica aprendido dos bugres, por outro mais civilizado, mais parcimonioso e conforme as necessidades e possibilidades da terra. Em junho de 1767 confiava d. Luis ao vice-rei do Brasil seu ousado projeto. "Quero dar início", dizia, "a fazer barcoens a modo dos que andam no Douro para experimentar se posso conseguir navegar o Rio com elles para me livrar das canoas, para as quais já apparecem poucos paus nos mattos e levão pouca gente, e para fazer barcoens há muita taboa".[12] O plano jamais chegou a realizar-se.

Com a diminuição forçada das canoas teria de diminuir, naturalmente, o número de práticos dessa navegação. Muitos deixaram-na a fim de irem servir no caminho fluvial entre Mato Grosso e o Pará, aberto pouco antes. Em 1818 um capitão-mor de Porto Feliz chegaria a queixar-se de que já não existiam práticos, pilotos e proeiros para mais de sete

11 *Diário de viagem de Moçambique para o Rio de Sena, feita pelo dr. Francisco José de la Cerda e Almeida*, I, 28-28-8.

12 *Documentos interessantes para a história e costumes de São Paulo*, IX, p.12.

ou oito canoas. Dos que então serviam no caminho do Pará, muitos não pensavam em volta e nenhuma autoridade tinha poderes para forçá-los a tanto.[13] A partir de então escasseiam as viagens fluviais para o Cuiabá até desaparecerem por completo dois decênios mais tarde. Exatamente em 1838 uma epidemia de febre tifoide surgiu no Tietê, deixando raros sobreviventes entre os últimos mareantes que tinham ficado em Porto Feliz.[14]

Outro exemplo significativo da resistência das técnicas indígenas encontra-se nos métodos de tecelagem de redes. O europeu recém-chegado adotou imediatamente o costume de dormir e descansar em redes, e em toda a Capitania de São Paulo representaram elas, por longo tempo, as verdadeiras camas da terra. Ainda em princípio do século passado, pareceu ao naturalista francês Auguste de Saint-Hilaire que o uso constituía traço distintivo dos paulistas, em confronto com os mineiros, atingidos mais em cheio pelas influências ultramarinas.

Nos primeiros tempos, o fabrico desse traste, indispensável em casas de índios e colonos, deve ter sido privilégio dos antigos naturais da terra. Com a dizimação destes, nas áreas litorâneas, tornou-se, em certas ocasiões, artigo escasso, fazendo-se necessário ir buscá-lo a grandes distâncias. Mesmo na Capitania de São Vicente queixava-se Nóbrega, em carta de 1561, que não era facilmente encontrado por ser caro. Isso explica o fato de se ter tornado rapidamente objeto de resgate e pilhagem entre tribos remotas. Tão grande era sua procura que em 1587, no regimento feito pelo Concelho da Vila de São Paulo, para definir as relações entre colonos e o gentio tupinaem, descido do sertão, mandou-se expressamente que nenhuma pessoa "lhe tomasse redes nem outra coisa". Três anos depois, nas posturas ajustadas pela Câmara, fala-se em índios que vinham visitar seus compadres e amigos, trazendo redes e outros produtos para resgatar. E na relação da Missão dos Carijós, de 1605-1607, redigida pelo padre Francisco Rodrigues, diz-se da gente de São Paulo que, indo

13 Manuscrito do Arquivo Público do Estado de São Paulo. Maço 54, pasta 1, n. 75.

14 Azevedo, *Relatório do primeiro tenente da armada sobre os exames de que foi incumbido no interior da província de São Paulo*, p.10 et seq.

àquelas terras a resgatar índios, também trabalhava por haver suas redes e tipoias. E os inventários da mesma época, o de Francisco Barreto, por exemplo, que é exatamente daquele ano de 1607, fazem alusão a redes de Carijó, sinal de que não seriam confeccionadas aqui, mas trazidas das plagas sulinas onde habitavam aqueles índios.[15]

É certo que o simples fato de se especificar procedência sugere que estaremos em face de uma exceção à regra geral. Em começo do século XVII, a regra geral já deveria ser a fabricação entre o gentio doméstico e as mulheres mestiças. Pode-se supor que prevalecesse, nesse caso, algum dos tipos de tear tradicionais no velho mundo – tear de tecer pano – que já se conheciam em São Paulo pelo menos desde 1578, ano em que os tecelões e as tecedeiras principiam a ser mencionadas na *Atas da Câmara da Vila*. O fato, porém, é que se apegaram, ainda nesse caso, à técnica já usual entre os indígenas do país, sem dúvida mais rústica e mais lenta.

Essa técnica ainda é, rigorosamente, a mesma de que se servem hoje as tecedeiras dos arredores de Sorocaba e de Mato Grosso. Utilizam teares verticais – e não horizontais como os de "fazer pano" – e tecem de baixo para cima. O mesmo sistema, com poucas variantes, é praticado até os nossos dias entre numerosas tribos do continente americano. Erland Nordenskjold, ao assinalar a sua presença entre indígenas do Chaco e da Bolívia, exclui de modo cabal a possibilidade de ter sido ele importado com os brancos ou pretos. E referindo-se ao uso de enrolarem os fios da urdidura em volta de duas traves horizontais para que depois recebam a trama – uso que tive a oportunidade de observar entre tecedeiras sorocabanas e cuiabanas –, procura atribuir-lhe procedência Aruac, servindo-se para isso de ponderáveis argumentos.[16] Embora os nossos antigos cronistas não nos tenham deixado, em geral, muitos pormenores a respeito, tudo leva a crer que os mesmos métodos fossem correntes entre os tupi

15 *Atas da Câmara da Vila de São Paulo*, I – 1562 a 1596, p.329 e 395; Serafim Leite, *Novas cartas Jesuíticas*, p.108 e 243; *Inventários e testamentos*, II, p.207.

16 Nordenskjold, *Eine geographische und Ethnogranhisehe Analyse der Materiellen Kultur zweiter Indianerstamme in el Gran Chaco*, p.214.

da costa.[17] De outra forma, explica-se mal a persistência, entre os colonizadores brancos e os mestiços, de uma técnica sem dúvida ignorada em Portugal.

Pode-se dizer que, com muito poucas exceções, onde o europeu adotou entre nós algum produto indígena associado a métodos plenamente desenvolvidos para seu aproveitamento, adotou também esses métodos, abstendo-se de modificá-los. Quando se tratasse de artigos já conhecidos no Velho Mundo, como era o caso do algodão, limitava-se em geral a aperfeiçoá-los em alguns pontos, sem, contudo, alterá-los substancialmente. Para o descaroçamento do algodão, por exemplo, embora lidando com espécies nativas, ele pôde contribuir com a bolandeira ou descaroçador manual de cilindros, feito de madeira: a primitiva *churka* das Índias Orientais. É certo que a inovação, assim mesmo, não se impôs em toda parte com a mesma rapidez. Se no Nordeste do Brasil há notícia de sua existência já por volta de 1618, em São Paulo só principia a ser mencionada, nos inventários publicados, durante a segunda metade do século XVII, coincidindo com a maior produção aparente e a baixa correspondente no preço do produto. O que é explicável quando se tem em conta a grande economia de tempo, trabalho e mão de obra que se introduzia com a melhora. Normalmente uma pessoa, fazendo à mão toda limpeza de capulhos, mal conseguia descaroçar mais de uma libra por dia, ao passo que, com o socorro da bolandeira, podia limpar, no mesmo período, cerca de 2 arrobas, que davam de 0,5 arroba a 20 libras de algodão limpo. Apesar dessa vantagem, no Maranhão, que é, justamente em fins do século XVIII, um dos principais centros de lavoura algodoeira, um depoimento fidedigno leva a supor que ainda em 1795, três anos depois da invenção de Eli Whitney que iria revolucionar os métodos de produção da malvácea, acarretando ao mesmo tempo uma transformação

17 A esse respeito é decisivo, aliás, o testemunho de Jean de Lery sobre os índios da Guanabara: "*Touchant les lits de coton, qui sont appelés iniz par les sauvages, leurs femmes ayant des métiers de bois, non pas à plat, comme ceux de nos tisserands, ni avec tant d'engins, mais seulement élevé devant elles de leur hauteur, après qu'elles ont ourdi à leur mode, commencent à tisser par le bas*". Lery, *Histoire d'un voyage faict en la terre du Brésil*, II, p.97. [Ver nota 2, p.362 do Livro I. – N. E.]

econômica de largas consequências, não se conhecia sequer a bolandeira, e toda a limpeza dos capuchos continuava a ser feita à mão.[18]

No fabrico da farinha de mandioca, o produto nativo que mais depressa conquistou os povoadores europeus, chegando na maior parte da colônia a substituir o pão de trigo, o único progresso sensível introduzido por estes foi o emprego da prensa de lagar ao lado do tipiti de palha. Mesmo nos inventários paulistas, mencionam-se em muitos casos prensas que deveriam se destinar em geral à produção da farinha, muito embora o instrumento indígena continuasse a sobreviver, principalmente no litoral, e até hoje não tenha sido desalojado de todo em outros lugares do Brasil.

É provável, contudo, que, na Capitania de São Vicente, o maior consumo da mandioca se assinalasse desde os primeiros tempos nas povoações da marinha. Sabe-se que, pelo menos até 1782, a farinha de guerra, consumida por dois regimentos estacionados na cidade de São Paulo, ia toda de beira-mar.[19] E as condições certamente menos propícias, no planalto, ao cultivo da mandioca em escala suficiente para se abastecer um centro de povoamento mais estável do que os primitivos núcleos indígenas, terão sido um dos incentivos para o desenvolvimento adquirido ali pela lavoura do trigo durante o século XVII. Lavoura que, mudando a paisagem econômica da região, acarretaria, por sua vez, a introdução de utensílios da técnica europeia, como o moinho d'água, a azenha ou a atafona. E, segundo algumas probabilidades, também o arado, posto que esse instrumento pudesse associar-se igualmente ao plantio da cana-de-açúcar, gramínea que, ainda mais do que o trigo, pede terreno previamente preparado e amanhado.

Mais de um testemunho positivo indica a presença eventual e o cultivo de algum trigo na capitania ainda em fins do século XVI. Contudo, faltam elementos para afirmar-se que seria produzido correntemente e

18 *Diálogos das grandezas do Brasil*, p.152; Gayoso, *Compêndio histórico-político dos princípios da lavoura do Maranhão*, p.313.

19 Dissertação a respeito da Capitania de São Paulo, sua decadência e modo de restabelecê-la, escrita por Marcelino Pereira Cleto em 25 de outubro de 1782. *Anais da Biblioteca Nacional*, XXI, p.215.

em escala comercial. Tendo andado pelo campo de Piratininga em 1585, o padre Fernão Cardim salienta, em um dos seus tratados, que a planta se dava bem ali no Rio de Janeiro, mas acrescenta que não constituía gênero usual, dada a falta de moendas e "também pelo trabalho de colher".[20]

Deve-se notar que o exame das velhas *Atas da Câmara de São Paulo* conduz facilmente, nesse caso, a interpretações ilusórias. Mesmo um pioneiro no estudo da história dos trigais paulistas, como é o sr. Sérgio Milliet, pôde enganar-se quando tentou situar entre 1564 e 1583 o início da era do trigo em terras paulistas. Não há dúvida que a alusão à "farinha de beira-mar" que encontrou numa ata de 1564 se aplica à farinha "de guerra", isto é, de mandioca, não de trigo. E o mesmo ocorreria no caso de certa resolução da Câmara, em 1583, também lembrada pelo mesmo autor, mandando que se fizessem as farinhas no mês de março.[21] Com as razões invocadas seria lícito, aliás, recuar ainda mais a data inicial, tendo-se em conta que já em janeiro de 1556 a Câmara de Santo André fixara em 6 vinténs o alqueire da farinha.

A verdade é que, naqueles tempos, "farinha", sem maior especificidade, era a farinha de guerra. Escrevendo em 1567 sobre a fertilidade das terras piratininganas, o padre Baltazar Fernandes não deixara de observar: "dá pão como lá...", mas acrescenta logo, "... se o semearem". E ainda vinte anos depois, tão escasso era o trigo da capitania que, segundo Gabriel Soares, daria apenas para algumas hóstias e mimos.[22]

Parece mais do que provável que o incremento ulterior dessa lavoura se deveu em parte aos esforços de d. Francisco de Souza, quando governador da repartição do sul e superintendente das minas. A importação em larga escala de sementes europeias seria, no caso do trigo, dificilmente praticável, pois o tempo consumido na viagem transatlântica bastava normalmente para destruir seu poder germinativo.

É significativo que, mais de um século depois, quando se cogitou nas sementeiras de trigo no Rio Grande de São Pedro, sua majestade apelou

20 Cardim, op. cit., p.108.

21 Milliet, Trigais em São Paulo. In: *Roteiro do Café*, p.162.

22 *Cartas avulsas*, p.483; Souza, *Notícia do Brasil*, I, p.217.

para os lavradores de São Paulo, não para os de Portugal, mandando lançar bando, ao som de caixas, para que contribuíssem com 60 alqueires de grãos destinados às ditas sementeiras. É certo que o pedido não pôde ser prontamente atendido, porque em junho de 1737, data do registro e publicação do bando, fora semeada grande parte do trigo da terra e o mais reduzido a farinha.[23]

Já ao tempo de d. Francisco a experiência do sucedido nas Índias de Castela falava eloquentemente contra a introdução de sementes europeias. Sabe-se, com efeito, que os grãos trazidos ao Novo Mundo pelo próprio Colombo não chegaram a vingar, e que as sementes encomendadas em muito maior escala por seu filho Diego para a Nova Espanha não deram melhor resultado. Em 1511 semeia-se "trigo de três meses" e nenhum prosperará. Três anos depois efetua-se nova tentativa – desta vez para Castilla del Oro, na América Central – e outra em 1520.[24]

Exemplos como esses terão determinado d. Francisco de Souza a pedir a intercessão de el-rei junto aos governadores do Rio da Prata e Tucumã no sentido de remeterem 3 mil fangas de bom trigo, além de 500 de cevada, a fim de poderem plantar nas capitanias do Espírito Santo, Rio de Janeiro e São Vicente. Explicava que "esse trigo e cevada não se pode prover de Castela nem de Portugal, porque quando [lá] chegasse não servia de proveito respeito à tardança do mar". Pedia mais que lhe mandassem duzentas lhamas ("carneiros de carga, daqueles que costumam trazer e carregar a prata de Potosí") para o transporte do ouro e prata retirados das minas existentes naquelas capitanias.

A provisão régia mandando atender aos pedidos lavrou-se em Lerma aos 14 de julho de 1608, mas suas cláusulas deveriam parecer irrealizáveis. Conhecendo provavelmente a megalomania e prodigalidade do governo português, o rei e seu Conselho das Índias determinara, é certo, que fosse enviado o trigo, além da cevada e dos "carneiros de carga", mas isso no caso de não fazerem falta e mediante pagamento à vista em

23 Ordens régias, *Revista do Arquivo Municipal*, LXIX, p.181 e 185.
24 Priestley, *The Coming of the White Man*, 1930, p.24.

Santos, "por uma vez e em dinheiro".[25] Em terra de tamanho desamparo e de tão escasso numerário, como era a capitania vicentina, semelhantes condições bastariam, sem dúvida, para arruinar os grandes planos de d. Francisco. Parece incerto, por outro lado, que as próprias províncias do Prata e Tucumã se achassem em situação de atenderem com solicitude ao pedido. A provisão abatera de 3 para 2 mil fangas o montante do trigo a ser enviado, mas esse mesmo total – que na base do valor atribuído pelo historiador argentino Emilio A. Coni à fanga então usada naquelas províncias pode ser estimado em mais de 40 mil alqueires de 13,8 litros[26] – equivalia, quando não superasse, ao da produção anual de Buenos Aires na mesma época.

Ficara margem, no entanto, para se atender modestamente às pretensões do governador onde a provisão admitia que se alguém, no Prata, quisesse de sua vontade trazer os produtos para vendê-los aos portos de Santos e Rio de Janeiro, levando de retorno ferro ou dinheiro, poderia fazê-lo sem embargo de qualquer deliberação anterior em contrário. Achando então em exploração as jazidas de ferro de Santo Amaro e Araçoiaba, seria essa, aparentemente, a solução razoável.

Registrada em novembro de 1609 a provisão, parecem que não foram imediatos os seus frutos, e ainda, que o povo da terra não se mostrou particularmente animado ante as perspectivas de introdução dessa nova granjearia, receosos de que se convertesse em causa de novas obrigações e sujeições. O fato é que, em maio do ano seguinte, devendo ir à Europa um dos filhos do governador a mandado do pai, propunha-se tratar de certos negócios em benefício do povo, e para isso pedia procuração. Entre os negócios, figuraria a aquisição de sementes de trigo e bacelos de parreira, uma vez que o vinho importado empobrecia a terra. Juntos, os oficiais e o povo assentiram logo que se desse procuração, mas que d. Antonio

---

25 Os apontamentos contendo as propostas e pretensões de d. Francisco juntamente com a resposta do rei constam do códice Pernambucano da coleção Castello Melhor pertencente à Biblioteca Nacional do Rio de Janeiro e estão publicados em Porto Seguro, *História Geral do Brasil*, II, p.149 et seq. A provisão do trigo e cevada encontram-se em *Registro Geral da Câmara Municipal de São Paulo*, I, p.202 et seq.

26 Coni, *Agricultura, comércio e industria coloniales*, p.34, nota.

não se obrigasse a trazer sementes ou bacelos, pois cada qual queria ficar livre para plantar o que bem entendesse.[27] De qualquer forma, logo depois dessa data, devem ter chegado sementes, possivelmente do Prata, visto como d. Antonio não voltou à capitania, e as notícias sobre o trigo da terra passam a ser frequentes nas Atas durante os anos imediatos.

Em 1614, por exemplo, a produção já seria apreciável, comportando a existência de pelo menos um moinho na Vila de São Paulo. No mesmo ano, e em 1616, concedem-se várias cartas de data de água e assento, o que indica rápido incremento da indústria. O moinho de João Fernandes Saavedra deverá ser armado no caminho de Jerobatuba. O de Cornélio de Arzão provavelmente no Anhangabaú. Os dois de Manuel João, para as bandas de Pinheiros. O de Amador Bueno, nas beiradas do Mandaqui.[28]

Pela mesma época, a Câmara empenha-se em abater os preços, às vezes extorsivos, que se cobravam para a moagem. A forma de pagamento que logo se introduziu foi a da maquia, já tradicional entre moleiros e lagareiros portugueses, e expressamente mencionada nas Atas. No caso dos moleiros ou atafoneiros tinha esse nome, a que logo se associou sentido pejorativo, a porção de trigo que lhes cabia em paga do que recebiam para moer.[29] Em 1614 chegara-se a cobrar em São Paulo um alqueire em quatro. E embora os oficiais da Câmara deliberassem que se desse de seis alqueires a um, é de crer que a ordem não chegou a cumprir-se, e no ano seguinte requeria o procurador que em cinco alqueires um se pagasse de moenda. Em 1619, quando a concorrência já era maior, acordavam os camaristas em que os moleiros levassem de maquia um alqueire em oito. Aqui intervieram, porém, os senhores de moinho para alegar que a medida prejudicaria a sua indústria, já onerada pelas constantes despesas com carpinteiros e ferreiros. Finalmente, decide-se que levem de sete alqueires um, proporção que daí por diante dominará com maior frequência.[30]

27 *Atas da Câmara da Vila de São Paulo*, II, p.268.

28 Ibid., p.361, 363, 374, 376 e 377.

29 Cf. Chaves, Velhas formas de pagamento, p.235-238.

30 *Atas da Câmara da Vila de São Paulo*, II, p.361, 404-405.

Os inventários seiscentistas conhecidos também fazem alusão simultânea à presença do trigo e dos trigais nos sítios da roça. No de Isabel Sobrinha, por exemplo, que é de 1619, estima-se em 8 vinténs o alqueire do trigo, quando o do feijão é avaliado em 6 vinténs. A pouca diferença no preço atribuído ao produto exótico em confronto com o da terra é significativa do desenvolvimento logo alcançado pela sua produção. Desenvolvimento que parece alcançar o apogeu de meados para fins do século. Luzia Leme, por exemplo, deixa, em 1656, três casas de trigo, abrigando respectivamente 400, 450 e 250 alqueires. A tulha de Valentim de Barros, em 1654, tem 400 alqueires. Alguns lavradores enviam diretamente seu produto a vender em Santos ou em outras capitanias. É o caso de Felipe de Campos, que em testamento de 1681 dizia ter mandado a um correspondente seu, no Rio de Janeiro, 105 cestos de farinha.

A julgar por mais de uma indicação dos inventários, as espigas eram primeiramente malhadas a vara e os grãos que se desprendiam, misturando-se à terra e à areia, limpavam-se em seguida com o auxílio de peneiras. Em Minas, onde Saint-Hilaire foi encontrar o mesmo processo empregado na Serra da Piedade em princípios do século XIX, à debulha e limpeza seguia-se ainda a lavagem dos grãos em gamelas com água, um processo exatamente idêntico ao que prevalecia na lavagem do ouro. É possível, contudo, que se tratasse, nesse caso, de adaptação determinada por circunstâncias locais. Em São Paulo, durante todo o século XVII, essas operações deveriam ser bem rudimentares, pois em caso contrário mal se explica a diferença nula entre os preços atribuídos respectivamente ao trigo em palha e ao grão malhado.

Há razões para crer, contudo, que debulha e limpeza fossem praticadas nos sítios da roça e só depois se encestasse o produto para enviá-lo aos moleiros ou vendê-lo aos comerciantes. No século XVII a moagem ainda seria feita mais frequentemente nas vilas. No inventário de Pedro Alves Moreira consta, em 1639, que dos 224 alqueires que lhe rendera a seara tinham sido entregues a Manuel João, senhor de moinho, 30, isto é, dez cargas de 3 alqueires cada uma, em paga da moagem, o que dá perto de um em sete de maquia. Do resto da safra, utilizou-se parte no pagamento de dívidas do defunto e 50 alqueires venderam-se em Santos na base de 12 vinténs o alqueire. Alqueire de farinha. Doze vinténs rendera igualmente o trigo moído que Valentim de Barros mandara a vender no Rio de Janeiro.

Esse Valentim de Barros era outro que não tinha moinho no sítio, embora a importância de suas plantações possa avaliar-se pelo fato de ter deixado nada menos de 29 foices de segar trigo. Não está excluída, no seu caso e em outros, a possibilidade de possuírem moendas manuais suficientes para o consumo doméstico. Não faltaria também o forno de fazer pão, semelhante aos que ainda se encontram hoje nas velhas áreas coloniais, como não faltavam bacias de cobre para fazer pão de ló.

Quanto a moinhos de água e azenhas, seriam pouco vantajosas nos sítios da roça, onde a produção não permitia o seu funcionamento regular e constante. A remessa do produto aos senhores de moinho especializados no mister seria, assim, a regra mais generalizada. E embora não falte notícia da existência dessas máquinas em alguns casos – no caso, por exemplo, de Isabel Sobrinha, com moenda própria, que em 1641 se avaliou em 5 mil réis, o mesmo preço de "huas casas em que vive" –, pode-se presumir que só no século XVIII se teria disseminado o moinho rural. Isto é, já quase na fase de declínio da lavoura de trigo, que deve ter sofrido rude golpe com o escoamento de mão de obra para as lavras de ouro, a partir do último decênio do seiscentos.

Contudo, esse declínio não se pode dizer que tenha deixado sem uso as máquinas tradicionalmente associadas à fabricação da farinha. Tanto elas como as técnicas e os usos ordinariamente relacionados com a produção do trigo, inclusive o próprio pagamento da maquia aos moleiros, transferiram-se quase integralmente para a moagem do milho. E temos, neste, mais um dos casos, aliás pouco frequentes, da assimilação de uma técnica adventícia a um produto nativo durante o período colonial.

Algumas técnicas rurais no Brasil colonial II*

Os documentos de que dispomos não fornecem pormenores expressos acerca dos moinhos de trigo mais usuais em São Paulo a partir do segundo decênio do século XVII, época em que principiam a ser assinalados nos textos municipais. As cartas de data de assento mostram, contudo, que deveriam situar-se sempre à beira de algum rio ou ribeirão; isso já inclina a filiá-los aos moinhos acionados por meio de roda d'água, até hoje largamente empregados na produção de fubá e milho.

No caso dessas máquinas, o grão é despejado num vaso em forma de pirâmide invertida, existente em cima do moinho – a tramonha –, e vai cair diretamente sobre a mó. A rotação da mó é obtida por intermédio do eixo vertical, que por sua vez recebe movimento do eixo da roda d'água, graças a um rodete dentado.

O modelo é indicado com frequência na península hispânica, em particular na parte noroeste. Sua presença em Portugal – Trás-os-Montes, Minho, Serra da Estrela, Algarve, Ilha da Madeira – e não só

* Artigo originalmente publicado no *Anhembi*, São Paulo, set. 1951. (N. O.)

em Portugal[1] pôde ser assinalada por vários estudiosos. De construção bastante rústica, pois quase só reclama pau e pedra, explica-se a sua pronta difusão na área brasileira onde primeiramente se introduziu a lavoura do trigo. Aqui os mancais, podendo ser também de madeira, seriam muitas vezes de metal. De outro modo não se explica a referência a despesas com ferreiros, que alegavam em 1614 os senhores de moinhos paulistanos, quando se cogitava em elevar o valor da maquia.[2]

De um tipo diferente de moinho de água empregado em Portugal e, segundo parece, com especialidade no Minho – a azenha –, também consta que chegou a usar-se entre nós. Esse era movido por meio de uma roda de penas onde a água caía verticalmente. Informa-nos um estudioso dos velhos costumes paulistas que, segundo tradição oral, existiu não há muito, no sul de Minas, um engenho desse tipo, usado para a fabricação do fubá. Acrescenta que a mó, nos velhos moinhos paulistas, costumava ser feita por pedreiros no Salto de Itu, e que esses aparelhos primitivos se lubrificavam de ordinário com graxa de porco ou sebo de boi ou até sabão de cozinha.[3]

Além da azenha, do moinho de roda d'água e possivelmente de pequenas moendas braçais em algum sítio da roça onde a produção de farinha só se destinava a atender às necessidades caseiras, não nos consta que se tivessem introduzido ou propagado em São Paulo outros tipos de moinho. Nada autoriza a crer que chegassem a instalar moinhos de vento, por exemplo, como os que existiam em Portugal pelo menos desde 1552 (data em que um privilégio real concedera a certo Jerônimo Fragoso o direito de construir um deles em Évora, semelhante aos que havia em Flandres)[4] e também em Buenos Aires, onde, em 1607, o cabildo requeria ao governador que não deixasse saírem os flamengos ali residentes, que

1 F. Kruger registra-a, por exemplo, na Sierra da Gata (sul da Espanha), Baleares, península balcânica, partes do sul da França e do norte da África, em outros tempos também na Suíça. Kruger, Die Hochpyrenaen, *Volkstum und Kultur der Romanen*, IX, p.42.

2 *Atas da Câmara da Vila de São Paulo*, II, p.405.

3 Almeida, Máquinas agrícolas, *O Estado de S. Paulo*, 10 ago. 1947.

4 Lucena, *Arte popular, usos e costumes portugueses*, p.160.

tinham feito o moinho (deve entender-se moinho de vento), pois só eles entendiam dessa máquina.[5]

Em São Paulo, também, um flamengo – Cornélio de Arzão – aparece entre os primeiros donos de moinho. O seu, porém, era de água, provavelmente de roda d'água e, segundo a carta de data que lhe foi concedida em 1616, situou-se primeiramente nas beiradas do Anhangabaú entre a subida para Santo Antônio e o sítio que fica abaixo de São Bento. Doze anos mais tarde estava em Santo Amaro, às margens do Rio Pinheiros e perto do Engenheiro de Ferro. Do inventário de sua fazenda mandado fazer em 1638 pela inquisição consta que esse "moinho de moer trigo moente e corrente" se avaliou então em 10 mil réis. Posto em pregão, alguns dias depois arrematou-o Diogo Martins da Costa, "que nele lançou 14 mil réis que logo pagou o dinheiro de contado".[6]

É significativo, ainda aqui, da acolhida ordinariamente dispensada entre gente da terra – índios, mestiços e brancos aclimados – aos métodos e recursos adventícios no aproveitamento de produtos nativos, que a transferência para o milho de técnicas associadas no Velho Mundo ao tratamento do trigo não afetou tanto quanto poderia esperar os hábitos alimentícios da população. A preferência geral continuou a dirigir-se não para o milho moído ou fubá, que se destinavam, em geral aos escravos, mas para o grão pilado ou apenas pelado ao pilão, de acordo com os métodos usuais entre os índios.

Ainda hoje, essa preferência prevalece largamente nas áreas paulistas menos marcadas pela influência de correntes imigratórias recentes, em particular de italianos. Na região de serra-acima, que em São Paulo corresponde tradicionalmente à área da farinha de milho – ao passo que a da mandioca ocupa sobretudo a vertente marítima –, um estudioso dos nossos problemas rurais pôde distinguir nitidamente entre zonas onde perdura a farinha de milho "propriamente dita", isto é, obtida mediante maceração, piloamento e torração do grão, e outras, onde já prevalece o consumo do produto moído. Estas últimas situam-se nas áreas onde o imigrante italiano

5 Coni, *Agricultura, comercio e industria coloniales.*

6 *Inventários e testamentos*, XII, p.90 e 118.

deixou vinco mais fundo nos hábitos e na dieta das populações. As outras abrangeriam principalmente a Bacia do Paraíba e quase todo o território acidentado pelos contrafortes da cordilheira marítima. Nessa região pôde encontrar, o mesmo observador, muita gente que, por nada deste mundo, ousaria comer fubá. "Dizem que aquilo é quirera, é comida para cachorro."[7]

Esse desapreço em que, ainda hoje, é tido o produto do milho moído, prende-se muito possivelmente ao fato de se achar associado, desde tempos remotos, à alimentação dos animais caseiros e à dieta dos pretos escravos. "Farinha de cachorro" foi como, já em 1727, lhe chamou o secretário do governador Rodrigo César de Meneses, relatando sua derrota e viagem de São Paulo às minas de Cuiabá, quando enumera os produtos de milho (farinha, canjica, cuscuz, biscoitos, pipocas, catimpuera, aloja – aluá –, aguardente, vinagre, etc.), "único remédio e regalo" dessas minas.[8] E em um papel anônimo de 1747 escrevia-se, do milho seco, que servia para dele se fazer fubá, assim chamado nas minas, em Portugal farinha, e que desse fubá se fabricava "o angu para os negros, cozido em um tacho de "agoa athé sequar".[9] Acrescenta o mesmo depoimento que em nada se diferencia a farinha assim preparada da boa europeia, salvo em ser esta cozida ao forno e levar sal.

Quanto aos demais produtos do milho que, segundo o mesmo anônimo, se consumiam ordinariamente nas Minas Gerais, é significativo que, em sua totalidade, prescindiam de moagem, por conseguinte de uma técnica sensivelmente estranha aos usos tradicionais e indígenas

---

7 Cf. Schmidt, *O meio rural*, p.50 et seq. Outro conhecedor desses assuntos reivindica mais para a zona ribeirinha do Tietê o privilégio do uso da farinha de milho "propriamente dita", distinta do fubá: é "de minha zona" – escreve – "de Porto Feliz, Itu". E acrescenta que teria ido para Minas por vias ignoradas. Cf. Mota, *Do rancho ao palácio*, p.47. A verdade é que esse uso foi corrente e ainda o é em terras paulistas de serra-acima, onde quer que as novas influências adventícias não puderam desalojar os padrões tradicionais.

8 *Relação verdadeira da derrota e viagem que fez da cidade de São Paulo para as minas de Cuiabá o Exmo. Sr. Rodrigo César de Meneses.* Manuscrito da Biblioteca Pública de Évora. Códice CXVI. Cópia pertencente ao Museu Paulista. O texto, de autoria de Gervásio Leite Rebelo, tornou-se conhecido graças à diligência do sr. Afonso E. Taunay, que primeiramente o divulgou. Cf. Taunay, *História Geral das bandeiras paulistas*, XI, 2ª parte, p.26. Ao mesmo benemérito historiador deve-se a cópia existente no Museu.

9 *Notas de muitas comidas que se fazem de milho.* Códice Costa Matoso. Folha 430. V. a 431. Manuscrito da Biblioteca Municipal de São Paulo. Coleção Félix Pacheco.

de tratamento do cereal. Alguns desses produtos dispensavam, aliás, qualquer trituração prévia do grão, como era o caso do milho verde, que se come assado e ainda em espiga, ou o das pipocas, também chamadas "escolhido da brasa", de que, segundo o citado anônimo, "usavam muito os paulistas".

Mas o milho verde, por sua vez, dava o curau que se fazia com auxílio do pilão, socando os grãos ainda em leite e cozendo-os. Do bagaço, amassado e posto embaixo das cinzas do fogão, faziam-se ainda as pamonhas.

A principal contribuição do milho para a dieta dos paulistas provinha, no entanto, dos grãos já amadurecidos. Nesse caso cabe lugar de realce à farinha de milho "propriamente dita", que nas minas era o verdadeiro pão da terra, e em todo o planalto substituía geralmente a de mandioca, usual no resto do Brasil. Para fabricá-la pilavam-se os grãos, depois de postos por alguns dias de molho, a fim de se tornarem menos resistentes. A massa resultante era torrada num grande tacho de cobre e depois passada por uma peneira de largas malhas, a sururuca.

Havia ainda a canjica grossa, produzida com o milho seco, quebrado ao pilão, que lhe tirava o olho, deixando o mais quase intato. Em meados do século XVII, seria esse, conforme o biógrafo de Belchior de Pontes, um "guisado especial de São Paulo" consumido por gente de todas as classes. Não levava, então, qualquer condimento, e isso explica sua fácil aceitação, pois só a falta de sal por aquelas partes poderia ter inventado semelhante manjar.[10]

No século seguinte ainda, dizia dele o anônimo do códice Costa Matoso que nas minas "os ricos o comem por gosto e os pobres por necessidade, por não ter mais tempero que o ser bem cozido". Há notícia, entretanto, na já mencionada relação de Gervásio Leite Rebelo – de 1727 –, de que a canjica grossa, sem qualquer condimento, já então seria destinada, de preferência, aos negros. E o seria também a roceiros sem recursos para comprar sal ou outro tempero.

10 Fonseca, *Vida do venerável padre Belchior de Pontes*, p.55.

Dessa forma, experimentou-a Hércules Florence, pela primeira vez em 1825, num rancho das margens do Rio Capivari, e achou-a de "sabor singular".[11] Adverte, porém, que na forma em que a usavam sempre os paulistas, ao fim das refeições, isto é, deitando-lhe açúcar e leite, constituía manjar delicioso. É ainda à canjica grossa e sem qualquer condimento que se refere outro autor francês – Ferdinand Denis –, ao observar que, sendo por excelência o prato local de São Paulo e dos campos do sul, encontrava-se disseminado no interior, por todas as partes onde os paulistas estenderam suas explorações. Confessamos, escreve, que pela sua simplicidade extrema, ela nos pareceu bem digna de ter sido tomada à culinária das tribos selvagens.[12]

O uso corrente e quotidiano desse prato principiou a sofrer forte concorrência quando, a partir do século XVIII, e só então, generalizou-se, em São Paulo, o consumo de arroz. A falta desse gênero fora perfeitamente compensada, até então, pela canjica fina, de milho bem socado e que, temperada com adubos, "supre a falta do arroz e na opinião de muitos he melhor", dizia o anônimo do códice Matoso.

É interessante notar como também no Prata se verificou processo semelhante de adaptação dessa iguaria indígena ao paladar do colono. Ali, a canjica grossa – o velho *caguihyh* dos carijós – transformou-se com o tempo em comida democrática e boa para gente mais rústica, ao passo que, nas casas apuradas, se tornaria a base da *mazamorra* castelhana.[13]

O anônimo citado relaciona, além das canjicas, grossa e fina, numerosos produtos de milho, especialmente da farinha de milho, que, na primeira metade do século XVIII, se consumiam ordinariamente nas minas descobertas pelos paulistas: o cuscuz, variante local do velho petisco de mouros, já muito aclimado na Península Ibérica; os biscoitos fabricados desse cuscuz levado ao forno e próprios para as longas jornadas; os bolos

11 Esboço da viagem feita pelo sr. de Langsdorff ao interior do Brasil desde setembro de 1825 até março de 1829, escrito em francês por Hércules Florence. *Revista do Instituto Histórico e Geográfico Brasileiro*, 38, p.361.

12 Denis, *Brésil*, p.193.

13 Pereyra, El maíz entre los Guaranies, *Boletim de Filologia*, V, p.433; Hernandez, *Organización social de las doctrinas guaranies de la Compañia de Jesus*, II, p.195.

de farinha de milho amassada com melado, que se embrulhavam em folhas do mesmo milho; os pés de moleque também chamados alcomonias, onde entrava a farinha juntamente com melado e amendoins.

E havia todo um rol de beberagens na qual, por vezes , se revelava a longa persistência da tradição indígena. Isso se daria especialmente com catimpuera, de que há menção em vários documentos. Em Minas seu fabrico era competência de mulheres, que mascavam o milho de canjica, lançando-o depois no caldo da mesma canjica: já ao dia seguinte tinha seu azedo e estava perfeita. Diz o informante anônimo que para ser mais saborosa deveria ser mascada por alguma velha, e quanto mais velha melhor. Isso "por lhe aproveitar a baba, e assim dela gostam os de bom estômago, que os nojentos a levam a socar ao pilão e aquentam-na com água". Passava por medicinal e própria para cortar as febres se feita com o milho branco e, de preferência, mascada por mulher velha.

Pode-se supor que resultasse, por outro lado, de influência africana a cerveja de milho feita pelos pretos da costa da Mina com o milho ainda em grelo. Depois de postos a secar ao sol, sobre folhas de bananeira, os grãos eram socados, peneirados e metidos num tacho com água a ferver. Ao cozimento, depois de devidamente coado, guardavam-no em barris até ganhar azedume.

A procedência africana dessa bebida é sugerida não só pelo fato de serem escravos pretos, geralmente, seus produtores e principais consumidores, como pelo nome – aluá – que lhe davam em Minas Gerais, idêntico ao de várias espécies de bebida fermentada que se introduziram no Brasil com os negros da África. Cabe notar, entretanto, que no depoimento de Gervásio Leite Rebello sobre os produtos de milho que se usavam, em 1727, entre os passageiros das monções de Cuiabá, se encontra a forma *aloja*, e que essa designação, de procedência espanhola,[14] está associada até hoje, no Paraguai e no Prata, a uma espécie de cerveja fabricada principalmente pelas tribos do Chaco com algaroba e outros frutos e semen-

14 Segundo Friederici era o nome espanhol (de etimologia árabe) de uma espécie de hidromel. Cf. Friederici, *Americanistische Worterbuch*, p.48 et seq.

tes. Não se acha, pois, excluída a possibilidade de seu uso, pelos paulistas, ter sido uma consequência do trato destes com as populações platinas.

Além dessas também a *jacuba*, que se fazia da farinha desfeita em água ou leite, às vezes adoçada com rapadura; outra bebida de milho que mencionam muitas vezes os textos coloniais é a aguardente. Seu fabrico é mais um exemplo de adaptação de técnicas europeias à elaboração de um produto genuinamente nativo. Não existia em São Paulo antes do decênio de 1627-1637, se é exato, como o indicam pesquisas recentes,[15] que só por esse tempo se introduziam aqui os primeiros alambiques. Trinta anos mais tarde – em 1667 – podia ser comprada numa vila nascente da borda da mata – Jundiaí – à razão de 2 tostões a canada, quando a aguardente de cana ia apenas a 0,5 pataca. Vendiam-na também em botijas, ao preço de 3 vinténs cada uma, enquanto a de caninha custava 0,5 tostão.[16]

A carestia maior da aguardente de milho, comparada à cachaça de cana, e a circunstância de ter longamente resistido, apesar disso, às medidas adversas das autoridades, levam a supor que teria seus devotos especiais e exclusivistas. As medidas adversas consta que principiaram por volta 1687. É desse ano, pelo menos, a determinação do ouvidor geral, dr. Tomé de Almeida e Oliveira, para que de modo algum se vendesse, em São Paulo, aguardente de milho, "por assim convir ao bem do povo e haver mantimentos". O taverneiro que se achasse vendendo desse gênero deveria pagar 2 mil réis para o Conselho e ser condenado a um mês de cadeia. Poucos dias depois da proibição o ouvidor, tendo em conta o fato de numerosas pessoas viverem de seu fabrico e considerando prejuízos que a medida poderia acarretar, resolvia deixar ao critério da Câmara o fazer executá-la ou torná-la sem efeito.[17]

Em 1725 os oficiais do Conselho voltavam a insistir nas ordens proibitivas, mandando, em edital, que fossem cumpridas. Fixava, já agora, o edital, em 6 mil réis a multa e trinta dias a prisão para toda pessoa que fabricasse a dita aguardente de milho. A deliberação não deve ter

15 Almeida Júnior, Sobre o aguardentismo colonial, p.155.
16 Ephemérides jundiahyenses. *Almanach de Jundiahy Literário, Histórico e Biographico*, p.129.
17 *Atas da Câmara da Vila de São Paulo*, VII, p.343-355.

ficado inteiramente sem efeito, pois que, em janeiro de 1737, mandavam os camaristas que se cobrassem 12 mil réis de multa a duas pessoas que, segundo denúncia apresentada pelo estanqueiro de São João de Atibaia, fabricavam, naquela freguesia, a bebida combatida.[18]

Esse extenso inventário dos produtos de milho que se consumiam em São Paulo e nas áreas de expansão paulista justifica-se pela importância verdadeiramente dominante que pode assumir ali a gramínea indígena, durante a fase colonial, comparada a outros gêneros de alimentação. Comparada muito especialmente à mandioca.

Essa importância é só em parte explicável pelas maiores possibilidades que oferecia ao seu cultivo a área de serra-acima primeiramente ocupada pelos colonizadores e que, sobretudo durante o seiscentos, se convertia no principal núcleo de expansão paulista. Já se fez referência, aqui mesmo, ao fato de a maior parte da farinha de guerra, ou mandioca usada na cidade de São Paulo, até 1782 pelo menos, ser procedente da beira-mar, devido à escassez da sua produção no planalto.

A outra explicação, todavia, e creio que a decisiva, da preferência dada ao milho, sobre a mandioca, há de relacionar-se com a própria mobilidade que por longo tempo distinguiu a gente do planalto. Nas primitivas expedições ao sertão bruto seria todo impossível o transporte das ramas de mandioca necessárias ao plantio nos arraiais situados onde já existissem tribos de lavradores. Primeiro porque além de serem de condução difícil, pois ocupariam demasiado espaço nas bagagens, é notório que essas ramas perdem muito rapidamente o poder germinativo. E depois, porque, feito com bom êxito o plantio, seria preciso esperar, no mínimo, um ano, geralmente muito mais, para obtenção de colheitas satisfatórias.

O milho, por outro lado, além de poder ser transportado a distâncias consideráveis em grãos que tomavam pouco espaço para o transporte, oferecia a vantagem de já começar a produzir cinco e seis meses depois

18 Registro de um edital que os Ofes. da Câmara mandarão publicar para que se nam venda Agoardente de milho, *Revista do Arquivo Municipal*, XIX, p.111 et seq.; *Atas da Câmara Municipal de São Paulo*, XI, p.57.

da sementeira. É significativo que, ao descrever o roteiro de São Paulo às minas de ouro, numa época em que esses caminhos já eram largamente trilhados, Antonil pôde observar em sua *Cultura e opulência do Brasil* como havia ali "roças de milho, abóbora e feijão, que são as lavouras feitas pelos descobridores das minas e por outras que aí querem voltar". "E só disso", acrescenta expressamente, "constam aquelas outras roças nos caminhos e paragens das minas: e quando muito têm algumas batatas".[19]

Em Cuiabá, durante a visita do governador Rodrigo César de Menezes, que andou naquelas minas entre 1726 e 1727, a farinha de mandioca não é sequer mencionada pelo seu secretário Gervásio Leite Rebello no rol dos gêneros que de ordinário se consumiam. Destes, o principal era sem dúvida o milho. Depois vinha o feijão e, ainda, vendidos a preços exorbitantes, galinhas, ovos e carne de porco, fresca ou salgada. Também Antonil assinala como novidade, em seu tratado de 1711, a presença de porcos domésticos e galináceos – criações essas que, por sua vez, se associam ao complexo do milho – em algumas roças do caminho. Eram vendidos aos viajantes por somas altíssimas, de onde o dizer-se, dos que passavam a Mantiqueira, que tinham deixado ali dependurada a consciência.

Em quase todo século XVIII os mantimentos que obrigatoriamente iam nas expedições procedentes do planalto eram farinha, feijão e toucinho de porco. E tudo faz crer que já por esse tempo a simples referência à farinha, sem maior especificação, deveria aplicar-se à de milho. Nas listas de mantimentos que consumiam, por exemplo, os homens da expedição exploradora de Afonso Botelho de S. Payo e Souza, entre 1769 e 1775, aos campos de Guarapuava, a simples menção de farinha que aparece constantemente nas justificações de despesa poderia, à primeira vista, suscitar dúvidas. Mas essas mesmas dúvidas se dissipam ao verificarmos que a farinha, quando não tivesse sido comprada em vilas, como Curitiba, onde era nula a produção de mandioca, provinha do "milho das roças da expedição".[20]

19 Antonil, *Cultura e opulência do Brasil por suas drogas e minas*, p.239.

20 Cf. *Boletim do Arquivo Municipal de Curitiba*, p.15.

E mesmo quando principiou a aparecer em maior abundância no planalto, a farinha de mandioca não chegou a desalojar a de milho da situação de privilégio que desfruta esta nos hábitos da população. Na expedição de Cândido Xavier de Almeida e Souza, que saiu de São Paulo em 1800 com destino às fronteiras do Paraguai, iam apenas 6 alqueires de farinha de mandioca para 164 de farinha de milho.[21]

A preferência dada a esta prende-se, em parte, conforme já foi sugerido, à circunstância de se ajustar melhor, o grão indígena, aos hábitos de mobilidade peculiares à gente da serra-acima, tanto quanto às condições que favoreciam ali a sua produção em maior escala ou que impediam a produção da mandioca. Mas aos fatores que explicariam naturalmente o predomínio do milho acrescentou-se uma racionalização que buscaria fundar sobre outros motivos a preferência de que era objeto. Mais de um viajante da primeira metade do século passado ainda se refere à aversão constante que dedicavam os velhos paulistas à farinha de mandioca, tida por menos nutritiva, embora de mais fácil digestão, do que a do milho. Spix e Martius escreviam dos moradores de São Paulo, em 1818, que consideravam a mandioca alimento pouco sadio. A mesma coisa julgavam, entretanto, da farinha de milho, os moradores das províncias do Norte.[22] E Ferdinand Denis notava igualmente que no Sul do Brasil prevaleciam, com relação à mandioca, exatamente preconceitos que, no Norte, militavam contra o maior consumo do milho, tido ali por nocivo à saúde. "Nessa circunstância", acrescenta,

21 Discripção diária dos progressos da expedição destinada da capitania de S. Paulo para as fronteiras do Paraguay, 1ª Parte. Manuscrito do Arquivo de Engenharia do Ministério da Guerra. Rio de Janeiro.

22 Spix; Martius, *Reise in Brasilien*, I, p.227. Entre suas objeções figuraria a de tanto quanto a carne de porco, principalmente o toucinho, ela seria, segundo crença generalizada, uma das causas do bócio, frequente em certas regiões centrais. Cf. Spix; Martius, op. cit., p.223. Mesmo em São Paulo estenderam-se – mais tarde – à farinha de milho, as versões que atribuíam tradicionalmente à carne de porco a propagação da morfeia. "Na costa da África", dizia, em 1906, Ernesto Luiz de Oliveira, "a morphea é atribuída ao consumo de peixe. No Pará ao pirarucu. Em São Paulo, ao porco e à farinha de milho". No caso do porco, parecia essa crença inexplicável ao autor, pelo costume, entre as populações rústicas, de pendurarem a carne ao fumeiro – consequência talvez da falta de sal – o que acarretaria, em muitos casos, um começo de deterioração. No da farinha, ao fato dos grãos, antes de pilados, serem sujeitos à maceração e mesmo a um processo de fermentação. Ver D'Oliveira, Tratamento da morpheia, *Revista do Centro de Ciências, Letras e Artes*, V, p.108.

> a opinião do vulgo está de acordo, se não com a razão, ao menos com a necessidade. O solo das províncias meridionais é muito mais propício à lavoura das diferentes espécies de milho do que à da mandioca. Esta, por sua vez, ganha sua mais livre expansão ao longo da costa oriental e pelas vizinhanças do equador.[23]

Quando se queira compreender a facilidade com que em certas áreas pode desenvolver-se o "complexo do milho", será preciso ter em conta, aliás, não apenas as condições do solo e clima que favoreceriam ali sua lavoura (capaz, por outro lado, de garantir, sem trabalho excessivo, o sustento de certas criações domésticas: cavalos, porcos, sobretudo, e galináceos), mas a simplicidade e rusticidade das técnicas necessárias à elaboração de seus produtos. Tomadas, quase sem alteração aos antigos naturais da terra, essas técnicas acomodavam-se mais facilmente à vida andeja e simples de parte notável da população do planalto. Tratando-se, além disso, de gênero cuja produção visava não ao lucro comercial, mas à subsistência familiar, faltou um estímulo poderoso ao desenvolvimento de recursos técnicos favoráveis à produção em maior escala. Apenas quando se fez necessário forjar um tipo de alimentação abundante, boa para escravos e criações domésticas, surgiram condições que permitiam, até certo ponto, esse desenvolvimento. Tivemos então o moinho de fubá, em que se transferiram ao milho processos já elaborados para o tratamento de outro cereal.

Quanto ao mais, conservaram-se quase sem mudança os métodos usuais, entre nós, antes do advento do homem branco. Ao europeu deve-se, quando muito, a introdução do forno ou tacho de cobre, usado na fabricação da farinha. Mais tarde o simples pilão de madeira, herdado dos indígenas, aperfeiçoou-se nos vários tipos de monjolo, originários, todos, do extremo oriente. Não há notícia segura de que esse instrumento fosse conhecido no Brasil antes do século XVIII, e à alegação de Varnhagen,

23 Denis, op. cit., p.193.

de que teria sido trazido por Braz Cubas para a Ilha de São Vicente, falta qualquer apoio documental.

Contudo, já em fins do setecentos, fala-se na sua presença em sítios muito diferentes e apartados uns dos outros. Sempre, é certo, dentro da vasta área primeiramente desbravada e em grande escala povoada por gente de São Paulo. Isso sugere a rapidez com que se teria disseminado entre nós um instrumento que não requer mão de obra numerosa e capaz de tornar mais eficazes, sem alterá-las substancialmente, as técnicas indígenas de elaboração de um produto indígena.

Algumas técnicas rurais no Brasil colonial III*

Simplificando os processos da elaboração dos produtos do milho, o monjolo deveria assegurar-se em pouco tempo lugar de realce entre as técnicas rurais típicas de toda a vasta área de expansão paulista. Capistrano de Abreu, depois de Saint-Hilaire e Burton, chegou a afiançar que a escolha, para casas de vivenda, dos fundos dos vales, onde mais facilmente se movimentaria essa máquina, é um distintivo peculiar dos paulistas e seus descendentes. E pretendeu mesmo que, às margens do Rio São Francisco, se podem determinar com certa acurácia os limites das duas correntes opostas de penetração – a de baianos e pernambucanos, provinda do norte, e a dos de São Paulo, vinda do sul –, marcando os pontos onde os altos deixam de ser preferidos para a habitação, mesmo quando não há risco de enchentes e onde o monjolo entra a funcionar.

Assim, a predileção pelas terras baixas, a frequência ou a simples presença do monjolo, o milho como alimento habitual, sob a forma de canjica (no sentido do sul), a farinha pilada e o fubá, a carne de porco pre-

* Artigo originalmente publicado no *Anhembi*, São Paulo, jan. 1952. (N. O.)

ferida à de boi, indicariam, de modo geral, estabelecimentos de paulistas ou netos de bandeirantes.[1] À base de todas essas predileções, comenta o historiador, estaria a falta de sal, que impede o desenvolvimento do gado vacum e ainda hoje não tempera o angu, nem a canjica.

Por ser tanto sumária e, em parte, ainda pendente de confirmação, essa afirmativa de que as habitações em terra baixa distinguiriam de modo tão sistemático as áreas de expansão da gente de São Paulo dos outros traços apresentados como característicos do povoamento das mesmas áreas, é lícito dizer, no entanto, que parece corresponder aos fatos e está bem documentada. Saint-Hilaire, em suas viagens pela zona do São Francisco, notou como, à medida que se avançava no sertão, via-se crescer o cultivo e consumo da mandioca, planta "que não se vê nos arredores de Vila Rica" – a Ouro Preto de hoje. Naquele mesmo sertão já prevaleciam, contra a farinha de milho, e mesmo a de trigo, as ideias generalizadas no Norte. A de trigo passava, nesse caso, por imprópria num clima tórrido, e a de milho era tida como responsável pela elefantíase, a lepra e diversas doenças de pele. Os habitantes preferiam decididamente a farinha de mandioca, e mesmo aqueles que cultivavam o milho em abundância, empregavam-no unicamente no sustento de muares, porcos e galinhas.[2]

Até os nossos dias a presença do monjolo, tão intimamente associado ao uso predominante do milho na alimentação, deixou marca na toponímia de toda uma extensa região brasileira – e dela apenas –, que vai do centro-norte de Minas Gerais até o norte do Rio Grande do Sul e abrange grande parte de Goiás e Mato Grosso. O *Guia postal da República dos Estados Unidos do Brasil*, que se publicou em 1930, assinala 62 localidades, no Brasil, que tiram o nome do rústico instrumento. É a seguinte a sua distribuição: 31 em Minas Gerais, 16 em São Paulo, 6 no Paraná, 3 em Mato Grosso, 3 no estado do Rio, 2 no Rio Grande do Sul e 1 em Goiás. O total seria, sem dúvida, bem mais considerável se acrescido

1 Abreu, *Capítulos de História colonial*, p.278.

2 Saint-Hilaire, *Voyage dans le provinces du Rio de Janeiro et de Minas Gerais*, II, p.311.

dos nomes de rios ou riachos que forneciam a água necessária para se acionarem essas máquinas.[3]

A escassez do sal ou o difícil acesso às salinas na maior parte dessa área, que corresponde aproximadamente à da expansão paulista, pode tornar explicável – como o pretendia Capistrano de Abreu – a fácil difusão, ali, de todo o "complexo" do milho. No baixo São Francisco, ao contrário, e no sertão do Nordeste, a presença de zonas salineiras ou salitreiras e de águas permanentemente salobras há de ter agido de modo apreciável sobre os padrões locais de povoamento e afetado as linhas de penetração e ocupação do solo. De algumas daquelas salinas chegou a ser voz corrente que, depois de exauridas, se renovam passados alguns anos. E Orville Derby, que registrou a crença, procura apoiar-se nela para sua conjectura de que o sal, derivados de rochas sedimentares, é carregado pelas águas durante a estação chuvosa e depositado no solo quando as mesmas águas, reunidas nas depressões da superfície, se evaporam pela época das secas. Para o geólogo norte-americano, a série de grés que compõe aquelas rochas é semelhante às camadas que fornecem sal na Europa e que, nos Estados Unidos, terão contribuído largamente para a primitiva colonização das terras a oeste dos Alleghanys.[4]

Entretanto a associação sugerida entre a falta de sal e o consumo predominante dos produtos de milho e da carne de porco nas áreas rurais do centro-sul não pode ser generalizada sem perigo. Ela explicaria mal a persistência desses hábitos alimentares mesmo nas partes dessa área onde há abundância de barreiros ou terras salinas. Em certos lugares de Goiás, por exemplo, ainda hoje a absorção de princípios salinos pelas plantas torna a cana-de-açúcar "completamente salgada".[5] E também em Mato Grosso, onde todo o complexo do milho pôde prevalecer sem mudança

3 Assim, só no Rio Grande do Sul, o vocabulário organizado em 1940 pelo Conselho Nacional de Geografia assinala onze nomes de arroios que estão nesse caso. Cf. Vocabulário do Estado do Rio Grande do Sul. *Anais do III Congresso Rio-Grandense de História e Geografia*, II, p.971 et seq.

4 Cf. Abreu, Sal no Vale do S. Francisco. *Boletim do Ministério da Agricultura*, I, p.351 et seq. Sobre a influência do sal na colonização do Oeste dos Estados Unidos, ver Turner, *The Frontier in American History*, p.17 et seq.

5 Relatório da Comissão de Engenheiros de Mato Grosso. *Revista do Instituto Histórico e Geográfico Brasileiro*, XXXVII, p.160.

até hoje, apesar das minas do Jaurú ou dos depósitos salinos do sul, que já no século XVII tinham permitido, nos campos da Vacaria, a formação de rebanhos imensuráveis de gado alçado.

Ainda menos plausível na aparência é outra associação frequentemente tentada: associação entre o consumo preponderante de milho e a presença, nessas mesmas áreas, de condições hidrográficas mais favoráveis do que as no Nordeste ao uso do monjolo. Pois a verdade é que tal uso não se encontra necessariamente na origem dos processos de elaboração do milho. Os índios, que transmitiram esses processos aos portugueses e seus descendentes, serviam-se unicamente do pilão manual de madeira, que empregaram também os primeiros colonos. E não é impossível que estes e seus netos, brancos ou mestiços, antes de conhecerem o monjolo de água, oriundo do extremo oriente, já estivessem familiarizados com o de pé, que poderiam receber diretamente de Portugal.

A descrição que do "pio de piar os milhos" nos oferece em estudo recente um erudito investigador português pode aplicar-se com efeito, em todos os pormenores, ao nosso monjolo de pé. "Praticamente", escreve,

> esses aparelhos constam de duas peças principais: o *pieiro*, bloco de pedra ou cepo de madeira com um buraco escavado e que serve de almofariz, e o pilão, composto de uma tábua balancê pregada sobre um eixo transversal, na extremidade da qual está encravado um cepo cilíndrico, que é o pilão propriamente dito. O camponês põe-se de pé, em cima da tábua, de maneira a que o eixo fique entre os dois pés. Quando se inclina para um lado e faz força sobre a ponta livre da tábua, o pilão levanta-se; depois, quando se inclina para o outro lado, o pilão desce e penetra no *pieiro*, onde está o cereal que se quer descascar.[6]

A diferença mais importante está na nomenclatura das peças e do próprio aparelho. Assim é que, no português do Brasil, o nome de pilão é reservado não à "mão" que pila ou pela o cereal, mas ao recipiente onde

6 Dias, O pio de piar os milhos – instrumento de origem oriental na Serra da Padrela, p.6.

este é depositado.[7] Nesse caso, a mão, fixada a uma das extremidades da haste, irá triturar ou simplesmente esfolar os grãos metidos no bojo do pilão (no sentido brasileiro). A haste oscila, por sua vez, sobre a "tranqueta" ou cavilha da "virgem" ou "pasmado" – que é o cepo verticalmente plantado na terra – segundo o movimento que lhe imprime o operador, de pé sobre a parte central.[8]

No caso do monjolo de água, aparentemente desconhecido em Portugal, pelo menos nos nossos dias, o mesmo movimento é proporcionado, como se sabe, pela queda da água sobre a extremidade da haste oposta à da mão. Para isso ela traz uma cavidade apropriada, o "cocho", que, ao encher de água, desce, forçando a mão a subir. Mas ao descer, com o peso da água, despeja-se esta, e a mão, por sua vez, irá cair com fragor sobre o cereal depositado no bojo do pilão.

A outra diferença está em que o "pio" português se destina à trituração do chamado milho miúdo ou milho alvo (*Panicum Miliaceum*, Linn), não à do nosso *maís*, que só invadiu a Europa, especialmente a Península Ibérica, em seguida às viagens de Colombo ao Novo Mundo. Tão íntima é a associação, em Portugal, entre o milho alvo e o pio, que segundo investigações do sr. Jorge Dias, a expansão ainda hoje do nosso milho americano, ao mesmo tempo que vai destronando ali o cereal primitivo, condena ao desaparecimento essa máquina. Excepcionalmente, em alguns lugares de Portugal – ao que parece em Trás-os-Montes –, usa-se triturar o maís nos mesmos pios em que se descasca o milho miúdo.[9]

Essa associação conduziu, por sua vez, o ilustre investigador à tentativa de relacionar à própria expansão do milho alvo na Europa, até a Península Ibérica, a expansão daquele instrumento por essas regiões. Ambos teriam trilhado juntos os mesmos caminhos, a partir da Ásia Oriental, seu lugar de origem. A hipótese parece sugestiva e vem fortalecer aparentemente a tentativa, já expressa pelo mesmo estudioso em outro

7 Essa transferência de sentido foi abordada por Otoniel Mota em *Do rancho ao palácio*, p.34.

8 Sobre a nomenclatura das peças do monjolo, leia-se Rangel, *Quando o Brasil amanhecia*. Cf. Taunay, *História do café no Brasil*, II, p.380.

9 Dias, op. cit., p.13 e 17.

trabalho, de salientar – tomando como base a preferência dada a certos gêneros de cultivo e a determinados instrumentos e usos rurais – a espécie de insularidade geográfica e cultural, que separando o nordeste português do resto da Península Ibérica e mesmo de todo o mundo mediterrâneo, iria relacionar em alguns pontos essa "área atlântica" a regiões centrais e setentrionais da Europa.[10]

Para isso bastaria mostrar como o uso do milho alvo ou miúdo, generalizado outrora no centro e leste da Europa, sem falar no extremo oriente, seria, no sul, quase uma especialidade lusitana, melhor, do nordeste de Portugal de sua "área atlântica". E depois, que essa associação, válida para tal área, também o seria para as demais regiões europeias, onde o consumo do mesmo cereal foi de uso corrente.

Nenhum dos dois problemas oferece-lhe dificuldades. Por um lado acredita que, exceção feita de Portugal, e "talvez do norte da Itália", o milho alvo ou miúdo – e sob essa designação inclui também o painço (*Panicum Italicum*, Linn.) – foi geralmente desconhecido na Europa Meridional. "No Mediterrâneo", diz, "o trigo era cultivado desde a Antiguidade, mas o milho miúdo não era conhecido ainda nos tempos clássicos".[11]

Além disso, encontrou elementos para mostrar como a associação entre esse grão e os pios não seria uma peculiaridade portuguesa: está documentada pelo menos para alguns lugares do Oriente da Europa, onde o aparelho serviria para desbagar não somente a cevada, mas ainda o milho miúdo.

Esses pontos merecem, todavia, alguma reflexão. Em primeiro lugar, se o milho miúdo era desconhecido nos tempos clássicos, como explicar o fato de ser expressamente referido em Virgílio, por exemplo – "*et milio venit annua cura*" –,[12] ou em Varrão?[13] Além disso, a leitura de mais um estudo moderno e autorizado sobre a história rural não sugere que tenha havido grande descontinuidade na expansão do cultivo e consumo desse

10 Id., *Os arados portugueses e as suas prováveis origens.* Estudo etnográfico, p.80 et seq. e passim.

11 Id., *O pio de piar os milhos – instrumento de origem oriental na Serra da Padrela*, p.20.

12 Virgílio, *Geórgicas*, I, p.216.

13 Varrão, *De re Rustica*, I, p.XLV.

cereal entre o centro e o sudoeste da Europa durante a Antiguidade e a Idade Média. No trabalho de Charles Parain sobre a evolução antiga das técnicas agrárias observa-se que o milho miúdo existiu, nos tempos romanos, na Britânia e na Gália (e não tanto na Gália do Norte quanto na Aquitânia), e ainda nas planícies do Pó e na Campânia. E sua sobrevivência, durante a Idade Média, é registrada exatamente na Itália do norte, na região pirenaica e no sudoeste e oeste da França, "onde os camponeses viviam sobretudo dele, ao passo que vendiam o trigo que cultivavam ou entregavam-no aos seus senhores em paga de obrigações".[14] Esses fatos, não há dúvida que são de molde a enfraquecer a tese da descontinuidade.

A outra tese, de que os pios, mesmo fora de Portugal, andam largamente associados, como ali, ao milho miúdo, também parece sujeitar-se a restrições. No trabalho de Paul Leser acerca das relações culturais entre a Europa e o Oriente mostrada através de usos e instrumentos agrícolas comuns, trabalho esse fortemente colorido, aliás, pela filiação do autor aos métodos histórico-culturais de Graebner e Schmidt, e onde, por conseguinte, os aspectos puramente morfológicos tendem a prevalecer sobre os funcionais, diz-se contudo, de um instrumento exatamente idêntico ao pio português e ao nosso monjolo, que, na Ásia Oriental, serve, em primeiro lugar, para a descasca do arroz, embora possa ter outros empregos.[15] E em Haberlandt lê-se que o mesmo aparelho é usado, desde os Alpes, através da Rússia Meridional até o extremo oriente, para pilar a cevada, esmagar a linhaça ou descascar o arroz.[16] Nenhum desses depoimentos refere-se expressamente ao milho miúdo.

É evidente que isso não fala contra o emprego da máquina, naqueles lugares, com o fim que lhe dão em Portugal. Seria mesmo um tanto para admirar se esse emprego não ocorresse em certas terras, justamente

---

14 Parain, The Evolution of Agricultural Technique. *The Cambridge Economic History of Europe*, I, p.151. Ainda em 1562, um embaixador espanhol comunicava a Felipe II os efeitos catastróficos de uma seca que, em Verona, pusera a perder a safra do milho miúdo, "de que se alimenta a gente pobre". Cf. Braudel, *La Méditérranée à l'époque de Philippe II*, p.449.

15 Leser, *Westöstliche Landwirtschaft. Kulturbeziechungen zwischen Europa, dem vorderen Orient und dem Fernen Osten aufgezeit an landwirtschaftlichen Geräten und Arbeitsvorgängen*, p.468 et seq.

16 Hamberlandt apud Meynen, *Die Verbreitung des Holzmorser. Eine vergleichende Studie*, p.119.

da Europa Oriental, onde, ainda em meados do século XVIII, o milho miúdo, ao que consta, era de intenso consumo, chegando a substituir em grande parte o trigo, destinado, este, quase as penas às cidades maiores.[17] Tudo faz supor, no entanto, que tal função fosse apenas subsidiária, não predominante, e, ainda menos, exclusivista. Cabe então uma pergunta: por que jungir os pios unicamente ao milho miúdo, quando eles se poderiam associar, talvez com maior razão, à cevada, por exemplo, ou ao linho, que desde eras remotas são conhecidos e utilizados em terras lusitanas?

E cabe também uma conjectura. Por que não associar a difusão desse instrumento, no Velho Continente, à do próprio cereal que, no Oriente asiático, se acha mais estreitamente vinculado à sua utilização? Deixando de parte a região valenciana e, de modo geral, o levante espanhol, onde a introdução do arroz é devida provavelmente a árabes e mouros, todas as outras zonas da Europa em que seu consumo e plantio se desenvolveu, de algum modo, já na Idade Média – Rússia Meridional, Península Balcânica e Vale do Danúbio, Hungria,[18] norte da Itália –, estiveram sujeitas à ação de povos invasores procedentes da Ásia Central, seja diretamente, através de conquista, como é o caso, entre outras, da conquista turca, seja através da relativa proximidade geográfica ou de contatos econômicos mais ou menos intensos com os invasores.

Excluindo, por ora, o exemplo português, não deixa de ser curioso que a presença, na Europa, de máquinas de pilar cereais, exatamente idênticas ao nosso monjolo, fosse assinalada, até aqui, apenas nessas mesmas regiões e suas proximidades. Embora, ao que me consta, ela não tenha sido apontada pelos que se ocuparam do problema, a coincidência parece bastante significativa para justificar alguma consideração.

---

17 Febvre, La question du millet, *Annales d'Histoire Sociale*, VII, p.148.

18 "O arroz" – escreve Maurizio – "é cultivado desde a Idade Média na Itália setentrional, em terras lodosas ou pantanosas, assim como, esporadicamente, no Tirol austríaco ou nas partes meridionais da planície húngara. Nos armazéns e mercados de Budapeste pode encontrar-se, em toda parte, arroz da terra, embora, devido à sua má qualidade e aos preços baixos, só o adquira a gente pobre". Maurizio, *Die Getreide:* Nahrung im Wandel der Zeiten, p.30.

No Oriente, fundando-se em copiosa literatura etnográfica e em relatos de viajantes, Leser pôde indicar referências à sua existência na China, no Japão, na Indochina, na Índia Setentrional, sobretudo Bengala, e na Pérsia.[19] Em todos esses casos o aparelho estaria associado, principalmente, à descasca do arroz. Na Europa, os mesmos autores apontam ainda a Hungria, a Polônia, a Estíria, a Caríntia, a Carníola, Salzburgo e a Itália. Regiões essas que se prendem, de algum modo, a áreas rizícolas ou alcançadas pelas conquistas magiar e otomana. Em alguns casos é expressamente mencionada, ainda aqui, sua associação ao preparo do arroz.

A reconstrução, por Meringer, de um aparelho semelhante, encontrado na Suíça, revela tratar-se de caso especial, talvez de origem independente. Nesse caso a máquina seria movida, não pela queda direta da água sobre uma das extremidades da haste horizontal oscilante, mas por intermédio de uma roda hidráulica, comparável à dos martelos usados tradicionalmente na forja do ferro.[20] Contudo, um aparelho de pelar arroz movido com socorro da roda d'água também é registrado por Meynen na China, ao lado dos outros dois tipos mais frequentes, e que correspondem, respectivamente, ao nosso monjolo de água e ao monjolo de pé.[21] Esse último modelo seria o usual na Indochina e ainda na Ásia Central, na Transcaucásia e na Europa.

E é também o que ocorre em Portugal, a julgar pela descrição que nos deu o sr. Jorge Dias do "pio de piar os milhos", encontrado especialmente na Serra da Padrela. Nesse caso português seria certamente temerário procurar explicação da ocorrência em algum contato com povos invasores provenientes da Ásia Central. No entanto, a presença ali de aparelhos de descascar cereais semelhante aos que se encontram no Oriente, assim

19 Meynen, op. cit., p.96.

20 Um dos mais sagazes conhecedores dos problemas de ergologia rural, o professor André Varagnac, conservador do Musée des Antiquités Française, a quem descrevi o nosso monjolo de água, apontou-me a semelhança entre seu processo de funcionamento e o do martelo hidráulico usado na forja catalã. A esse tipo estaria filiado, possivelmente, o "monjolo" de Berna.

21 Jack Logan, em seu livro intitulado *The Black Blocks of China*, p.223, citado por Meynen, diz que o aparelho movido pela queda d'água (monjolo de água) se vai tornando raro na China. Durante a viagem que fez por aquele país pôde avistar numerosos exemplares já em desuso. Só no sul, na aldeia de Man Pu, encontrou um ainda em pleno funcionamento. Cf. Meynen, op. cit., p.98.

como em regiões distantes da Europa, deixa de parecer misteriosa, desde que se admita a possibilidade de ter sido introduzido diretamente da Ásia em resultado das navegações portuguesas.

Essa possibilidade explica aparentemente melhor do que a associação entre os pios e o milho miúdo o aparecimento do instrumento em Portugal, além de apartar a dificuldade que sempre há de oferecer – caso se admita a associação – o fato de não ter sido assinalado até agora, ao que nos conste, algum aparelho semelhante na França, por exemplo, ou na Inglaterra, ou ainda no Egito, onde, já no Antigo Império, o mesmo cereal era cultivado ao lado do trigo e da cevada.[22]

A relação entre esse instrumento e as técnicas específicas de descascar cereais, semelhantes às que se encontram no Extremo Oriente, lança uma luz sobre o problema das origens do monjolo no Brasil, que deu margem a essa excursão através da Europa e do Ocidente. Assim como, em Portugal, seu emprego se transferiu para o tratamento do milho miúdo, entre nós transferiu-se em parte para o milho grosso, o maís. Em parte, porque continuou, e continua a empregar-se, entre nós, tal como sucede no Oriente, para a descasca do arroz. E justamente a existência aqui de arrozais desde os tempos da Colônia terá facilitado ainda mais do que em Portugal a fixação e disseminação desse maquinismo asiático, ao ponto de se ter integrado cabalmente em algumas das nossas paisagens rurais mais características. Assim, ao passo que em Portugal não é, ou já não é conhecido o monjolo de água, no Brasil continua ele a ser talvez o instrumento mais típico para a descasca ou trituração do milho nas regiões onde puderam prevalecer intactas as velhas técnicas coloniais.

Trazido, ao que parece, de Cabo Verde, o arroz é assinalado, em depoimentos merecedores de crédito, no litoral vicentino, já em meados do século XVI. Sabe-se mesmo que em 1552, ao regular-se à mercê dos dízimos e primícias de toda a costa, ficou expressamente estabelecido que não entraria no caso o arroz de São Vicente. E isso devido a ser ele

22 Ver Weber, Agrarverhältnisse im Altertum. In: *Gesammelte Anfsatze zur Sozial und Wirtschaftsgeschichte*, p.64.

"a principal coisa depois do açúcar".[23] Em fins do século XVI e princípio do seguinte ainda figura entre os produtos exportados de São Vicente para o Prata, valendo 5 pesos a pipa.[24]

Como explicar o laconismo da documentação correspondente ao longo intervalo que vai daquela data até fins do século XVIII, sem suspeitar que essa lavoura, aparentemente próspera nos tempos iniciais, foi por qualquer motivo abandonada ou não chegou sequer a transpor as escarpas da Serra do Mar? Para semelhante explicação há apoio, aliás, em certa passagem de frei Gaspar da Madre de Deus, na qual se fala do desprezo em que ao seu tempo jaziam culturas tais como a do açúcar e do arroz, em que antes "todos se ocupavam", atribuindo esse desprezo à incúria dos moradores.[25]

A censura, entendia-se, não há dúvida, com os moradores da costa, pois escrevendo na última década do setecentos, o frade historiador diz ainda que, a esse tempo, o açúcar e a maior parte do arroz que consumiam os moradores de Santos e São Vicente lhes ia da serra acima.

A verdade é que pelo menos um século antes aparecem indícios de seu consumo na Vila de São Paulo. De 1691 é a advertência dos camaristas aos almotacés para que "não almotaçassem arroz, nem açúcar, nem farinha, nem feijão, nem milho, por não ser de uso".[26] Isso quer dizer que a venda seria feita independentemente de quaisquer restrições, e tal situação, no caso do arroz, perduraria até muito mais tarde, provavelmente até 1730. É desse ano, de 23 de julho, o edital da Câmara de São Paulo onde se ordena que sua venda ficaria sujeita à almotaçaria, salvo nos casos em que o vendedor fosse o mesmo produtor:

> Ordenamos e mandamos que de hoje em diante, as quitandeiras, que costumam vender nas quitandas ou pellas ruas desta cidade, nam ven-

23 Título do registro das provisões que se passaram do serviço de El-Rei Nosso Senhor, que tocam a fazenda de Sua Alteza, *Documentos Históricos*, XXXVIII, p.420.

24 Cf. Canabrava, *O comércio português no Rio do Prata, 1580-1640.*

25 Madre de Deus, *Memórias para a história da Capitania de São Vicente*, p.65.

26 *Atas da Câmara Municipal de São Paulo*, VII, p.402.

> dam fumo, sal e arros e tousinho, sem que almotasen primeiro pello requerimento que nos fizeram os taverneiros desta cidade, cujos gêneros só poderam vender os tais, com licença nossa, debaixo de almotaçaria, e aquellas pessoas que os taes generos tiverem de sua lavra, porque só a estas o nam proibimos.[27]

Não se conhece o requerimento dos taverneiros, que serviria, talvez, para melhor elucidar todas as circunstâncias do caso, mas a leitura do edital torna plausível a suspeita de que o arroz, já então, galgara a serra, e seria plantado e consumido entre gente do planalto. Que era plantado, sugere-o aquela referência expressa a pessoas que tivessem os tais gêneros "de sua lavra". A omissão das palavras "arroz" e "arrozal" nos inventários paulistas publicados – e os inventários publicados abrangem quase unicamente o século XVII – já tem sugerido a crença de que essa granjearia fosse desconhecida aqui durante a maior parte do período colonial.[28] Pode-se supor que seria, na pior hipótese, de importância comercial reduzida, se posta em confronto com outros gêneros. E isso é explicável pela circunstância de não se conhecerem, então, entre nós, máquinas para a descasca mais eficaz do que o pilão manual ou o monjolo, que dão produto escasso e sem grande valor comercial, pois raramente se conseguem, com tais instrumentos, grãos intatos e perfeitamente limpos.

A explicação é válida ao menos para a segunda metade do século XVIII, quando aparecem notícias certas da abundância desse gênero em todo o planalto paulista. Um documento de 1767, no qual são discriminadas as dificuldades que se opõem ao transporte de produtos da capitania em embarcações destinadas ao reino, diz: "Se aqui houvesse engenho de arroz como há no Rio de Janeiro [...] então seria mais fácil haver carga".[29]

---

27 Ordens régias, *Revista do Arquivo Municipal*, XXXVIII, p.248.

28 A referência, num inventário publicado, de 1605, a certo "sítio de arrosal avaliado em 2.000 rs", é atribuída a erro de cópia por Otoniel Mota, que pôde ver os originais e contesta em seu estudo, fundando-se sobretudo no silêncio da maior parte dos inventários, a existência de arrozais em São Paulo antes do século XIX. Suas conclusões são pelo menos excessivas. Cf. *Inventários e testamentos*, XXX, p.39; Mota, op. cit., p.29.

29 *Documentos interessantes para a história e costumes de São Paulo*, XXIII, p.194.

No mesmo ano, em carta escrita pelo capitão-general, d. Luis Antônio de Sousa Botelho Mourão, Morgado de Mateus, acerca da situação da lavoura na capitania, declara-se expressamente: "O arroz é admirável e dá-se em qualquer parte".[30] Esse "em qualquer parte" inclui, sem dúvida, a própria região piratiningana. Do contrário não se compreende que tratando, em outro documento do mesmo ano, da própria área da cidade de São Paulo e seu termo, Morgado de Mateus ainda sustentasse: "o arroz produz-se aqui com muita facilidade e abundância".[31]

Os engenhos para descasca existentes no Rio de Janeiro a que se refere o governador seriam de data recente, visto como, ainda em 1753, certo Antonio Francisco Marques Guimarães, ali residente, requeria licença e privilégio para a construção de uma "fábrica" de descascar arroz. E parece que a iniciativa prometeu logo bom resultado e estimulou outros interessados, visto como, já no ano seguinte, o mesmo Marques Guimarães pleiteara a fixação de penalidades para os transgressores do privilégio, que lhe fora concedido, de erigir uma fábrica dessa natureza no recôncavo do Rio de Janeiro.[32]

Nada impede que o produto, então consumido em São Paulo e no Rio, descendesse das sementes plantadas aqui já no século XVI. Do arroz da Carolina, que se expandiria depois pelo Brasil todo, sabe-se que só mais tarde será introduzido, e primeiramente no Maranhão. Gayoso conserva-nos a data dessa introdução – 1765 e 1766 –, atribuindo-a aos esforços do então administrador da Companhia de Comércio, Capitão José Vieira de Sousa, "que pedira aos deputados de Lisboa uma porção de arroz da Carolina, repartindo-a entre os moradores".[33] Até aquela data plantava-se ali unicamente o arroz vermelho, da terra, nativo na região amazônica e em partes do atual estado de Mato Grosso.

Em São Paulo, onde não consta a existência do arroz indígena, bravo ou cultivado, é lícito pensar que, nos primeiros tempos, continuara a

30 Ibid., p.195.

31 Ibid., p.385.

32 Inventário dos documentos relativos ao Brasil existentes no Arquivo de Marinha e Ultramar, organizado por Eduardo de Castro e Almeida. n.VIII. *Anais da Biblioteca Nacional*, p.297 e 315.

33 Gayoso, *Compêndio histórico-político dos princípios da lavoura do Maranhão*, p.181.

ser plantado o produto adventício pelos sitiantes, embora se destinasse, principalmente, ao uso doméstico. Isso não quer dizer que em certas ocasiões, e em escala reduzida, deixasse de servir como artigo de comércio. Que o era, prova-o cabalmente o próprio fato de, em 1691, ser vendido livre de almotaçaria. Posteriormente aparece, uma ou outra vez, entre os gêneros levados nas frotas de comércio de Cuiabá. Nesse caso é certo, porém, que ia em pequena quantidade e servia apenas aos passageiros e mareantes durante o trajeto.[34] Mas em princípio do século XIX já é mencionado como elemento predominante nas rações administradas aos doentes, em hospitais paulistanos e santistas, ao lado do pão, que se substitui eventualmente pela farinha de milho ou mandioca.

Frei Gaspar refere, no último decênio do século XVIII, que o arroz consumido em Santos e São Vicente ia do planalto da capitania, das áreas de serra-acima. À mesma procedência deve associar-se o que figura, já agora como gênero de exportação, nos mapas de carga de navios saídos do Porto de Santos. Dos poucos mapas que existem publicados, três referem-se a 1797, o ano, precisamente, em que se imprime em Lisboa o livro do historiador beneditino. Por esses documentos ficamos sabendo que nas três embarcações saídas – o Santos Mártires Triunfo do Mar, o Nossa Senhora da Cana Verde e o Nossa Senhora de Oliveira – se transportam, ao todo, daquele porto para o de Lisboa, 9.932 arrobas de arroz.[35] Mais do que qualquer outro gênero agrícola, exceção feita apenas do açúcar fino, que sempre se mantém na dianteira.

Contudo o fato de ter escasseado o plantio e necessariamente o consumo do produto em épocas anteriores, depois da aparente prosperidade que alcançara nos primeiros tempos da colonização não é circunstância desprezível para quem se ocupe desses problemas. E o simples fato de

34 Assim é que em 1753 iam na monção de Cuiabá "três cargas de arros cobertas de encerado". Manuscrito do Arquivo Público do Estado de S. Paulo. Maço 8, pasta 1, n. 25. Na expedição do brigadeiro José Custódio de Sá e Faria do Iguatemi, em 1784, iam 8 alqueires de arroz para 200 de feijão e outro tanto de farinha. Na de Candido Xavier de Almeida e Souza, em 1800, a proporção era de 3 alqueires de arroz limpo para 81 de feijão. Descrição diária dos progressos da expedição destinada da Capitania de São Paulo para as fronteiras do Paraguai. Manuscrito da diretoria de Engenharia do Ministério da Guerra. Rio de Janeiro, n. 2.221.

35 *Documentos interessantes para a história e costumes de São Paulo*, XXXI, p.151, 155-6.

voltarem a aparecer em textos do final do século XVII as referências a esse mantimento, após prolongado silêncio, pode fortalecer a suspeita de que, abandonado na Ilha de São Vicente e vizinhanças, seu cultivo tenha sido reintroduzido diretamente no planalto um século mais tarde. E com o cultivo, também os maquinismos que no Oriente se associavam correntemente à sua produção e benefício.

O mutismo dos textos anteriores a fins do setecentos acerca do monjolo não prova decisivamente que esse instrumento fosse desconhecido ali um século antes. É significativo que em fins do setecentos e princípio do oitocentos é assinalado em vários sítios e muito apartados uns dos outros – Vila Rica, São Paulo, Cuiabá –; isso indica que não se trataria de aquisição recente. Que o uso, ao menos do monjolo de pé, date, entre nós, já de fins do século XVII, justamente da época em que principiam a aparecer referências mais precisas em documentos paulistas ao consumo do arroz, representa, sem dúvida, simples conjectura, mas bem apoiada.[36]

Menos aceitável é a crença, inicialmente formulada pelo visconde de Porto Seguro, e aceita muitas vezes sem crítica, de que o primeiro monjolo do Brasil fora montado por Braz Cubas – que por sua vez o trouxera da China – em terras da Ilha de São Vicente, onde fundaria depois a Vila de Santos. Dessa máquina proviria o nome de Enguaguaçu (pilão grande), dado pelos índios ao mesmo sítio.

A crença, que não é endossada por nenhum documento quinhentista, parece provir de um simples engano na interpretação de frei Gaspar, onde este escreve que Pero de Góis recebeu em sesmaria a região fronteira ao Enguaguaçu e ali "fez hum engenho d'agoa chamado da Madre de Deus". Trata-se aqui, em realidade, de um engenho de moer canas,

36 Ao arquiteto e historiador Luis Saia, chefe do 4º distrito do Serviço do Patrimônio Histórico e Artístico Nacional, devo a informação de que na sede da fazenda de Rio-Acima, município de São Roque, de construção certamente seiscentista, há um monjolo de pé, adaptado de tal forma à parede de taipa de um dos compartimentos que tudo mostra ter sido construído juntamente com a casa. Se é certo que esta pertenceu ao capitão-mor Guilherme Pompeu de Almeida conforme o presume o sr. Luis Saia, deve ser anterior a 1691, ano em que faleceu o referido capitão-mor. Note-se que o hábito da construção dos monjolos de pé no interior das habitações ocorre também no caso dos "pios de piar milho" portugueses, que se localizam "dentro de uma casa e junto à parede, de modo que os lavradores se podem facilmente segurar a um torno metido na parede". Cf. Dias, op. cit., p.11.

não de uma almanjarra de pilar cereais. E o nome de Enguaguaçu, ou Pilão Grande, viria da configuração aparente da ilha e suas redondezas para quem está no alto da serra, pois as montanhas e outeiros em torno da água e da terra firme "formão huma concavidade muito semelhante à dos instrumentos onde o Gentio Brazilico fazia as suas triturações".[37] A própria viagem de Braz Cubas à Ásia, de onde teria trazido a ideia do instrumento, está sujeita às mais sérias dúvidas. Ao contrário do que afirma Porto Seguro, ele não acompanhou certamente Martim Afonso ao Oriente e, segundo todas as probabilidades, também não esteve ali em época anterior.[38]

Ao autor da *História Geral do Brasil,* que vira em 1873 na seção chinesa da Exposição Internacional de Viena um instrumento exatamente idêntico ao nosso monjolo, deve-se, de qualquer modo, a primeira referência conhecida à sua origem asiática. Onde errou foi na tentativa de fixar as circunstâncias e a data da introdução entre nós.

Não obstante aquela origem, a verdade é que viria aclimar-se tão admiravelmente em nosso meio rural e acomodar-se às condições da terra, que pareceu logo plausível a opinião de que já teria entrado com os primeiros colonos. E não faltou até quem, como John Luccock, chegasse a julgá-lo de simples procedência indígena. A aclimação e adaptação estão relacionadas, sem dúvida, ao fato de se ter revelado auxiliar serviçal, quase insubstituível, em muitos lugares, no processo de elaboração de produtos alimentares que constituíam a verdadeira base da dieta de uma parte bastante considerável da população.

O próprio nome que veio a receber e que ainda hoje constitui um problema para historiadores e linguistas reflete provavelmente o préstimo desse instrumento: cativo que não requer feitor.[39] Aquela sua plan-

37 Madre de Deus, op. cit., p.97.

38 Cordeiro, *Braz Cubas e a Capitania de São Vicente*, p.112.

39 O visconde de Porto Seguro, fundando-se no nome que dariam à máquina na Ilha Formosa – chui-toi –, chega a sugerir que a primeira palavra (chui) desse nome, que quer dizer água, seria o radical da segunda sílaba de monjolo. Menos arbitrária, embora sujeita a dúvidas, é a interpretação de Delgado, o sábio especialista nos dialetos indo-portugueses, que, consultado, tentou associá-lo a uma palavra de raiz sânscrita. Cf. *História Geral do Brasil*, p.203 e 206.

gência constante e monótona representa até hoje um distintivo notável dos sítios rurais ainda não invadidos por técnicas mais civilizadas.

"Monjolos" e "negros monjolos" são nomes que também se dão, em numerosos textos coloniais, a uma das castas de africanos que o comércio de escravos introduziu em nossas lavouras. Haverá motivo sério que incline a afastar, sem hesitação, a hipótese, já aventada, de que por simples extensão de significado a designação pode transferir-se dos negros para esses verdadeiros "robots" rústicos? Não seria mal lembrada, em realidade, a aproximação entre o oscilar moroso e compassado da haste do monjolo e os movimentos de algum negro já relegado das fainas mais ásperas para o mister de preparar a farinha de milho ou a canjica e de pelar o arroz destinado ao consumo caseiro. Essa aproximação já está sugerida, aliás, no próprio nome – *Negro Velho* –, que ao tempo de Spix e Martius davam à máquina nos arredores de Sorocaba e se preserva, ainda hoje, pelo menos entre descendentes de alemães nas colônias sulinas.[40] As condições da economia rural em certas terras do centro sul onde predominou largamente a lavoura de subsistência e onde não existiam grandes plantações que reclamassem mão de obra numerosa foram o maior estímulo, sem dúvida, à introdução dessas máquinas, que deveriam reduzir ao mínimo o esforço do homem.

As mesmas condições, impedindo o desenvolvimento de uma agricultura estável, vinham favorecer, por outro lado, a persistência dos processos rotineiros de lavoura, herdados do índio e preservados quase sem mudança. O único instrumento agrícola que continuou generalizado entre os colonos foi a cavadeira de pau ou soquete, quando muito a enxada e a foice. A transitoriedade nos plantios era a regra, e dificilmente se passavam duas gerações sem que as plantações mudassem de sítio.

40 Spix; Martius. *Reise in Brasilien*, p.285; Kraeger apud Wagemann, *Die Deutschen Kolonisten im Brasilianischen Staat Espirito Santo*, p.61, nota. Refere-se a seu emprego no despolpamento do café, e ajunta que tem o nome de *Fauler Neger*, designação que encerra aproximadamente o sentido de *Negro Velho*. Uma alusão aos movimentos antropomórficos que caracterizam o monjolo encontra-se ainda o nome *Preguiça*, que lhe é dado com frequência em outros lugares.

O uso do arado não foi, aliás, inteiramente desconhecido no Brasil colonial, ao contrário do que muitos presumem. Entre senhores de engenho do Recôncavo Baiano ele seria corrente por volta de 1798. Em ofício dessa data escreve efetivamente, para o Reino, o governador d. Fernando José de Portugal, que o emprego de arados era conhecido em quase todos os engenhos da Capitania da Bahia para a plantação de canas. Os quais, acrescenta,

> são regularmente puchados por dez, doze ou mais bois, por terem esses animais menos força neste paiz e custarem as terras mais a abrir: os arados são feitos segundo o modelo de huns que vieram para aqui do Reino há muitos anos, mas como se terão aperfeiçoado talvez muito de então para cá, não deixaria de ser conveniente que dahi se remetessem alguns modelos mais modernos e mais bem fabricados, para por elles se fazerem outros.[41]

Embora se conheçam, além dessa, escassas referências à aradura nos engenhos da Bahia ou do Nordeste, a circunstância de se tratar aqui de um tipo de plantação menos instável, apesar de tudo, do que a simples lavoura de mantimentos, e que, para ser rendosa, pede terra limpa e destocada, pode explicar esse progresso sensível sobre os velhos métodos indígenas.

Mesmo em terras paulistas há notícia da presença de arados antes de se ter generalizado ali a lavoura do trigo, outra gramínea que podia reclamar, melhor do que certas granjearias tropicais, o emprego dessa máquina. Num inventário de 1599 consta de Maria Gonçalves, mulher de Clemente Álvares, com roça em Ibirapuera, que tinha um ferro de arado. Avaliaram-no, juntamente com o carro velho, em 1$600, preço equivalente ao de um gibão de damasco. Em outro inventário, o de Manuel de

41 Inventário dos documentos relativos ao Brasil existentes no Archivo de Marinha e Ultramar. *Anais da Biblioteca Nacional*, XXXVI, p.16.

Lara, lavrador na Parnaíba, consta que em 1637 deixou entre seus bens um ferro de arado.[42]

O mau sucesso dessas experiências é explicado numa das cartas que em 1766 escreveu ao vice-rei do Brasil o governador de São Paulo, d. Luiz Antônio de Souza Botelho de Mourão. Até os filhos do Reino, que vivem cá há muitos anos, dizia esse capitão-general, são de parecer que a terra é fria e não dá sustância senão na superfície, que "se não pode uzar arado, que alguns já uzarão delle, que tudo se lhes perdeo". Admitindo certa procedência nas alegações, Morgado de Mateus não deixa de sugerir o remédio adequado: o uso de um arado que só risque a superfície, como os que se empregavam em Portugal na lavoura do centeio, quando praticada nos montes.[43]

Caberia, nesse caso, atribuir apenas o gosto da rotina ou à incúria esse retrocesso dos lavradores vindos do Reino a um padrão técnico em nada melhor do que os velhos métodos indígenas. A verdade é que o mesmo ocorre em nossos dias com relação a agricultores procedentes de outros países da Europa; não são raros os casos de colonos que em terras tropicais renunciaram ao arado pela enxada ou o simples soquete após tentativas malogradas. Será lícito dizer-se, como o disse um geógrafo dos nossos dias, que o recurso a técnicas europeias constitui em muitos casos "uma violência infligida à natureza tropical"?[44]

Em inquérito recente mostrou-se como lavradores alemães estabelecidos desde 1887 no Paraguai tiveram de abandonar, depois de experimentá-los, os métodos correntes em sua terra de origem, e chegaram à convicção de que um solo florestal pode ser destruído não só pelo uso do fogo, mas ainda pelo abuso do arado. A razão está em que a relha, penetrando profundamente o solo, tende a sepultar a camada tênue de micro-organismos e, em geral, de substâncias orgânicas indispensáveis para o desenvolvimento das plantas cultivadas.[45] Razão que, exposta em-

42 *Inventários e testamentos*, I, p.190; e *Inventários e testamentos*, X, p.464.

43 *Documentos interessantes para a história e costumes de São Paulo*, XXIII, p.3 e 7.

44 Gourou, Qu'est-ce que le Monde tropical, *Anales – Economie-Societés – Civilizations*, p.148.

45 Wilhelmy, Probleme der Urwaldkolonisation in Sudamerika. *Zeitschrift der Gesellschaft fur Erdkunde*, X, p.303-4; Id., *Siedlung im Sudamerikanischen Urwald*, p.65-9.

bora em outras palavras, lembra muito as desculpas que ao seu capitão general apresentaram em fins do século XVIII os lavradores de São Paulo, ou a crença, ainda em nossos dias dominante entre lavradores do Juquiá, de que o arado *envenena* a terra.[46]

O mau resultado das experiências efetuadas no Brasil poderia provir de que nesses casos se empregaram máquinas especialmente pesadas, que raspam fundo o solo. Seriam desse tipo aqueles arados da Bahia, puxados por dez ou mais bois, a que se referira d. Fernando José de Portugal no ofício já mencionado. Ou ainda os que utilizam por volta de 1863 alguns fazendeiros paulistas. Estes, escreveu Campos Sales, precisavam de toda uma junta de bois para manejar cada arado. Só o exemplo dos lavradores do sul dos Estados Unidos, imigrados mais tarde, com as máquinas leves que em sua terra de origem empregavam na lavoura do algodão, pôde mostrar-lhes, enfim, que cada instrumento não requer mais do que um homem e um animal para todas as operações a que se destina.[47]

Os próprios arados coloniais de São Paulo também pertenciam ao tipo menos indicado para a lavoura em terras tropicais e subtropicais ainda mal libertas do revestimento florestal. O de Maria Gonçalves, a julgar pelo inventário de 1599, vinha acompanhado do "carro velho", e só isso ajuda a identificá-lo com o arado de tipo *quadrangular com rodas*. Segundo uma autoridade no assunto, o já citado professor Jorge Dias, do Porto, seria esse, entre os modelos tradicionais em Portugal, o único a comportar uma carreta.[48] Trata-se de instrumento pesado, peculiar ao norte ou centro da Europa, e cuja presença no nordeste da Península Ibérica só é aparentemente explicável pela ação dos invasores suevos no século V. Os quais teriam levado intactas para os países ocupados "suas técnicas agrícolas e tradições muito mais que os visigodos,

46 Lane, O arado e a terra.

47 Campos Salles, Colônia Sete Quedas, p.91.

48 Dias, *Os arados portugueses e suas prováveis origens*, p.41-2 passim. A identificação aqui proposta foi sugerida ao autor pelo próprio professor Jorge Dias, quando se apresentou um resumo do presente trabalho à seção histórica do Colloquium Luso-Brasileiro efetuado na Biblioteca do Congresso em Washington, em outubro de 1950.

que durante séculos estão em contato com os romanos e vivem dentro do Império Romano".[49]

Na Península Ibérica, o uso desse tipo de charrua estaria circunscrito a Portugal, e em Portugal a todo o Minho da "ribeira" e às terras planas e fundas do litoral para o sul do Douro. Há indícios de que no século XVI teria existido também na Extremadura. Regiões em parte já densamente povoadas ao tempo da colonização do Brasil e que fornecem dos maiores contingentes de povoadores para o Novo Mundo. Não admira se com esses povoadores tivessem vindo seus instrumentos de trabalho tradicionais. E a desculpa oferecida pelos lavradores paulistas ao Morgado de Mateus refletiria, então, o mau sucesso alcançado por alguns desses instrumentos, no caso, pelo arado de tipo quadrangular, no aproveitamento de terras mal preparadas para recebê-los.

E o remédio sugerido nesse caso por d. Luiz Antonio, isto é, o recurso, de preferência a um aradura de superfície, obtida com o socorro dos aparelhos que em Portugal se empregavam na lavoura do centeio, quando praticado em terras ásperas, que é, sem dúvida, o arado *radial*, da classificação adotada por Dias, corresponde ao que, em resultado dos inquéritos recentes de Wilhelmy e outros, vem sendo sugerido para outras áreas tropicais e subtropicais.

A convicção de que nessas áreas não convém, ao menos de início, abrir sulcos profundos para as sementeiras, guiou os colonos menonitas do Paraguai e garantiu o bom êxito das lavouras, em contraste com seus vizinhos de Nueva Germânia, que recorrendo sem mudança aos métodos usuais na Europa Central se viram forçados a abandoná-los e hoje só praticam a lavoura de enxada. Também em certos lugares da África Oriental, onde os plantadores europeus começaram por utilizar arados que abrem sulcos de 30 a 35 centímetros de profundidade, adotou-se depois, com vantagem, a aradura superficial, em face dos prejuízos causados pelas primeiras tentativas. E na Abissínia, onde os indígenas usavam tradicionalmente uma espécie primitiva de arado, que se limita

49 Ibid., p.139.

a riscar o solo sem penetrá-lo além de poucos centímetros, os italianos, que durante a ocupação do país tinham introduzido as pesadas charruas da península, viram-se forçados a substituí-las, com o tempo, por outro tipo, fabricado de acordo com os antigos modelos locais.[50]

Essas experiências bem mostram o acerto da solução que apregoara, em 1766, entre nós, Morgado de Mateus. Aproveitadas, elas poderiam ter tido como consequência uma radical transformação de nossa paisagem rural, criando uma raça de verdadeiros lavradores apegados ao solo, não de simples *mineradores* ocupados em beneficiar-se dele, enquanto se mostrasse prestativo, e passar logo depois a terras menos exploradas e gastas. Mas as ideias de d. Luiz Antonio não encontraram adeptos e depressa se apagou a lembrança das tentativas de emprego do arado, em São Paulo, no período colonial. Exatamente um século mais tarde, quando se estabeleceram aqui algumas famílias de lavradores norte-americanos, tangidos pela Guerra de Secessão, passariam por interlocutores de uma inovação que, segundo as notícias da época, eram de molde a revolucionar profundamente nossos métodos de lavoura.

50 Wilhelmy, *Siedlung im sudamerikanischen Urwald*, op. cit., p.67.

Estudos etnológicos*

Comentando há alguns anos a desusada seriedade com que um público relativamente amplo parece acolher, entre nós, os estudos dedicados à influência do negro em nossa vida social, ocorreu-me notar a insistência com que, nesses estudos, era considerado principalmente o lado pitoresco, anedótico, folclórico, em outras palavras, o aspecto por assim dizer exótico do africanismo.

Parecia-me que a atenção dirigida quase com exclusividade sobre esse aspecto representava uma variante mais inteligente de modo tradicional de encarar a questão, que consistia em deliberadamente esquecê-la ou ignorá-la. No momento em que a influência do negro deixava de ser coisa pouco confessável para se converter em coisas apenas interessantes, podíamos afastá-lo naturalmente de nós, sem truculências nem humilhações.

Contemplado com atenção científica e benévola, nas suas superações, na sua religiosidade, nos seus batuques e macumbas, nos seus costumes civis e domésticos, o negro podia ser ostentado até vaidosa-

* Artigo originalmente publicado no *Diário Carioca*, 1º jul. 1951. (N. O.)

mente a estrangeiros. Era o modo hábil de mostrar que também somos diferentes dele, que o encaramos como fenômeno singular e digno de ver-se. E por conseguinte de fazer com que nossa civilização branca e brancarana se tornasse mais dona de si, mais capacitada de sua própria distinção. Nela os africanismos tinham deixado de ser manchas negras para se converterem em reluzentes lantejoulas. E a literatura de fundo romântico, essa literatura que entre nós só conhecera o preto na situação de pobre vítima, vítima conformada ou rebelde, podia finalmente encontrar sucesso ou fama.

Essa moda de estudos afro-brasileiros, que aqui veio a coincidir significativamente com a moda europeia da *art nègre* e o prestígio internacional dos *spirituals* e dos *blues*, trouxe vantagens sem dúvidas numerosas. Entre outras, a vantagem de já se poder dizer de nosso negro o que ainda não é possível dizer de nosso índio, que para conhecê-lo é preciso recorrer em grande parte a fontes estrangeiras.

Por outro lado, a moda do afro-brasileirismo, realçando o papel do negro na nossa formação nacional, ajudou de algum modo a tornar ainda mais perfunctório e indefinido o papel do índio, que nossos românticos, transformando-o em personagem sublime, portador de heroicas ou graciosas virtudes, já tinham contribuído para expulsar do mundo real.

Deu-se aqui o que se tem dado em tantos outros casos, que o entusiasmo do primeiro momento pelo valor do concurso africano se tornara dogmático, imperialista e absorvente. Tudo quanto entre nós não se inscrevia muito claramente na tradição europeia e portuguesa passou a ser de cepa africana.

Um exemplo, entre os mais eloquentes a esse respeito, é fornecido por certas opiniões generalizadas sobre a nossa cultura. Quantas vezes, por exemplo, não temos visto associado, sem discussão, ao simples influxo dos negros, o uso e abuso da pimenta vermelha em alguns dos manjares brasileiros mais característicos? No entanto, bastaria a leitura das crônicas dos viajantes quinhentistas para nos certificarmos de que as pimentas eram condimento obrigatório nas refeições índias e supriam com frequência a falta de sal. Gabriel Soares escrevia delas que "se comiam verdes e depois de maduras cozidas inteiras com o pescado e os legumes, e de uma maneira ou de outra queimam muito, e o gentio come--as inteiras, misturadas com farinha".[1]

Leio, por outro lado, em um botânico e, além disso, bem conhecedor do continente africano,[2] que a maioria das variedades de pimenta vermelha cultivadas na África são identificáveis a formas existentes na América em estado selvagem, e que sua presença lá se explica sobretudo – como a do milho, a do tabaco, a da mandioca, a do cacau e de cinquenta outras espécies vegetais – por operações comerciais dos antigos traficantes de escravos. Ajunta o mesmo cientista que, sendo grande parte dos pratos da África, refratários ao uso de condimentos picantes, espalhou-se entre eles a crença de que as pimentas vermelhas são extremamente venenosas. Entre algumas tribos chegavam ao ponto de supor que envenenavam suas flechas quando lhes untavam as pontas com o sumo das pimentas, e ficavam surpreendidos ao ver que para alguns estrangeiros elas eram inofensivas.

Não há nessas observações motivos bastante para que se modere um pouco o entusiasmo dos que têm apresentado e continuam a apresentar o abuso da pimenta nas refeições como traço evidente da influência africana sobre nossa culinária? Existem ainda os que vão mais longe e associam à mesma influência a nossa própria feijoada do centro-sul, não sei se por sugestão da cor retinta de sua matéria-prima que, não obstante, é ineludivelmente americana. Ou a canjica de milho que os nossos índios, segundo todas as probabilidades, já conheciam em forma primitiva, antes dos brancos ou dos pretos. Ou a canja, que veio certamente do Oriente longínquo, e que o velho Garcia de Oriz, em seu tratado quinhentista, já incluía no rol dos petiscos indianos. Ou o cuscuz que, este sim, é de procedência africana, mas da África branca ou África menor, não de Angola ou Guiné, e que nos foi trazido da Península Ibérica, onde era usado desde os tempos dos mouros.

Esse caso da culinária é bem típico, mas não é único do fervor tantas vezes absorvente que distinguia, entre nós, muitas pesquisas afro--brasileiras. Hoje, parece que esse mesmo fervor já vai em declínio e será

1 Soares, *Tratado descritivo do Brasil em 1587.*

2 Schweinfurth, *Fostschift Eduard Seler*, p.530 et. seq.

de lamentar se, passados os seus exageros flagrantes, também se perca, com ele, o interesse por um assunto que há de ser constantemente atual para quem se interessa por estudos brasileiros.

A vantagem dos que se interessam, agora em número cada vez maior, pela investigação antropológica dos nossos índios, está em que já é mais possível abordar esse assunto sem viés romântico ou nativista. O índio acha-se hoje muito menos entranhado do que o negro em nossa vida cotidiana de moradores de cidades, por conseguinte, suporta melhor uma perspectiva clara e uma visão isenta e desapaixonada. Isso pode explicar, em parte, o número já apreciável de bons estudos fundados, por vezes, não só no tirocínio teórico, mas ainda em prolongadas pesquisas de campo que ele vem suscitando entre alguns autores jovens.

Toda uma nova geração de antropólogos, formados ao contato de mestres como Herbert Baldus, Charles Wegley, Radcliffe-Brown, Lévi-Strauss, Roger Bastide, Kalervo Oberg, começa a esboçar-se assim, orientada por métodos que, estou certo, hão de abrir uma nova era nos estudos brasileiros. Em 1945 tivemos, de Egon Schaden, o *Ensaio etno-sociológico sobre a mitologia heroica de algumas tribos indígenas do Brasil*. Em 1948, a ampla monografia de Florestan Fernandes sobre a *Organização social dos Tupinambás*. Do mesmo autor publicou-se, em 1949, a *Análise funcionalista da guerra: possibilidades de sua aplicação à sociedade tupinambá*. E ainda há pouco, em 1950, o Serviço de Proteção aos Índios publicou, de Darcy Ribeiro, *Religião e mitologia kadiwéu*.

Esses estudos, sem falar nos trabalhos de Eduardo Galvão escritos em colaboração com Charles Wegley, ou nas publicações esparsas de Fernando Altenfelder da Silva, impressas sobretudo na *Revista do Museu Paulista* e em *Sociologia*, refletem um movimento que já hoje não interessa unicamente a pequenos círculos de estudiosos.

O fato de uma das mais prestigiosas recompensas literárias do Brasil – o prêmio Fabio Prado para estudos e ensaios – ter sido atribuída ultimamente ao trabalho de Darcy Ribeiro sobre os Kadiwéus, tendo cabido, em ano anterior, ao de Florestan Fernandes sobre os Tupinambás, é indício de que esse movimento já se encontra em condições de alcançar uma repercussão promissora sobre público mais numeroso.

Mitologia e sociedade*

Em nenhum estado brasileiro foi menos sensível, talvez, do que em Minas Gerais, a importância histórica assumida pelas nossas primitivas populações indígenas. E por um singular paradoxo, que não tento interpretar, nenhum outro estado nos deu, até aqui, uma série mais brilhante de pesquisadores devotados ao estudo dessas populações e de sua influência.

Mineiro de nascimento foi Batista Caetano – o pioneiro, no século passado, dos estudos mais acurados da linguística tupi-guarani. Mineiro foi Couto de Magalhães, um dos ilustres iniciadores, entre nós, de trabalhos dedicados à Linguística, à Etnografia e à mitologia indígenas.

É ainda essa tradição de devotamento a estudos brasileiros que vem manter admiravelmente mais um pesquisador mineiro, Darcy Ribeiro, autor do trabalho sobre *Religião e mitologia kadiwéu*, que acaba de fazer jus ao prêmio Fabio Prado para ensaios. É certo que em sua formação profissional terá influído consideravelmente o tirocínio científico e técnico adquirido no contato de mestres eminentes como Radcliffe-Brown,

* Artigo originalmente publicado no *Diário Carioca*, 8 jul. 1951. (N. O.)

Herbert Baldus, Emilio Willems, Donald Pierson e, nos últimos tempos, Kalervo Oberg. E por esse lado ele é bem um representante da jovem "escola", se assim se deve dizer, de antropólogos e sociólogos paulistas, cuja importância – apesar de incluir nomes como os de um Florestan Fernandes e de um Egon Schaden – ainda não foi reconhecida como bem merece sê-la fora de certos circuitos especializados.

Se no caso de Darcy Ribeiro aquele tirocínio pode ser hoje adequadamente utilizado nos trabalhos a que se dedica, do Serviço de Proteção aos Índios, as possibilidades, por outro lado, que lhe oferecem esses trabalhos, de um contato obrigatório e assíduo com as populações indígenas, só podem ser benéficas à atividade intelectual que alegou.

Precisamente esse livro sobre a religião e mitologia dos últimos remanescentes daquelas populações, que sob o nome de Guaicurus ou "Cavaleiros" ocupam tão largo espaço na história da expansão ocidental do Brasil, constitui uma amostra exemplar do quanto pôde aquele feliz casamento entre teoria e prática.

Os estudos sobre a mitologia e religião indígena têm por onde seduzir mesmo um público indiferente aos problemas antropológicos ou infenso à aridez de suas técnicas, e tenho a convicção de que o livro recente de Darcy Ribeiro se encontra bem nesse caso. O abundante material que pôde recolher entre os seus Kadiwéu seria só por si valiosíssimo para os que se entregam, às vezes indisciplinadamente e levados por aparências enganadoras, a certo gênero de estudos comparativos. Para citar só um exemplo lembrarei a história, recolhida por ele, dos gêmeos que, desprezando as advertências maternas, vão para o caminho onde fica a "tampa do vento" e ouvem o barulho dele lá dentro. "Aí abriram a tampa, o vento saiu, derrubando tudo, derrubou a casa da velha e a casa da mãe deles também."[1]

Quem pretendesse estudar a distribuição desse tema, com suas numerosas variantes locais e tribais, encontraria, certamente, só no Brasil, um material dos mais opulentos. Nas histórias contadas a Koch-Grünberg

1 Ribeiro, *Religião e mitologia kadiwéu.*

entre o Roraima e o Orinoco, há o caso, por exemplo, dos troncos de árvores que, partidos, libertam as águas do dilúvio, guardadas até então no seu interior, e ainda no lençol subterrâneo onde mergulhavam as raízes da árvore. Num mito dos Uitota comentado por Konrad Theodor Preuss, o dilúvio tem origens semelhantes; com essa diferença que, em lugar do tronco, é um rochedo misterioso que retém as águas; partido o rochedo a golpes de machado, a terra fica inundada. Numa das lendas caxinguá colhidas por Capistrano de Abreu aparece uma garça que, destapando a lagoa de fundo furado, situada no céu, deixa cair a chuva. Em outra temos o caso da aranha que dá a Manã um frasquinho contendo a escuridão. Abrindo-o, o herói desencadeia a noite, só por isso é que hoje podemos dormir no escuro; antes toda a gente se deitava com o sol de fora. Aqui, ao menos, não ocorre nenhum cataclismo de graves consequências. Mas no caso da lenda, em tantos pontos semelhantes, recolhida por Couto de Magalhães, da noite que se escondia no coco de tucumã, a curiosidade dos barqueiros – que, desobedecendo às ordens da Cobra Grande dona das trevas, abrem o fruto proibido – irá acarretar uma catástrofe de proporções quase cósmicas. Soltando a noite, eles deixam a perder a ordem em que tinham sido postas as coisas no mundo: o que estava na floresta converte-se em aves e bichos da terra: o que ficava no rio transforma-se em patos e peixes.

Esses exemplares, que cita um pouco a esmo, recorrendo principalmente a lembranças de vagas leituras, poderiam ser multiplicados se se empreendessem estudos metódicos e não só nas mitologias brasileiras. Os resultados seriam talvez surpreendentes. Não é o mesmo motivo que vamos encontrar, por exemplo, em Homero, quando relata, no canto décimo da Odisseia, como os companheiros de Ulisses, já à vista de Ítaca, abrem por curiosidade o odre de couro – presente de Éolo – onde se aprisionavam os ventos bravios, e com isso derramam as furiosas tormentas que irão dilatar por tantos anos o regresso do filho de Laertes?

Nesse caso deparamos com elementos que tanto aparecem na história da "tampa do vento" como na do coco de tucumã, e os estudiosos, segundo sua filiação científica, seriam tentados a explicar as semelhanças, ora por alguma teoria difusionista, ora pela presença das "ideias elementares" que permitem o aparecimento independente dos mesmos motivos em lugares diversos e distanciados uns dos outros.

Não é esse exercício, sedutor sem dúvida, mas às vezes um tanto estéril, o que tenta Darcy Ribeiro em seu trabalho. O patrimônio místico dos guaicurus espelha a mentalidade senhorial desse povo, e reflete os padrões de uma sociedade guerreira e rapace. É certo que os revezes padecidos pelos índios, ao contato dos brancos, acabariam condenando-os a uma espécie de pobreza soberba. Os mitos que deixaram de conformar-se à realidade não são abandonados e sim redefinidos. O estudo desse processo de redefinição torna-se possível graças ao confronto da forma em que apareceram a princípio – preservada, muitas vezes, nos escritos de Rodrigues do Prado, Sanchez Labrador, Juan Francisco de Aguirre, ou Castelman – e sua versão atual, recolhida pelo autor.

O mito é, desse modo, um documento étno-psicológico. O exame dos laços que o vinculam à cultura do povo ajudam a desvendar, nos mais secretos refolhos, muito de sua individualidade. Não há que buscar nele um sentido apenas recreativo. "Se assim fosse", diz o autor, "seu estudo só ofereceria interesse como análise de valores literários ou de difusão de temas, e os mitos não poderiam ser utilizados como fontes para a compreensão da sociedade Kadiwéu".[2] Os processos de seleção e redefinição a que se acha sujeita, ao contrário do que sucede, talvez, com as ideias ou práticas propriamente religiosas, não permitem que essa mitologia permaneça insensível, como as estrelas do céu, a qualquer transformação individual em social. Ela é, ao contrário, uma força sempre atuante, que funda para o Kadiwéu os valores capazes de dar sentido à sua vida tribal e individual. É a análise dessa vida, nos mitos e através deles e das práticas religiosas que a refletem, o que empreendeu com mão segura Darcy Ribeiro. O resultado foi um livro por todos os títulos admirável e que dá ao seu autor um lugar de particular realce entre os que, no Brasil, se dedicam presentemente aos estudos sociais.

2 Ibid.

Bandeiras e monções*

Em um dos numerosos escritos que se incorporaram à última e monumental edição de sua *História da literatura brasileira*, editada pela Livraria José Olympio, Silvio Romero manifestou em palavras cheias de azedume a decepção que lhe causara, depois de longa espera, a obra publicada de Capistrano de Abreu, pelas altas esperanças que o mestre cearense chegara a inspirar e não teria satisfeito.

"Nós mesmos", escreve a convenção de pronome plural que não consegue dissimular, neste ponto, a paixão pessoal que move o crítico,

> Nós mesmos, durante mais de trinta anos, nos deixamos iludir, e chegamos a esperar com ansiedade a *História do Brasil* prometida por Capistrano. Sabíamos que ele é grande conhecedor de nossos fatos históricos, e por isso, para o estimular, lhe fizemos rasgados elogios na memória que inserimos no *Livro do centenário do descobrimento do Brasil*. Mas após mais de dez anos de espera reconhecemos que seu saber é puramente micrológico e de minúcias, sem relevo de espécie alguma.

---

* Artigo originalmente publicado no *Diário Carioca*, 13 jul. 1951. (N. O.)

"Não passa de uma medíocre endeusada, um alfarrabista ilusionista." Com esse desabafo conclui a clamorosa objurgatória.

Hoje esses argumentos dificilmente prevalecem, pois já não nos parece tão evidente que um grande historiador brasileiro, como o foi Capistrano de Abreu, tivesse por dever includível escrever alguma copiosa História do Brasil. Preferimos com frequência, e não sem boas razões, o amor à minúcia significativa, explorada até o íntimo, àquele gosto "macrológico" do painel abundante, que talvez acrescente ao nosso saber teórico, mas não ilumina verdadeiramente o conhecimento do passado. E como acontece que as preferências novas e ainda mal arraigadas são em geral as mais teimosas e exclusivas, resulta que corremos, nesse caso, o risco de, escapando a uma posição extrema, vir a cair no extremo contrário, não menos deplorável.

Se é certo que a grande História se converteu, nos últimos tempos, num dos terrenos favoritos do malabarismo e da prestidigitação intelectuais, não existe motivo para que fiquemos constantemente cegos às suas possibilidades. "Foi o medo da grande história o que matou a grande história",[1] diz a frase, escrita há dez anos, que um historiador dos nossos dias, Fernand Braudel, reproduziu em seu exaustivo estudo sobre o Mediterrâneo ao tempo de Felipe II.

Diante da grande *História Geral das bandeiras paulistas* de Afonso de E. Taunay, cuja publicação, iniciada em 1923, acaba de encerrar-se neste ano de 1931, com seu 11º volume, aquela observação conserva toda a sua importância.

Por outro lado, o próprio milagre de tenacidade que representa esse esforço contra a corrente – de um historiador que não teme a grande História, em terra de gente apressada ou distraída – não ajudará muito a apreciá-lo em seu justo valor. Essas 6 mil fartas páginas, dedicadas, embora, a um dos temas sedutores de nossa história, parecem fora de proporção com nossas medidas ordinárias de julgamento, feitas em geral para avaliar realizações mais sóbrias. Haverá quem pretenda que a

1 Braudel, *La Mediterranee à Pépoque de Phillippe II.*

extensão mesma da obra, tudo quanto faz dela uma das expressões autênticas de nossa historiografia "monumental", só pôde ser obtida com algum prejuízo para certas virtudes, louváveis num historiador, virtudes de parcimônia, de finura, de método.

Mas essas mesmas objeções não levariam em conta o mérito fundamental de quem soube abarcar generosamente, definir com escrúpulos, e pôr em ordem plausível um material que, pela sua própria vastidão, reclamava esforço imensurável, naturalmente desatento a pequenas sutilezas. E não entra alguma dose de impertinência em pretender examinar esse monumento com o socorro do microscópio?

É bem possível que, partindo de outra base de operações, servindo-se de outras armas e outras táticas, um pesquisador conseguisse triunfar com agilidade e graça sobre todos os obstáculos que oferecera a opulência do tema. Duvido muito, porém, que alguém possa, de hoje em diante, investigar com seriedade qualquer das questões que aborda aqui Afonso de Taunay sem principiar por um estudo meticuloso de sua obra. Ou mesmo que, tendo alguma vez estudado essas questões, não ganhe muito em reconsiderá-las agora sob as novas perspectivas e com os novos dados que lhe dá de proporcionar o historiador das bandeiras paulistas.

Quem redige estes comentários pode dizê-lo, aliás, com alguma insuspeição. Tendo publicado há poucos anos um livro sobre assunto de que trata largamente aqui, livro que requereu laboriosas pesquisas em arquivos e bibliotecas ampliadas depois com viagens aos lugares que, como Porto Feliz e Cuiabá, foram os principais cenários do movimento das monções, a leitura deste 11º tomo da *História* de Taunay valeu-lhe não só para melhorar consideravelmente como, em mais de um ponto, para retificar seu conhecimento da matéria. E se isso deveu-o largamente da divulgação de novas peças documentais, em particular das importantes notícias e roteiros reunidos pelo padre Diogo Soares a que, assinalados ultimamente por Serafim Leite, foram copiados em Évora por iniciativa do autor, deveu-o não menos a observações a críticas feitas agora ao seu trabalho.

Admitindo, embora, algum mérito naquele esforço de investigação e síntese, não deixa Taunay de fazer-lhe pelo menos uma reserva de todo procedente. Sobre o ponto, por exemplo, onde eu tentara uma explicação, talvez apenas sedutora, para a exiguidade das canoas das monções, comparadas às enormes ubás que faziam o percurso de Vila Bela a Belém do Pará, sua crítica parece-me perfeita.

"Entende Holanda", escreve à página 121 da 2ª parte,

> que a principal causa de tal diferença provinha sobretudo da superioridade da flora amazônica sobre a paranaibana em matéria de grandes madeiras. Motivo pelo qual, junto às grandes ubás monóxilas, as canoas monçoeiras do sul faziam o papel de humildes batelões. Parece-me excessivo tal confronto. Há no sul árvores tão ou quase tão corpulentas quanto as da bacia amazônica. Haja vista as da Bacia e Rio Doce, sobretudo no Espírito Santo, onde ocorriam as maiores árvores do Brasil.

As verdadeiras razões da diferença, agora bem frisada por Afonso de Taunay, eu não deixara é certo de apontá-las de passagem, quando disse da forma das embarcações ordinariamente adotadas no comércio de Cuiabá, que "resultaria ser a mais cômoda para a navegação em cursos de água pouco volumosos, como o Sanguexuga e o Camapuã, e até para a varação das partes encachoeiradas dos rios". Contudo não chegara a ver que essa circunstância, mais do que outras, há de ter ditado o perfil das canoas monóxilas empregadas naquelas navegações.

Com a matéria de que consta esse volume chegamos não só ao termo final da história das bandeiras como ao início de uma etapa nova do mesmo movimento expansionista de que elas participam. Após os descobrimentos de Pascoal Moreira e do segundo Anhanguera, fixam-se rapidamente as vias regulares para as novas regiões suríferas. Uma ambição menos impaciente do que a do bandeirante guiará agora o sertanista. Ele aprenderá a melhor calcular oportunidades e a contar com danos e perdas. Apesar dos contratempos de um extenso percurso, como o de Goiás, ou dos riscos constantes de uma difícil navegação, como a de Cuiabá e Mato Grosso – onde se consumia mais tempo do que de Santos a Lisboa –, a própria regularidade das expedições, o conhecimento prévio das regiões a serem percorridas, o simples gosto da pecúnia, substituindo-os ao da rapina, indicam que entramos numa etapa diferente da vida econômica e social de São Paulo.

Nessa etapa ainda prevalecerá a mobilidade característica de sua população, encarnada, agora, na figura do comerciante, que vai trocar mercadorias civilizadas pelo ouro em pó do extremo ocidente, e não menos pela do tropeiro, que vai buscar muares nas campinas do sul para vendê-los às terras do Centro e Norte do Brasil. O curioso é que essa nova era, coincidindo com o despovoamento da capitania, também coincidirá, de início, com uma fase de declínio: a fase da "bela sem dote" de que falava Gomes Freire. Declínio que só há de cessar, mais tarde, com o nascimento e desenvolvimento da grande lavoura.

Entre as várias fases não será difícil, talvez, vislumbrar o elo, às vezes secreto, que as unifica num ritmo comum. O comerciante e o tropeiro, acostumados a lidar com grandes cabedais, são os sucessores diretos do primitivo bandeirante e os precursores longínquos dos grandes fazendeiros.

A Afonso de Taunay não escapam, certamente, os vínculos que, mesmo a distância, associam umas às outras essas diferentes fases, num movimento unitário. Historiador das bandeiras, ele também é o historiador da era do café no Brasil. Reconhecida essa íntima conexão, sua obra conjunta ganha um novo sentido, cujo alcance só o futuro poderá apreciar em sua extraordinária amplitude.

Uma biografia*

A uma das páginas dessa opulenta biografia de Epitácio Pessoa, a autora põe em relevo o papel eminente que às personalidades de exceção se acha reservado na vida dos povos. "Há quem sustente", escreve, "que a formação das nacionalidades não é tanto o fruto de uma revolução determinada por fatores geográficos, técnicos e econômicos, como a criação de homens de poderosa individualidade".[1]

A rigor, a forma indireta seria aqui dispensável, pois que disfarça mal uma convicção aparentemente bem arraigada e inabalável. Logo às linhas seguintes lê-se, com efeito, que o conceito se aplica em particular ao Brasil, terra de formação aluvial, "cujas instituições monárquicas foram o presente de uma dinastia e cuja democracia republicana é obra de uma elite, sem repercussões vitais na consciência mal desperta das massas". Aqui, acrescenta, "mais do que em outra parte, a nacionalidade tem que formar-se diretamente pela ação e pelo exemplo das grandes personalidades, representativas das virtudes mais necessárias à raça e educadoras de sua consciência cívica. Epitácio Pessoa foi um desses guias".

---

* Artigo originalmente publicado no *Diário Carioca*, 19 ago. 1951. (N. O.)

1 Gabaglia, *Epitácio Pessoa*.

A tese presta-se, não há dúvida, a debates, especialmente em sua aplicação ao caso brasileiro, em que levada às consequências extremas desembocaria fatalmente em alguma doutrina do "homem providencial". E tenho certeza de que a própria autora não iria de bom grado a tamanhas consequências. O homem "providencial", ou mesmo a individualidade capaz de liderança criadora, na concepção de Toynbee, que ela invoca expressamente, constitui, quase por definição, o avesso do verdadeiro espírito conservador. Não é certamente através da observância fiel de princípios legados pela tradição, mas antes pela magia pessoal, pelo "carisma", que ele chega a impor-se e a eficazmente agir sobre as sociedades. Nos países em formação, aluviais ou não, seu papel é o do conquistador ou do pioneiro que transforma as condições existentes respondendo a um desafio pela reação permanentemente vitoriosa. Nos povos em processo de desagregação é o salvador capaz de suprir, com suas próprias virtudes criadoras, a esterilidade das elites em declínio.

Entre as novidades bem características dessa nova era da técnica está a crença em que é possível, através de certas filosofias pragmáticas e de mecanismos eficazes de propaganda, uma espécie de técnica de salvação pública. Fabricam-se, assim, os "homens providenciais" como se "fabricam" as pérolas japonesas. E já sabemos de sobra que desastrosos resultados.

Ora, Epitácio Pessoa não foi uma individualidade "criadora" na sua verdadeira e justa acepção da palavra. E também não o foi – para o seu e para o nosso bem – na acepção nova, do "homem providencial". É certo que, pela época de seu governo, ainda não tinham nascido ou não tinham chegado à fase contagiosa os regimes totalitários do Velho Mundo. Mas pode-se ter a certeza de que, mesmo em condições diversas, seria incapaz do "jogo de disfarce e de tabela", das "tricas, artimanhas e cálculos" que garantem o bom êxito de certas aventuras irresponsáveis, enquanto não as inutilize a usura. Preservava-o, nesse particular, sua honestidade fundamental e ainda a vocação e a formação intelectual invencível de quem "via na Presidência da República apenas o exercício de uma judicatura".

É bem certo que tinha até o extremo o senso da própria autoridade aliado ao gosto da disciplina, ao da pompa coletiva, e também à bravura pessoal. Contudo, esse autoritarismo vinha-lhe do temperamento naturalmente suscetível, e talvez um pouco da educação recebida; não vinha de uma convicção intelectual e ainda menos de alguma doutrina caprichosamente elaborada. Pode-se dizer, sem exagero, que era muito menos uma individualidade criadora do que uma simples criatura do meio ou das tradições onde seu espírito se moldava. Nas instituições dominantes deveria ser uma espécie de cristalização invulnerável. Ou ao menos um organismo íntegro que devesse crescer e desenvolver-se pelas próprias forças, sem socorro externo. E como, apesar do vinco jurídico, não se separava nele, facilmente, o homem do político e do detentor do poder, sentiria intimamente como uma ofensa pessoal tudo quanto tendesse a perturbar essa harmonia orgânica. Repugnavam-lhe na vida pública todas as complacências a que o indivíduo seria adverso.

Resistindo ao que a autora dessa biografia denomina "os primeiros sintomas alarmantes da crise que iria mergulhar a República por quinze anos na ditadura", não pôde prevenir, pôde apenas adiar por alguns anos mais o triunfo das forças contrárias. E na intemerata resistência que opôs a essas forças, onde não costumava separar o trigo do joio, é provável que ao zelo da autoridade se aliasse uma sensibilidade pessoal exacerbada. O homem nele era muito mais do que o personagem, diz a biógrafa. Poderia dizer talvez melhor, que o homem se confundia constantemente com o estadista.

Este – o estadista – cumprira com denodo e coerência a missão que aquele se impusera, de preservar o que encontrara feito. "Epitácio Pessoa foi um estadista conservador", escreveu Laurita Raja Gabaglia. E confessa ainda:

> Em matéria social não podia ser um inovador. Nesse, como em outros pontos, a obra tinha de refletir o homem. Ora, o homem trazia em si, muito marcado, o pendor intelectual: nascera para ensinar, esclarecer, guiar mais do que para agir socialmente. Para defender, valorizando-o, o patrimônio já adquirido, mais que para desbravar novos horizontes.[2]

2 Ibid.

Admite-o, com lhaneza, assim como admite que não era a rigor um imaginativo. Movia-se teimosamente dentro do círculo de interesses onde tornaram seu feitio pessoal, suas certezas maciças, e não era tentado a ultrapassá-lo. "Pertencia", escreve a autora, "a esse tipo mental cuja imaginação só se comove e impulsiona sob o influxo da sensibilidade. Somente através desta conseguia imaginar. Assim é que imaginou o drama do Nordeste brasileiro e sua premência pavorosa, porque, em menino, foi a bem dizer testemunha dela". E reconhece mesmo algumas das limitações do homem de Estado, seu ascetismo político especialmente, que seriam, sobretudo, os defeitos de suas qualidades.

Para alguns filósofos que veem a arte suprema do historiador nas virtudes que o alienam radicalmente dos métodos das ciências naturais, virtudes de simpatia vital, de compreensão, de afinidade, a biografia chega a constituir forma ideal, a única verdadeiramente história da história, aquela que num destino singular discerne o espelho de toda a existência humana, assim como a lei secreta que rege suas mutações. De todas as formas de história é assim a mais filosófica, escreveu Dilthey.

A biografia de Epitácio Pessoa ajuda a mostrar como, na prática, isso só dificilmente ocorre. Nada menos histórico, em realidade, do que essa vida, continuamente a mesma, e que surge, já à primeira página do livro, tal como há de ser à última. Ou é que a vida, nesse caso, se acha suspensa a uma vocação, que lhe dá um colorido próprio e indelével.

Introdução à democracia*

Por circunstâncias puramente fortuitas, tive ocasião, em maio de 1949, de fazer parte de um comitê internacional convocado para exame, esclarecimento e síntese dos diferentes significados atribuídos à palavra "democracia". A reunião efetuou-se em Paris e representou a segunda etapa de um amplo inquérito promovido pela Unesco entre especialistas do mundo inteiro.

A primeira etapa tinha sido constituída de um questionário largamente distribuído, cujas respostas deveriam fornecer a maior variedade possível de pontos de vista acerca de um conceito de natureza variável e capaz de assumir aspectos diversos ou mesmo contrastantes. Foi sobre essas respostas que tiveram de trabalhar os oito componentes de nosso comitê.

Entre os inúmeros textos que deveriam formar a base dos debates apareceu um único autor brasileiro: o mesmo que com o título de "Por uma definição da democracia" forma o núcleo do livro publicado agora pelo sr. Wilson Martins, de Curitiba: *Introdução à democracia brasileira*. Ninguém mais no Brasil (e muito poucos, em verdade, no restante dessa América chamada Latina – creio que somente o historiador mexicano

---

* Artigo originalmente publicado no *Diário Carioca*, 16 set. 1951. (N. O.)

Silvio Zavala e o filósofo argentino Francisco Romero) se dignou a atender os apelos formulados pela direção da Unesco.

Por mais de um motivo, e, sobretudo em face desse abstencionismo generalizado entre nossos estudiosos, abstencionismo que vi reiterar-se alguns meses mais tarde, quando me foi dado participar de outras duas reuniões de natureza semelhante, o texto do sr. Wilson Martins adquire um relevo singular.

Contudo, o significado especial dessa contribuição não me parece que se resida no fato de se tratar de opinião brasileira, capaz de espelhar convicções correntes entre nós, porventura mais correntes do que em outros países. A verdade é que, mesmo no Brasil, as definições unicamente políticas de democracia já passaram um pouco de moda ou, ao menos, já não se fazem escutar com demasiada frequência. E na definição que nos encaminhara o escritor paranaense é a inflexão política, no sentido mais estrito, o que domina sem contraste.

A primeira e fundamental pergunta, no questionário, refere-se à ambiguidade que entraria aparentemente no termo "democracia". É lícito admitir que exista efetivamente semelhante ambiguidade? Depois desse, outro problema de ordem geral se apresentava: o que se refere às relações entre democracia de "forma", conceito exclusivamente político, e democracia "real", conceito social e político "*lato sensu*".

Esse último, que ocupou largamente a atenção da maioria dos especialistas consultados, parece ao sr. Wilson Martins o efeito de uma falsa colocação do problema político. Partindo dessa distinção o autor passa a examinar, em outros estudos do volume que não faziam parte do trabalho enviado à Unesco, as aplicações do seu ponto de vista ao Brasil, acreditando poder contribuir, assim, para a instauração entre nós de um verdadeiro regime democrático. E finalmente apresenta-nos, a título de curiosidade, o esboço do que seria uma constituição de onde tivesse sido eliminado tudo quanto não é matéria propriamente constitucional, mas onde se garantisse ao mesmo tempo a centralização política e a descentralização administrativa.

Não tratarei dessas últimas partes, que nos levariam muito além do que permitem as dimensões normais de uma simples crônica. Só a primeira, aliás, que se relaciona com a delimitação e, por conseguinte, o maior esclarecimento do conceito de democracia, já oferece matéria para extenso comentário.

Confesso, antes de tudo, que não consigo ver tão nitidamente quanto o sr. Wilson Martins a linha de separação que existiria entre a democracia como filosofia de vida e como sistema político. Parece-me, ao contrário, que os sistemas políticos, queiram ou não, nos remetem inevitavelmente a alguma concepção do mundo ou, nas palavras do autor, a uma filosofia de vida. Mas não é preciso certamente que esta se distinga pelo seu caráter rigorosamente sistemático e perfeitamente coerente. Da própria noção moderna de democracia, que deita raízes nas especulações próprias da "Era das Luzes", cabe dizer que se mostrou capaz de sobreviver à filosofia dos "filósofos" setecentistas.

Tentando ignorar essa espécie de condicionamento da democracia estritamente política, o sr. Wilson Martins foi levado, em seu ensaio, a pôr de parte todos os aspectos que considera puramente técnicos e mais administrativos do que políticos.

É característico que, ao discutir a famosa declaração de Lincoln em Gettysburg ("governo do povo, pelo povo, para o povo"), ele só vê nela, coerente com o seu ponto de vista, duas proposições essenciais ao regime democrático. A democracia será, nesse caso, um governo do povo pelo povo,

> mas não possui o privilégio de ser um governo para o povo, se a preposição "para" indica o valor de decisões tomadas para o bem-estar geral da coletividade. Porque tais decisões tomadas não são de caráter político, mas de natureza administrativa, não são de ordem doutrinária, mas de ordem técnica.

Ora, a preposição "para" não é essencial apenas à noção de democracia; em verdade nenhum governo digno desse nome pode existir ou subsistir sem que inclua entre suas atribuições essenciais a de promover o bem público. Isso mesmo exprimiu admiravelmente o professor Richard McKeon, relator de nosso comitê, sobretudo onde respondeu a certas interpretações de Bertrand Russel: "Os anglo-saxões" – dissera o filósofo britânico – "definem democracia como o reinado da maioria; os russos definem-na como o interesse da maioria, interesse este determinado conforme a filosofia política marxista". Há aqui uma tentativa de separação entre governo pelo povo e governo do povo. A diferença entre as concepções "ocidental" e soviética há de ser procurada, notou MacKeon, nas diferenças de interpretação do "pelo" e do "para", não apenas na ênfase relativa atribuída a um ou outro. Aliás, o próprio Lênin reconhecera que o estabelecimento, por conseguinte o desaparecimento, da democracia depende do governo pelo povo.

É curioso notar que, em sua bela contribuição, o colaborador brasileiro no inquérito não deixa de reconhecer, e reconhece-o expressamente, à página 27 desse seu livro, que "todos os sistemas de governo existem para o povo". Todos, por conseguinte também os sistemas democráticos. Mas logo a seguir pergunta: "como, pois, distinguir a democracia pelo mesmo caráter que distingue também os sistemas totalitários?". Raciocínio muito semelhante, creio eu, ao de quem, tendo afirmado que vermelho é uma cor, se sinta obrigado a negar que o azul também o seja. Pois como podem duas coisas tão claramente diversas apresentar entre si qualquer traço comum?

O engano do sr. Wilson Martins nesse passo consiste em que amarrou fortemente a ideia do governo para o povo às teorias modernas de planificação econômica ou, ainda mais, às apologias do Estado onipotente, e não conseguiu desatá-las no curso de sua argumentação. A tanto levou-o o justo afã de encontrar uma salvaguarda contra os efeitos catastróficos daquelas apologias. Poderia evitar, no entanto, a generalização, se conseguisse que a proposição "governo para o povo" fosse inseparável do resto da fórmula de Gettysburg. Os governos feitos apenas para o povo, erigidos em juízes exclusivamente – se assim se pode dizer – à custa de mecanismos de propaganda, são tão poderosos que abafam toda voz contrastante e, ao cabo, só deixam ouvir a ressonância de sua mesma linguagem. Não é outra coisa, aliás, o que fazem os regimes totalitários, ainda quando pretendem o contrário.

Museu Paulista*

O ponto de partida do atual Museu Paulista constituiu-se de um estabelecimento particular, instalado no antigo Largo Municipal, hoje Praça João Mendes, no local onde posteriormente funcionou a Biblioteca Pública do Estado. De propriedade do conhecido antiquário – o Coronel Joaquim Sertório –, essa instituição acha-se aberta à visitação pública e gratuita. Em 1890, o conselheiro Francisco de Paula Mayrink fez a aquisição do Museu Sertório, que ofereceu, juntamente com a Coleção Peçanha, bem menor, ao governo do estado. A 17 de abril de 1891 nomeou o presidente Américo Brasiliense de Almeida Melo, o pessoal incumbido de zelar pelas referidas coleções que ficariam congregadas sob o nome do Museu Paulista. Removidas essas coleções para uma casa do Largo do Palácio e depois, em março de 1893, para o prédio da Rua da Consolação, onde funcionava a Comissão Geográfica, a direção do estabelecimento que estivera sucessivamente a cargo do botânico Alberto Löfgren e de Gustavo Konigswald passou, integrada na referida comissão, a subordinar-se à chefia de Orville Derby, seu diretor. A emancipação administrativa

---

* Artigo originalmente publicado na *Revista do Instituto Histórico e Geográfico Brasileiro*, Rio de Janeiro, 1952. (N. O.)

do Museu Paulista deu-se quando, a 15 de janeiro de 1894, foi nomeado para dirigi-lo o naturalista Hermann Von Ihering. Já então ficara decidido transferi-lo para o prédio monumental construído no Ipiranga a fim de celebrar-se dignamente a Independência do Brasil. E a mudança das coleções para o referido prédio ficou concluída a 11 de maio de 1894.

O decreto regulando o Museu Paulista, assinado pelo presidente Bernardino de Campos em 26 de julho do mesmo ano, tornava finalidade precípua do estabelecimento o estudo e conservação de objetos relativos à história natural da América do Sul, especialmente o Brasil.

Previa, contudo, em seu artigo 3, uma "Seção destinada à História Nacional e especialmente dedicada a colecionar e arquivar documentos relativos ao período de nossa independência política", além de um "lugar para o quadro de Pedro Américo relativo à Independência".

A decisiva proeminência do acervo de História Natural, sobretudo zoológico, durou todo o tempo em que esteve à testa do Museu o dr. Von Ihering, ou seja, de 1894 a 1916. A mudança de orientação mais favorável aos estudos de História do Brasil, especialmente de São Paulo, começou a verificar-se quando foram nomeados para substituí-lo, em 1916, o sr. Armando Prado e, em 1917, o sr. Afonso de E. Taunay.

Sob a administração deste ilustre administrador e em particular durante a presidência de Washington Luis Pereira de Sousa – 1920-1924 –, em que se celebrou o Centenário da Independência, firmou positivamente uma orientação visando ao maior desenvolvimento da seção histórica. Ainda no período presidencial de 1920-1924 criou-se o Museu Republicano, Convenção de Itu, anexado à referida seção.

Em 1925, com a criação do Instituto Biológico, foi removido do Museu Paulista a antiga seção de Botânica, anexada àquele Instituto. E em 1939, com a criação do Departamento de Zoologia, subordinado à Secretária da Agricultura, passaram para o mesmo as coleções zoológicas do Museu Paulista. Só em 1941, porém, terminada a construção do prédio próprio para o Departamento, puderam transferir-se para sua sede os objetos do antigo acervo zoológico. A partir dessa data pôde então o diretor do Museu Paulista dedicar-se inteiramente ao seu propósito de ampliar o mais possível a seção histórica, inclusive as peças numismáticas, medalhísticas, etnográficas e arqueológicas, abrangendo, em certos casos, material de grande valor, que se incluíam na mesma seção.

A rigor ficara o Museu reduzido à sua antiga seção histórica, embora não tivesse alterado, até 1946, o regulamento constante da reforma de 3 de julho de 1925, em que se previam três seções: a de História Nacional, a de Zoologia, dividida essa em duas subseções, e a de Botânica.

Nomeado por decreto datado de 25 de janeiro de 1946, quem subscreve essas notas, para diretor do estabelecimento, em substituição ao dr. Afonso de E. Taunay, que, atingido pela compulsória, deixara a sua a 2 de dezembro de 1945, o então interventor Federal em São Paulo, embaixador José Carlos de Macedo Soares, mostrou-se logo empenhado em ver sanadas as anomalias resultantes dessa discrepância. Reduzido à seção de História do Brasil, especialmente de São Paulo, embora continuasse teoricamente em vigor o regulamento antecedente, onde se consignava a existência de uma seção de Botânica e outra de Zoologia, cumpriria, através de uma transformação de estrutura, o reajuste entre a situação legal e as condições efetivas do estabelecimento. Acrescia ainda que, na chamada seção de História, se incluíam disciplinas que, pela sua especialização, requeriam pessoal técnico adequado: o caso, sobretudo, da parte de Etnologia.

O projeto de reforma que elaboramos e apresentamos em esboço ao sr. interventor Macedo Soares e por ele aprovado previa não só a criação de quatro seções técnico-científicas – a) de História do Brasil, especialmente de São Paulo, tendo como anexo o Museu de Itu; b) de Etnologia; c) de Numismática e Medalhística; d) de Documentação Linguística –, como a da seção de Biblioteca, Arquivo e Publicações. Previa-se ainda o ingresso no estabelecimento de técnicos especializados em cada disciplina representada no estabelecimento. Da ausência desses técnicos ressentira-se, sem dúvida, a administração anterior, e só em parte poderia ser suprida pela exemplar competência, no domínio da História do Brasil, do meu antecessor na direção dessa casa.

A reforma aprovada por Decreto-Lei n. 16.565, de 27 de dezembro de 1946, relaciona-se, em grande parte, ao desenvolvimento alcançado pelo Museu Paulista nestes últimos anos.

Assim, ao lado da seção de História que se deve sobretudo ao devotamento do antigo diretor do estabelecimento, dr. Afonso de E. Taunay, tornou-se possível a criação e desenvolvimento sobre bases modernas de seções autônomas dedicadas respectivamente à Etnologia, à Numismática e Medalhística e à Linguística Indígena.

Ao mesmo tempo que ampliava a representação dessas disciplinas, empenhou-se a atual diretoria em que não ficasse sacrificada a seção de História. Ao contrário, procurou-se aumentá-la, na medida do possível, com o ingresso de novas e valiosas peças evocativas do nosso passado. Em resultado de viagem que tive oportunidade de realizar em Cuiabá em 1946, foi possível a aquisição, para o estabelecimento, do acervo do antigo Museu D. José, da capital mato-grossense, especialmente rico em peças da arte religiosa colonial. Em 1950 o acervo de mais um museu, o da Força Pública do Estado de São Paulo, agregou-se ao do Museu Paulista em seguida a entendimento havido com sua diretoria pelo comando da Força Pública do Estado. Dessa medida resultou formar-se uma das mais ricas coleções de armaria do país. Outras coleções, especialmente as que se referem a porcelanas antigas e cristais brasonados ou monogramados pertencentes a personalidades históricas, puderam ser formadas e desenvolvidas no mesmo período.

A seção de Etnologia, que se instalou solenemente no Dia do Índio – 19 de abril de 1947 –, pôde igualmente ampliar consideravelmente seu acervo através de aquisições por compra, permuta ou doação e sobretudo em resultado de expedições realizadas todos os anos e que vêm não só ao estudo como à coleta de material indígena. O acervo indígena exposto, que se abrigava em três salas antes da inauguração, distribui-se presentemente por sete salas. Existe além disso avultado número de peças, sobretudo de Etnologia e Arqueologia americana, além de coleções afro-brasileiras que se acham provisoriamente em depósito até que se completem os trabalhos de ampliação da área interna destinada à exposição pública. Entre os trabalhos da seção de Etnologia merece particular destaque a publicação, a partir de 1947, da Nova Série da *Revista do Museu Paulista*. Em sua fase anterior, dedicada à Zoologia, Botânica, Mineralogia e Arqueologia do Brasil, cessara de existir em 1939 com a emancipação da antiga seção Zoológica do Museu, que passou a constituir o atual Departamento de Zoologia da Secretaria da Agricultura. Com a criação da seção de Etnologia pareceu aconselhável reviver a antiga publicação, que perderia agora seu caráter eclético para se dedicar estritamente à Etnologia e disciplinas afins. Da importância da nova série da *Revista do Museu Paulista* de que já existem publicados quatro números, falam com eloquência algumas resenhas insertas em publicações estrangeiras. Em longo comentário impresso no número 8, de 1950, dos *Studies of Linguistics*, o professor Georg L. Trager, do Instituto do Serviço Exterior do Departamento de Estado norte-americano, diz, por exemplo, que, se for mantido o presente nível, a nova revista há de figurar "entre as melhores existentes atualmente" sobre Etnologia. O professor Martin Gusinde, conhecido antropólogo e atualmente professor da Universidade Católica de Washington, escreve: "Extraordinariamente valiosa pelo conteúdo, bela impressão e clara apresentação, coisas que em geral não se encontram em revistas sul-americanas. É de esperar que não faltem recursos e cooperações para que se prossiga esse belo empreendimento". E na *Revista de Etnologia e Arqueologia de Tucumán*, Argentina, volume 1, número 2, escreve-se "*Creemos que esta nueva serie de la* Revista del Museo Paulista *se coloca a la cabeza de las publicaciones latino americanas sobre el tema y que son muy pocas las publicaciones sobre las Ciencias del Hombre que pueden comparárselas*".

Não menos sensíveis foram nesse período os progressos alcançados pela seção de Numismática. Abrangendo, antes da reorganização do Museu, apenas uma sala incompleta, o acervo exposto de moedas e medalhas distribui-se hoje por cinco salas. Pode-se ter uma base para a avaliação desses progressos considerando que, em princípio de 1947, havia apenas 9,90 m^2 de mostruários envidraçados e destinados à exposição dessas peças. Em fins do mesmo ano esse total passava a 34,10 m^2, em fins de 1948 a 45,10 m^2, e em fins de 1949 a 62,76 m^2. Assim, num período de três anos, sextuplicou-se o material exposto. Isso foi possível não só devido ao desenvolvimento da classificação de peças monetárias e medalhísticas já existentes e conservadas nos medalheiros, mas que não se encontravam em exposição, como às numerosas doações e compras que aumentaram apreciavelmente o acervo do estabelecimento. Entre as novas aquisições incluem-se a de uma numerosa coleção greco-romana e a de outra portuguesa, que abrange desde os inícios da Monarquia lusitana, sob o rei d. Sancho I, até a República. O aproveitamento do porão do prédio, em virtude dos trabalhos de adaptação que vêm sendo feitos desde o ano passado pela Diretoria de Obras Públicas da Secretaria da Viação, permitirá certamente, com a ampliação do espaço interno destinado à exposição pública, um aumento ainda mais considerável da parte reservada à seção de Numismática.

Na seção de Linguística, que pela própria natureza de suas atividades não comporta salas de exposição, desenvolveram-se ao mesmo tempo os trabalhos internos de pesquisa. Um dos resultados mais importantes desses trabalhos vem sendo a publicação, pela primeira vez, das obras literárias do padre José de Anchieta, de acordo com os textos existentes nos Arquivos da Companhia de Jesus, em Roma. Já saíram por enquanto os autos da Festa de São Lourenço, da Vila de Vitória e da Visitação de Santa Isabel. O trabalho, que inclui tradução dos textos tupis existentes nas mesmas obras, vem sendo inserto nos *Boletins do Museu Paulista*, nova publicação que se veio juntar aos *Anais* e à *Revista*. Deve-se notar que o nome de Anchieta prende-se não só às origens da linguística brasileira, de que ele foi verdadeiramente o fundador, como ainda à nossa história e à nossa Etnologia. Prende-se, por conseguinte, à maior parte das disciplinas representada nesse estabelecimento. E sendo, a par disso, quase um nome paulista, parece plausível que a publicação de seus escritos se realize nesta mesma terra que há quatrocentos anos ele viu nascer.

Em torno da "Semana"*

A Semana de Arte Moderna ganhou nestes trinta anos, com um prestígio quase inexpugnável, um perfil aproximadamente definitivo e que nenhuma das novas revelações já surgidas ou apenas prometidas tende a comprometer seriamente.

E é muito provável que a perspectiva do tempo, situando os fatos sob luz diferente, lhes tenha atribuído uma nova significação, nem por isso menos verdadeira, se comparada à que tinham eles durante os primeiros tempos. Pois, como sempre acontece nesses casos, os comparsas da aventura ainda não tinham certamente, em fevereiro de 22, consciência muito nítida de estar desempenhando o papel histórico a que mais tarde se achariam associados. A verdade é que esse papel veio, com o tempo, somar-se à sua obra, dando aos sucessos novo realce e até um acréscimo de realidade que, já agora, não parece lícito desdenhar.

De modo que, ao lado de sua história bruta, propriamente anedótica – a história que, em grande parte, hão de reviver alguns dos novos depoimentos –, a Semana de Arte Moderna comporta uma espécie de

* Artigo originalmente publicado no *Diário Carioca*, 17 fev. 1952. (N. O.)

mitologia heroica. Mitologia essa que, envolvendo, sem dúvida, uma transfiguração, não importa sempre ou necessariamente em uma desfiguração dos fatos tais como se passaram.

A esses fatos incorporou-se, aos poucos, a dimensão que lhes deram suas consequências diretas, suas repercussões e, não menos, seus antecedentes. Podendo inseri-los em um quadro mais amplo, os críticos de nossos dias estariam talvez em situação favorável para melhor elucidá-los e interpretá-los.

Encarada desse prisma, parecerá a eles bem claro que a Semana representou a oportunidade verdadeiramente sem par, em toda a história do modernismo, de uma convergência de orientações diversas, e mesmo contrastantes, que pelejavam por afirmar-se, e não só nos terrenos literário e estético. Naquele verão de 1922 puderam, ao menos durante uma semana, congregar-se essas energias díspares que pouco depois, no entanto, iriam seguir, cada qual, o próprio caminho.

Os apupos que assinalaram seu primeiro contato com o grande público serviram momentaneamente para unificá-la. E também o nome de "futuristas", que muito poucos aceitaram nos primeiros tempos e não tardariam em rejeitar. O único, se estou bem lembrado, que alguns anos depois da Semana ainda vi admitir de bom grado o rótulo importado da Itália de Marinetti foi Graça Aranha. Não que o autor de *Estética da vida* encontrasse qualquer afinidade particular entre suas próprias doutrinas e as que apregoava o famoso cabotino. Apenas a palavra "futurismo" parecia singularmente apta para a filosofia otimista que Graça gostaria de ver abraçada por todos os adeptos do movimento renovador.

Foi a imagem de certo modo unitária criada pela Semana que veio, no entanto, a projetar-se depois sobre todo o "modernismo", dando motivo a alguns equívocos teimosos sobre a verdadeira origem e a índole do movimento. Não tendo sido, a rigor, um "ponto de partida", aquela semana de escândalos, cujas origens imediatas foram ultimamente historiadas por Di Cavalcanti, representa um toque de reunir, embora efêmero. E marcou, de fato, o primeiro encontro do "modernismo" com o público. Nesse sentido – e, em verdade, só nele –, não deixou de exercer sobre os agitadores de 22 uma ação estimulante.

Mas essa mesma influência exigia terreno previamente lavrado para recebê-lo. Quando, em 1913, Lasar Segall realizou em São Paulo sua primeira exposição brasileira, não encontrou sequer a reação desfavorável que pode traduzir mais do que um simples interesse convencional. Os próprios elogios que recebeu, partidos, paradoxalmente, de alguns dos setores mais reacionários da crítica, são o atestado desse convencionalismo. Fica-lhe, a Segall, o mérito talvez indiscutível da primazia, mas é preciso dizer que seu exemplo não teve seguidores pressurosos.

A situação iria modificar-se, porém, a partir de 1917. Estimulada, ao que parece, por Di Cavalcanti, entre alguns outros, a pintora paulista Anita Malfatti, que estudara na América do Norte, inaugura então sua exposição na Rua Libero Badaró. A polêmica logo suscitada por um artigo violentamente adverso de Monteiro Lobato terá sua significação histórica, pois entre os defensores da artista – Oswald de Andrade, Guilherme de Almeida, Menotti del Picchia – encontram-se justamente os modernistas "das cavernas". O grupo reforça-se pouco mais tarde, com a exposição do escultor Brecheret. E o interesse, dirigido a princípio para as artes plásticas, estende-se agora à literatura. De Oswald é a série de artigos, impressos a partir de 1920, com o célebre "Meu poeta futurista", no *Jornal do Comércio* de São Paulo. Tais artigos, as notas de Menotti – o Hélios do *Correio Paulistano* –, os estudos de Mário de Andrade, ainda no *Jornal do Comércio*, dedicados, alguns deles, à minuciosa revisão crítica dos valores poéticos cuja ação ainda prevalecia quase sem contraste sobre nossa literatura da época, assinalam alguns momentos desse esforço contínuo. De 1920 são ainda os primeiros poemas da *Pauliceia desvairada*.

É mais ou menos conhecida a crônica desses sucessos. Meu próprio depoimento pessoal, depoimento antes de espectador interessado, mas que não chegou a participar deles, nem sequer do maior, que foi justamente a Semana de Arte Moderna, quase nada lhe acrescentaria. O interesse pela literatura moderna viera-me principalmente nas conversas com Guilherme de Almeida. Em seu escritório de advocacia, à Rua Quinze, assisti mesmo à elaboração do projeto de capa da *Klaxon*, inspirado, por sua vez, na capa do poema de Blaise Cendrars – *La fin du monde racontée par l'Ange N.-D.* –, que eu descobrira casualmente numa livraria. Por esse tempo vim a travar relações com Menotti e, através deste, com Mário e com Oswald de Andrade. Uma consequência desses encontros foi certo artigo, sem dúvida bem canhestro, escrito com 19 anos de idade, que, já de mudança para o Rio, publiquei em 1921 no *Fon-Fon* e de que só guardo lembrança do título: "Futuristas da pauliceia". Outra consequência foi ter sido escolhido para representante, no Rio de Janeiro, do mensário que seria o porta-voz da revolução modernista. Mas *Klaxon*, que teve seu aparecimento retardado por vários contratempos – um deles, a dificuldade de se encontrar tipografia disposta ou preparada para sua impressão –, só viria a sair em maio de 22. Pertencem, assim, ao modernismo do depois da Semana.

Nessa nova fase, aqueles "primitivos de uma era nova", conforme lhes chamaria Mário de Andrade, já não se encontravam sós. Do Rio, onde morava um precursor da altura de Manuel Bandeira, chegaram, justamente para a Semana, artistas e escritores interessados na tentativa. De simples aventura provinciana o modernismo pudera converter-se de súbito em autêntica revolução nacional. A Graça Aranha, que vindo em 1921 da Europa não tivera parto nas origens do movimento, deve-se largamente essa mudança.

Contudo, a unidade de ação requerida pela Semana e o lugar de pontífice atribuído por alguns ao autor de *Estética da vida*, não significa unidade de propósitos. Apenas para os incautos dissimulou-se, assim, o que havia de vário e complexo em um movimento irredutível, apesar de certas aparências, a meia dúzia de fórmulas em que se procuram aprisioná-lo.

Depois da Semana*

A propósito do trigésimo aniversário da Semana de Arte Moderna, já me ocorreu assinalar, ao lado de seus aspectos realmente positivos, alguns teimosos equívocos de que ela se tornou em parte responsável e que ainda projetam sua sombra sobre a história do modernismo.

E um modo, a meu ver, de irisar seu conteúdo positivo consiste justamente em tentar identificar e denunciar aqueles equívocos. Tendo mobilizado numerosas forças díspares, a Semana pudera de algum modo dissimular o que entrava de anárquico e impreciso no impulso inicial, além de ter imposto, quase brutalmente, à atenção de brasileiros de todos os quadrantes, uma tentativa de origens nitidamente provinciais. E embora seja bastante pueril procurar deslindar hoje qual teria sido o destino da tentativa sem esse lance dramático, pode-se bem imaginar que dele lhe adveio muita da energia necessária para a obra de demolição – e de construção – que viria a empreender.

Esse, sem dúvida, foi seu grande benefício. Seu malefício, se assim cabe dizer, veio de que as próprias exigências da mobilização tenderam a dar-lhe um perfil unitário, e em verdade mais límpido e preciso do que

* Artigo originalmente publicado no *Diário Carioca*, 24 fev. 1952. (N. O.)

exato. Misturando as tintas, essas exigências ajudaram a formar uma imagem bastante convencional e certamente falsa do movimento: imagem de onde desaparecem todas as complexidades em favor de uma simplificação mentirosa e que serve, indiferentemente, aos seus apologistas inadvertidos como aos seus mais rancorosos detratores.

Ora, a verdadeira história do modernismo foi, em grande parte, a história de uma resistência denodada a tudo quando parecesse justificar essas visões simplificadoras. Muitas delas fundam-se de fato em meras aparências. Como o movimento se volvesse, no domínio artístico, e não só nele, contra o que parecia aos seus adeptos o império da rotina, passou facilmente por antitradicionalista. Como procurasse absorver as correntes avançadas das literaturas e artes de outras terras, tiveram-no por internacionalista e antinacional. Como sustentasse diante de certos padrões, geralmente acatados sem muita crítica, uma atitude inconformista e irônica, interpretou-se tudo isso como indício de ausência de seriedade e amor ao paradoxo e à pilhéria. Por fim, os lemas libertários, que vinham da própria rebelião contra a rotina e que, ao menos entre os mais lúcidos, foram sempre o requisito de uma disciplina individual e mais consciente, transformaram-se, ao contrário, em sinônimos de indisciplina e em convites à transigência.

O engano de muitas dessas interpretações é visível para todo aquele que busque tomar conhecimento dos motivos centrais do movimento. A pesquisa do tradicional, do nacional, do regional, das artes e gostos populares, das manifestações localistas e folclóricas, foi de fato inseparável, e o foi desde o começo do esforço da renovação. Ao menos em São Paulo, ele veio a prolongar, por esse lado, o esforço regionalista iniciado muito antes de 22 com a primeira *Revista do Brasil*, com a editora Monteiro Lobato e com as campanhas em prol da arquitetura neocolonial.

Por outro lado, a ironia e a irreverência dos modernistas não excluíam neles uma seriedade sistemática. De Mário de Andrade guardo uma carta escrita em 8 de maio de 1922, onde à recomendação de cooperar ativamente no trabalho comum – "trabalha pela nossa Ideia, que é uma causa universal e bela, muito alta" – não falta sequer a maiúscula de "Ideia" a sugerir uma convicção meio solene e ainda mal polida. Isso justamente às vésperas de sair o primeiro número de *Klaxon*, dinamite do modernismo de guerra, e ainda em plena fase "desvairista".

Mais tarde, referindo-se precisamente aos que procuravam reduzir o picante de tantas de suas sátiras ao simples gosto da piada, escrevia-me já agora, em sua "fala brasileira": "Jamais não consegui saber o que sou. Mas ponha reparo nos que escrevem sobre mim: sou fácil como água para eles, questão simples de resolver, dois mais dois".

À Semana deve-se uma parte das responsabilidades por tamanhas simplificações que não atingiam somente Mário, mas todos os seus companheiros. Outra parte, e não menor, deve-se sem dúvida ao apostolado de Graça Aranha. Ainda hoje vemos com excessiva frequência, associadas aos "modernistas" – já que é forçoso recorrer a essa designação coletiva –, certas ideias ou teorias que só a esse apostolado pertenciam e que nenhum, literalmente nenhum deles, mesmo os que lhe foram fiéis até o fim, chegou a abraçar. Não há exagero em dizer-se que a história do modernismo corresponde largamente à história da resistência dos modernistas a esse esforço de Graça para unificá-los sob a égide das doutrinas que ele próprio forjara e professava.

Apesar de sua generosidade fundamental e de um trato afetuoso que parecia dissipar as grandes diferenças de idade e quase nos transformava, a nós todos, mesmo os mais moços, em simples camaradas e iguais, Graça tinha uma noção admiravelmente viva, sem dúvida bastante exagerada, do valor pioneiro das suas doutrinas filosóficas para não querer associar-lhes o destino do movimento que, ao desembarcar no Brasil em 1921, já encontrara em ebulição.

Se é certo que não poupou esforços para assinalar algumas das diretrizes naturais desse movimento quando entrou a comprar e ler seguidamente autores como Apollinaire, Max Jacob ou Cendrars – que nunca o ajudaram, aliás, a moderar sua fidelidade inveterada a Barrès, a Taine, sobretudo a Chateaubriand –, o fato é que nunca se ajustou, salvo em certas aparências, a qualquer das correntes em que se dividiam os autores novos. E muito menos chegou a congregá-los numa direção única.

As ideias expostas em *Estética da vida*, fertilizadas pela leitura de uma passagem do estudo do barão Boris de Schloezer sobre Stravinsky, foram desaguar, finalmente, na teoria que, segundo o seu modo de ver, iria resumir todo o nosso modernismo e servir-lhe de guia: o objetivismo dinâmico. Todo autor, brasileiro ou estrangeiro, moderno ou antigo, incapaz de acomodar-se a ela passou a ser prontamente excomungado. Ora, no momento preciso em que se esboçava um tipo de primitivismo culminante em 1921 na poesia Pau-Brasil que não passaria, para recorrer à gíria filosófica de Graça, de uma complacência com o "terror cósmico", ou que se insinuava, sobretudo em algumas páginas da revista *Estética*, uma sedução iniludível pelas ideias dos surrealistas franceses, outra complacência deplorável, dessa vez com um subjetivismo de todo avesso a nossa doutrina, a senha unificadora parecia inoportuna e desastrosa.

Graça Aranha sabia bem o que queria e não alimentava dúvida sobre a segurança e a importância desse saber. Outros, como Ronald de Carvalho – que em *Toda América* exaltava com objetivismo dinâmico o timbre withmaniano, a cerâmica de Tonala, ou falava na "alegria de abrir o caminho com as plantas dos pés" –, e ainda como Renato de Almeida, que iria publicar uma revista intitulada *Velocidade*, pareciam partilhar, em termos, das mesmas teorias. Mas eram os casos de exceção, pois conforme escreveria pouco mais tarde Afonso Arinos de Melo Franco – a esse tempo ainda Afonso Arinos Sobrinho –, a nova literatura brasileira andava dividida em duas partes: a dos que procuravam saber e a dos que ensinavam com autoridade o que sabiam.

Não se trata aqui, como ainda há quem o presuma, de uma simples separação entre os grupos do Rio e São Paulo, pois entre aqueles "que procuravam" continuou a congregar-se, e não só em São Paulo, a quase totalidade do movimento: de onde o caráter de experimentação foi dos seus distintivos mais insistentes. Completando a sua observação Afonso ainda pudera escrever no mesmo artigo: "O diabo é que aquilo que os primeiros querem saber não tem nenhuma relação com o que os outrora sabem".

Esse tipo de desajustamento define, com efeito, parte considerável da história do modernismo posterior à Semana de 22. E tentar apresentá-los, através de alguns de seus episódios típicos, é talvez contribuir para esclarecer um pouco dessa história, ainda cheia de confusões e enganos.

A lenda negra*

Sem documentos é impossível se escrever a história. Desde o declínio de certa historiografia simploriamente positivista, essa observação, que ainda em começo deste nosso século tinha valor quase axiomático, perdeu aos poucos uma parte de sua força de atração.

Abandonado o fetichismo dos "fatos", no caso o dos "fatos históricos", não hesitaram muitos em abandonar igualmente, e creio que injusta e perigosamente, a noção de que os estudos históricos se hão de fundar sobre uma base largamente documental.

Sucede apenas que a colheita, a arrumação, a *toilette* dos documentos representa, em realidade, a fase rudimentar, insubstituível, daqueles estudos. Que o historiador não é um ente perfeitamente passivo diante dos fatos historiados admitiam-no, aliás, os próprios positivistas, quando tratavam de erigir sobre princípios rigorosos, "científicos", sua crítica das fontes.

Contudo, havia uma coerência indissimulável entre essa tácita admissão e o conjunto dos seus propósitos e ideais. O princípio dominante, a própria razão de ser do método crítico, estribava-se, em realidade, na

* Artigo originalmente publicado no *Diário Carioca*, 6 abr. 1952. (N. O.)

ambição de ver apagar-se o historiador em face de seu objeto, que fora a ambição de um Ranke antes de se tornar a dos positivistas.

É nisso que semelhante método já parece, hoje, consideravelmente ultrapassado. Ultrapassado, não, certamente, pelas teorias que afirmam, contra a prepotência decisiva dos "fatos", a proeminência de esforços interpretativos mais ou menos caprichosos e contra o puro eruditismo e simples e irresponsável ensaísmo, pois parece evidente que a preocupação de inverter meticulosamente determinado critério é ainda uma das formas de depender dele. Mas, isso sim, pela valorização crescente do papel do historiador, que não se limita a registrar, mas também, e principalmente, a elaborar, animando-os, os fatos materiais que formam a ossatura da história.

Já se tem falado na "imaginação do real" como de uma das virtudes do historiador. Imaginação que não supõe necessariamente esse real e que se há de valer, por conseguinte, dos testemunhos representados nos textos documentais, infundindo-lhes apenas uma vida renovada.

Mas quem negará, por outro lado, que muitos desses testemunhos já oferecem, por si só, uma força de sugestão, uma verossimilhança, uma vivacidade inacessível a qualquer tentativa de elaboração? É bem esse o caso dos manuscritos da já famosa Coleção *De Angelis* de nossa Biblioteca Nacional, cuja impressão, agora felizmente iniciada, pode dizer-se que marcará uma época no estudo de nossa história, mormente na história do Sul do Brasil e ainda das terras platinas.[1]

Através das quinhentas páginas desse primeiro volume, surpreende-se ainda palpitantes de vida os sucessos que assinalam o início de nossa expansão territorial rumo ao sul e ao oeste. Graças a benemérito zelo e competência de Jaime Cortesão, que leu, interpretou, anotou e comentou extensamente os manuscritos, nem mesmo o leitor leigo ou insensível à sedução dos problemas históricos percorrerá sem interesse as páginas desse livro.

---

1 Cortesão (org.), *Manuscritos da Coleção De Angelis*: jesuítas e bandeirantes no Guairá, I.

Seria demasiado tentar recontar aqui a história desse opulento documentário reunido na Argentina de Rosas por um jornalista napolitano a serviço do ditador. Adquirido há quase um século pelo governo imperial, não encontrara entre nossos historiadores, salvo poucas exceções – e entre elas cumpre mencionar a do coronel Rego Monteiro, com seu minucioso estudo sobre a Colônia do Sacramento –, quem a utilizasse devidamente, embora tenha merecido a atenção de mais de um estudioso argentino ou uruguaio. Entre os benefícios que pôde prestar à nossa cultura histórica, Rubens Borba de Morais inscreve-se este, particularmente, de ter dado, quando diretor da Biblioteca, o primeiro passo para divulgá-lo, na parte que mais diretamente se prende à história do Brasil, com o convite feito a Jaime Cortesão para incumbir-se de seu estudo, leitura e reprodução.

Na dezena de volumes, ou quase, que abrangerá talvez a publicação ora iniciada, figurará sem dúvida muita informação de molde a esclarecer e completar aspectos ainda obscuros de nossa história. Em numerosos casos não passarão desses fatos miúdos e sem aparente significação, sobre os quais muito historiador passa por alto e que mesmo em outros documentários já conhecidos – do padre Pablo Pastells, e do padre Teschauer em sua *História do Rio Grande do Sul*, e do arquivo de Sevilha, parcialmente impresso nos *Anais do Museu Paulista*, os do arquivo se Assunção do Paraguai, divulgados ultimamente pelo Departamento de Cultura de São Paulo, os de diversas coleções espanholas ou argentinas – deixam envoltos por vezes num sobranceiro silêncio. Mas é justamente desses fatos miúdos que podemos tirar a substância de uma história atenta não tanto à edificação como ao conhecimento dos homens.

Através das próprias indiscrições contidas nessas cartas e rascunhos, que não se destinavam à posteridade nem a um público numeroso, encontramos elementos que ajudam a retificar, até certo ponto, julgamentos históricos aparentemente pacíficos. Já em sua *História das missões orientais de Uruguai*, impressa em 1943 pela Diretoria do Patrimônio Histórico e Artístico Nacional, pudera Aurélio Porto, valendo-se de documentos da Coleção De Angelis, desfazer a suposição de que no assalto às missões de Tape, em território hoje do Rio Grande do Sul, os homens de Raposo Tavares acrescentaram ao ato de rapina o crime de atacarem populações inermes. E é significativo que a carta do padre Diaz Tano, na qual se revela que os jesuítas e índios das missões se achavam bem armados e aptos para a luta, fora cuidadosamente riscada na primeira e última página, tornando-se quase ilegível nas partes em que se trata do emprego de armas de fogo. Riscadas provavelmente pelo superior a quem fora dirigida e que não se interessaria em ver divulgada uma notícia tão em contraste com suas próprias declarações públicas.

O texto esclarecedor não se encontra ainda no volume agora publicado, que se refere apenas às missões do Guairá. Mas dos documentos que nele se inserem e dos comentários do professor Cortesão depreende-se claramente como os paulistas não encontraram situação muito diversa nas suas investidas iniciais sobre terras do atual estado do Paraná. Sabemos agora que, desde 1618, os padres pediam ou se reservavam armas de fogo para os índios.

E que dez anos mais tarde, sem terem licença para isso, utilizavam-nas contra os bandeirantes, embora acentuando, em documentos oficiais, que continuavam indefesos.

Para quem se preocupe em absorver os bandeirantes da espécie de "*leyenda negra*" que ainda hoje os envolve, não será sem interesse observar essas curiosas contradições. Figurantes mudos de nossa história, é em grande parte pelo testemunho de outros, dos seus mais apaixonados inimigos e de suas vítimas, que conhecemos certos pormenores de sua obra. Agora, a palavra desses inimigos irá ajudar-nos a melhorar o retrato, por vezes infiel, que deles nos foi legado.

E em alguns casos, o ressentimento contra a ferocidade dos célebres "*portugueses de San Pablo*" não consegue, aqui, dissimular o que entrava de humano e até de piedoso, segundo as noções do tempo, nesses "lobos carniceiros". O próprio Montoya, um dos responsáveis pela lenda negra, não oculta na Ânua de 1628,[2] que chegando a certa redução do Guairá, os assaltantes tiveram o zelo de primeiramente examinar na doutrina alguns índios que podiam passar por catecúmenos. Aos que mostraram

2 Montoya, Ânua de 1628, p.271.

conhecer a lei de Deus, mandaram-nos aos padres e ainda os regalaram com cunhas e anzóis. Só carregaram para o próprio serviço os outros, que, por infiéis, não deram de si boa conta.

Aqueles que veem na história sobretudo um incitamento à apologia, à polêmica e ao desabafo não deixarão de encontrar aqui mais de um estímulo valioso. Não faltam outros motivos, porém, que autorizam a saudar a publicação, agora iniciada, da Coleção De Angelis, como um acontecimento raro e feliz para os que cuidam em melhor conhecer o Brasil, tratando de conhecer melhor os fatos ainda obscuros de seu passado.

História e geopolítica*

Além dos motivos em parte polêmicos ou apologéticos que dão excepcional realce à publicação enfim iniciada dos manuscritos da Coleção De Angelis, há outros que só por si permitiriam considerar essa publicação um acontecimento realmente memorável pelos estudiosos de nosso passado.[1]

Se é certo que ela parece dar bons argumentos aos que, dominados por uma visão acentuadamente ética da história, acham necessário reabilitar o sertanista preador de índios ou condenar sem apelo seu amigo ou detrator principal – o jesuíta das missões paraguaias –, não é menos verdade que prometem novos caminhos para o conhecimento *sine ira* de aspectos ainda nebulosos da formação brasileira. E isso se dará, creio eu, não apenas no caso de textos que tratam expressamente do Brasil e dos índios, mamelucos ou portugueses do Brasil, mas também nos dos que abordam a vida nascente das povoações platinas e paraguaias.

* Artigo originalmente publicado no *Diário Carioca*, 13 abr. 1952. (N. O.)

1 Cortesão (org.), *Manuscritos da Coleção De Angelis*: jesuítas e bandeirantes no Guairá, I. (Introdução, notas e glossário por Jaime Cortesão.)

Houve momento, com efeito, em que parecem quase confundir-se nas terras da Bacia do Prata – e cumpre não esquecer que entre ela se inscreve a capitania de Martim Afonso – as sociedades coloniais sujeitas respectivamente às coroas de Portugal e Castela. E se em Assunção e Buenos Aires chegaram a ser numerosos e de importância notável os portugueses conforme o demonstra, entre outros, o livro bem conhecido de Lafuente Machain, não foram menos abundantes e influentes os castelhanos, em particular sevilhanos, na Vila de São Paulo. Os historiadores, que, como Taunay, procuraram esclarecer certos episódios da história paulista, especialmente a famosa briga dos Pires e Camargos, acenando para a presença, no planalto piratiningano, de uma poderosa facção espanhola, puderam ver suas opiniões largamente confirmadas com a recente divulgação do processo da devassa do ouvidor João Velho de Azevedo.

Os traços comuns entre as duas áreas coloniais, a lusitana e a castelhana, parecem refletidos inclusive no processo inicial de integração do elemento indígena. Há alguns anos tive ocasião de ocupar-me justamente a propósito de um dos preciosos manuscritos ora publicados de curiosa instituição que, segundo um jesuíta anônimo, serviu de base à ocupação do Paraguai: *o cunhadio*. Tomando para si as mulheres nativas, empregadas no labor agrário, de acordo com a tradição indígena que fazia da lavoura mister feminino, puderam os brancos assegurar rapidamente a cooperação dos irmãos ou parentes dessas mulheres em suas atividades bélicas, predatórias e aventureiras.

Não é um pouco esse cunhadio – *cunadaige* – o que vemos instalar-se ao menos nos primeiros tempos entre os colonizadores de Piratininga. Índias, não índios, foram ainda o que trouxeram de preferência os comerciantes de Carijós que, em meados do século XVI, vinham de Assunção até São Vicente pelo caminho terrestre que as autoridades logo mandariam cegar. E mais tarde portugueses e índios do planalto ainda se chamariam reciprocamente, não é certo, de "cunhados", mas de "compadres", numa familiaridade que, sem ferir padrões nativos, impedia graves fricções entre as duas raças, e que em São Paulo, tanto quanto no Paraguai, acabaria fazendo da língua dos conquistados a dos conquistadores e filhos de conquistadores.

O documento em questão consiste num longo informe sobre as cidades do Paraguai e do Guairá espanhóis, escrito às vésperas de uma série de investidas bandeirantes que ia resultar na incorporação parcial daquelas terras à Coroa portuguesa. Por ele sabemos de que modo viviam os moradores da região guairenha e também de Santiago de Xerez (hoje sul de Mato Grosso) e como andavam ali associados a clérigos e leigos idos de São Paulo. A tal ponto se entendiam uns aos outros, que muitos encomendeiros castelhanos se acumpliciariam depois com os invasores paulistas e colaborariam na suas razias. Destes espanhóis de Guairá, dirá finalmente o padre Duran que são "*mui ricos porque se contentan com su pobreza*".[2] Não tendo realmente ambição, nem desejo de alcançar honra nesta vida, nem de elevar sua linhagem, o ofício supremo a que aspiravam era o de alcaides dos seus lugarejos. Não cuidavam de ter notícias de Espanha ou Flandres, não comiam pão, salvo o da terra, que era a mandioca, não conheciam moedas nem vinhos de uva, nem vacas nem ovelhas. Se comiam carnes era de galinhas e porcos das suas miseráveis criações, ou então de antas do mato que, brancas e macias como carneiro, davam a melhor caça do país. De algodão tecido e tinto cobriam a própria magreza e raramente alcançavam vestidos de Espanha em troca de alguma erva-mate.

Aos interessados em nossa ontologia histórica proporcionará esse volume subsídios extremamente valiosos. Os dados, por exemplo, sobre os terríveis Paiaguás, que no século XVIII tanto infestariam as monções, bem merecem acrescentar-se aos compilados por Max Schmidt no estudo quase exaustivo que o saudoso antropólogo alemão escreveu há três anos para a *Revista do Museu Paulista*. Ainda mais importante são as notícias sobre os Guaicurus quando entre esse gentio ainda não se generalizara o uso do cavalo destinado a revolucionar sua vida trivial. Ou os informes sobre os Guaiachos e Carijós, às páginas 206 e seguintes, que sugerem confronto com a admirável relação da missão nos Patos, do padre Jerônimo Rodrigues, publicada há alguns anos por Serafim Leite.

---

2 Ibid., p.213.

Especialmente interessantes para o historiador são os testemunhos acerca dos mamelucos do Brasil, que já em 1614, e talvez antes, principiam a infestar as reduções sulinas. E dentre esses testemunhos, nenhum é mais curioso do que o extenso relatório endereçado a sua majestade em 1636 por certo Manuel Juan ou Manuel Juan de Morales, morador na Vila de São Paulo.

Nesse depoimento deparamos com numerosos pormenores até aqui ignorados ou mal sabidos sobre o que foram, por exemplo, as sondagens de ouro e ferro ao tempo de d. Francisco de Sousa, sobre a organização ordinária das entradas seiscentistas, em particular a relação numérica aproximada de brancos e mamelucos – "portugueses" – para índios em cada bandeira (um branco para 100 índios nos maiores, nas menores, um para cada 15). Sobre a grandeza e opulência da capitania, que em um só ano disparara a produzir 115 alqueires de trigo e render 2.300 cruzados para sua majestade; sobre a quantidade de índios escravizados na mesma capitania, superior a 40.000; por último, mas *not least*, sobre a facilidade com que nas costas vicentinas se construíram embarcações, pois, só ele, o informante, homem de poucas posses e sem índios, pudera fabricar ali dois navios para o tráfico de Angola.

O sr. Cortesão identifica o autor deste papel, todo ele uma violenta diatribe contra os paulistas, como Manuel João Branco das *Atas da Câmara de São Paulo*. A identificação parece indiscutível. Caberá acrescentar que nascido em Avelar, Portugal, segundo se infere de seu testamento,[3] Manuel João vivera em constantes rusgas com os caçadores de índios. Sua informação ainda atesta, antes da Restauração, uma perfeita fidelidade à sua majestade católica e à causa dos castelhanos no Novo Mundo. Mais tarde deve ter mudado de ideia, indo ao ponto, se é exata a tradição, de se oferecer ao rei português (que seria d. João IV, não Afonso VI, como está em Pedro Taques, visto como Branco faleceu entre Lisboa em 1612 e 1643) um cacho de bananas feitas de ouro. Se o caso é verdadeiro não

3 Cf. *Inventários e testamentos*, XIII.

custaria supor que seu ato visaria corrigir o mau efeito provocado entre portugueses pelo seu devotamento ao soberano da véspera.

E sua atitude não constitui exceção rara. Sangue e origem nem sempre foram os fatores mais decisivos nas relações entre portugueses e espanhóis durante os primeiros tempos da ocupação da bacia platina. E se eu tivesse de fazer algum reparo à tese dominante nos sábios comentários de Cortesão, seria este, que nela, portugueses e luso-brasileiros, de um lado, castelhanos de outro, parecem obedecer insistentemente a uma espécie de fatalidade histórica, superior aos seus interesses e paixões quotidianas. Aos excessos de uma interpretação econômica substituindo-se assim uma interpretação declaradamente geográfica. Segundo esse ponto de vista, toda a expansão lusitana em nosso continente baseou-se num intento minucioso e previamente disciplinado, manifesto desde o momento em que Aleixo Garcia, um dos náufragos da armada de Solis, empreendeu sua fabulosa entrada desde a costa de Santa Catarina até as serra hoje bolivianas.

A argumentação apresentada reclamaria, sem dúvida, algum debate. Que aos bandeirantes sobrou constantemente um acender do patriotismo português e antiespanhol parece hoje acima de discussão. Mas que sua atividade se inserisse em uma espécie de programa deliberado, explicável por considerações geopolíticas (quando em realidade eles contrariam muitas vezes nessa expansão a vontade e os interesses da Metrópole), é o que não se pode aceitar sem hesitação.

A própria aventura de Aleixo Garcia, animada talvez pelas notícias do Rei Branco e das terras ocidentais, ricas em metal precioso, não pode ser invocada sem reservas em favor da tese, quando a própria nacionalidade portuguesa do pioneiro continua sujeita a contestações. Se além disso o caminho praticado por volta de 1553 entre São Vicente e Assunção o fora primeiramente pelos portugueses do litoral vicentino, conforme supõe Cortesão, é outro assunto ainda discutível. Em seminário organizado há poucos anos pelo Instituto de Administração da Faculdade de Ciências Econômicas e Administrativas da Universidade de São Paulo, publicado pelo mesmo instituto em 1946, tentei mostrar e, creio, com bons fundamentos, que o frequentaram tanto espanhóis quanto portugueses, e que sua utilização foi sobretudo estimulada pelas autoridades do Paraguai. Aberta, aliás, muito antes de 1532, essa via foi fechada em 1533 por ordens terminantes da própria Coroa de Portugal.

E se Nóbrega, jesuíta português, "pensou em alargar conjuntamente as missões portuguesas e a soberania nacional até o Paraguai", segundo nota ainda o sr. Cortesão, pode-se lembrar que o desígnio de alargar tanto aquelas missões fora animado pelo próprio capitão espanhol do Paraguai, prova de que não via nele nenhum perigo de extensão da soberania portuguesa. E embora Nóbrega tenha a princípio alimentado dúvidas sobre o direito dos castelhanos sobre Assunção, conforme se depreende de uma de suas cartas, mais tarde voltou aparentemente atrás e passou a chamar-lhe por várias vezes "terra do imperador", erigindo-se ao mesmo tempo em defensor dos castelhanos contra portugueses e Tupis que os molestavam. Esse fato granjeou-lhe logo as simpatias e a confiança de Irala, como se pode deduzir da correspondência publicada do governador espanhol do Paraguai.

Todas essas razões, e não somente elas, parecem militar contra uma aquiescência tranquila de conclusões geopolíticas a que chega o sr. Jaime Cortesão. E cabe pensar que tais conclusões não pareceriam tão evidentes no ilustre historiador se ele não as tivesse procurado, desde o começo, com tão vivo empenho. Por outro lado, esse mesmo empenho é um dos aspectos do zelo com que se dedicou, não apenas à leitura e organização, mas ainda ao estudo e análise dos textos ora impressos. E acentuar o estímulo ao debate, que se encerra nesses seus comentários, ainda é um modo de prestar tributo ao esforço generoso e realmente benemérito de Jaime Cortesão.

A viagem de Pohl*

A *Viagem ao interior do Brasil*, de João Emanuel Pohl, que o Instituto Nacional do Livro acaba de editar em tradução de Teodoro Cabral, precedida de excelente notícia introdutória de José Honório Rodrigues, inscreve-se entre as cinco ou seis obras básicas, deixadas por sábios estrangeiros que nos visitaram durante o segundo decênio do século passado. Obras, todas elas, fundamentais para os que aspirem a melhor conhecer o Brasil de ontem e o de hoje.

A não ser no quinhentos e até certo ponto no seiscentos, nunca o nosso país parecera tão atraente para os geógrafos, os naturalistas, os economistas, os simples viajantes cronistas como naqueles poucos anos que se seguiram à instalação da Corte portuguesa no Rio de Janeiro ao decreto da abertura dos portos ao comércio internacional. O fato encontra em si mesmo a sua explicação. A partir de 1808 tinham ficado suspensas, enfim, as barreiras que ainda pouco tempo antes motivaram o curioso episódio daquela ordem régia mandando atalhar a entrada em terras da Coroa de Portugal de "certo Barão de Humboldt, natural de

* Artigo originalmente publicado no *Diário Carioca*, 4 mai. 1952. (N. O.)

Berlim", por parecer suspeita a sua expedição e "sumamente prejudicial aos interesses políticos" da mesma Coroa.

De modo que a curiosidade, tão longamente sofreada, podia, já agora, expandir-se sem estorvo e, não poucas vezes, com o amparo solícito das próprias autoridades lusitanas. Nesses poucos anos foi como se o Brasil tivesse amanhecido de novo aos olhos dos estrangeiros, cheio de graça milagrosa e das soberbas promessas com que se exibira aos primeiros visitantes. Num intervalo de mais de dois séculos, a terra parecera ter perdido para portugueses e luso-brasileiros muito de seu encanto e gentileza. Pois é bem certo que uma familiaridade demasiada nos fez muitas vezes cegos ao que há de insólito em cada coisa, mormente nessas coisas naturalmente complexas que são uma paisagem, uma sociedade, uma criatura humana.

Assim também se explica facilmente como a atração moderna da beleza natural, oriunda do romantismo ou do pré-romantismo, só se tenha desenvolvido na literatura, e em particular na poesia, quando se desenvolveram ao extremo os grandes centros urbanos que dissimulam a face da natureza. É bem possível que nossos antepassados fossem tão sensíveis como nós, hoje, à sedução da paisagem rústica, no entanto, ela não lhes inspirava tamanhas vertigens e nem tantas mesuras como nos sugere agora. E isso, sem dúvida, porque a desfrutavam, não como espetáculo ocasional ou de recreio, mas como realidade necessária, concreta, quotidiana; realidade que se revelava, inclusive, nos seus traços vulgares e mesquinhos.

Essa explicação, que não é minha, mas de um notável historiador inglês – G. M. Trevelyan –, dá as causas do vivo interesse que apresentam ainda em nossos dias os escritos de viajantes que nos chegaram do Velho Mundo entre o ano da vinda da Corte e o ano da Independência. De tão visto e sofrido por portugueses e luso-brasileiros, o Brasil se tornara quase invisível para eles. E serão homens de outras terras, emboabas de olho azul e língua travada, falando francês, inglês, principalmente alemão, os que se irão incumbir do novo "descobrimento", comparável em muitos pontos ao dos antigos cronistas.

Descobrimento que se faz não só em profundidade, como ainda em extensão. Desde à Amazônia ao Prata, num tempo em que a frase ainda tem valor real, o país é esquadrinhado em todos os rumos. Mawe, um dos primeiros, sai em 1809 da Cisplatina para alcançar Santa Catarina e São Paulo. De Santos irá a Sepetiba e ao Rio, onde pode ter encontrado, então, seu compatriota John Luccok – outro cronista. Depois galga a serra em direção de Juiz de Fora e Barbacena em busca do fabuloso distrito diamantino.

Maximiliano de Wied-Neuwied, um príncipe, segue entre 1815 e 1817 a costa atlântica do Rio para o norte, até a Bahia, passando pelo Espírito Santo, a estudar principalmente etnologia e, com auxílio de Sellow, também a botânica da região. Em 1817, Spix e Martius saíram do Rio para São Paulo, acompanhando o Vale do Paraíba e, depois de se internarem na capitania até Sorocaba, Porto Feliz e Jundiaí, atravessaram a Mantiqueira, percorreram a zona colonial de Minas, rumaram para o São Francisco, foram à fronteira de Goiás e voltaram novamente ao litoral. Após uma breve estada em Salvador e em Ilhéus, dirigem-se para o Nordeste, penetram em Pernambuco pelo sertão, alcançando o Piauí e o Maranhão. De São Luís embarcam para Belém, de onde sobem o curso do Amazonas até Ega (Tefé). Aqui separam-se os dois por algum tempo; Spix segue viagem até às saias do Peru, e seu companheiro sobe e explora o Japurá. Reúnem-se mais tarde na Barra do Rio Negro para voltarem juntos a Belém e à Europa. Na sua longa perquirição, Spix e Martius tinham deixado de parte o Recife e o litoral do Nordeste, então agitados pelos sucessos revolucionários de 1817. Dessa região ficou-nos, contudo, o precioso relato de Koster, que a percorre entre 1809 e 1815.

O interesse que podem suscitar as descrições de Martius só tem de comparável o que despertam as de Auguste de Saint-Hilaire. Entre 1816 e 1822, o sábio francês embrenha-se por todo o centro-sul do país, desde Minas Gerais até o Rio Grande e do Rio de Janeiro até a nascente do São Francisco e ao sul de Goiás. O resto dessa última capitania teria ficado mal conhecido no estrangeiro, durante a mesma época – como ficaria toda a de Mato Grosso até mais tarde com a viagem de Castelnau e sua equipe –, sem a obra cuja tradução se torna agora acessível ao nosso grande público.

Não é esse, entretanto, o mérito único da viagem de João Emanuel Pohl. Falta sem dúvida às suas narrativas o vivo interesse humano que anima sempre os escritos de um Saint-Hilaire e a curiosidade ilimitada e verdadeiramente comunicativa que inspira os de um Martius. E isso se explica, e até certo ponto se perdoa, quando verificamos, de sua leitura, que o espetáculo humano tinha, para ele, um interesse subsidiário. Ou que o interessava apenas na medida em que ao sabor do pitoresco se acrescentava algum tempero capaz de estimular vivamente sua fome de ciência.

É o que atesta singularmente a meticulosidade no descrever os grupos indígenas encontrados em seu percurso. O que diz dos Macamecrãs, por exemplo, ou dos Maxacalis, dos Macunis, em particular dos Xavantes, que àquele tempo eram menos ariscos ou mais conversáveis do que ainda hoje é útil para o etnólogo. Só uma ou outra vez, sua transcrição de nomes indígenas ou portugueses chega a desafiar as mais laboriosas tentativas de interpretação. O nome de "Uhitische", por exemplo, que dá a determinada tribo não pode ser identificado com o socorro de qualquer nomenclatura moderna ou antiga. Em outro caso, tratando de fruta mirtácea bastante conhecida, escreve "crumijama" e o tradutor confessa em nota que não encontrou o vocábulo "nos dicionários portugueses ou alemães". Nesse caso, porém, ele se teria poupado o trabalho de procurar se se lembrasse da nossa grumixama.

O aparente desinteresse que inspiram a Pohl os aspectos do convívio humano e social tem todavia seu contrapeso no cuidado exemplar com que anota tudo o que se entende com a natureza inanimada ou o mundo vegetal. E o zelo que lhe sugerem aqueles dois domínios naturais motivam a todo propósito observações lúcidas e muitas vezes válidas ainda hoje. Em Barbacena, a dificuldade com que lutara para preparar certo número de caixotes – pois não existia tábua na localidade – provoca nele reflexões sobre a urgência de uma judiciosa economia florestal, que impedisse a devastação crescente das nossas matas. Pouco adiante detém-se em expor os rudes processos de mineração, em particular da lavagem do ouro pelo primitivo sistema das "canoas". Em outro passo trata dos garimpeiros de diamante e refere-se de passagem ao seu costume, então generalizado, de consagrar cada bátega a um santo determinado.

Na real usina de galena de Abaeté acompanha os métodos de mineração de chumbo, triturado com o socorro do monjolo de pilar milho. E em um lugar de Goiás observa como o milho, por sua vez, era moído em moendas de cana-de-açúcar.

Um sinal de sua acuidade pode mostrar-se no fato de ter podido estabelecer pela primeira vez com critério científico plausível a origem americana e em verdade brasileira da mandioca e ainda de lhe ter dado a designação científica ainda hoje aceita. Atualmente aquela origem brasileira é indiscutível, mas sabe-se que ao tempo de Pohl, e ainda mais tarde, a totalidade, ou quase, dos botânicos sustentava sua procedência africana, tendo em vista a larga difusão que esse vegetal alcançara no continente negro.

Das mais curiosas são as suas observações sobre a lavoura do trigo, que, segundo se sabe, fora de considerável importância no centro-sul do Brasil durante a era colonial e que só em São Paulo, ainda na primeira metade do século XVII, chegava a produzir, num só ano, 120 mil alqueires (e aqui aproveito para corrigir a passagem de um destes artigos – a propósito, da Coleção De Angelis – onde saía escrito 115 alqueires em lugar de 120 mil). Mal chegado ao Rio, já se refere ele aos trigais de São Paulo, Goiás, partes de Minas, assinalando a ignorância aparente em que viviam os lavradores acerca da boa época para a semeadura. O que não será de espantar, pois que o assunto não parece, ainda hoje, inteiramente deslindado. Perto do Piabanha, na fazenda da Samambaia, é onde vê as primeiras searas. Na descida da Mantiqueira, em Batalha, aparece-lhe outra. No Registro Velho, encontra uma terceira plantação, e aqui não deixa de notar que a sementeira se faz em abril e a ceifa em outubro. Também já observa, isso em 1818, os primeiros estragos da ferrugem. E em Goiás, no arraial do Cavalcanti, pode ver o trigo plantado, colhido, beneficiado segundo os mesmos processos com que os índios cuidavam de seu milho: o soquete de pau substituindo a enxada e o vento servindo para a limpeza dos grãos. Estes, na falta de um moinho em regra, eram triturados entre duas pedras. No intuito de obviar a ferrugem, que também já surgira por aquelas bandas, preferiam os sertanejos fazer o plantio em outubro, não em janeiro ou fevereiro.

E por mais que o empolguem esses assuntos áridos, não se pode dizer que ceguem de todo o autor a pormenores unicamente pitorescos que os deixam entrever no curso das austeras preocupações que o trouxeram ao Brasil. Há aqui pormenores únicos sobre os festejos, por exemplo, ou sobre a indumentária dos brasileiros, em particular dos mineiros, homens e mulheres.

Quanto ao retraimento dessas últimas, tecla batida por tantos viajantes estrangeiros, há esta observação feita de passagem e que não deixa de ter seu picante:

> É costume das senhoras e senhoritas, quando aparecem em pleno dia, sempre olharem para o chão. Não sei se são realmente tímidas ou apenas parecem sê-lo; mas não me escapou que algumas delas sabiam muito bem piscar para os lados. Não obstante, vi também, às vezes, quando uma senhora jovem passava diante de minha morada e me avistava à janela, voltar rapidamente o rosto para o lado de seu companheiro e agarrar-se fortemente ao seu braço até acabar de passar.[1]

Em tudo há, assim, motivos que justifiquem o interesse atual pela obra de Pohl e levem a felicitar o Instituto Nacional do Livro pela magnífica iniciativa de publicá-lo em boa tradução portuguesa.

1 Pohl, *Viagem ao interior do Brasil.*

Verdade e ideologia I*

Nenhum escrito de Caio Prado Júnior pode deixar longamente indiferentes aqueles que, entes nós, se interessam nas coisas da inteligência. A acurada meditação, a paciência quase beneditina no trato de cada assunto, de cada minúcia, a obstinação e ainda mais o destemor diante dos mais duros obstáculos são virtudes que mesmo os adversários rancorosos de seus métodos não lhe negarão tranquilamente. E se em qualquer parte do mundo elas bastariam para recomendar qualquer pesquisador e pensador, no Brasil chegam a ser duplamente respeitáveis por serem, além de tudo, virtudes de exceção.

Isso explica em grande parte o caráter inovador e o sentido francamente pioneiro de alguns dos seus trabalhos, daqueles inclusive que, como a breve *Evolução política do Brasil*, impressa em 1933, ou como, doze anos mais tarde, a *História econômica do Brasil*, redigida para atender a instâncias de uma editorial mexicana, não parecem evitar sempre o esquematismo de quem busca discernir sobretudo o "sentido", a "linha mestra" de nossa evolução.

* Artigo originalmente publicado no *Diário Carioca*, 11 mai. 1952. (N. O.)

Que esse gosto dos esquemas não é básico entretanto em Caio Prado Júnior mostra-o abundantemente sua *Formação do Brasil contemporâneo*, em que se justificam novas formulações de problemas e perguntas que, situando-nos no centro de suas preocupações, podem afetar a nossa visão do passado e a do presente. O que nos apresenta aqui o autor é a meada inteira, ao passo que em outras obras vamos encontrar apenas as pontas dos fios ou a superfície visível. De modo que, através da *Formação*, pode-se dizer que aquelas obras vão adquirir pleno sentido.

Desse livro fundamental de Caio Prado Júnior só se publicou até agora o 1º volume, referente à nossa história colonial, ou antes, àquele momento de nossa história que representando por assim dizer o remate e resumo de três séculos de ocupação e povoamento da terra fornece uma chave preciosa para se acompanhar "o processo histórico posterior e a resultante dele que é o Brasil de hoje". E quando esperávamos com impaciência pela continuação desse trabalho que promete marcar época nos estudos de história e interpretação do Brasil, surge-nos ele com uma obra não menos ambiciosa e na qual, ao longo de oitocentas páginas, ou quase, de composição cerrada – *Dialética do conhecimento* –, nos embrenhamos em um mundo bem distante na aparência daquele que até aqui o ocupara.

No entanto, seria uma consideração superficial a que se fixasse sobretudo nessa aparência. A filosofia que se desenvolve ao longo desses dois compactos volumes não revela tanto uma mudança de direção como – de certo modo – o fruto de um esforço de aprofundamento no mister do historiador. Por esse lado, é possível dizer que se enquadra perfeitamente no conjunto de sua obra e ainda denuncia, em plano bem diferente, é certo, daquele onde situa a *Formação*, o intento de dar-lhe um sentido.

É verdade que as obras do historiador Caio Prado Júnior podem ser lidas, e mesmo aprovadas em todos os seus pontos essenciais – creio eu –, sem que se faça necessária, da parte do leitor, uma adesão ao tipo de pensamento dialético fixado pelo marxismo e cuja explanação e justificação têm consagrado este livro. Pois nada prova que a eficácia de um método de pensar deva sempre e obrigatoriamente depender, como toda excelência, dos fundamentos filosóficos em que assente. E assim, se para o autor pode existir uma hegemonia inextricável entre a sua *Dialética do conhecimento* e as suas demais obras, é possível que o leitor ou o crítico se vejam forçados a dissociá-las ao menos em sua estima.

Nada impede, sobretudo, que tendo encontrado naqueles outros livros boas razões para admirar o autor, não deixem de ver no mais recente algum sério motivo de decepção. Isso sucederá certamente aos que, tendo vencido mal ou bem as páginas iniciais, renunciem logo à sua leitura completa e atenta. Para isso, forçoso é dizê-lo, seria preciso uma boa dose de paciência e pode-se bem acrescentar de teimosia. Caio Prado Júnior não é – nunca foi – desses autores que, escrevendo, buscam uma expressão própria, já não digo para cativar, mas para convencer os leitores. Satisfaz-se com sua convicção pessoal e não parece vivamente empenhado em vê-la partilhada. Mesmo a aparente concessão ao público, insinuada no seu tom por vezes demasiado didático, pode trair antes a firmeza e clareza daquela convicção do que a vontade de clareá-la. Sua palavra é sobranceira e agreste, e quem se indigne facilmente com esses velhos espectros que os gramáticos qualificam de solecismo fará bem em não abrir este livro. Pois a procissão deles, compacta e inumerável, começará a perseguir o leitor purista desde a primeira página e mesmo desde a primeira sentença, e não o largará até as últimas linhas.

Outro obstáculo, e para muitos não o menor, à sua boa inteligência está na atitude insistentemente polêmica do autor. Essa atitude, principalmente – como no caso presente – onde não hesita em simplificar até à caricatura as teorias adversas, para melhor contrariá-las, denota um fervor teórico incapaz de expandir-se num meio em que não encontre, de antemão, a mesma elevada temperatura. Em outras palavras, só aos que se achem firmemente convencidos, ele poderá ser realmente convincente.

Todas essas reservas entendem-se, porém, com as possibilidades maiores ou menores de divulgação da obra. Seria ridículo, sem dúvida, onde há insuficiência e até erros de expressão (de gramática), que existam necessariamente "erros" de ideias. Por outro lado, nada faz crer que o tom constantemente polêmico do autor deva invalidar por si só e sem apelo a segurança dos instrumentos de análise de que ele se serve, assim como a "verdade" ou bondade das conclusões a que chega. E como partir da exigência de critérios neutros, cientificamente objetivos, onde o que exatamente está em causa é a pertinência, o valor, a própria possibilidade desses critérios?

Do ponto de vista em que se situa Caio Prado Júnior, a atitude polêmica não representa qualquer coisa de exterior ao pensamento que dele se possa subtrair por mero capricho. É, isto sim, a única perfeitamente coerente com um modo de pensar que não conhece a existência de uma Verdade externa e eterna, suscetível de converter-se em norma de nosso pensamento; este, ao contrário, é determinado de certo modo pela situação histórica de onde emana. Todo raciocínio preso, por conseguinte, aos princípios rígidos e perenes da lógica formal e clássica e seus derivados modernos, acha-se assim condenado.

Para o marxismo parece fora de qualquer discussão que, numa sociedade constituída de classes, e classes antagônicas, como a nossa sociedade capitalista e burguesa, toda filosofia e, a rigor, toda ciência, hão de ser de natureza polêmica. A exigência, por isso, de um pensamento isento, desenvolvido *sine ira et studio*, como o que defendem especialmente certos positivistas e neopositivistas é, no seu modo de entender, uma exigência utópica ou uma impostura que, de qualquer maneira, cumpre desmascarar. Todo pensamento é, no fundo, pensamento de classe e traz, mesmo sem saber, o selo social.

Essa ideia, que em suas expressões mais recentes deita raízes em Marx e, através de Marx, em Hegel, é menos estranha do que parece aos nossos hábitos mentais. A difusão fácil que alcançaram em nossos dias as chamadas "sociologias do conhecimento" e em particular a filosofia social de Mannheim (que, no entanto, atribui papel superior à camada mais capaz, a seu ver, de isenção e neutralidade – a camada intelectual –, justamente por ser *desclassificada*, menos sujeita do que outras a vínculos sociais de qualquer espécie) demonstra-o de modo exuberante.

E não há exagero em dizer-se que as origens dessa ideia são bem mais remotas. Embora insinuando-se com vigor já no idealismo platônico, o princípio do pensamento "puro", livre de qualquer laço social e público, só pode generalizar-se amplamente nos tempos atuais. Isso por que os antigos ignoravam a simples distinção e contradição entre a existência privada e a pública. Um comentador moderno de Hegel nota, com finura, que para a Antiguidade Clássica o verdadeiro homem "privado" é o escravo que não toma parte na vida pública, por isso mesmo não chega a ser "homem" no mais amplo sentido da palavra. Na Idade Média, a esfera do privado confunde-se com a do público, do corporativo, ainda nos casos do indivíduo não liberto. Só com a Revolução Francesa é que a abstração da vida privada passa a conceber-se como liberdade negativa, liberdade da comunidade e do Estado.[1]

Caberia, sem dúvida, acrescentar que no mundo das ideias o correlativo desse processo começara a manifestar-se com as filosofias empíricas e racionalistas do seiscentismo e do setecentismo, e iria desembocar nas diferentes formas de positivismo. Não admira, assim, que os adeptos de Marx, reatando e representando a seu modo, por menor que o pareça, uma tradição de remotas raízes, façam da luta contra os positivistas um dos seus cavalos de batalha. É esse, sem dúvida, o sentido da luta de Engels, o amigo e colaborador de Marx, contra Dühring e, mais tarde, a de Lênin, contra os discípulos russos e alemães do empiro-criticismo. E é a razão que agora leva, entre nós, Caio Prado Júnior a volver-se contra as mesmas filosofias representadas, em sua forma extrema, nas ideias do "Círculo de Viena" e do moderno fisicismo.

Mas o pensador brasileiro, que continua a ser acima de tudo um historiador, não se limita a combater as formas atuais. Vai remontar nos antecedentes desse tipo de pensamento. Assim é que, depois de examinar sumariamente o "problema atual do conhecimento", passa a criticar primeiro o empirismo – servindo-se não raro das armas dos racionalistas – e depois o racionalismo, aproveitando-se, em parte, de argumentos dos empiristas. Apenas a dicotomia das duas atitudes – empirista e racionalista – é provisória e acabará resolvendo-se numa síntese superior, quando alcançar a dialética marxista através do historicismo e do hegelianismo. A esse tema, que constitui, a bem dizer, o núcleo da obra e ocupa ao menos todo o segundo volume de *Dialética do conhecimento*, será dedicado o próximo comentário.

1 Löwith, *Von Hegel zu Nietzsche*, p.163.

Verdade e ideologia II*

Tentou-se mostrar em comentário anterior como na filosofia desenvolvida por Caio Prado Júnior em sua recente *Dialética do conhecimento* a atitude polêmica é inevitável resultado de um critério que não nega apenas o valor, mas ainda a simples possibilidade de um conhecimento "objetivo" e neutro, por conseguinte de um pensamento perfeitamente apartidário.

Sejam quais forem as objeções possíveis a uma tal atitude – e elas são, sem dúvida, numerosas –, não se negará que, ao assimilá-las em todas as suas consequências, o autor revela uma audácia e uma coerência que têm faltado muitas vezes, no mesmo grau, a outros marxistas.

Quando, por exemplo, Lukács sustenta que a "adesão ao partido não é só uma adesão política, mas filosófica, moral, destinada a guiar em todas as circunstâncias da vida, o pensamento e a ação", não encontramos meios plausíveis para conciliar esta com a sua outra presunção, de que a Filosofia e a Historiografia pertencem às Ciências Exatas. E quando um Antonio Gramsci, por sua vez, diz que "compreender e valorizar com realismo as razões do adversário significa escapar à prisão

* Artigo originalmente publicado no *Diário Carioca*, 18 mai. 1952. (N. O.)

das ideologias – no sentido de cego fanatismo ideológico –, isto é, adotar um ponto de vista crítico, único verdadeiramente fecundo na pesquisa científica", parecerão de todo justificados os argumentos (entre outros os de Nicola Matteucci, ultimamente impressos pelo Seminário Jurídico da Universidade de Bolonha) dos que fazem pairar dúvidas sobre a ortodoxia marxista-leninista do pensador italiano.

Nessa sua nostalgia de um pensamento idealmente "puro" e independente, nem esses, nem outros inúmeros marxistas confessos perecerão inteiramente imunizados – para recorrer a uma das formas diletas de Caio Prado Júnior – contra o nefando crime da "inversão idealista" e metafísica.

E a fidelidade perfeita do autor de *Dialética do conhecimento* a uma ideologia já definida em todas as suas partes, que apenas cabe melhor interpretar e defender diante de cada novo inimigo, constitui, tanto quanto sua atitude constantemente polêmica, um dos traços que podem enganar quem procure julgar esse livro segundo os críticos mais correntes. Com efeito, a exigência de uma absoluta originalidade criadora não parece menos avessa aos fundamentos do marxismo do que a busca de um pensamento objetivista e neutro. Vivendo na era do romantismo, Marx teve ao menos esse tração antirromântico: um desprezo consciente e declarado à pretensão de que um pensador digno desse nome deva tirar de si mesmo, das próprias entranhas, sem referência àqueles que o antecederam e às circunstâncias exteriores, tudo quanto oferece ao público.

Não é por outro motivo que Caio Prado Júnior, apesar de seu desmesurado fervor teórico, que em dado momento o leva a ver na tarefa do materialismo histórico o "maior passo dado pela filosofia desde a obra de Platão e Aristóteles", desacredita com razão os que possam ver no marxismo um produto do pensamento puro de Marx. Isso, acrescenta, "seria negar o próprio marxismo, contradizê-lo em seu nascedouro".[1]

O que não impede, contudo, logo à página anterior, de exaltar com mais ardência ainda a inaudita façanha de Hegel, este sim tirara tudo de

1 Prado Jr., *Dialética do conhecimento,* I e II.

si mesmo, revelara-se, "a si próprio, pela observação de seu pensamento". Marx não fizera muito mais, em suma, do que dar plenitude e coerência ao que Hegel deixara incompleto ou desvirtuado. Atribuíra a seu pensamento o conteúdo concreto de que este inicialmente carecera, e aqui adiantara-se a todos os demais hegelianos, ao próprio mestre deles. Nisso está toda a sua significação, excepcional e, portanto, um exame em profundidade das suas ideias nos levará fatalmente à valorização do hegelianismo bem entendido e, sobretudo, bem interpretado.

Caio Prado Júnior não tenta, pois, acentuar a originalidade, de Marx diante de Hegel, ao contrário do que tendem a fazer outros marxistas e até mesmo, em nossos dias, alguns críticos e economistas burgueses como Schumpeter. No entanto, esse milagre da originalidade, que seria impossível em Marx, fora possível em Hegel, e nisso nosso pensador funda toda a sua admiração por aquele a quem chama o "Platão da nova lógica".

Sua significativa surpresa ante esse singular fenômeno transparece especialmente da nota que convém reproduzir na íntegra: "Nesse sentido", escreve,

> Hegel foi certamente dotado de uma capacidade especial e verdadeiramente notável. Os processos de pensamento são, na sua maior parte, subliminares, e a nossa conceituação básica e essencial provém de processos realizados nos primeiros estágios de nossa formação psicológica. Reviver tudo isso, como Hegel fez, sem a colaboração de ninguém, e considerando-se mesmo a inspiração que lhe foi trazida pelo largo trato que teve com os conhecimentos de sua época, é qualquer coisa de imenso e revela uma estrutura cerebral verdadeiramente excepcional.[2]

É fácil perceber, contudo, que nesse passo fomos colher o autor em um momento de pura efusão que contraria o que escrevera em páginas anteriores. Nessas páginas ou em muitas delas, longe de subestimar o que Hegel deveu ao "largo trato com o pensamento de sua época" e até de

2 Ibid.

épocas anteriores, para favorecer o que "sem a colaboração de ninguém" tirara de um cérebro excepcional, ele não deixa de assinalar profusamente sua enorme dívida aos filósofos da Era das Luzes, a Kant e, ainda mais, ao historicismo alemão.

Em mais de um ponto procura mesmo demonstrar como foi a necessidade de se superarem os obstáculos aparentemente invencíveis da lógica metafísica em face dos progressos das ciências, obstáculos evidenciados sobretudo na obra de Kant, o que apontou o caminho a ser seguido por Hegel. Mas este não teria encontrado por si só esse caminho. Valera-lhe o socorro do pensamento historicista, que justamente apresenta a "sucessão dos fatos explicando-se uns pelos outros, e não como ocorre com a generalidade dos historiadores franceses, ingleses do século XVIII, comandados por um plano racional ou natural exterior à história e ao seu desenvolvimento".[3]

O milagre irá aparecer, assim, bem menos extraordinário. A genialidade de Hegel estivera apenas em ter sabido misturar bem as águas contrárias daquelas duas correntes de pensamento. A história pode fazer-se agora racional sem deixar, por isso, de ter em si mesma sua lei expressa na dialética. O próprio Caio Prado Júnior observa como "o historiador que havia em Hegel unia-se ao filósofo discípulo de Kant".[4]

Cabe perguntar se a união não seria apenas ilusória e se, embora fazendo Hegel largamente dependente do historicismo, o autor não tende a escamotear de modo bastante caprichoso o que havia nele de um pensador ainda preso por vínculos indissolúveis à tradição mais antiga fixada principalmente pela filosofia anti-histórica do setecentos. Em outras palavras, se o historiador, nele, não se vira irremediavelmente sacrificado pelo filósofo, e filósofo racionalista.

Isso equivale a pôr em jogo precisamente a pretensão da dialética de representar uma vitória definitiva sobre a lógica tradicional integrada agora, por seu intermédio, no processo histórico. O assunto merece ser mais atentamente abordado, o que se fará em outro comentário. E pouco

3 Ibid.
4 Ibid.

importa, se em semelhante abordagem, o nome de Hegel venha a aparecer mais frequentemente do que o de Marx. O próprio autor desse livro não andará longe de julgar que Marx foi, de certo modo, mais hegeliano do que Hegel, ou que o foi com mais coerência e decisão. Assim como Lênin teria sido mais marxista do que Marx – que não era, ele próprio, "marxista", segundo chegou a confessar – ou o menos do que Engels, o colaborador e intérprete mais autorizado de Marx. É o que se infere da longa passagem em que Caio Prado Júnior denuncia no autor da *Dialética da natureza* uma vítima incauta da "inversão idealista".

Um filósofo e lógico de nossos dias – Reichenbach – perguntava, não há muito, se Hegel teria podido adquirir sua imensa projeção no mundo moderno se não encontrasse apoio, fora da filosofia, no materialismo econômico de Marx. Tenho a convicção de que Caio Prado Júnior é capaz de inverter a questão assim proposta para perguntar se Marx alcançaria a importância de que hoje desfruta, caso não tivesse assimilado e, a seu modo, melhorado a filosofia de Hegel.

Verdade e ideologia III*

De que forma o pensamento histórico alemão, depois de elaborado por Hegel, pode tornar-se utilizável para o marxismo e integrar-se finalmente, como peça fundamental, em seu método? É essa uma das questões apenas tocadas aqui em artigo anterior e que, no entanto, nos guia de certo modo até o núcleo central das preocupações de Caio Prado Júnior em sua *Dialética do conhecimento*. A outra questão – sem dúvida mais importante, por isso mesmo que se acha à base e à origem da primeira – poderá ser assim formulada: até onde o princípio hegeliano de unidade entre o racional e o real, que o marxismo herdou e, a sua maneira, interpretou, significa uma vitória efetiva sobre o historicismo e também sobre o racionalismo?

Do verdadeiro sentido do historicismo germânico, posto em confronto com as correntes de pensamento que o antecederam, tratou Caio Prado Júnior de modo satisfatório, embora naturalmente sumário, ao dizer que nele se apresenta "a sucessão dos fatos, explicando-se uns pelos outros, brotando, saindo uns dos outros, e não, como ocorre com a gene-

---

* Artigo originalmente publicado no *Diário Carioca*, 25 mai. 1952. (N. O.)

ralidade dos historiadores franceses e ingleses do século XVIII, comandados por um plano racional exterior à história e ao seu desenvolvimento".[1]

E se é verdade que alguns autores, como especialmente Ernst Cassirer, tentaram discernir a presença do historicismo nessa mesma era "das Luzes", que uma opinião até hoje difundida tende a considerar uma era radicalmente a-histórica, isso mostra tão somente que a tendência não se exprimiu através de um salto brusco e inesperado, mas ao contrário, de um processo lento e, não obstante, revolucionário. Mesmo na obra já hoje clássica sobre o assunto – a de Meinecke –, o movimento historicista (enlaçado, na literatura, ao romantismo, e na religião, ao pietismo e ao metodismo wesleyano) é representado como um movimento que aos poucos se vai destacando da crença generalizada numa Ordem Natural (exterior à história e capaz de ordenar-lhe os passos) para atingir sua emancipação plena com alguns historiadores e pensadores alemães, a partir, sobretudo, de Herder.

É em Meinecke que Caio Prado Júnior vai colher, com toda justiça, os elementos principais da exposição do historicismo que traça no tomo II de sua obra. Contudo, não deixa de sugerir que, apesar da clareza de sua síntese, aquele autor se deixa impressionar em demasia pela valorização sentimental do "homem" que associa ao historicismo o romantismo, e desdenha o papel daquele movimento "da interpretação histórica, cujas consequências são muito mais profundas, pois vão repercutir diretamente na filosofia".

Não creio que sejam bem fundadas essas reservas, pois embora o propósito expresso de Meinecke seja a análise do historicismo antes em sua formação do que em seus resultados, o fato é que não deixa de considerar os problemas relacionados à interpretação histórica, mormente na parte final, dedicada à obra de Ranke.

Será difícil, entretanto, elucidar-se em que sentido Caio Prado Júnior usa aquelas palavras – "interpretação histórica" – quando se considera que, em favor da atenção maior dada a Herder ou a Goethe (e com este a

---

1 Prado Jr., *Dialética do conhecimento*, I e II.

Ranke), o historiador alemão deixe em parte, ou quase, a linha de pensamento que, partindo de Kant, vai desembocar principalmente em Hegel (e através de Hegel em Marx). Nota-se que essa reserva coincide aproximadamente com a de Croce, no estudo que consagrou Meinecke.[2] Para o filósofo italiano, é em Hegel, sobretudo, e em sua crença na racionalidade do real e na "realidade" do racional, que o historicismo se completa e verdadeiramente se justifica. Meinecke, por sua vez, não deixa de retrucar essas objeções quando diz que, partindo, embora, do princípio histórico, Hegel o utilizara como simples instrumento para enaltecer sua Razão Universal, e não sem sacrificá-lo ou deturpá-lo.[3]

Antes de tocar nesse ponto caberia notar que, apesar da distância enorme que separa o pensamento de Croce do marxismo, um e outro, no caso em apreço, encontram-se do mesmo lado da barricada. E a coincidência de opiniões explica-se por isso, que ambos remontam, de fato, ao mesmo manancial hegeliano. Os historicistas, em contraste nítido com os "filósofos" do setecentos, procuravam naturalmente salientar os aspectos irracionais da vida e tendiam, assim, a descuidar-se em proveito do individual, do típico e do genérico. Ora, é claro que sem o típico e o genérico jamais se poderá ultrapassar a esfera do particular e obter uma visão do mundo ampla e plausível.

Se a história não é racional, torna-se de todo impossível uma Filosofia da História. Nesse caso seria mais simples, sem dúvida, desistir da Filosofia da História, ao menos provisoriamente. Para muitos, entretanto, só aquela impossibilidade já era uma espécie de prova por absurdo, mas prova cabal e decisiva, de que a história é racional. E se ele se mostra intratável aos recursos tradicionais da Lógica, por que não ousar uma revisão desses mesmos recursos? A alegação de que a Lógica alcançara desde os tempos de Aristóteles uma perfeição total e insuperada, alegação que para muitos, para Kant inclusive, era prova de sua grandeza, para outros, Hegel especialmente, era o sinal de que devemos tratar de superá-la. Na introdução à sua *Ciência da Lógica* ele o diz claramente, e

2 Croce, *La storia come pensiero e come azione*, p.51 et seq.

3 Meinecke, *Vom Gerchichtlichen Sinn und vom der Gerchichte*, p.101.

acrescenta – argumento de historiador – que 2 mil anos de progressos do espírito humano hão de levar fatalmente a uma tal revisão.[4]

Se Hegel foi realmente historiador, ninguém dirá sem petulância que foi um historiador arvorado em filósofo (e houve, contudo, quem o dissesse) ou não o dirá com mesma tranquilidade com que Caio Prado Júnior diz nesse livro, que Ernst Maeb foi um "físico metido a filósofo",[5] que Sartre é um desses "literatos [...] metidos a filósofos"[6] e, em palavras um pouco diferentes, que também Poincaré seria um matemático metido à filósofo.[7] O autor da *Fenomenologia do espírito* foi de fato o primeiro a abordar com energia toda uma série de problemas que não deixaram, depois dele, de ocupar intensamente os homens de pensamento. E muitas das questões que soube formular permanecem vivas, ainda quando as soluções que apresentou pareçam hoje inaceitáveis.

Algumas das suas críticas aos métodos da Lógica Formal e Clássica, retoma-as longamente Caio Prado Júnior. O autor brasileiro não deixa de notar, por exemplo, seguindo os passos do mestre, que ao dizer que a flor é vermelha associamos indevidamente dois conceitos independentes – flor e vermelho –, os quais nos termos da mesma lógica só têm em si, no seu interior, sentido e identidade. Não lhe parece imaginável que, segundo os mesmos termos, a mesma coisa, na proposição em apreço, possa apresentar-se como pertencente a duas classes distintas, a das cores e a das coisas vermelhas. A insuficiência do sistema lógico herdado dos antigos vem para ele do fato de imobilizar o pensamento em categorias fixas, rigorosamente limitadas, tornando impossível relacionarem-se verdadeiramente os conceitos. O que ela nos dá, e não pode dar outra coisa, é uma grosseira mímica, se tanto, do processo ou operação de relacionamento.

É contra esse e outros subterfúgios que procura erguer-se a dialética hegeliana. Em lugar de fornecer-nos um fraco substituto, pretende dar,

4 Hegel, *Ciência da Lógica*, p.33.
5 Prado Jr., *Dialética do conhecimento*, p.33.
6 Ibid., p.599.
7 Ibid., p.260 et seq.

nada menos – nas palavras de Caio Prado Júnior –, do que o próprio movimento "espontâneo e natural do pensamento",[8] a forma do pensamento "que se faz método",[9] "a forma do movimento tornada consciente",[10] a "forma do movimento do pensamento se fez consciente e é método".[11]

Mas seriam justas tamanhas pretensões? Em realidade, procurando historizar o raciocínio, emancipá-lo da imobilidade a que se vira constrangido durante dois milênios, Hegel registrou no seu célebre esquema – posição (tese), negação (antítese), negação da negação (síntese) – um processo de que a história humana pode oferecer-nos numerosas ilustrações. E não apenas a história humana. O exemplo clássico do grão de trigo (posição), que é enterrado (negação) e frutifica, multiplicando-se (negação da negação), ou ainda o do ovo de borboleta, que resultou na lagarta e no casulo e finalmente na nova borboleta, bem pode sugerir a presença de alguma lei geral. Lei que teria sua aplicação mais sensacional no marxismo, e que lhe serve para explicar o advento fatal do comunismo, negação dessa negação que é o capitalismo burguês.

Não tem faltado entretanto, e não faltou, mesmo entre os primeiros marxistas, Engels em particular, quem alimentasse algumas suspeitas sobre a universalidade de tal lei. O fato de já a primeira negação requerer condições propícias para ajustar-se ao esquema proposto (pois não "negamos" também o grão de trigo ao comê-lo ou ao pisá-lo?) milita fortemente contra a tentativa de erigir-se esse processo "dialético" em lei da lógica. A tríade hegeliana representa, com efeito, uma apenas entre as muitas "formas de movimento" possíveis e imagináveis, talvez mesmo a mais perfeita, já que se acomoda melhor do que outras aos nossos hábitos mentais.

Uma análise recente pode mostrar de modo engenhoso a unilateralidade do tipo de desenvolvimento proposto por Hegel. Segundo observou Hellpach, só é possível chegar-se da posição à negação nos casos

8 Ibid., p.417.
9 Ibid., p.404.
10 Ibid., p.406.
11 Ibid., p.417.

particulares, e não os mais frequentes, em que aquela atinge uma expressão extremada, fazendo-se *hipertese*. Podem distinguir-se também, entre antíteses, as que assumem caráter radical (progressivo) e tradicional (regressivo). Além disso é preciso ainda contar com as várias parateses, que se separam da tese, mas não a negam de todo. A síntese, por fim, toma sempre elementos destacados, ora da tese, ora de um e outro tipo de antítese – o radical e o tradicional – de modo que a viabilidade da síntese depende constantemente da energia da personalidade criadora, que colabora no processo. "O criador observa o que na hipótese é inutilizável, e que é oportuno, e que na antítese de tipo tradicional é supérfluo e o que é digno de preservar-se".

Parece inevitável a conclusão de que a ideia de espontaneidade do movimento, que se teria feito consciente através da dialética, evapora-se rapidamente a uma análise cerrada. Não menos do que a lógica tradicional e clássica, ela nos fornece, assim, um substituto do processo natural. Ou melhor, o movimento que nos faz captar é comparável, de certo modo, ao de um veículo que se move, sim, mas sobre trilhos de aço fixos e irremovíveis.

Uma crítica à dialética deveria completar-se com um estudo acurado de seu aproveitamento pelo marxismo. Antes de tudo seria cabível perguntar até onde se pode assimilar a contradição dialética do pensamento, em Hegel, aos "antagonismos" e "oposições" do mundo empírico em Marx. A pergunta já tem sido feita, e provavelmente respondida com maior ou menor felicidade. O certo é que essa e outras perguntas, essa e outras objeções, poderiam valer se fosse indispensável buscar antes de tudo a coerência teórica de uma doutrina na qual, no entanto, teoria e prática querem ser inseparáveis. Isso poderia levar a debates puramente bizantinos, quando se trata de um caso no qual a "teoria" anda unida sem dúvida à "prática", mas como o cavalo anda unido ao cavaleiro que o cavalga e comanda. Evitar, no entanto, esses debates equivaleria a praticamente silenciar sobre o livro de quem, como Caio Prado Júnior, já se assegurou, através de suas outras obras, um lugar dos mais iminentes na cultura brasileira de nossos dias.

Tentativa de mitologia*

Em dois belos trabalhos impressos no *Diário de Notícias* do Rio de Janeiro, o professor Jaime Cortesão responde a algumas das dúvidas que me ocorreram ao tratar aqui, ultimamente, do volume publicado sob sua responsabilidade acerca dos *Bandeirantes e jesuítas no Guairá*.[1]

As dúvidas, devo repeti-lo, em nada afetam a minha admiração pelo zelo benemérito de quem soube organizar um precioso e ainda mal conhecido acervo documental sobre a expansão geográfica do Brasil, enriquecendo de sábios comentários. Atingiam, no entanto, convicções que o professor Cortesão vem formulando e defendendo desde há muito tempo com pertinácia.

Dizia-se em meu artigo que não é possível aceitar sem hesitação a tese do autor de que a expansão bandeirante se insere "em uma espécie de programa deliberado, explicável por considerações geopolíticas (quando, em realidade, eles contrariam muitas vezes, nessa expansão, a vontade e os interesses da Metrópole)".

* Artigo originalmente publicado no *Diário Carioca*, 15 jun. 1952. (N. O.)

1 Cortesão (org.), *Manuscritos da Coleção De Angelis*: jesuítas e bandeirantes no Guairá, I.

Essas palavras, que meu mestre e amigo Cortesão considera um apanhado feito "de forma caricatural", procuram fundar-se, entre outras, nas passagens de sua introdução, na qual se diz que as grandes bandeiras invasoras de terras hoje do Paraná, de Mato Grosso, do Rio Grande do Sul, agiram de boa-fé, pretendendo para a Coroa portuguesa o que, com bem ou mal fundadas razões, julgarem sob a jurisdição da mesma Coroa. De boa-fé, sem dúvida, porque "embora possuindo certa cultura geográfica e cartográfica", um homem como Raposo Tavares, por exemplo, "não tinha ciência bastante para discriminar as razões que atribuíam aos espanhóis, pela linha de Tordesilhas, a região evangelizada pelo padre Montoya e seus companheiros".[2]

Por outro lado, essa expansão dos "*portugueses de San Pablo*", como os bandeirantes denominavam os castelhanos do Prata e do Paraguai, vem precedida, segundo nota o professor Cortesão, de reivindicações em toda uma série de documentos cartográficos, e também em penetrações sucessivas de portugueses do Reino ou em que tiveram estes parte eminente, senão decisiva: a extraordinária entrada de Aleixo Garcia em 1524; a de Francisco de Chaves e seus companheiros, ordenada alguns anos depois por Martim Afonso e, enfim, a participação, como "língua", de Gonçalo da Costa na viagem por terra a Assunção do "adelantado" Alvarez Nunes. "Nenhum desses fatos tem caráter esporádico. Pelo contrário, formam cadeia e marcam um desenvolvimento progressivo das relações entre portugueses do litoral, dum lado, e, de outro, os indígenas do interior e até os castelhanos do Paraguai."[3]

Aqui, e antes de outras considerações, cabe-me consertar um engano que deixei sair inadvertidamente na cópia de meu artigo e que só vim a perceber à leitura dos comentários do professor Cortesão. No texto datilografado e no impresso lê-se que a aventura de Aleixo Garcia não pode ser invocada sem reservas em favor da tese do ilustre historiador "quando a própria nacionalidade portuguesa do pioneiro continua sujeita a contestações".

2 Ibid., p.71.
3 Ibid., p.67.

Não guardo, infelizmente, o manuscrito do artigo, mas julgo poder reconstituir com fidelidade se não as palavras, certamente o sentido do primitivo texto. Nele estaria dito que "a própria nacionalidade portuguesa do navegador, sob cujas ordens viera o pioneiro, continua sujeita a contestações". O que continua sujeito a contestações é a nacionalidade portuguesa de Juan Diaz de Solis, que além disso se achava a serviço de Castela, não – ao que me conste – a do sertanista pioneiro, ou seja, a de Aleixo Garcia.

Feita a retificação desse engano (e existe pelo menos um outro no artigo impresso, em que saíram as palavras "ontologia" histórica, de sentido confuso ou pretensioso, no lugar do que eu quis realmente dizer, isto é, "etnologia" histórica), a passagem referida pelo sr. Cortesão condiz perfeitamente com a de outro escrito meu que o ilustre mestre não deixa agora de relembrar entre louvores que me fazem envaidecido e grato: "Permita-me o crítico iminente", escreve, "recordar-lhe que ainda em junho de 1948 ele falava sem restrição alguma do 'empreendimento desse português' no seu notável ensaio 'Expansão paulista em fins do século XVI e princípio do século XVII'".

O certo é que entre 1943 e 1952 não vi motivos para modificar o que escrevera sobre a naturalidade portuguesa de Garcia. Apenas essa naturalidade não me parece decisiva em favor da tese de que vinha servindo a Castela, numa frota castelhana, fossem mais portugueses do que os de um Fernão de Magalhães, por exemplo, ou os de um Solis, se é que este nasceu em Portugal, como o presume certamente o professor Cortesão.

É possível que tenha entrado algum exagero de minha parte – e se ele existe quero, desde já, penitenciar-me – quando disse que, no seu modo de ver, a "expansão lusitana neste continente baseou-se num intento minucioso e previamente disciplinado", manifesto desde o momento em que Aleixo Garcia empreendeu sua fabulosa entrada. Não vejo, contudo, como o exagero pudesse alçar-se até a caricatura e principalmente não me parece que minhas palavras tenham atraiçoado o pensamento de quem, como o professor Cortesão ainda afirma, nesses seus artigos, que a expansão portuguesa e luso-brasileira no Brasil "obedeceu a um processo orgânico, lógico e legítimo – aquilo a que poderíamos chamar uma razão de Estado geográfico e cultural"; que os cartógrafos lusitanos começaram, desde cedo, a "delinear uma entidade geográfica brasileira" definida e destinada, através das bandeiras, a evoluir para as claridades políticas de um Alexandre Gusmão, de um Rio Branco; finalmente que, em alguns casos, os próprios bandeirantes – Raposo Tavares em particular – obedeceram, em sua atividade expansionista, "a um plano deliberado". Não foi isso mesmo o que eu reproduzi em outras palavras?

A discrepância entre as teorias que atribuí a Cortesão e as que efetivamente lhe pertencem parece provir de ter eu apresentado como intento movido por uma disciplina prévia aquele processo "orgânico, lógico, legítimo". Em vez de "intento minucioso e previamente disciplinado", responde ele, houve, isso sim, "uma aspiração latente, a identificar a soberania portuguesa com uma unidade geográfica e cultural aposta ao tratado de Tordesilhas e que se pressente, mas não se conhece".

Ora, a discrepância não será, nesse caso, mais do que aparente. Pois uma aspiração latente bem pode ser tão disciplinadora, e disciplinadora até a minúcia, quanto um plano explícito, conhecido, não apenas pressentido. Foi dessa capacidade de certas aspirações de fundo irracional que tantos teóricos e demagogos de nossos dias puderam, notoriamente, deduzir a importância do mito na vida dos povos. Pois o mito é o meio mais fecundo de se submeterem as gentes a uma dieta rigorosa, que encaminhe os seus intentos e as suas vontades a certos fins magníficos, embora só obscuramente suspeitados. E, por outro lado, aos momentos em que se racionalizam as confusas aspirações, é quando justamente costumam repontar certas razões contrárias, hesitações, ponderações amolecedoras de toda vontade e disciplina. Apenas não é difícil que esses mitos aflorem por vezes a consciência, e o próprio Cortesão nota que alguns bandeirantes – e o que se dirá dos sábios cartógrafos que, segundo seus respectivos interesses nacionais, deslocam caprichosamente o traçado de Tordesilhas? – obedeciam àquela aspiração latente, mas não deixavam, ao mesmo tempo, de perseguir um "plano deliberado".

O que animava no caso o esforço, primeiro dos portugueses, ainda no quinhentos, depois dos bandeirantes de São Paulo, seria a aspiração, nas palavras do eminente historiador, de identificar a soberania lusitana em nosso continente "com uma unidade geográfica e cultural". E já isso revela bem que a expansão luso-brasileira não se confunde, a seu ver, com uma frouxa e desordenada ambição, mas sujeita-se a uma verdadeira disciplina, seja esta consciente ou não. A noção dos chamados "limites naturais" não a encontro em nenhum dos seus escritos, mas é evidente que ela preside, para ele, aquela noção de unidade. Aspirariam portugueses e mamelucos, com o mesmo afã, atingir certas raias que os decretos geográficos, mais divinos do que pontifícios, teriam traçado a sua expansão continental. Foi esse, julga ele, o ponto de partida para um verdadeiro "mito", que, forjado a princípio pelos cartógrafos quinhentistas, deveria guiar, como aspiração latente, às vezes consciente, os passos daqueles que iriam ampliar as fronteiras da América portuguesa para além, muito além, da linha de Tordesilhas. A essa aspiração obscura associa o ilustre historiador um nome claro e nítido. Chamá-la o "mito da ilha Brasil". E como nas últimas linhas de seu trabalho, convida-me expressamente a abordá-lo, é o que tentarei fazer, e não sem temeridade, em artigo próximo.

O senso do passado*

Pronunciada em São Paulo à inauguração de um curso sobre a história da arte barroca no Brasil, a palestra que vamos reproduzir aborda um tema que, já debatido em mais de um desses comentários, é de permanente atualidade em nossos dias. É o seguinte o seu texto:

Convidado, não há muitos dias, para dizer duas palavras na inauguração do curso organizado pelo Clube dos Artistas e Amigos da Arte sobre a história do barroco no Brasil, fui ontem surpreendido com a notícia, nos jornais, de que deveria pronunciar nada menos do que uma conferência inaugural sobre esses assuntos. A notícia colheu-me de todo desprevenido e sem preparo para abordar um tema de que o verdadeiro conferencista, professor Lourival Gomes Machado, vos entreterá com sua constante e segura competência.

Ficarei, pois, tanto quanto possível nos termos do convite inicial. Não irei fazer uma conferência, nem precisarei tentar o elogio de quem me seguirá nesse curso. O zeloso devotamento com que ele se vem entregando ao estudo dos vários aspectos do problema do barroco e, além

---

* Artigo originalmente publicado no *Diário Carioca*, 13 jul. 1952. (N. O.)

disso, aos da arte moderna, asseguram desde já a eficácia e o valor das suas palestras. E é bem de caso pensado que associo aqui, ao interesse que lhe inspira a arte de nossos dias, a atenção nada menor que despertam nele as expressões estéticas de há dois anos ou de há três séculos.

Deixarei de referir-me a essa aproximação inúmeras vezes sugerida entre os espíritos dos tempos atuais e o da era barroca. Mesmo porque ela se apoia, a meu ver, numa interpretação mal fundada de certas aparências. Penso apenas nessa espécie de ilusão desastrada que trata de ver uma contrariedade e incompatibilidade fundamentais entre a evocação ou estudo do passado e o interesse permanente pelos fatos e problemas de nossos dias.

Historiador, ao menos por inclinação intelectual e também por profissão, tenho sido muitas vezes abordado acerca do paradoxo que haveria no estimar e apreciar com o mesmo fervor as manifestações artísticas – e não somente artísticas – do passado e as do presente. Não existiria flagrante incongruência entre as duas atitudes estabilizadas e estabilizadoras; outra atenta a expressões ainda instáveis e em muitos casos revolucionárias?

Minha resposta inevitável é de que não existe um tal paradoxo, pois, para o verdadeiro historiador, as duas tendências não se contradizem, antes se enlaçam e se completam. A evocação de tempos idos reclama, sem dúvida, um sentimento vivo daqueles tempos, bastante vivo para criar entre o observador e o observado, entre o historiador e o objeto da história, essa corrente de simpatia que há de animar toda verdadeira compreensão.

Mas o sentimento que comandará a inteligência e boa interpretação do passado é, por si mesmo, sereno e inclusivo. Fixando determinadas eras, ele não cuida de destacá-las das demais, em particular da era presente, para colocá-la sob um pedestal perene. Busca, ao contrário, situá-la na corrente móvel dos acontecimentos, inseri-la no curso da história, justamente da história que se alimenta da diversidade dos tempos e das coisas.

Estamos aqui nos antípodas do sentimentalismo, que, este sim, é naturalmente exclusivo e não tolera partilhas. Quando queremos sentimentalmente uma coisa ou uma época, queremo-la com exclusividade e ciúme, contra as outras coisas e contra as outras épocas. Por isso repito que o sentimentalismo histórico é o que há de mais avesso ao senso do passado. Não é próprio do historiador, mas do mau antiquário.

O próprio do historiador não está em querer ver e enaltecer o passado no presente ou vice-versa, mas em reconhecer e estimar as formas diferentes que se sucedem através do tempo; conservar, restaurar, procurar entender o patrimônio histórico de cada povo é, sem dúvida, uma das grandes e gratas missões do historiador. Refazer, porém, o presente nos moldes do passado, de um passado que escolhemos e arbitrariamente isolamos para convertê-lo em norma insistente, é contrariar e é trair essa missão. Assim, quando mandamos fabricar algum traste segundo as linhas que prevaleceram no Renascimento, no barroco, no rococó, estamos provocando um simples pastiche. Ao historiador cumpre denunciar tais falsificações, a fim de que possam valorizar-se as formas puras e autênticas. As de ontem como as de hoje.

Ninguém menos apto, em realidade, para conhecer e valorizar o passado do que aquele que voluntariamente fecha os olhos à sua época, às solicitações e aos estímulos do mundo que o cerca. De um dos maiores historiadores dos últimos tempos – Henri Pirenne – refere-nos seu amigo e companheiro Marc Bloch, que, chegando ambos, certa vez, a Estocolmo, ouviu-o dizer, mal se instalaram no hotel:

– Que faremos agora? Parece-me que acabaram de construir um magnífico prédio para servir de paço municipal. Vamos vê-lo antes de mais nada.

E logo depois, como se quisesse prevenir algum movimento de surpresa, tratou de acrescentar:

– Se eu fosse um antiquário, só me interessaria as casas e as coisas antigas. Mas eu sou um historiador.

Nessa faculdade de apreender a miúdo a vida presente, o mundo presente, está, com efeito, uma das qualidades dominantes no historiador.

É claro que uma solidariedade fundamental associa, uns aos outros, os diversos momentos da história. Mas essa solidariedade não se pode forçar nem anular impunemente. Ela prevalece mesmo onde nos parece mais remota e é ela quem, muitas vezes, preside as mais audaciosas renovações. O senso do passado é uma necessidade. Não é um dever. Ele pode estar em nossas veias, não se acha certamente em nosso cérebro. É um cego engano pensar que estamos mais perto de nossos avós quando escolhemos, para nela residir, uma casa de arquitetura neocolonial, como se diz, ou neobarroca, e nos rodeamos de perfeitos fac-símiles do austero mundo que os rodeara. Só a cegueira pode esconder-nos que nesse caso estamos suscitando um ambiente feito de contrafações e pastiches, bem ao contrário dos nossos modelos, que viviam em sua realidade sempre presente e viva.

Esse tradicionalismo caprichoso não é um produto; é sim um substituto, substituto inadequado da legítima tradição. Nada lembra melhor esse empenho dos que querem ressuscitar um passado já morto, empenho em que se inspiram tantos artifícios neoclássicos ou neobarrocos de nossos dias, do que o afã dos homens sem passado que buscam nobilitar-se a qualquer preço, fazendo importar para si linhagens imponentes e brasões pomposos. Não é a sua uma arte inspirada na tradição, mas no ressentimento e no desejo de compensação. Arte de novo-rico, que na falta de um passado real, trata de fornecer-nos uma simulação do passado.

Tudo isso cai a propósito quando assistimos, hoje, a um renascer do interesse pelo barroco, que facilmente pode degenerar numa espécie de sentimentalismo do barroco. E é bom que esse estilo de arte e de vida, tão vinculado às nossas origens, seja elucidado aqui e agora por historiadores verdadeiros. Ou seja, por homens que procuram bem conhecer o nosso tempo e que, desse modo, conquistaram os melhores títulos para conhecer, interpretar e valorizar o passado.

Em torno de um prêmio*

Dentro de alguns meses será publicado, com o título *Arquitetura italiana em São Paulo*, o valioso estudo de Ema Debenedetti Calabi e Anita Salmoni Cevidalli, que acaba de merecer o prêmio Paschale Petraconne, destinado à melhor obra inédita sobre a história das relações culturais entre a Itália e o Brasil. Como componente da comissão que, sob a presidência do reitor da USP, julgou os trabalhos apresentados, posso dizer que este artigo não visa fornecer um estudo minucioso da obra que escaparia à competência do orador e articulista, mas situar o tema abordado na esfera mais ampla daquelas relações culturais e chamar a atenção para um trabalho de pesquisa histórica verdadeiramente exemplar e que não interessará unicamente ao especialista.

No poético do livro premiado evoca-se em palavras de contagioso enternecimento, a admirável fidelidade dos colaboradores eficazes de nosso progresso atual, a uma antiga e nobre progênie. Mesmo na ambição áspera e muitas vezes prosaica de triunfar sobre todos os obstáculos, o imigrante italiano pôs sempre a marca do sentimento e da espiritualidade

* Artigo originalmente publicado no *Diário Carioca*, 20 jul. 1952. (N. O.)

ancestrais. E, em iniciativas mais arrojadas, imprimiu constantemente o selo de uma nostalgia.

Que segredo preside a essa harmonia de contrários da matéria que não se destaca do espírito, da pertinaz devoção a um passado remoto, que se enlaça à aspiração ativa de uma realidade nova, própria de um mundo novo?

Lemos nas páginas desse estudo como o operário mais modesto, colhidos os primeiros frutos do trabalho na pátria adotiva, já começa a levantar a sua pequena casa, à imagem daquela outra que ficara na distância e no passado. Suas retinas ainda guardam bem viva a fisionomia das ruas, das praças, das aldeias, das cidades que deixou, talvez para sempre. Graças às práticas de construção herdadas dos maiores, ou aprendidas na meninice e na adolescência, pôde ele acomodar às imposições do novo clima os modelos que preservara em sua bagagem sentimental.

Desse modo, com rapidez crescente, é toda uma paisagem urbana que irá ganhar aspecto diferente, animada por sua influência. Entre 1880 e 1900 abrem-se aqui alamedas e ruas inteiras impregnadas de um caráter inequívoco. Vai surgir a São Paulo do fim do oitocentos e do começo do novecentos, que para o filho da península ainda guarda bem nítidas as cores de sua lembrança. *Cidade da saudade*, chamam-na expressivamente Ema Calabi e Anita Cevidalli.

No entanto, a consideração exclusiva dessa face da medalha pode conduzir a um perigoso engano. A lembrança das formas exteriores e aparentes só se converte em força positiva quando é capaz de transfigurá-las em formas diversas e inaugurais. Onde o sentimento da solidariedade íntima entre as gerações sucessivas pôde manter-se vivo tornam-se verdadeiramente possíveis, e às vezes necessárias, as maiores e mais fecundas ousadias. Por outro lado, um dos evidentes sintomas de ruptura do laço vital com o passado está nesse afã sentimental e regressivo, afã de antiquários, que imaginam poder ressuscitar as formas mortas quando sabe copiar bem seus traços epidérmicos e seu perfil efêmero. Ao produto de tais fabricações, há de faltar sempre aquela inteireza orgânica das criações autênticas. Serão como uma periferia sem centro, como um corpo sem alma.

Um dos maravilhosos privilégios da gente italiana está justamente em que, nela, a solidariedade fundamental entre as diferentes eras, entre as gerações diferentes e distanciadas no tempo, não precisa reforçar-se com o recurso a algum artifício.

Se chega a reviver as formas ancestrais é que tais formas não lhe são exteriores e que ainda podem revelar-lhe seu valor intrínseco e familiar, que, nela, o passado, apesar de tudo, continua a ser presente. E se abandonou essa por outras formas, aparentemente subversivas, é que não perdeu a energia criadora, naturalmente iniciadora e renovadora.

Trazendo em si uma grande tradição, aquela gente não precisa ser tradicionalista, deliberadamente tradicionalista, pois é certo que só acostumamos aspirar ao que não possuímos. Guardo de memória uma passagem da admirável correspondência íntima do coronel Lawrence – o Lawrence da Arábia – onde se nota como o romantismo do passado é próprio dos homens sem passado, dos que buscam a todo preço nobilitar-se forjando para si linhagens e títulos imponentes. Seria lícito dizer, em outras palavras, que ele não vem de uma legítima herança, vem, antes, de uma tábula rasa, inspira-se num desejo de compensação ou é apenas um fruto do niilismo de nossos dias. Pois o niilismo, carecendo de qualquer forma, presta-se a assimilar todas as formas. E tanto melhor se estas forem antigas e veneráveis, porque então lhe darão mais autoridade, dando-lhe nobreza e grandeza, embora só de fachada.

Direi ainda que o saudosismo voluntário não se prende se quer forma, presta-se a assimilar exatamente o seu oposto. Pois quem diz história, diz movimento e diz transformação, não diz imobilidade chinesa. O passado [...] a mente criadora, por isso renovadora, e o passado longamente apreendido e absorvido, o passado como presença, não como espetáculo exterior, que se pode aplaudir e bisar à vontade. Nesse sentido, é lícito concluir que o senso histórico não se opõe às renovações legítimas; é sim, o verdadeiro substrato e o fundamento delas.

E já neste ponto podemos, enfim, elucidar um pouco daquele poder secreto e privilegiado, capaz de harmonizar no povo italiano, mais talvez do que em qualquer outro, a intimidade com o passado à atividade realizadora e transformadora. Essa harmonia entre a lembrança vivida e a esperança eficaz patenteia-se singularmente aqueles que puderam percorrer o continente europeu nestes dias turvos do pós-guerra. Enquanto entre outros povos, o passado – a experiência e o desengano do passado – é um embaraço às iniciativas, assim como a ignorância e o medo do futuro é um convite para o desalento, no italiano representa, ao contrário, um penhor seguro de vitalidade. A grandeza de sua história não é um simples consolo, é um estímulo. Ele não quer viver do passado e ainda menos copiá-lo, o que seria dar mostra de esterilidade e de impotência, quer situar-se à altura dele. E com isso ostenta-nos uma capacidade de reerguer-se, reconstruir-se, reabilitar-se, que não encontra paralelo no mundo de hoje.

Trazendo-nos a intimidade com o passado e o senso da cultura, dessa cultura que não se aprende nas escolas, mas é como uma segunda natureza, e pode existir no proletário mais humilde tanto quanto no sábio mais ilustre, o italiano enriqueceu-nos com sua ação e ainda com seu exemplo. A marca da história, o selo da nostalgia, não impediram que se devotasse com desvelo à nossa vida presente e colaborasse ativamente na construção de nosso futuro. Pode acontecer, por vezes, que aquela marca, aquele selo, se imprima mais vivamente do que o necessário, e muitos pensarão, como eu, que o Palácio Strozi cabe admiravelmente no seu lugar próprio da Via Tornabuoni, em Florença, e converte-se numa curiosa aberração naquele seu pastiche da Rua Quinze, em São Paulo. Mas em compensação, e para ficarmos na arquitetura, parece inegável que aos italianos ou filhos de italianos – esses novos *mamelucos* de que nos falava Antonio de Alcântara Machado – deve o Brasil, em parte apreciável, o lugar de vanguarda que ocupa hoje nos domínios dessa arte.

Quem leia o livro de Ema Calabi e Anita Cevidalli poderá aprender, se já não o souber, como Gregori Warchavchik, pioneiro desse movimento, recebeu na Itália, nos seus anos de aprendizagem em Roma, o impulso inicial para o trabalho renovador. E ninguém se admirará de que um filho de italiano, formado ao contato de mestres milaneses e romanos – Rino Levi –, seja o outro pioneiro em São Paulo do mesmo movimento.

Seria possível prolongar indefinidamente o cortejo de exemplos dessa ação estimulante que a Itália e os italianos exerceram sobre nossa cultura. A própria história de Paschale Petraconne, e a do prêmio que traz seu nome, é a esse respeito edificante e comovedora. Imbuído do gosto dos clássicos, sabe-se que esse homem devotou longos anos a uma luta obstinada para fazer mais acessível aos brasileiros os grandes movimentos e os grandes nomes da cultura universal. Poderia ter assegurado talvez um sucesso mais remunerado a esta casa editora que montou e manteve com dificuldade, se fizesse traduzir e imprimisse alguns *best--sellers* de renda garantida. Preferiu, no entanto, o caminho mais difícil: entregou-se com teimosia a uma verdadeira missão educativa. E se a missão lhe deu afinal mais tormentos do que lucros, não lhe faltaram, contudo, amigos desvelados para admirar e animar essa obstinação.

Depois de morto, seu nome teria permanecido na obscuridade não fosse a homenagem que esses amigos lhe prestaram. Cotizando-se em alguns casos com sacrifícios, premiando monografias de caráter histórico sobre as relações culturais entre a Itália e o Brasil. O prêmio Paschale Petraconne, resultado da iniciativa, é, assim, ao mesmo tempo, um prêmio póstumo a Paschale Petraconne. Creio que nenhuma recompensa lhe teria sido mais grata.

Alguns dos trabalhos apresentados no concurso, escritos, creio eu, para o concurso, já sugerem que ele poderia provocar obras tão valiosas e necessárias como essa que nos deram (as autoras). Seu trabalho sobre a arquitetura italiana em São Paulo constituirá, assim, um ponto de partida, o marco inicial para a sistemática exploração de um tema amplo e relativamente descurado, os estudos ítalo-brasileiros.

Esse tema envolve assuntos, sem dúvida, e envolve nomes que não cessam de ser evocados. O lugar de um Américo Vespúcio nos umbrais de nossa história constitui problema constante para os historiadores. E o papel de Garibaldi nos dois mundos ainda é objeto de ensaios eruditos ou simplesmente declamatórios.

Contudo, outros fatores – e quantos – permanecem quase ignorados. Poucos se lembram, por exemplo, de que a um italiano, a Bartolomeu Marchione, se devem alguns dos primeiros passos para o aproveitamento comercial regular do nosso pau-brasil. A ação dos adornos genoveses, que documentos castelhanos renovam, agora, ter-se estendido até Assunção e o Prata, como no Brasil, durante o quinhentos, se estendeu de São

Vicente à Baia de Todos os Santos, ainda espera o paciente pesquisador que dê a ele todo seu alcance. Pode, no entanto, dizer que a um deles, outro italiano, João Batista Maglio, por algum tempo feitor de engenho vicentino do Schetz, se associam os inícios da exploração sistemática de nossas minas. Encontramos no século seguinte um florentino – Baccio de Filicaya – mandado vir por d. Francisco de Souza. De sua pessoa e obra julgo ter encontrado alguns sinais durante uma visita, infelizmente muito rápida, à seção de manuscritos da Biblioteca de Florença. Outro toscano, o jesuíta Antonio Andreoni, luquense, escreveu no século XVIII, com o pseudônimo de Antonil, um tratado exaustivo e de valor incomparável sobre nossa vida econômica.

Há ainda a estudar, em outro domínio, a enorme influência literária italiana sobre a nossa poesia arcádica setecentista. Dela existe precioso testemunho em carta que a Metastásio chegou a dirigir o nosso Basílio da Gama. Há o papel dos soldados italianos que, em alguns casos, no de Fillipo Cavalcanti, por exemplo, ou no de Zenóbio Accievali, se tornaram patriarcas de grandes e ilustres famílias brasileiras.

Esses dados, colhidos mais ou menos a esmo, referem-se unicamente ao nosso período colonial. Se eu fosse ordenar a história recente, eles se multiplicariam a tal ponto que não caberia nos limites toleráveis de uma palestra. Quase todos envolvem matéria que requer com urgência a atenção dos pesquisadores. Para citar um único exemplo, precisamente o mais notável, lembrarei que ainda não se escreveu nenhum estudo em largas proporções e verdadeiramente digno desse nome sobre a imigração italiana com suas repercussões imensas sobre o desenvolvimento de nosso comércio, sobre a criação de nossa indústria, sobre a nossa evolução demográfica, sobre a nossa vida social. Basta esse exemplo para revelar que os promotores do prêmio Paschale Petraconni souberam eleger um terreno vastíssimo, excepcionalmente fértil e ainda mal desbravado. Os meios para explorá-lo em todos os sentidos nos precisam ser exclusivos, e os frutos serão, sem dúvida, numerosos e compensadores. Com o patrocínio e o apoio desse benemérito instituto, eles servirão para alimentar nos dois povos, no italiano e brasileiro, essa fraternidade consciente e ativa que deita suas raízes no grande elo comum da civilização latina.

História econômica*

Só recentemente o nome de um dos mais notáveis pesquisadores de nossa história econômica – o de Alice Piffer Canabrava – começou a destacar-se do círculo ainda limitado de seus colegas e discípulos.

O fato prende-se apenas em parte à especialização que escolheu e a que se entregou com devotamento bastante raro, mesmo entre os oficiais do seu mesmo ofício: ofício onde a exigência de rigor metódico, de obstinação no trabalho, paciência, prudência, é paga normalmente com o sacrifício de toda popularidade fácil. Pois o certo é que a historiadora paulista nada fez e, em realidade, nada quis fazer, até hoje, para superar essas contingências de sua especialização. O público que a acompanha desde os seus primeiros trabalhos publicados foi ela própria, em verdade, quem o escolheu. E o outro, mais numeroso e variado, que só nos últimos tempos tem ganho, bem se pode dizer que o ganhou involuntariamente e quase a seu pesar.

Casos como esse, de um autor que mal aparecendo em colunas de jornais ou páginas de revista já pode firmar a sua reputação unicamente sobre teses de tiragem reduzida, ainda são pouco frequentes em uma terra

* Artigo originalmente publicado no *Diário Carioca*, 24 ago. 1952. (N. O.)

sem tradição universitária, onde o ensino superior só aos poucos se vai emancipando das finalidades pragmáticas e estreitamente profissionais a que andou atrelado durante mais de um século. Mas justamente por serem excepcionais é que eles merecem maior realce.

No caso particular de Alice Canabrava esse realce não há de provir, como em alguns outros, da simples curiosidade erudita da autora ou da sua alta capacidade de trabalho e pesquisa. À documentação generosa e à meticulosa elaboração que se denuncia em cada uma de suas páginas soma-se nela um elemento que as valoriza singularmente: o gosto constante de desbravar caminhos novos, vencendo, por vezes, as maiores dificuldades, e ainda a aptidão para transcender, através de sínteses estimulantes, esse domínio do fato bruto, que para o historiador positivista e até hoje para certa historiografia oficial, representa não só o ponto de partida mas também o fim supremo de toda investigação do passado. De modo que seus estudos tendem a inscrever-se, apenas publicados, entre as obras de consulta inevitável sobre o tema abordado.

Quem poderá tratar hoje de nossa história comercial em fins do quinhentos e na primeira metade do seiscentos sem recorrer ao extenso trabalho sobre o *Comércio português no Rio da Prata 1580-1640*, que ela fez imprimir quando, em 1944, ainda era assistente da cadeira de História da Civilização Americana na Faculdade de Filosofia da Universidade de São Paulo? Contrariando a tendência tão generalizada entre nós para encarar o influxo luso-brasileiro, sobre as regiões platinas, unicamente do ângulo das campanhas militares ou das relações políticas e diplomáticas, essa obra de estreante já é, pela sua originalidade e segurança, uma obra de mestre.

Pode-se ver através de suas páginas como o comércio ora vedado, ora tolerado com hesitações, e depois o contrabando extenso e irreprimível, tiveram efeitos duradouros que não se interromperam sequer com a restauração portuguesa de 1640. E que não agiram apenas sobre o mundo luso-brasileiro. As conclusões do estudo, apoiadas naturalmente e sem violência sobre uma soma considerável de dados e observações, sugerem como foi aquela fase incipiente do comércio que marcou no Prata, com os primeiros indícios da existência do capital e da fortuna móvel, o advento decisivo de uma burguesia urbana contraposta à aristocracia rural. E como a transformação econômica originada de tal situação não deixaria de refletir-se, por sua vez, numa evolução política de longo alcance. O contraste entre o comércio monopolista de Lima e o comércio contrabandista de Buenos Aires criaria os fermentos de uma luta que iria resultar, em 1777, na formação do Vice-Reinado do Prata, e depois, na separação do Alto Peru.

Os numerosos problemas relacionados ao mundo luso-brasileiro que se esboçam aqui a todo momento não poderiam evidentemente ter papel absorvente em trabalho de especialização numa cadeira de História de civilização americana. Mas já a constante presença daqueles problemas é significativa de uma preocupação que se irá acentuar com o tempo. Essa preocupação é sensível mesmo na tese sobre *A indústria do açúcar nas ilhas francesas e inglesas do Mar das Antilhas 1697-1755*, com que a autora se candidatou em 1946 à mesma cadeira. As harmonias e contrastes entre as condições predominantes, de um lado no Brasil, de outro nas Antilhas, servem como *leitmotiv* a todo estudo. Os contrastes vêm principalmente de que, não obstante a unidade fundamental do sistema praticado pelas metrópoles nas áreas coloniais açucareiras, manifestou-se nas Antilhas, ao oposto do que ocorreu no Brasil, uma tendência generalizada para o absenteísmo, que não deixou de produzir consequências catastróficas. O fato de os senhores rurais antilhanos, em sua maioria, viverem faustuosamente na Inglaterra ou na França, impediu por outro lado que as colônias dispusessem "de chefes para a vida pública e social, assim como de direção responsável para a indústria particular".[1] E isso repercutiria decisivamente na evolução política daquelas regiões.

> No Brasil, onde desde o século XVI se formara uma classe de senhores rurais ligados à terra e enobrecidos por ela, madrugaram os movimentos nacionalistas. As possessões antilhanas, francesas e inglesas permaneceram em sua totalidade voltadas à condição de colônias europeias.

1 Canabrava, *A indústria do açúcar nas ilhas francesas e inglesas do Mar das Antilhas 1697-1755*, p.128.

A exceção quanto a São Domingos é particularmente ilustrativa, pois aí vamos encontrar mais do que em qualquer outra parte, no século XVIII, o senhor de engenho das colônias francesas fixado à terra. Lembremos, todavia, que o grupo que fez a revolução, conquistando o poder, se constitui principalmente de homens de cor, ou seja, de mestiços descendentes de escravos.[2]

Embora só existisse uma centena, ou pouco mais, de exemplares mimeografados que se destinaram expressamente ao concurso, à repercussão alcançada pelo estudo do açúcar antilhano, justamente nos meios onde se poderiam discutir com melhores recursos os seus dados e conclusões, fala bem em favor do tirocínio de quem o redigiu. É característica a admiração e surpresa que pôde merecer de historiadores tão autorizados como o norte-americano Lewis Hanke, por exemplo, ou o professor Boxer, da Universidade de Londres, ou ainda um Fernand Braudel, do Collège de France.

Da leitura dessa obra, apoiada numa impressionante bibliografia de impressos, além de copioso material manuscrito obtido de instituições como a Library of Congress de Washington, ou a biblioteca da American Jewish Association de Nova York, sem falar nos arquivos brasileiros e que representam um trabalho em muitos pontos sem antecedentes e verdadeiramente sem modelo em nossa literatura histórica, pode ficar-nos, no entanto, um sentimento de insatisfação. A autora refere-se por mais de uma vez ao caráter essencialmente unitário da área açucareira americana. Ora, essa unidade só seria abrangida se o estudo pudesse ser largamente ampliado na parte referente ao Brasil. Não seria o caso de retomá-lo e completá-lo agora, quando cessaram os motivos, que por algum tempo exigiam a limitação do quadro?

Contra um plano dessa ordem trabalharam até aqui razões poderosas. A mais poderosa prende-se, talvez, à elaboração do livro, cujo

2 Ibid.

comentário já não cabe nesta resenha, sobre o *Desenvolvimento da cultura do algodão na Província de São Paulo*, durante a Guerra da Secessão norte-americana, que lhe custou quatro anos de aturadas pesquisas. É possível, no entanto, que as aspirações de ver realizar-se o trabalho mais amplo, de que a tese de 1945 teria sido apenas um primeiro e incompleto esboço, provenha de uma noção equívoca do caráter da disciplina a que se devotou Alice Canabrava.

Um hábito longo e arraigado inclina-nos, com frequência, a medir a grandeza ou mesmo a operosidade de um autor segundo a grandiosidade, intangibilidade e a aparente perenidade das obras que pode escrever. Assim, quem não chegue a produzir algum livro exaustivo e definitivo, capaz por si só de ornamentar para sempre a cultura intelectual de um povo, desses livros – conforme aquela célebre distinção de Alberto de Oliveira – que, ficando de pé na estante ficam de pé na eternidade, teria barrado o caminho da verdadeira e justa notoriedade.

Mas não seria isso esperar quase o impossível de quem se dedica, nos dias de hoje, aos estudos de história econômica? As transformações recentes e crescentes que vêm abalando os mais firmes postulados da economia clássica tendem a refletir-se tão vivamente na historiografia, que nos vão acostumando, cada vez mais, a renunciar à conquista das soluções cabais em favor do insuficiente e do provisório. A tal ponto que, nesses domínios, uma obra considerada perfeitamente satisfatória há quinze e há vinte anos pode achar-se, hoje, em muitos pontos, superada. Notou-se isso, por exemplo, a propósito da *História econômica de França* de Henri Sée, escrito em 1936 para uma editora alemã e só ultimamente impressa em francês.

E além dos métodos que vai proporcionando a moderna ciência econômica há a acrescentar, cada vez mais, a existência de recursos novos de pesquisa cujo alcance não podiam suspeitar os historiadores de ontem. É típico um caso como o de Lipson, que, ao refundir sua *História econômica da Inglaterra*, teve de tomar conhecimento de dados recentemente obtidos com o socorro da fotografia aérea para encontrar um testemunho da ruptura havida na continuidade entre os sistemas de exploração agrária romano-bretão e anglo-saxão.

Aqui, ao menos, a crise atual das disciplinas históricas bem pode comparar-se a uma crise de crescimento. E o termo ideal – possível – dessa crise chegará no dia em que a própria História econômica possa desaparecer como especialização, em benefício de uma historiografia onde todas aquelas aquisições provisórias se achem finalmente incorporadas. Até que venha esse dia, uma consideração mais atenta dos fatores econômicos, no estudo da história, fornecerá não uma chave para todos os segredos, mas um meio de se retificarem muitas das ilusões a que nos encaminham certos critérios idealistas, ideológicos, apologéticos, emotivos, místicos, míticos ou mesmo geomíticos, para falar como o professor Jaime Cortesão. Para o notável mestre da história luso-brasileira, alguns desses critérios serviriam à sua ânsia de somar novos louros a outros tantos, e estes indiscutíveis, que conquistaram os portugueses na era das conquistas e dos descobrimentos. De onde aquelas certezas tranquilas o levam a ver sintomas de nacionalismo, e até de "nacionalismo tupi", no qual não consiga partilhar delas. O caso, em particular, do autor do presente comentário que, depois de tantos historiadores, e até segunda ordem, não vê razão muito séria para modificar-se a tese de que, sem a ação dos mamelucos, os povoadores portugueses do Brasil colonial teriam continuado, provavelmente, a "arranhar as costas como os caranguejos", tal como faziam ao tempo do frei Vicente do Salvador. A suposição de que nossos sertanistas dos séculos XVII e XVIII nunca pretenderam pousar para a glória, mas obedeceram largamente – desobedecendo as ordens vindas da Metrópole – a algumas contingências bastante prosaicas e rasteiras, parece-me que está precisamente no polo oposto a qualquer nacionalismo, inclusive a esse curioso "nacionalismo tupi" de que em artigo recente me vi acusado pelo sábio historiador português.

Se os modernos estudos da História Econômica, tais como entre nós vem praticando especialmente Alice Canabrava, podem ser responsabilizados até certo ponto pela renúncia às vastas sínteses em proveito de trabalhos monográficos, ninguém negará que tendem a oferecer, por outro lado, algumas vantagens claras. Entre elas a de contribuírem para desfazer as ilusões raciais, políticas ou nacionais que por tanto tempo vêm perseguindo certos espíritos. A seu propósito caberiam aqui para terminar estas palavras incisivas de um dos maiores historiadores de nosso tempo. "Não é só devido ao *parti pris*", escreveu Henri Pirenne,

> que tantos pesquisadores do passado carecem de imparcialidade. Quem vive perdido de admiração diante de sua própria gente tende inevitavelmente a exagerar-lhe a originalidade e dar-lhe a honra de descobrimentos que, de fato, não lhes pertencem. E assim, há de ser injusto para com os outros, porque deixa de compreendê-los e porque o exclusivismo de seus estudos sujeita-os ao capricho dos ídolos fundados no sentimento.[3]

3 Pirenne, *Les villes du Moyen-Age, essai d'histoire économique et sociale.*

Estudos luso-brasileiros*

Das comemorações que há três anos marcaram em Washington o 150º aniversário da Biblioteca do Congresso constou, por iniciativa do professor Lewis Hanke, um *coloquium* devotado aos estudos luso-brasileiros. Essa iniciativa não visava apenas congregar especialistas – historiadores, linguistas, antropólogos, críticos de arte ou de literatura – oriundos do Brasil, de Portugal, das possessões lusitanas. O conhecimento das nossas tradições comuns, a melhor inteligência dos valores espirituais que nelas se encarnam, a defesa desses mesmos valores quando mereçam efetivamente ser defendidos, não hão de constituir preocupação exclusivista e ciumenta dos povos que falam o português. Sua importância mal poderia ser julgada pelos que julgam, a bem dizer, em causa própria; é indispensável que muitos outros possam colaborar nesse julgamento, pois uma cultura não vale na medida em que procura bastar-se, mas na medida em que se torna realmente comunicativa (e também receptiva), isto é, em que aspire cada vez mais a universalizar-se.

Fossem quais fossem os resultados da reunião de Washington, o próprio fato de ser efetuada fora da órbita do mundo de língua portuguesa ten-

* Artigo originalmente publicado no *Diário Carioca*, 13 dez. 1953. (N. O.)

dia a salvá-la de um tal exclusivismo. Do risco, em outras palavras, de ver-se o *coloquium* convertido num monólogo mais ou menos inconsequente. Tendo tido ocasião de participar daquela reunião, e tendo sido, além disso, um dos autores da proposta apresentada à Comissão do IV Centenário de São Paulo para que se realizasse, entre as comemorações culturais projetadas para 1954, um segundo congresso com o mesmo sentido e nos mesmos moldes do primeiro, interessei-me vivamente, na consultoria competente da mesma comissão, em que dele participassem, na medida do possível, estudiosos estrangeiros, isto é, não apenas portugueses e brasileiros.

As severas medidas econômicas que tornaram inevitável aparentemente a supressão ou restrição de muitos dos congressos inicialmente previstos não parece ter afetado a ideia da realização do 2º Coloquium. E tudo faz crer e esperar que não afetarão o plano primitivo de associar-se a ele um número tão considerável quanto possível de representantes de núcleos de estudos luso-brasileiros em vários países. Como ignorar, no caso de uma iniciativa semelhante, alguns desses especialistas que, mesmo posteriormente à reunião de Washington, ofereceram contribuições apreciáveis para o melhor conhecimento dos países de língua portuguesa? Já não me quero referir por exemplo aos que, nos capítulos ou volumes dedicados ao Brasil do *Handbook of South American Indians* e outras publicações similares, tanto vêm contribuindo para o progresso das pesquisas em torno das nossas populações indígenas. Esses, ao menos, se farão lembrar no 31º Congresso Internacional de Americanistas, cuja realização em São Paulo, durante a última semana de agosto de 1954, ficou assegurada, em virtude da proposta feita em Cambridge, no ano passado, pelo professor Herbert Baldus, chefe da seção de Etnologia e vice-diretor, ora em exercício, do Museu Paulista. Do bom êxito obtido por tal proposta, não obstante as reivindicações idênticas de outros países, como Cuba e Colômbia, do apoio que veio a merecer da Comissão do IV Centenário, resultará que pela segunda vez, num período de mais de meio século, o Brasil se tornará sede dessa assembleia científica.

Penso sobretudo em trabalhos recentemente publicados, como o do professor Boxer, da Universidade de Londres, acerca de Salvador Correa de Sá, fruto de apuradas pesquisas em arquivos da Europa, do Brasil e do extremo oriente em torno dessa figura tão eminentemente luso-brasileira. Ou ainda no estudo que merece, com justiça, o qualificativo de "monumental", dedicado pelo professor Le Gentil à poesia lírica espanhola e portuguesa em fins da Idade Média. Iniciada em 1949 e concluída neste ano de 1953, essa publicação oferece em mais de mil páginas elementos amplos e, por muitos aspectos, definitivos para o conhecimento das origens e das constantes do lirismo ibérico. Por ela se vê claramente como entre a obra dos velhos trovadores galego-portugueses e os cancioneiros onde se compendia a poesia quatrocentista da Península Ibérica não há, ao contrário do que tantas vezes se julgou, verdadeira solução de continuidade, mas uma evolução que afeta ao mesmo tempo o "fundo" e a "forma", sem todavia prejudicar a sensibilidade e a "ideologia" tradicionais. E a própria transformação que padecerá esse lirismo durante o século XVI, sob a ação do petrarquismo, não o destaca nitidamente do passado. À distância de um século, em plena Idade Média, os poetas portugueses e os castelhanos anunciavam a seu modo certas formas que Ronsard e a Plêiade ilustrariam.

O mestre francês não deixa, por outro lado, de sublinhar as diferenças já sensíveis durante a época medieval entre o lirismo dos dois povos peninsulares. Então a retórica edificada sobre antíteses, o conceptismo, com seus jogos intelectuais tão diversos daqueles que praticavam pela mesma época os franceses e os italianos, já constitui fenômeno essencialmente castelhano. Os portugueses, por sua vez, voltam-se insistentemente para os tipos de expressão mais singelos e musicais. As melhores composições do *Cancioneiro de Baena* são, sem dúvida, aquelas que, enlaçando-se ao velho lirismo galego-português, manifestam o que, segundo a observação de Le Gentil, constituiria seu doloroso e nostálgico "romantismo". Não estaria aqui as raízes da diferenciação subsequente entre numerosos aspectos das literaturas espanhola e portuguesa e também entre as hispano-americanas e a brasileira?

É ainda a consequência clara dessa diferenciação, abrangendo as expressões espirituais e as do sentimento, que se situa o ponto de partida de outra obra para a qual eu gostaria particularmente de chamar a atenção, destinada a melhorar nosso conhecimento das letras portuguesas e, não menos, creio-o, das brasileiras. A vantagem de contar com uma tradição até hoje insuperada de estudos de história e crítica literária, a tradição fundada e primeiramente fixada por De Sanctis em um livro que, impresso há quase oitenta anos, nada ou quase nada perdeu, até hoje, de sua atualidade, acrescenta-se na obra recente do professor Giuseppe Carlo Rossi uma exemplar informação, refletida nas excelentes bibliografias apenas a cada capítulo.[1] Publicado na mesma coleção em que já figuraram a *História da literatura inglesa* de Marie Praz e a *Literatura russa* de Ettore Lo Gato, esse volume pode comparar-se favoravelmente, de vários pontos de vista, ao que de melhor se tem escrito fora de Portugal sobre o assunto: o livro clássico de Aubrey Bell, por exemplo, ou o trabalho correspondente do próprio Le Gentil. E não é tanto, ou apenas, aos seus numerosos alunos da Universidade de Roma que pode interessar o livro do professor Rossi: mesmo para portugueses e também para os brasileiros empenhados em conhecer melhor as origens de sua vida espiritual, a contribuição que ele nos oferece será estimulante e eficaz. Isso é explicável, não apenas pela segurança dos métodos de análise de que dispõe o autor, mas ainda pela situação de fato privilegiada em que pode encontrar-se um italiano, conhecedor da literatura e da cultura de seu país, para avaliar com justeza a evolução espiritual dos outros povos neolatinos. Em Portugal, especialmente, nunca se poderá exagerar demasiado o papel decisivo exercido pelas correntes intelectuais e estéticas que lhe vieram da Itália. E o conhecimento dessas tendências proporcionará uma perspectiva singularmente valiosa para quem se proponha a estudar a história literária dos países de língua portuguesa.

Contudo o professor Rossi não se detém nessas expressões até certo ponto reflexas da cultura lusitana de modo a esclarecer a originalidade de seu poder de criação ou elaboração dos elementos adventícios. Essa originalidade vêmo-la manifesta, em primeiro lugar, e com bastante ênfase, diante da literatura castelhana. A própria história e a literatura de Portugal, observa ele já no pórtico do livro, "contribuíram naturalmente para destacar sua literatura das outras, a começar pela castelhana, com a qual

1 Rossi, *Storia della letteratura portoghese.*

se acha em contato direto". E entre os seus traços distintivos mais constantes está o abandonar-se ao sentimento, o comprazer-se em estados de alma vagos e indefinidos, assim como a carência do espírito analítico, filosófico e crítico. De tudo isso resulta o predomínio das formas líricas, às quais a aspiração à aventura, solicitada e acrescida pela multiforme experiência dos dois séculos dos descobrimentos e conquistas, somou a seguir um novo "gênero": a narrativa marítima.

De qualquer modo, com essas qualidades positivas ou negativas, os portugueses puderam desenvolver uma atividade literária admiravelmente fecunda de vários pontos de vista. Sabemos como já na Idade Média alcançaram eles, antes de qualquer outro povo ibérico, plena maturidade na expressão lírica, a tal ponto que o galego-português se tornaria quase até o século XV o idioma obrigatório do lirismo mesmo nas áreas ocidentais da península, onde se falava língua diversa. Entre portugueses também, segundo as maiores probabilidades, nasce a variedade ibérica da novelística de cavalaria já prenunciada nas versões das lendas bretãs e nas alusões à matéria cavalheiresca dos cancioneiros e dos nobiliários. A novela de fundo sentimental e nostálgico surge, por sua vez, com a *Menina e moça*, do português Bernardino Ribeiro. Outro português, Jorge de Montemór, escrevendo, embora, em castelhano e desenvolvendo com bastante independência uma corrente literária oriunda da Itália de Sannazaro, cria com os sete livros de Diana um tipo de novela pastoril que encontraria ressonâncias em toda a Europa. À própria historiografia europeia os portugueses do quinhentos dão uma extraordinária contribuição de conteúdo e matéria, embora se abstenham eles mesmos de "filosofar", absorvidos que se acham pela ânsia de viajar e viver. "A curiosidade europeia", escreve o professor Rossi, "é estimulada pelos escritos múltiplos e variados desses portugueses: vai, assim, ganhando cidadania, no saber europeu, um mundo sempre mais amplo, vário e atraente".[2] Outra manifestação original dos portugueses são as narrativas dos sobreviventes de naufrágios dos séculos XVI

2 Ibid.

e XVII, compendiados principalmente na *História trágico-marítima*, e que não temos confronto com a análoga literatura marítima espanhola (cujas obras são manifestamente menos pessoais, constituindo-se antes de relatos oficiais do que de recordações sugestivas), nem com a inglesa do *calling of the sea*. É ainda em Portugal que a écloga pastoril, inspirada nas festas cristãs, se converte por obra de Gil Vicente e seus seguidores em forma dramática, antecipando, a distância, embora, o grande teatro espanhol do "século de ouro".

Dos mundos novos que descobriram eles próprios ou que ajudaram a descobrir e revelar, não seriam sempre portugueses os maiores exploradores ou beneficiários. Historicamente verdadeiro no domínio político, esse fato não é menos na ordem espiritual. Mas o espírito que animou de início essa atividade generosamente criadora não se exauriu nela: mesmo onde se limitou a absorver ou assimilar formas peregrinas, jamais deixou de imprimir-lhes o selo de sua personalidade nacional. E essa personalidade, tal como se pode manifestar na literatura, constitui, no fundo, o objeto desse livro, tão rico em ensinamentos e sugestões.

Piratininga 1532-1560*

A fundação, há quatrocentos anos, de um povoado de portugueses apartado 12 léguas do litoral Atlântico, em sertão quase ínvio – só acessível através de ásperas veredas, que até o século passado seriam o tormento ou o espantalho dos viajantes –, sugere problemas que transcendem o alcance de uma simples História regional. Em parte alguma das suas conquistas, certamente em lugar algum do Brasil, tinham os lusitanos formado um assento urbano tão longe da costa marítima ou dos rios navegáveis. O princípio que, expresso ou não, governa por essa época toda a sua expansão ultramarina, manda que as regiões de terra adentro não se povoem antes de assegurado o povoamento, a defesa e a posse da marinha. O contrário seria desampararem-se, com funesto efeito, as mesmas conquistas, sobretudo se em sítios infestados de inimigos e corsários.

Precisamente no Brasil, aquele princípio, ditado pelas condições especiais de sua Metrópole europeia, que não dispunha de gente numerosa e nem, por isso mesmo, de poderosa milícia para ensaiar em seu longo império uma empresa de molde aparatoso, comparável à que se vinha realizando nas Índias de Castela, é manifesto já nas cartas de doação das

* Artigo originalmente publicado na *Folha da Manhã*, São Paulo, 24-25 jan. 1954. (N. O.)

capitanias, nas quais se estipula que aos donatários será lícito erigirem tantas vilas quantas queiram junto ao mar ou aos rios navegáveis, porém que pela terra adentro as não poderão fazer, salvo se entre uma e outra corra espaço mínimo de 6 léguas. A ideia era, claramente, conterem-se os povoadores nas imediações dos portos de embarque e pontos vulneráveis da costa, pois não seriam os colonos em tamanho número que pudessem ser encaminhados ao sertão sem se despovoarem aqueles sítios. Em resultado de uma tal providência, o Brasil quinhentista não abriria exceção à regra então dominante no mundo português, que um historiador dos nossos dias definiu sugestivamente dizendo que constava de "uma linha de fortalezas e feitorias de 10 mil milhas de comprido".[1]

Mas a exceção existe. Existe, paradoxalmente, no ponto exato onde a barreira das montanhas, que no Brasil acompanham a orla costeira, parece oferecer maior estorvo ao acesso e penetração do território. Ainda mais: "O empenho de triunfar sobre esse natural obstáculo e de se instalar serra-acima parece perseguir os colonizadores logo depois de familiarizados com o litoral vicentino". Nada, ou quase nada, sabemos das entradas daqueles portugueses – reinóis ou mazombos, brancos e mestiços da terra –, que, antes de chegar a armada de Martim Afonso de Sousa, tinham na Ilha de São Vicente um povoado estável, onde se dedicavam ao tráfico de escravos indígenas. Mas não foi certamente por acaso que o capitão português, tendo corrido toda a costa conhecida dos demônios portugueses na América, elegeu aquele ponto para penetrar o sertão e ali levantar pelourinho nos campos de Piratininga. Como, por falta de comodidade, logo se dispersasse essa primeira vila, nem assim esmorece o empenho de povoar o planalto. Passados quase vinte anos, em 1550, o padre jesuíta Leonardo Nunes escala, por sua vez, a serra fragosa, encontra ali derramados os cristãos pertencentes ao núcleo disperso, que não tinham tornado ao litoral, e trata de juntá-los novamente. Como não pudessem ter vida civil ou religiosa por falta de quem curasse disso, fez com que se reunissem todos, dessa vez à borda do campo, em torno da

1 Tawney, *Religion and the Rise of Capitalism*, p.72.

pequena igreja que fizera construir. Com razões prováveis supõe Serafim Leite que se tratasse da ermida e povoação, mais tarde vila, de Santo André, o célebre reduto de João Ramalho e de seus filhos mamelucos.[2]

O núcleo originário da atual São Paulo é notório que não foi ali, mas em lugar distante 2 léguas para o sertão, à margem do rio que então se chamava Piratininga e, de fato, "onde Martim Afonso de Sousa primeiro povoou".[3] Sabe-se hoje que a fundação dessa nova aldeia, por iniciativa e esforço de Nóbrega, ocorreu no dia 29 de agosto de 1553. Quando, a 25 de janeiro do ano seguinte, se inaugurou a casa nova, de taipa, destinada aos irmãos, ainda se conservava no local a velha cabana em que ficara situada a "escola de meninos" do irmão Afonso Rodrigues, diferente da "escola de gramática", ou de latim, do irmão José de Anchieta. O adjetivo "velhíssimo", expressamente aplicado ao edifício ("*pauperrimo et vetustissimo... tuguriolum*") no texto jesuítico no qual vêm consignados esses fatos, não combina facilmente com a suspeita de que datasse apenas do estabelecimento preliminar dos inacianos anterior de cinco meses à fundação oficial e ao batismo do povoado. É perfeitamente natural, por outro lado, a suposição de que subsistisse ainda em 1554, no local, alguma das taperas da vila de Martim Afonso de Sousa. Nesse caso não é audacioso dizer que o povoado de Nóbrega se enlaça perfeitamente ao de Martim Afonso e, assim, que as comemorações atuais se hão de referir não tanto à fundação inicial, como a uma segunda e definitiva fundação. A primeira dataria, em realidade, de 1532.

Nada disso diminui o papel que coube ao provincial dos jesuítas nas origens da atual São Paulo. Melhor do que outros, melhor do que o primeiro governador-geral, soubera ele ver as vantagens, ao menos para o mister da catequese, de uma entrada e fixação nas áreas de serra-acima. E ainda que essas vantagens parecessem resumir-se, de início, no seu desejo de conservar o gentio da terra livre de contato assíduo com os colonos, o interesse que depois mostrou na mudança para o novo local dos moradores de Santo André da Borda do Campo – mudança que se

2 Serafim Leite, *Nóbrega e a fundação de São Paulo*, p.30.
3 Nóbrega, *Cartas do Brasil*, p.145.

fará em 1560 por determinação de Mem de Sá – indica que tal razão não seria preponderante em seu pensamento. E em carta de março de 1553, escrita a seu mandado e só agora divulgada por Serafim Leite, diz-se que já era intenção do Provincial ir pela terra adentro e fazer entre os gentios "uma cidade".[4]

Contra esse pensamento, as razões opostas por Tomé de Sousa, que tratou obstinadamente de embargar o plano de um novo estabelecimento na boca do sertão, obedecem ainda à concepção portuguesa tradicional, que só via em uma tal iniciativa o risco de ficar inteiramente desamparado o litoral marítimo. Esse risco era particularmente sensível no momento em que surgia notícia ou esperança de haver ouro e prata por aquele sertão. À mesma razão alude Nóbrega quando tenta discriminar as causas da resistência do governador. "Porque", observa em carta daquele ano de 1553, "fora abrir as portas a grandes males e a se despovoar esta capitania". Adiante, na mesma carta, justifica-se mais pormenorizadamente aquela notícia, ou esperança, com a alegação de se terem encontrado minas de prata, embora, por falta de quem as fundisse, não se soubesse ao certo o que fosse, "as quais minas", diz-se textualmente, "acharam e descobriram os castelhanos do Paraguai, que estarão daqui desta capitania [de São Vicente] 100 léguas e está averiguado estarem na Conquista de El-Rei de Portugal".

É de todo interesse aproximar-se a essa informação o constante de um documento aparentemente ainda inédito existente no Archivo General de Indias de Sevilha, onde o espião castelhano Martín de Orue relata os resultados da missão secreta que lhe fora confiada em cédula de sua majestade católica, de obter pessoalmente, com a melhor diligência, em Lisboa, várias informações relativas à expedição de Luís de Melo. Nesse papel, a que tive oportunidade de aludir em outra ocasião,[5] declara Orue que, no mês de setembro de 1553,

4 Serafim Leite, op. cit., p.18.

5 Expansão paulista em fins do século XVI e princípio do século XVII, p.11.

veio um homem da mesma Capitania de São Vicente e vizinho dela, chamado Adão Gonçalves, por parte do capitão daquela terra, o qual trouxe certos metais que houvera da gente do Rio [da Prata], que lhe haviam dado os espanhóis que tinham pousado em sua casa e o que lhes tomou o capitão da terra, e parte desses metais diz que eram da Assunção e parte do Piquiri.

Acrescenta que, chegando a Lisboa, Gonçalves dera parte do caso a Martim Afonso de Sousa e, feitos dos metais certos ensaios, acharam que era prata e de boa qualidade.[6]

A notícia logo se divulgaria em Lisboa e os mesmos Martim Afonso e Adão Gonçalves, juntamente com dois mercadores que tinham seus negócios de açúcar em São Vicente, a saber o flamengo João Benyste (isto é, Jan Van Hielst, agente dos Schetz de Antuérpia) e o genovês Felipe de Adorno, pleitearam de sua alteza que por nenhum modo permitisse passagem pelo caminho entre São Vicente e Assunção, caminho esse que Tomé de Sousa mandaria cegar, por assim convir melhor à real fazenda. Ao mesmo tempo solicitavam que lhes fosse autorizado entrar pela terra adentro em busca de minas e metais, e que onde os achassem e povoassem, pagariam os quintos e direitos pertencentes à Coroa. Outrossim, onde quer que encontrassem os ditos metais, e por espaço de 20 léguas em torno, nenhuma outra pessoa poderia entrar a buscá-los ou descobri-los.

Segundo o mesmo documento, deferiu el-rei ao pedido, dando aos requerentes o alvará necessário. E seu fim – comenta Martín de Orue – "era ir às minas do Piquiri, porque dizem que aquela terra e ainda a Assunção entram na demarcação do rei de Portugal". Com esse despacho, já em março do ano seguinte saíam de Lisboa, com destino a São Vicente, os ditos Gonçalves e Adorno, decididos a pôr o plano em execução.

Seja qual for a parte de fantasia que possa entrar na relação de Orue, entregue ao "Conselho de Sua Majestade o Imperador em Valadolid" a 5

6 Manuscrito do Archivo General de Indias: 25 - 1/14 R.o 22.

de setembro de 1554, suas informações completam e ampliam em parte o que sabemos através das palavras de Nóbrega e de Tomé de Sousa. A notícia da existência de prata no Piquiri resultaria sem fundamento após exames mais acurados do que os que se teriam ensaiado em 1553 no metal ali encontrado. E quando Felipe de Adorno e Adão Gonçalves partiram de Lisboa em março de 1554, já estava fundada, e com seu nome definitivo, a povoação nova do campo de Piratininga.

Os pretensos achados de minas só indiretamente poderiam ter influído no bom êxito do estabelecimento. E, no entanto, é de todo provável que de algum modo estimulassem a penetração do território. É de crer que a mesma causa tivesse agido 22 anos antes sobre o ânimo de Martim Afonso quando decidira criar uma vila no planalto: por isso ficou dito acima que não seria casual sua decisão de escolher este e não outro ponto dos domínios portugueses para fundar um primeiro núcleo fixo de moradores fora da orla marítima. E também não terá sido por acaso – acrescente-se – que, tendo percorrido toda a costa brasileira, foi em São Vicente que obteve seu quinhão ao instituir-se o regime das capitanias.

Em realidade, das terras que quase certamente cabiam na demarcação lusitana da América, era essa, geograficamente, a mais chegada às regiões platinas, já celebres pelas riquezas fantásticas que lhe atribuíam os primeiros navegantes. Já ao sul de Cananeia principiava a área que esses marujos tinham batizado com o nome de "costa do ouro e da prata". Dali os homens da armada de d. Nuno Manuel tinham levado, a partir de 1514, notícias da existência de um misterioso povo serrano que trazia "ouro batido à maneira de arnez do peito". Ali, segundo se dizia, fora colhido o fabuloso machado de prata que tanto trabalho deveria dar às imaginações quinhentistas. Por ali, conforme tinham apurado marujos castelhanos e lusitanos entre gente da beira-mar, ganhava-se fácil acesso ao país do lendário Rei Branco. Do Porto dos Patos, em Santa Catarina, saíra o português Aleixo Garcia, um dos náufragos da expedição de Solis para a magnífica jornada aos contrafortes andinos, de onde pudera recolher grande cópia de metal precioso antes de ser sacrificado, no caminho de volta, pelos índios carijós. Dessa expedição provinham as peças de ouro que outro componente da armada de Solis, Melchior Ramirez, exibira a Caboto em Santa Catarina. Um companheiro de Ramirez, Henrique de Montes, também conservava, consigo, grande quantidade de ouro.

E segundo depoimento de uma testemunha, dizia este à gente da expedição que "*nunca ombres fueron tan bien aventurados como los de la dicha armada, que avia tanta plata y oro en el Rio de Solis, que todos serian ricos*".[7] Desse mesmo Henrique de Montes sabe-se que Martim Afonso o levaria consigo como língua e prático da terra, e não será de admirar se, conhecedor da aventura de Garcia, foi um dos animadores da entrada que o futuro donatário mandou sair de Cananeia rumo ao sertão longínquo, sob o comando de Pero Lobo. Em reconhecimento pelos seus préstimos, apesar do malogro da jornada, foi ele recompensado com uma extensa sesmaria, a mesma que, por sua morte, vítima dos índios, seria dada a um criado do donatário, Brás Cubas.

Se Martim Afonso fixou sua escolha, para a primeira povoação sertaneja, no interior das terras de São Vicente, não no de Cananeia ou de Santa Catarina, a razão estaria em que a adjudicação dessas terras à Coroa lusitana tinha menos probabilidade de ser contestada por parte dos castelhanos, inclinados naturalmente a ver ampliadas, tanto quanto possível, as áreas de sua demarcação. Os portugueses, por sua vez, pagavam em moeda idêntica, e vimos como bem mais tarde ainda pretendiam negar os direitos de seus vizinhos sobre Assunção. Contudo uma prudente cautela aconselhava Martim Afonso a não trocar o certo pelo duvidoso ou discutível, sob pena de deitar a perder todo o seu esforço. Se não faltava entre castelhanos quem reivindicasse para sua coroa a própria São Vicente, tais pretensões eram mais indecisas: prova estava no fato de já existir de longa data no litoral vicentino um povoado de portugueses, e portugueses que mantinham relações amistosas com o gentio de serra-acima. Tudo isso era de perfeito conhecimento dos marinheiros espanhóis que frequentavam tais paragens e traficavam com os moradores ou se utilizavam de seus serviços. A simples presença de um tal núcleo

7 Cf. Tarducci; Caboto, *Di Giovanni e Sebastiano Caboto. Raccolte e Documentate da F. Tarducci* (La Rergia Deputazione Veneta di Storia Patria), p.196 et seq.

onde se incluíam, sem dúvida, homens longamente habituados à terra e conhecedores de seus segredos, não era menos, para Martim Afonso, um motivo de boa esperança. Entre esses homens poderia ter colhido o capitão informes sobre a possibilidade de comunicações por terra firme com o Peru ou a Nova Granada. De tal possibilidade há notícia posterior nos curiosos "apontamentos" oferecidos a d. João III por certo Diogo Nunes acerca das viagens que realizou em terras peruanas, onde participou da expedição de Mercadillo ao país dos Omáguas.

Nesse texto, que Varnhagen encontrou na Torre do Tombo e foi o primeiro a divulgar, diz-se como do Peru se poderia chegar ao Brasil pelo Amazonas, e acrescenta-se: "Também poderei ir a São Vicente atravessando pelas cabeçadas do Brasil". O próprio Varnhagen tentou identificar o redator do papel com certo Diogo Nuñez de Quesada, que em 1544 andou em Lisboa de volta do Peru. Capistrano de Abreu mostra, no entanto, em nota à *História Geral do Brasil*, a improbabilidade de uma tal identificação. E, por sua vez, associa Diogo Nunes ao mameluco levado do Brasil por Tomé de Sousa, mencionado em uma carta que o embaixador Luís Sarmiento de Mendoza escreveu de Lisboa no ano de 1553. Esse mameluco, filho de um português, também fora do Peru ao Brasil levando notícias de ouro e prata. Como argumento em favor de seu alvitre, observava Capistrano de Abreu que "é mais fácil existir no mesmo tempo, no mesmo lugar, com os mesmos planos, um só homem do que dois". E ainda acrescenta: "Se Diogo Nunes descendia de pai português e mãe índia, é provável que fosse natural da Capitania de São Vicente".

Não obstante tamanhas probabilidades, as conjecturas do grande historiador são prejudicadas pelo seguinte trecho que se lê na relação acima citada de Martín de Orue: "*Del peru vyno por el año pasado un pasajero natural português que se dize domyngo nunez natural de moron ques Junto ala Raya de Castilla el qual trajo de veynte a treynta myll ducados este andando persuadiendo al Rey por una conquysta por el [Brasil] para por ally entrar a las espaldas de cuzco*". Essa passagem deixa poucas dúvidas sobre o assunto. A dificuldade principal para a identificação entre o Nuñez natural de Mourão e o dos "Apontamentos", ou seja, a diferença nos prenomes, torna-se de pouca monta quando ponderamos que "Domingo" e "Diego" são palavras que se podem eventualmente confundir e que, abreviadas, segundo o uso generalizado na época, não apresentam diferença alguma.

É certo que as comunicações diretas entre São Vicente e Paraguai, a caminho do Peru, não teriam sido utilizadas entre europeus muito antes da fundação de São Paulo. Do contrário explica-se mal a informação escrita depois de 1554 por d. Mencía Calderón, viúva de Juan de Sanabria, e publicada pelo historiador chileno Morla Vicuña, de que se podia ir a Assunção, de São Vicente, "*por cierto camiño nuevo que se habia descubierto*". Justamente por esse caminho tinham querido alcançar o Paraguai alguns dos náufragos da armada de Sanabria. Nos dois anos anteriores tinha sido ele trilhado por numerosos castelhanos e portugueses, que, segundo parece, iniciaram através dele um rendoso comércio. Para os castelhanos especialmente, era de grande proveito depois do abandono da primeira Buenos Aires, por fornecer ocasião de negócios lucrativos com os moradores. Tanto que Tomé de Sousa, em carta de junho de 1553, observava como, em resultado das comunicações frequentes entre as duas cidades, a alfândega de São Vicente rendera, no ano anterior, cem cruzados de coisas que traziam a vender os castelhanos. Já me ocorreu, em outro escrito, apontar alguns nomes de viajantes que nos são conhecidos através de documentos da época. Pode-se dizer que essas comunicações constituem, propriamente, uma pré-história das bandeiras paulistas, ainda que fossem feitas nos dois sentidos e mais ativamente, talvez, por parte dos castelhanos do que dos lusitanos. Contudo, inquieto com as consequências possivelmente funestas que podiam resultar de tais contatos, principalmente depois das notícias das supostas minas de prata do Piquiri e do Paraguai, o primeiro governador-geral ordenou que cessasse de todo o trânsito. E a partir de então, apesar da viagem clandestina, pelo Tietê, de João de Salazar e seus companheiros – entre eles os dois filhos de Luís de Góis – e, mais tarde, das lutas de Jerônimo Leitão contra os carijós do sul, cessam quase de todo, por longo tempo, os contatos por terra firme com o sul. A própria atração do metal precioso, que por essa época seria menos forte entre os moradores da capitania do que a caça ao gentio da terra, deveria incliná-los para outras direções. Era esse o resultado das pesquisas de Luís Martins e Brás Cubas, como o seriam também os dois achados dos dois Sardinhas, pai e filho.

Segundo todas as probabilidades, a um parente do primeiro donatário e do primeiro governador-geral, a d. Francisco de Sousa, se deverá, já em princípios do século seguinte, a intensificação das entradas em outra direção, que já não será a do Paraguai e do Prata. A bandeira de André Leão, que data de 1601, dirigiu-se para a região do Rio São Francisco. E o mesmo rumo tomaria a de Nicolau Barreto, segundo os estudos de Orville Derby, que já hoje nos parecem novamente os mais convincentes, não obstante as conclusões diferentes de historiadores recentes, que resultariam, no entanto, de um equívoco na leitura da *Ata da Câmara de São Paulo,* em que se esclarecem certos pormenores da expedição. E contudo não se perde a lembrança do caminho do sul, revivida, ao contrário, depois que, em 1505, quatro soldados vindos de Vila Rica, província do Paraguai, chegam inesperadamente à terra paulista.

Não é improvável que o projeto inicial de d. Francisco visasse, a partir de São Paulo, localizar mais facilmente as mesmas minas que expedições anteriores tinham procurado a partir das capitanias do centro. É interessante notar-se que, justamente durante seu governo, segundo se apura de documentos existentes no Arquivo Mediceo, de Florença, e ainda mal conhecidos, o então grão-duque de Toscana, Fernando I, pretendeu seriamente criar um estabelecimento no litoral do Espírito Santo, o outro caminho natural para as minas do sertão remoto. E é significativo o interesse que o mesmo grão-duque mostrou pelas coisas do Brasil, na correspondência mantida com Baccio de Filicaja, seu súdito e companheiro de d. Francisco, que o levara a São Paulo como engenheiro das minas. Quando e se forem encontradas a descrição e a relação das suas viagens no Brasil que Baccio escreveu para o grão-duque, é provável que venham à luz muitos fatos ainda desconhecidos ou mal explicados acerca desse período.[8] É inegável, contudo, que a partir de d. Francisco de Sousa,

8 Carta de Baccio ao Cav. Belisario Vinda, secretário de S. A. Sereníssima, de Lisboa, 5 jan. 1609. Manuscrito do Archivo di Stato di Firenze – Archivo Mediceo – f. 945, c. 60.

São Paulo estava maduro para a vocação pioneira dos seus moradores. Vocação que germinara, contudo, desde 1532, com a chegada de Martim Afonso, firmara-se em 1554, quando Manuel da Nóbrega, contrariando as opiniões mais tradicionalistas, fundou a Casa de São Paulo – em sítio onde os índios pudessem ter melhor sustento –, e se consolidara, definitivamente, a partir de 1560, quando, por ordem de Mem de Sá, são mudados para o campo os moradores da Vila de Santo André.

Pré-história das monções I*

À leveza e ao fácil meneio das igaras de casca não corresponderia necessariamente, como se pode pensar, uma fragilidade excessiva. Contra essa suspeita milita o fato de serem essas canoas preferidas às de lenho inteiriço justamente nos lugares mais acidentados de certos rios, isto é, mais cheios de embaraços, tropeços e perigos para a navegação. Já se notou como nas partes encachoeiradas do Rio Madeira, por exemplo, é que elas prevalecem quase exclusivamente, só encontrando a competição das outras, feitas de troncos escavados a fogo, machado e enxó, onde a mareação pode fazer-se independentemente de maiores estorvos.

Embora o "civilizado" tenha conseguido modificar de algum modo semelhante situação, o fato é que ela ainda persiste, no essencial, até os nossos dias. A construção pouco dispendiosa das canoas de casca admitia que fossem elas abandonadas sem maiores prejuízos onde se mostrassem inúteis. Dos antigos paulistas sabe-se que tinham o hábito de largar suas igaras nos maus passos, fabricando-as de novo quando delas necessitassem. Hábito, esse, herdado, por sua vez, dos primitivos moradores da terra, assim como o de as afundarem ou simplesmente quebrarem.

---

* Artigo originalmente publicado em *O Estado de S. Paulo*, 4 jan. 1957. (N. O.)

Em seu *Ensaio sobre as construções navais indígenas*, observa Antonio Alves Câmara como, entre muitas tribos indígenas, era uso mergulhar as canoas nos lugares de remanso e, em seguida, amarrarem-nas ao fundo, de onde podiam ser retiradas a qualquer momento.[1] O costume de ocultá-las, e mesmo destruí-las, sempre que preciso parece ter sido muito generalizado. Curt Nimuendajú,[2] que ainda pode assinalar entre os parintintim da Amazônia, relaciona-o à necessidade em que se viam esses índios de evitar que delas se aproveitasse o inimigo. Às mesmas providências não deixavam de recorrer os nossos mamelucos. Assim, em depoimento prestado em janeiro de 1685 às autoridades castelhanas de Assunção do Paraguai, certo índio fugido aos maloqueiros de São Paulo referia como, devendo regressar estes à sua terra como o gentio preado, inutilizavam de antemão todas as canoas que os tinham transportado.

Em outros casos, onde devesse ser breve a varação, ou em sítios em que escasseavam os troncos apropriados, transportavam-nas por terra, valendo-se de cordas ou correias de couro. Isso ocorria mais frequentemente, no entanto, com as canoas de madeira. As outras, as de casca, admitiam recursos mais simples, como o de carregá-las às costas dos índios ou emborcadas sobre as suas cabeças, tal como sucede entre certas populações particularmente de nosso extremo norte, observadas por Theodor Koch-Grünberg.[3]

Tais cuidados são explicáveis quando se considera que muitas dessas igaras, apesar do pobre material de que são feitas, estão longe de constituir simples recurso de emergência para índios e sertanistas. Mesmo entre gente mais sedentária podiam elas enfrentar, de algum modo, a competição das canoas de madeira. Assim, num inventário paulista, no ano de 1599, o de Isabel Fernandes, mulher de Henrique da Cunha, que fora juiz ordinário da vila, figura expressamente uma canoa "de casca" entre a fazenda que se mandou avaliar e vender na praça.[4] Não apenas

1 Câmara, *Ensaio sobre as construções navais indígenas*, p.226 et seq.

2 Nimuendajú, *The Eastern Timbira*.

3 Koch-Grünberg, *Vom Roraima zum Orinoco*, III, p.77.

4 *Inventários e testamentos*, I, p.260.

a vantagem do custo relativamente baixo, mas ainda a da durabilidade, tão notável quanto sua resistência aos obstáculos que embaraçam e atropelam a mareação, justificam o largo uso que se chegou a fazer dessas canoas.

Aludindo a essa última vantagem, afirmou Georg Friederici[5] que elas chegam a alcançar, em condições normais, até seis anos de vida, enquanto as de pau inteiriço seriam incapazes de durar mais de um verão. É certo que suas observações nesse caso procuram abarcar todo o continente americano tomado em bloco e *grosso modo* e não se detêm nas condições especificamente brasileiras. Além disso, a madeira das canoas monóxilas a que se refere é declaradamente a do álamo, não a de qualquer das espécies botânicas usuais entre nós para a fatura de semelhantes embarcações.

Todavia, quando recorre a uma só variedade de madeira, não parece ter ela em mira restringir o alcance de sua teoria da durabilidade menor das canoas de madeira inteiriça, e sim ilustrar essa mesma teoria, socorrendo-se, para tanto, de um exemplo mais eloquente do que característico. Cabe, em todo caso, perguntar se esse empenho de fazer mais expressiva uma convicção pessoal não tenderia aqui, como sucede constantemente em circunstâncias tais, a desfigurar os fatos. Ao menos no que diz respeito às grandes canoas monóxilas de treze e mais metros de comprido, que se usaram na era das monções, construídas literalmente segundo as velhas técnicas indígenas, há certeza de que serviam ordinariamente, não apenas um, mas vários verões e invernos, nas expedições regulares entre Araritaguaba e Cuiabá. E quando principiarem a escassear nas beiradas do Tietê e tributários os troncos corpulentos, próprios para o seu fabrico, as canoas já usadas e muitas vezes remendadas irão formar o grosso das frotas de comércio. Assim é que das treze que foram na Real Monção de 1818, quatro apenas tinham sido especialmente fabricadas para essa viagem, segundo consta de documentos que se conservam manuscritos no Arquivo do Estado de São Paulo.

5 Friederici, *Die Schiffahrt der Indianer.*

Seja como for, parece improvável que pudessem elas superar por mais de dez ou quinze anos, se tanto, os maus-tratos a que as expunha uma longa e penosa navegação. Consta, em outro documento manuscrito, que em 1798, de vinte canoas de comércio aprontadas um decênio antes, quando da chegada à capitania do governador Bernardo José de Lorena, e desde aquele tempo deixadas em ranchos protetores junto ao embarcadouro de Porto Feliz, pouquíssimas podiam considerar-se aptas para o serviço. O quase abandono em que se achavam, sem abrigo seguro, sem cuidados maiores que nelas atalhassem a obra do tempo e, sobretudo, sem uma eficaz vigilância contra a maldade dos desocupados, numerosos na região e certamente mais daninhos do que todos os contratempos que as poderiam esperar em viagem, bastavam para as condenar, verdadeiras canoas de ninguém, a uma ruína rápida e sem remédio.

Mesmo assim andariam elas bem longe daquela efêmera duração atribuída por Friederici às embarcações de madeira inteiriça. E é fácil supor que maiores seriam suas perspectivas de conservação se a escolha das árvores próprias para seu fabrico não tivesse a limitá-la às possibilidades da flora paulista e, ainda mais, à consideração da capacidade exigida para o transporte de carga numerosa. Vinte anos de vida teriam, segundo Alexandre Rodrigues Ferreira, as de camaru ou angelim preto do Pará, que por outro lado não alcançavam as dimensões médias das canoas das monções, feitas de ximbouva ou peroba.

Ora, se peca ou exagera a pretensão de que as embarcações de pau inteiriço alcançam pequeníssima duração, não se poderia imaginar o mesmo da vida comparativamente longa – seis anos – que se chegou a dar às igaras? Ou antes, não se fundaria essa crença num simples limite de exceção, atingido em condições quase ideais? Das canoas de casca de jatobá, as mais geralmente usadas no Brasil, sabe-se, de acordo com estudos modernos, que têm uma duração máxima de dois anos, em condições normais. Sujeitas a viagens acidentadas e trabalhosas, entretanto, conservam-se por muito tempo.

A verdade é que sua capacidade de resistência aos obstáculos naturais, que caracteriza esse tipo de embarcação, está longe de se relacionar de modo exclusivo à durabilidade, que também pode ser comprometida pelo fato, entre outros, de a cortiça de que é fabricada absorver, em geral, comparada à madeira, uma quantidade bem maior de água, o que prejudica evidentemente sua conservação. Além disso, a própria circunstância de serem usadas frequentemente em lugares acidentados tende, na prática, a sujeitar as igaras a um rápido desgaste.

Pré-história das monções II*

Muito mais do que as canoas de madeira inteiriça, as igaras de casca foram, em geral, inseparáveis, entre nós, dos ambientes mais agrestes e primitivos. Podendo vencer sem dificuldade e com extraordinária rapidez percursos vedados, ou quase, a outros tipos de embarcação, prestam-se elas mal, no entanto, a misteres que se aliam a condições de existência mais civil. Não menos de quinze dessas igaras seriam necessárias para transportar o que em média carregava uma canoa de monção das mesmas dimensões.

Por outro lado, o emprego desse meio de transporte requeria extraordinária perícia e constante prática, pois um simples passo em falso ou uma fenda no tênue material de que é feita basta para que a canoa emborque ou se inutilize durante a viagem. O europeu recém-vindo, em particular, achava-a altamente incômoda e perigosa.

Para o índio, no entanto, esses inconvenientes, que a prática assídua pudera em muitos casos superar, eram compensados pelas muitas vantagens que nela encontrava. A canoa de casca, nota Friederici, era seu ganha-pão, servindo-o para a pesca e a caça, seu "calçado" no decurso das

---

* Artigo originalmente publicado em *O Estado de S. Paulo*, 12 jan. 1957. (N. O.)

viagens, durante as escalas noturnas, seu teto protetor contra a chuva e o vento, e também seu escudo no assalto às paliçadas inimigas; finalmente era o orgulho do vencedor nas competições de velocidade.

Houve quem comentasse com credulidade irônica a passagem de Jean de Lery em que se narra a resposta dada por certos índios aos franceses que se tinham precipitado para socorrê-los durante um acidente ocorrido com a canoa que os conduzia. "Seríamos capazes", disseram-lhe, "de ficar aqui oito dias entre as ondas sem tomar pé ou pisar em terra".[1] Entretanto, existe outro testemunho em favor da capacidade de que tinham aqueles homens de ficar dias e noites, ininterruptamente, nas suas canoas. sir Richard Hawkins declara ter visto junto à Ilha Grande algumas dessas embarcações levando provisões para vinte e trinta dias. Em Cabo Frio, certos índios que viajavam em suas igaras realizaram a incrível proeza de tomar um grande navio francês depois de viajarem dias e noites a fio. Do mesmo modo, na Ilha de São Sebastião, perto de São Vicente, mataram os índios oitenta marinheiros de Cavendish, apoderando-se, além disso, de um dos seus navios. Façanha semelhante praticaram, segundo Thevet, alguns tamoios do Rio de Janeiro, apossando-se de um pequeno navio português que viajava a pouca distância da costa. De pouco valeu a resistência oferecida pelos marinheiros, que se serviram inclusive da artilharia de bordo contra as frágeis canoas. Não só se apossaram os índios do navio como devoraram, ao cabo, os navegantes, excetuados alguns poucos, que os franceses resgataram mais tarde.

Apesar de aptas a viagens extensas e que não precisavam sofrer interrupções durante a noite, tais embarcações eram feitas para viagens a pouca distância da costa, de onde não se afastavam mais de 2 léguas, posto que nas vias fluviais fizessem longas jornadas. Para o alto-mar recorriam às de madeira inteiriça que, no entanto, não podiam desenvolver a mesma rapidez. Calcula Friederici que uma canoa de casca pode alcançar normalmente, com vento e água calmos, cerca de 60 quilômetros por dia. Quando o vento é favorável, a correnteza forte, mas regular, houve

---

1 Lery, *Histoire d'un voyage faict en la terre du Brésil*, I.

casos, no entanto, em que chegaram facilmente a 80 e mesmo a 110 ou 130 quilômetros. Jean de Lery pinta-nos o espetáculo daquelas "armadas de guerra", dos seus *toupinamboults*, compostas de sessenta canoas ou mais, a deslizarem tão velozmente e a pouca distância umas das outras, que em poucos minutos se perdiam na linha do horizonte.

Para a fabricação das igaras, cujo processo foi transmitido pelos índios aos colonos e mamelucos desde o início dos tempos coloniais, a primeira providência era a escolha da árvore apropriada. E mesmo onde existisse, importava considerar se apresentava as melhores condições para o aproveitamento da casca. As crônicas das entradas coloniais estão cheias de casos em que a carência de bons troncos de jatobá dificultou ou retardou as expedições. Desses contratempos há instrutivo depoimento em uma carta do irmão Pedro Correia, escrita de São Vicente em 1551, sobre certa jornada por um rio que poderia ser o Tietê. Nela, diz,

> fomos alguns oito ou nove dias, por um rio abaixo, em cascas de paus, e primeiro que tirássemos as cascas em que havíamos de embarcar, se nos gastou o mantimento, porque nos pusemos a fazer almadias de um pau mole e quebraram-se depois de feitas, e andando em trabalho de fazer em que nos embarcássemos, chegaram uns índios, que vinham pelo rio acima com uma casca, a qual, por ser pequena, não podia com mais que com o fato e sete pessoas, e outras sete não tinham embarcação, nem de que a fazer, e era-nos necessário ir pelo rio abaixo a uma certa parte onde estavam os paus dos que não nas há em todo mato e dos que foram pela água, ora a pé, ora a nado, foi o nosso padre [Leonardo Nunes] um deles, e iria pela água me parece uma légua e era pela manhã e em tempo de inverno e quando se acolheu a canoa, que assim se chamam aquelas cascas, não se podia valer com o frio e aquele dia pousamos, onde tiramos duas cascas e com outra que já trazíamos eram três.[2]

2 Cf. Soares, *Tratado descritivo do Brasil em 1587*, p.69.

É possível, no entanto, que essa descrição se refira não às canoas de jatobá, mas de outra das espécies vegetais que fornecem um tipo de certo modo intermediário entre as igaras de casca e as ubás de madeira. A ele já se referira Gabriel Soares, a propósito da expedição de Antonio Dias Adorno à lendária Serra das Esmeraldas, quando escreve que tais canoas são feitas de um pau "que tem a casca muito dura e o mais muito mole, o qual cavam com qualquer ferramenta, de maneira a que lhe deitem todo miolo fora".[3]

Na meticulosa classificação tentada por Wendell P. Roop das embarcações amazônicas corresponderia esse tipo às canoas de paxiúba e jamamandi, muito mais simétricas do que as de jatobá e de fabrico mais rápido, embora não apresentem a mesma durabilidade. Nas regiões do sul do Amazonas substituíam-nas certas variedades de bombáceas, abundantes em todo o Brasil. Sabe-se com efeito que de samaumeira foram as canoas em que a gente do segundo Anhanguera atravessou o Rio Grande a caminho de Goiás, e não é esse um caso isolado.

Contudo, nenhum dos tipos conhecidos de canoas de casca, tão usados nas bandeiras paulistas, pôde prevalecer onde quer que se tenha imposto um sistema de transporte regular de cargas volumosas como foi eminentemente o caso das monções de Cuiabá.

3 Cf. Ibid.

Uma povoação setecentista*

A formação da Vila de Cuiabá, de que nos ficaram numerosos documentos, pode dar-nos uma ideia clara de como nasciam e cresciam as longínquas povoações sertanejas no Brasil setecentista. Situada no extremo oeste da América lusitana, distante seis ou sete meses de penosa navegação fluvial de São Paulo, ou melhor, de Araritaguaba, o bairro ituano, só em 1797 foi convertida na Vila de Porto Feliz, e sua escassa população, especializada em explorar as ricas aluviões auríferas ali acumuladas, dependia unicamente, para seu sustento, do que lhe levavam as canoas de monção. E foi em detrimento da atividade mais lucrativa que alguns moradores previdentes fizeram trabalhar seus negros nas sementeiras.

Foi assim que principiaram a crescer nas vizinhanças das minas algumas plantações de feijão, abóbora, batata-doce, além do milho, mantimento básico daquela gente. A cana-de-açúcar era malvista pelas autoridades reinóis nas imediações das jazidas, e logo se tomaram providências contra o seu cultivo. A principal causa das medidas nesse sentido era o receio de que surgissem os engenhos de aguardente, origem de "muitas

* Artigo originalmente publicado em *O Estado de S. Paulo*, 23 nov. 1957. (N. O.)

desordens", diria o governador Rodrigo Cesar de Menezes, "além de ser a perdição dos negros".[1]

É significativo que essas condições se refletem, já em 1722, nos preços alcançados pela aguardente em São Paulo, onde os vendeiros não se conformam com as posturas que tinham fixado em um cruzado a medida desse gênero. A razão da carestia e carência do produto estava, segundo declarou o próprio procurador do Conselho Manoel Luis Ferraz, em vereação de 22 de abril daquele ano, nas viagens que faziam para Cuiabá muitos dos lavradores de cana, "e os que não hião sempre mandavão negros e por esta razão não haverá as ditas agoardentes de cana e assim comprarão os taberneiros mais cara".[2]

Nada impede, porém, que algum tempo mais tarde, em 1728, e quase sob as vistas do próprio governador Rodrigo Cesar, principiassem a desenvolver-se os canaviais nas redondezas de Cuiabá, e que, em 1729, já se vendesse ali aguardente fabricada na terra. Não hesitaram alguns fabricantes em mandar vendê-la por intermédio das negras de tabuleiro aos próprios trabalhadores nas lavras e faisqueiras. Foi provavelmente esse um dos motivos que, a 4 de agosto de 1733, determinaram o conde de Sarzedas a lançar um bando proibindo aos moradores e mineiros que mandassem as tais negras às lavras, pois disso se seguia o mesmo dano que causavam as vendas ou casas de pasto, onde os escravos acabavam por largar o ouro que tiravam, privando os senhores.

Do uso e abuso da cachaça entre a gente do lugar, não deveriam ser acusados, todavia, apenas os negros, se é merecida a fama que a esse respeito angariaram já então e mais tarde os cuiabanos. Dirigindo-se em 1747 ao capitão general Dom Luis de Mascarenhas, advertia-lhe o intendente João da Fonseca Cruz contra o perigo de dar crédito àquela gente "por não saberem mais que beber cachaça". Como na generalidade dos povoados sertanejos da época e mormente nos arraiais de mineração, a bebida constituía uma das raras distrações para a vida sorna e monótona dos moradores. A bebida e também a jogatina. Esta já principiava durante

1 *Documentos interessantes*, XII, p.103; XLI, p.220 e 255.
2 Ibid.

as viagens fluviais, onde as cartas de baralho eram companheiras inseparáveis dos passageiros e mareantes. Não admira, pois, se na Cuiabá de 1727, com suas escassas centenas de brancos, já funcionassem duas casas de "truque de taco". Pelos regulamentos da tributação local, podemos hoje saber que tais espeluncas chegavam a render de imposto 128 oitavas.

Nas ruas mal alinhadas, as casas não passavam, a princípio, de simples ranchos cobertos de palha. No regimento que deveria levar João Leme, em 1723, dizia-se, porém, expressamente, que havendo telha no lugar ou "barro capaz para elas", fizessem-se as casas telhadas, porque, dessa forma, "além de mais graves, são também mais limpas e de melhor duração".[3] Numa população constituída, em sua maioria, senão na quase totalidade, de índios tupis, negros, mulatos e mamelucos, a vida social e familiar distinguia-se por um rude relaxamento. Tudo se fazia segundo o arbítrio de alguns caudilhos mais audaciosos, cujas violências não eram sofreadas sequer pelo bom senso de um Pascoal Moreira Cabral ou de um Fernando Dias Falcão. Em 1723 só havia no arraial uma mulher casada, Gertrudes de Almeida Campos, esposa de Lourenço Leme. O restante dos povoadores vivia em amancebamento com as criadas índias. Em 1730 modificara-se pouco a situação, posto que já erigida em vila, Cuiabá só tinha alguns homens com suas mulheres e filhos, segundo consta de um testemunho então colhido em Assunção do Paraguai.

As asperezas da vida sertaneja eram o motivo, ou o pretexto, para que os solteiros não tomassem estado e os casados não se fizessem acompanhar das mulheres legítimas. Por outro lado, as autoridades lusitanas, informadas de que para a Vila de Itu iam "algumas mulheres mal procedidas, brancas, bastardas e mulatas forras" com o intento de se passarem àquelas minas, decidiram logo atalhar os seus passos para evitarem-se as desordens, dissensões e desconfianças que suscitava sua presença. Assim foi que o governador Rodrigo César de Menezes ordenou, num bando de 2 de julho de 1723, que nenhuma pessoa de qualquer condição levasse consigo para as minas semelhantes mulheres. Se essa proibição não teve a mesma sorte

3 Sobre os irmãos João e Lourenço Leme, cf. Luis, *Capitania de São Paulo, governo de Rodrigo Cesar de Menezes.*

da que visava a impedir o plantio da cana-de-açúcar, não é fácil precisar, sabendo-se como se sabe que, no Brasil colonial, tanto quanto nas Índias de Castela, sempre prevaleceu a regra famosa do "*obedezco pero no cumplo*".

Como o que ambicionavam os brancos era sempre alcançar a maior cópia de ouro com a menor despesa, não era certamente invejável a posição dos que labutavam nas minas. Dos índios batizados constava que eram tratados como escravos, sem embargo das determinações expressas de sua majestade, que os queria livres de nascença. E em 1740 escreve o governador e capitão-geral ao conde das Galveas que o Mato Grosso haveria de ser sempre um "cemitério de negros". A escassez de animais de tiro e carga fazia com que se confiassem aos negros, além dos trabalhos nas lavras, todos os serviços de transporte. Mesmo os simples transportes de água e terra das minas. Ora, um negro não podia conduzir de cada vez, na melhor das hipóteses, mais de uma arroba de terra, ao passo que um boi conduz, sem dificuldade, de oito a dez arrobas.

Pode-se dizer, assim, que a introdução de animais, não menos do que a de plantas domésticas, ajudaria aos poucos a implantação naqueles sertões de hábitos de vida e convívio, além de valores econômicos, sociais e morais mais consentâneos com a tradição europeia. Os primeiros animais domésticos chegaram já no ano de 1723, porcos e galinhas. Na mesma monção teriam ido, segundo depoimento prestado em Assunção por um índio chamado Miguel, fugido aos portugueses, um touro e uma vaca. Se procriaram, como consta do mesmo depoimento, é de crer que não fosse muito adiante a criação, pois anos mais tarde surge mais de uma informação acerca da ausência ali de bovinos, e o governo da capitania empenha-se em 1725 para que sejam levados alguns da Vacaria. Em 1727, sabe-se por informação de um cronista contemporâneo, João Antonio Cabral Camelo, que na frota onde ele próprio seguira para as minas, foram quatro ou seis novilhas pequenas, "e já no ano de 1730 ficavam algumas paridas, e se produziram touros e porcos e cabras e em breve se cobrirão de gado os campos".[4] Para aceitar a afirmação

4 Cf. *Revista do Instituto Histórico e Geográfico Brasileiro*, IV, p.498.

feita muito mais tarde por outro cronista, Barbosa de Sá,[5] de que os rebanhos de vacuns existentes em Cuiabá descendiam dos primeiros touros e vacas surgidos ali em 1739, é preciso acreditar que a criação iniciada doze anos antes tivesse sido sacrificada pela falta de recursos de que padeceram os antigos moradores.

Quaisquer que tenham sido as dificuldades enfrentadas para a introdução desses animais, o fato é que se adaptaram, por fim, às condições adversas do lugar, e adaptaram-se, em realidade, melhor do que os cavalares. Estes, introduzidos também nos primeiros tempos, ainda eram muito poucos em fins do século XVIII. Sanchez Labrador, escrevendo em 1770, observa que os cavalos eram comprados a preços elevadíssimos aos espanhóis, chegando a alcançar 100 pesos cada um, ao passo que os muares eram adquiridos ao dobro dessa quantia. Tal circunstância, entre outras, fez com que se generalizasse o uso de empregarem-se os bovinos à maneira de bestas de carga, com suas bruacas, uso que prevalece em Cuiabá até os nossos dias.

Com o tempo, mas só muito lentamente, conseguiram os pioneiros da ocupação definitiva desse trato de terra organizar uma vida à maneira da que podiam desfrutar os colonos na costa do oceano, onde mais assíduo era o contato com o ultramar europeu. E em alguns casos, adquiriram não apenas os traços essenciais dessa vida, mas ainda os que poderiam considerar-se supérfluos num sertão distante e pobre de recursos. A prova está em que no ano de 1797, durante os festejos em homenagem ao ouvidor Diogo de Toledo Ordonhes, puderam os cuiabanos assistir e aplaudir nada menos do que uma tragédia de Voltaire, que documentos da época afirmam ter sido representada de modo "mais plausível".[6]

5 Cf. *Documentos interessantes*, XIII, p.74.

6 Cf. Lista das pessoas que entraram nas funções principais de agosto de 1790, p.226.

Sebastianistas no Brasil*

A presença, em certos lugares do Brasil, de comunidades de sebastianistas, verdadeiro ponto de partida, talvez, de explosões messiânicas, é assinalada por mais de um viajante estrangeiro, que os percorreu em princípio do século passado. Para Spix e Martius, que os puderam conhecer de perto, seria lícito quase afiançar que representavam o único traço de poesia e até de romantismo existente na vida do povo entre nós: "A história de sua nação", escrevem, "não se perde como as dos Estados europeus, nos portentos de um passado ignoto; seus antecedentes bem sabidos não enriquecem a fantasia de quadros poéticos".[1]

A continuação desses devaneios, que merece ser lembrada aqui, diz ainda o seguinte:

> Seria injustiça, no entanto, querer atribuir a carência de uma poesia épico-romântica, neste caso, unicamente à juvenilidade do povo brasileiro; seus fundamentos ela os tem, além disso, no próprio caráter dos seus antepassados. Os portugueses exibem, ao longo de toda a sua

* Artigo originalmente publicado em *O Estado de S. Paulo*, 13 set. 1958. (N. O.)

1 Spix; Martius, *Reise in Brasilien*, II, p.506 et seq.

história, antes uma vida nacional prática, voltada para fora, através das navegações, descobrimentos, conquistas, tráficos – do que aquela quietude poética que, entre muitos povos da Europa, permite associarem-se os próprios feitos e destino a um mundo de fantasia, onde estes, ao cabo, se engalanam.[2]

Na América portuguesa e mormente em Minas Gerais, onde os viajantes, ao que parece, os encontram pela primeira vez, seriam os sebastianistas mais numerosos então, isto é, por volta de 1818, do que na própria mãe-pátria. Os retratos que deles nos deixaram os naturalistas condizem mal, no entanto, com essa pintura romanesca, e parecem sugerir muito mais a frieza austera e ascética de certas confissões protestantes.

Os sequazes do credo sebastianista parecem distinguir-se, segundo eles, antes de tudo, por sua diligência, parcimônia e caridade. Um deles, o velho guarda-mor Inocêncio, que tão cordialmente os acolheu em sua fazenda junto ao Arraial das Catas Altas, entre cartas geográficas, um mapa-múndi, livros denunciadores de graves preocupações científicas, fê-los involuntariamente pensar em um verdadeiro *quaker*. Toda descrição e, ainda mais, a evocação dos *quakers*, leva-os a ver nesse tipo de sebastianismo uma curiosa mescla de exaltação política e de seita – é esta última a expressão que logo ocorre aos viajantes – com um fundo espiritual e ascético.

A palavra "seita" é empregada precisamente no sentido que modernamente lhe deu Troeltsch para definir, em contraposição às "igrejas" constituídas, certos agrupamentos relativamente restritos de fiéis que aspiram à perfeição interior do indivíduo e à boa camaradagem entre os participantes. "Desde o início, por conseguinte, veem-se elas forçadas a organizar-se em pequenos núcleos e a renunciar à ideia de dominar o mundo."[3] Sua atitude com relação ao Estado e à Sociedade pode ser indiferente, tolerante, ou hostil, já que eles não têm o desejo de dirigir ou incorporar essas formas de vida social; ao contrário, tendem a evitá-las;

2 Ibid.

3 Ibid.

seu objetivo usual consiste ou em tolerar a presença deles concomitantemente com o agrupamento sectário, ou então substituir essas instituições sociais pela sua própria sociedade.

É um pouco essa última alternativa que tem levado alguns desses agrupamentos, entre nós, a rebeliões armadas como o foi Canudos, com seus jagunços armados, que cantavam:

> Visita nos vem fazer
> Nosso rei dom Sebastião
> Coitado daquele pobre
> Que viver na lei do cão.

A seita, de ordinário pacífica ou indiferente em face das instituições que não correspondem à idealização messiânica, já que a realização das profecias dependeria de fatos estranhos ao poder do agrupamento, pode tornar-se subitamente agressiva, desde o momento em que achou um chefe sagrado, arauto ou encarnação dos vaticínios. E além disso, condições sociais e econômicas aparentemente propícias ao seu desenvolvimento, que vieram incrustar-se no corpo da seita.

Em excelente estudo, de cunho sociológico, empreendido sobre um movimento – a chamada "Guerra Santa" do Contestado – que não apresenta como fulcro um mito messiânico relativamente definido, ou discernível, e seria este o caso do sebastianismo, sua autora, a srta. Maria Isaura Pereira de Queiroz, aponta em particular para aquelas condições ou, mais particularmente, para o meio geográfico em que se desenvolveu. Em contraste com o Contestado, os movimentos messiânicos que se desenvolveram muitas vezes no Norte e Nordeste do Brasil, onde os crentes "se dobram aos mais penosos jejuns, toda ideia de prazer e satisfação é banida, as roupas se tornam uniformes e sombrias, beleza e ornamentos são condenados, as mulheres não devem nem mesmo se pentear e os homens que buscam uma vida mais pura não podem sequer olhá-las de frente",[4] seriam explicáveis

4 Cf. Queiroz, *Guerra Santa no Brasil*: o movimento messiânico no Contestado.

pela circunstância de se terem desenvolvido em regiões constantemente ameaçadas pela seca, em que os homens vivem sob o terror de verem destruído seu trabalho, seus bens, a própria vida, e procuram então abrandar um Deus cuja cólera é inexorável.

Cabe, entretanto, perguntar se essas condições físicas não teriam também contribuído, de outro lado, para dar nas mesmas regiões uma vida longa a certa mentalidade, cuja explicação histórica bem poderia ser encontrada no ascetismo "sectário" dos velhos sebastianistas.

Bandeirantes e judeus*

Em 1596, muito depois, por conseguinte, da união das coroas, Felipe II inclui os portugueses implicitamente entre "os estrangeiros dos reinos das Índias e de suas costas, portos e ilhas adjacentes", estipulando que neles não podiam estar e nem residir os que não fossem "naturais destes reinos de Castela, Leão, Aragão, Valência, Catalunha e Navarra, e os das ilhas de Maiorca e Minorca, por serem da Coroa de Aragão".

A exclusão, até aqui tácita, irá fazer-se expressa a contar de dezembro de 1614, reinando Felipe III, quando se reafirmam as mesmas prescrições, declarando-se, além disso, que os portugueses são estrangeiros naquelas Índias: "*y asimismo declaramos por estrangeros a los portugueses*". Tais estipulações irão passar mais tarde integralmente para a *Recopilación de leyes de Índias.*

É certo que na mesma recopilação excetuam-se abertamente da medida que ordenara a expulsão dos estrangeiros, aqueles que exercessem ofícios mecânicos, embora se acentue a necessidade de serem excluídos os que vivessem de tratos mercantis. Declaramos, diz, com efeito, uma lei de 1621, que a expulsão dos estrangeiros residentes nas Índias não se

---

* Artigo originalmente publicado em *O Estado de S. Paulo*, 13 dez. 1958. (N. O.)

estende aos que exerçam ofícios mecânicos úteis à República, porque a principal proibição compreende os tratantes e os que "*viven de vecindad en pueblos particulares, especialmente maritimos*". Assim sendo, ordena aos governadores e justiças que providenciem de modo a que nada padeçam os primeiros, pois a principal causa da medida consiste em purgar a República de pessoas que não convêm e conservar as que forem úteis e necessárias, guardando a integridade de nossa Santa Fé Católica.

Da suspeição geral de que eram objeto os portugueses nas Índias de Castela originavam-se, com certeza, as acusações de judaísmo que recaía sobre os sertanistas, os "*portugueses de San Pablo*", que assaltaram as missões inacianas. Na maioria dos casos, as razões para semelhantes denúncias fundam-se não tanto em testemunhos diretos, como em rumores mais ou menos vagos e anônimos: "*es fama...*", "*se dice...*", "*corre...*".

Isso se dá, em particular, com a legação, de mais de um documento jesuítico, de que existiria entre os invasores que levasse estampada, nas solas dos sapatos, imagens de Nossa Senhora, São João, de Santo Inácio de Loyola etc. Ou com outra, ouvida de um índio, antigo criado de portugueses, pelo padre Antonio Ruiz, a saber que os mesmos paulistas usavam não trabalhar aos sábados, guardando-os como os dias de festa. Essas alegações e ainda os desbaratos nas igrejas das missões, assim como os maus-tratos padecidos pelos padres servem, todavia, ao mesmo padre Montoya, para ver corroborada a notícia, chegada aos seus ouvidos, de que intentavam, os do Brasil, fazer vir da Holanda o filho de d. Antonio e proclamá-lo rei. Sobre o que nisso entrasse de verdadeiro – seu depoimento é de 1631 – não saberia ele dizer mais, acrescentando: "tal maldade não a presume de todos os do Brasil, senão que são falas de judeus e hereges, que tais me parecem ser muitos dos que vem do sertão".

Por impressionante que pretendessem ou devessem parecer, argumentos semelhantes não valeriam muito mais do que a tirada, por exemplo, do padre Jarque, na qual, depois de dizer de Piratininga, que se formara inicialmente de foragidos, desterrados e "judeus em hábitos de cristãos", ajunta que melhor se chamaria Saulo do que São Paulo, como lembrança do sangrento perseguidor da Igreja verdadeira, enquanto teve aquele nome, lobo voracíssimo que fez tão lastimosos estragos no gado de

Cristo. É curioso que outro cronista da Companhia, não menos adverso aos bandeirantes do que Montoya e Jarque, estranha, ao contrário, que, antes de suas terríveis excursões que duravam três a quatro anos sob as ordens de um chefe que escolhiam, tratassem eles de receber os sacramentos e levassem, às vezes, sacerdotes.

Além disso, declara ainda o padre Techo – e o dado por si só é digno de interesse –

> acudiam a implorar a proteção de uma imagem da Virgem muito venerada pelos habitantes de São Paulo, que são em geral muito devotos, suplicando que lhes concedesse o voltar sãos e salvos, depois dos muitos perigos que iam correr. Alguns raspavam o pedestal da dita imagem e levavam o pó consigo, como supersticioso amuleto, de maneira que, pela piedade dos ladrões, quase ficou sem base a efígie; cuidavam, sem dúvida, que a rainha dos céus patrocina os malvados.[1]

O alegado "judaísmo" dos bandeirantes ou de muitos deles resultava, assim, de um apodo corrente na época, sobretudo se dirigido a portugueses ou a filhos e netos de portugueses, segundo uma concepção popular dominante entre castelhanos. A rigor ele não é mais concludente do que, por exemplo, os de "hereges luteranos" ou "mouriscos", com que, em outros casos, eram mimoseados os moradores de São Paulo ou os de Rochela e Argel, que, às vezes em um mesmo documento, servem para nomear sua vila.

De tais apodos, nascidos da ira e malevolência, não se podem tirar melhores razões para a presunção, abraçadas por autores dos mais ilustres, sobre a parte excepcionalmente notável que à gente de estirpe hebraica terá cabido nas origens de São Paulo. Nem deles, nem de motivos supostamente psicológicos que se comprazem em invocar os adeptos de semelhante teoria. Se valessem muito esses motivos, caberia perguntar em que ponto as animosas expedições dos bandeirantes por lugares es-

1 Techo, *Historia de la província del Paraguay de la Compañia de Jesus.*

cabrosos ou desertos trazem a marca de um povo, que a tradição pretendia, mais dado à mercancia do que à milícia e afeito, antes, em sofrer as injúrias dos homens do que a aspereza dos elementos. A simples cobiça dos bens materiais, que está longe de ser apanágio desse ou daquele povo particular, pois é de todos os tempos e de todas as raças, em nada abona aquelas ideias. Onde aos judeus se atribui preeminência sobre outros povos é nos recursos de que se valeram para adquirir aqueles bens, recursos que não se assemelham exatamente aos que utilizaram os bandeirantes.

É inegável, certamente, que em São Paulo, como em todas as terras de portugueses, deve ter sido apreciável a infiltração de elementos israelitas. Nada atesta, porém, que tenha sido ela maior do que em outras regiões da América lusitana. O livro de registro da finta "dos cristãos novos e homens da nação hebraica", de que em 1684 foi fintador Gaspar Gomes, poderia ser a esse respeito tão decisivo para o planalto piratiningano como o são, por exemplo, os documentos das visitações do Santo Ofício para as capitanias "de cima". O fato de não existirem vestígios desse caderno em nossos arquivos priva-nos, entretanto, de um elemento que seria certamente valioso, para o conhecimento mais preciso da questão. Em todo caso, se as aparências não iludem é de crer que, ao lado da Bahia e de Pernambuco, o contingente de judeus e cristãos-novos foi antes menor do que maior em São Paulo, onde mais escassas oportunidades se ofereciam para seus contratos sendo, como era, terra pobre e que ainda mais se empobreceu e despovoou depois de se descobrirem as minas preciosas.

Ofícios de judeu*

Apesar de afeitos a ocupações ordinariamente desdenhadas e condenadas pelos cristãos, quando não pela Igreja, nem por isso se pode dizer rigorosamente que, na época da colonização do Brasil, representariam um corpo intragável para o meio lusitano. Nem o fato de terem achado seus maiores entre as camadas mais altas, a nobreza e muitas vezes até o clero, levará a crer que vivessem alheados da gente miúda que constituiria o grosso da população portuguesa.

Só em nítido contraste com os mouriscos, por exemplo, mostravam-se muitas vezes avessos ao labor agrícola, nada indica, por outro lado, que se confinassem aos seus tratos mercantis, que tanto renome e tamanha oposição lhes acarretaram. Muitos, certamente a maior parte, entregavam-se também a profissões modestas, que lhes permitiriam estabelecer maior convívio com o povo humilde e não apenas com os homens principais. Documentos precedentes da albergaria de Évora, utilizados por João Lúcio Azevedo, mostram-nos como, além de mercadores, curandeiros e astrólogos, havia-os em grande número empregados em trabalhos manuais, como os de feltreiros, tecelões, esmaltadores, alfaiates ou

* Artigo originalmente publicado em *O Estado de S. Paulo*, 7 fev. 1959. (N. O.)

gibeteiros. O de terreiro, a que tanto se aplicavam os mouros, por mais que alguns também atribuíssem a estes uma decidida preferência por ofícios menos pesados, é que os não atrai vivamente, segundo parece. Nem, ao que consta, o de pedreiro.

A mesma situação prevaleceria, muito provavelmente, naqueles domínios de ultramar, onde abundassem os cristãos-novos. Durante a primeira visitação do Santo Ofício às partes do Brasil, efetuada entre 1591 a 1595, e que apenas se deteve na Bahia e nas capitanias "de cima", ou seja, o atual Nordeste, era, de longe, o mais considerável o número dos conversos abertamente dedicados aos negócios mercantis. Havia-os, no entanto, distribuídos por alguns dos diferentes misteres em que sempre puderam realçar-se na península, tais como o de alfaiate e ourives, sem falar nos físicos e cirurgiões ou "*corgians*", da marca do tão citado mestre Afonso, já falecido à chegada dos visitadores. Assim também, dentre os raros mouriscos domiciliados ou estantes na Bahia àquela época, um apenas, Jorge Fernandes, tem sua ocupação expressamente assinalada, a de pasteleiro, justamente a que era vedada, com graves penas, aos de sua origem no regimento estabelecido em 1572 pelo Senado da Câmara de Lisboa.

Sobre os que empregavam seu tempo em ocupações a que a gente hebraica, em particular, sempre se mostrara afeiçoada, tudo faz crer que recaíssem constantemente suspeitas de apostasia, partidas dos cristãos devotos ou invejosos, embora nada pareça indicar a existência de alguma especial aversão pelos que parecessem sinceramente conversos. De modo que, para pôr à prova sua sinceridade, não faltavam recursos de toda espécie, mesmo os menos seguros ou convincentes, e alguns nada dignificantes para os que deles se valiam.

É de lembrar-se a esse respeito, como exemplo, o que se deu certa vez na Bahia, em 1591, onde um estudante chamado Fernão Garcia, que andava na primeira classe juntamente com Manuel Faria, meio cristão-novo, se serviu de curioso estratagema a fim de certificar-se se esse seu colega continuava a seguir os preceitos mosaicos, compatíveis com sua origem materna. Assim foi que, numa sexta-feira, tratou de dissimuladamente molhar o dedo no tinteiro, e tocá-lo por trás, sem ser sentido, no filete da camisa do dito Manuel de Faria, para saber se a traria vestida no outro dia que era sábado. O plano pareceu corresponder às suas expectativas, pois o fato é que Manuel não deixou, no dia seguinte, de comparecer com outra camisa, esta lavada e "de abanos enroscada", bem diferente da que trouxera à véspera. Aliás, já na semana anterior, vira o dito Manuel de camisa lavada, vestida no mesmo sábado, diversa da que tinha usado um dia antes, na qual Garcia pusera outro sinal de tinta.

Como levasse tais circunstâncias ao conhecimento da mesa do Santo Ofício, não deveram elas parecer prova bastante das suspeitas do denunciante. Tanto que lhe perguntaram os inquisidores se ignorava ser costume da gente da terra, por ser quente e transpirar-se muito, vestir cada dia camisa lavada. Ao que retrucou Fernão Garcia ter ouvido, com efeito, falar na existência de semelhante uso entre os que tinham posses, mas não sabia se o seu colega também o praticaria. E, "de costume", disse ser amigo do denunciado.

Uma sumária consideração das denúncias de Pernambuco, durante a visitação do Santo Ofício àquelas partes, não só revela a proporção notável dos cristãos-novos na população local – proporção que acontecimentos ligados à ocupação holandesa irá reafirmar posteriormente – como as formas de atividade que recebiam suas preferências. Assim é que, no rol apurado dos denunciantes, denunciados e das eventuais testemunhas com profissão manifesta naqueles textos, pode verificar-se como, entre 137 pessoas do sexo masculino residentes ou estantes em Pernambuco, 42, quer dizer menos de um terço, seriam judeus mal ou bem convertidos. É possível que fosse ainda maior a proporção efetiva, pois não faltava os que pretendiam esconder tal origem, e houve até quem, depois de se proclamar cristão-velho, tornou à mesa para desdizer as próprias palavras, receoso, porventura, de que outrem o fizesse em seu lugar, por onde se agravaria, com o falso juramento, o crime de pertencer à casta odiada.

No que toca às profissões exercidas por aquela gente, uma parcela considerável de cristãos-novos confessos ou sabidos parece distribuída entre os mercadores e tratantes de qualquer espécie, isto é, mais de 40%. O contraste com os cristãos-velhos avultará sensivelmente quando se considere que estes, por sua vez, de um total de 95 indivíduos, se apresentam expressamente com apenas quatro mercadores e tratantes. Destes, um, no entanto, é ao mesmo tempo "lavrador e tratante". A porcentagem mínima só sofreria ligeira mudança se considerássemos que outro cristão-velho lá aparece como "vinhateiro", nome genérico em português e que tanto se pode ligar àqueles que cultivam vinhas e aos que fabricam vinhos – misteres que não se filiam rigorosamente à profissão mercantil –, como ainda aos negociantes deles. Uma vez que em Pernambuco seria improvável qualquer das duas primeiras atividades (a menos que se não se tentasse no caso de vinhos de uva), parece forçoso incluir Antônio Correa, o vinhateiro em questão, entre os simples mercadores.

É curioso notar como, no trabalho rural, se mostravam, no Brasil, menos adversos, os cristãos-novos, do que o eram tradicionalmente em Portugal. Não haveria nisso uma possível relação com a base semicapitalista em que repousava nossa lavoura canavieira, destinada sobretudo a produzir para exportar? De qualquer forma, tendo-se em conta que dos 42 cristãos-novos incluídos nas denunciações, com os respectivos ofícios, 12 aplicavam-se a ocupações rurais – pouco mais de 28% –, ainda é baixa a proporção em confronto com a dos cristãos-velhos em idêntica situação.

Importa observar mais que a expressão "trabalhos" rurais não abrange, aqui, exclusivamente lavradores, no sentido mais estrito da palavra. Inclui, igualmente, senhores de engenho, feitores, purgadores de açúcares, mestres de açúcares e outras ocupações associadas de ordinário à lavoura de cana. E entre os cristãos-novos que se arrolam como simples lavradores – lavradores, porém, ao modo do Brasil, isto é, dispondo sempre de escravos que os poupam dos trabalhos mais duros, pois são sempre como seus pés e mãos –, não faltaria quem, e é o que se diz abertamente de um certo Simão Henriques, conservasse ao mesmo tempo sua antiga profissão de mercador. Por outro lado, essa relação de chamados cristãos-novos não consta de simples conversos, de cristãos-novos "inteiros", como então se diria. Vários deles, que se aplicavam ao mister agrário, não passavam de meios cristãos-novos ou "meios cristãos-velhos", e de um, chamado Jerônimo Pardo Barros, diz-se em seu depoimento que tinha "raça de cristãos-novos".

No que diz respeito aos ofícios manuais predominantemente citadinos, irá repetir-se em Pernambuco o que também ocorre na Bahia e no Reino. Os oito alfaiates assinalados nas "Denunciações pernambucanas" dividem-se igualmente entre cristãos-velhos e conversos – quatro para cada um dos dois grupos –, o que naturalmente realça a participação relativa dos últimos, sendo eles minoria, de fato, no conjunto da população. Sucede mais que, dos quatro alfaiates pertencentes ao grupo cristão-velho ou tido por tal, dois são simples "obreiros", isto é, dependem de mestres, porventura conversos, como é, seguramente, o caso de um deles, de Gaspar Manuel, obreiro de Cristovam Martins, cristão-novo.

Os boticários são, invariavelmente, de origem judaica, e assim também, o único ourives assinalado, a saber, Ruy Gomes, um dos condenados por apostasia, no auto de fé celebrado em Lisboa na sala dos Estaus, em fins de janeiro de 1599. Além disso, entre os quatro mestres de ensinar moços, que incluem Bento Teixeira da Prosopopeia, condenado juntamente com Ruy Gomes, só de um se diz que era cristão-velho. Por outro lado, carpinteiros, sapateiros, ferreiros, pedreiros, pescadores são invariavelmente cristãos-velhos.

Portugueses na América*

Se é exato que, em outros países europeus, muitos naturais da Península Ibérica passaram no século XVI e mais tarde por judeus ou marranos, não parece menos certo que o mesmo se dava particularmente com os portugueses em Castela. "Através da Espanha e das suas colônias americanas", segundo pode assinalar o professor C. R. Boxer, "os termos judeu e português eram virtualmente sinônimos, e [...] o dr. Lourenço de Mendonça chegou a apresentar um extenso memorial à Coroa no ano de 1630, no qual protesta cheio de indignação contra esse costume generalizado".[1]

Outro autor, especializado na história colonial hispano-americana, sobretudo a das regiões platinas, escreve, por sua vez:

> Em Lima, tal foi o número de portugueses que chegaram a monopolizar o comércio, e estão cheias as crônicas de pormenores acerca de perseguições que lhe foram movidas pelo Santo Ofício, pois ali, como aliás em toda a América espanhola, o ser português implicava ser judeu,

* Artigo originalmente publicado em *O Estado de S. Paulo*, 9 mai. 1959. (N. O.)

1 Cf. Boxer, *O Império marítimo português, 1415-1825.*

no conceito popular. A tal ponto, que quase não se encontra citada a referida nacionalidade sem o aditamento étnico aludido, houvesse ou não fundamento razoável para tanto.[2]

Os portugueses desejosos de se estabelecerem na América, é ainda Lafuente Machain quem o diz, foram tidos em toda parte por suspeitosos da fé, e como tal eram vigiados pela Inquisição, que à primeira oportunidade os processava e punia.

Um documento oficial espanhol de 1777, posterior, por conseguinte, à lei pombalina que extinguiu a distinção entre cristãos-velhos e cristãos-novos, parece consagrar aquele conceito popular em que explica, a seu modo, a campanha antijesuítica do ministro de d. José I. Segundo se lê nesse documento – a julgar pelo texto ultimamente encontrado em arquivos paraguaios –, respondendo a uma consulta d'el-rei de Portugal sobre certa proposição inglesa no sentido de cessarem as perseguições à gente hebraica, procurou seu confessor mostrar os inconvenientes de tal ideia. Pois, se assim se desse, teria ponderado o mesmo religioso, sua majestade logo deixaria de ser rei dos portugueses para se converter em rei dos judeus. Por isso, e para que estes não viessem a conhecer seu número e sua força, importava, para a tranquilidade do Estado, que tudo permanecesse como antes. Assim, o Reino não deixaria de ser o que fora no passado e se evitaria que passasse a ser escravo do judaísmo.

Fosse porque el-rei não quisesse deixar de ceder à vontade dos ingleses, fosse para recolher as grandes contribuições dos hebreus, que prometiam concorrer para a reedificação de Lisboa, fazendo-a mais bela e magnífica do que nunca, a verdade, segundo a mesma versão, foi que evitou de se deixar convencer pelas razões de seu confessor, mas não quis tomar qualquer resolução sem se aconselhar melhor, a fim de evitar desordens em seu Estado. Enquanto se deliberava, o assunto se divulgou, porém, devido à indiscrição dos próprios comerciantes ingleses em Lisboa, dando causa e murmurações hostis do povo e do clero. Os sussurros

2 Machain, *Los conquistadores del Río de la Plata.*

chegaram ao ouvido de sua majestade, que, desconfiado dos jesuítas, por julgá-los seus promotores, passou desde então a mostrar sua má vontade contra a Companhia.

Todo o documento corresponde bem à mesma tendência corrente durante algum tempo em vários países, para se identificarem portugueses e hebreus, e que, segundo o anônimo do *Racional discurso*, levava muito a chamarem ao rei de Portugal *Rex Judaeorum*. Fora essa a causa de muitas das perseguições padecidas pelos portugueses nas terras da Coroa de Castela, principalmente depois de 1640, quando o pretexto da Restauração supriu todos os escrúpulos porventura ainda subsistentes em favor deles. Aliás, desde 1634 principiara a Inquisição, em Lima, uma intensa atividade que se dirigia principalmente contra os comerciantes e peruleiros, idos de Portugal ou mesmo do Brasil. Em 1639 chegou ao auge essa atividade, com 72 condenados no mês de janeiro, sendo 63 por judaísmo e 11 sentenças capitais. Portugueses eram todos os culpados de práticas mosaicas, menos um cirurgião, natural de Tucumã, que, no entanto, era filho de outro cirurgião português. E no decênio imediato, outra onda de perseguições irá desencadear-se, por sua vez, na Cidade do México.

Não é certo, todavia, que os portugueses espalhados pelas possessões castelhanas fossem invariavelmente de ascendência hebraica. Não o seriam, por exemplo, aqueles marinheiros lusitanos que ajudaram os crioulos de Cartagena nas Índias a depor seu governador quando da rebelião de Portugal, segundo se lê em certa memória dirigida em 1646 a Felipe IV por um religioso da ordem dos pregadores.

Isso não significa, porém, que os judeus e criptojudeus deixaram de formar um grande contingente dos muitos portugueses ali estabelecidos. É o que sugerem, por exemplo, muitos dos autos de fé de Lima. Alguns teriam ido do Brasil, e no estudo dedicado por A. P. Canabrava ao *Comércio português no Rio da Prata*, entre 1580 e 1640, apontam-se vários nomes de pessoas estabelecidas em Lima, Tucumã ou Cuzco, de que há menção nas denunciações da Bahia e de Pernambuco. Se um contingente mais apreciável desses portugueses eventualmente judaizantes se fixou em Buenos Aires é porque talvez se achariam ali relativamente distantes da ação do Santo Ofício, que só existiu nominalmente na cidade platina, embora nela a inquisição de Lima tivesse um comissário residente.

O cômputo dos portugueses estabelecidos em Buenos Aires por volta de 1643, data do desarme obrigatório que nos conservou esses dados, permite fixá-los então em 370, o que significa, segundo Lafuente Machain, que nada menos de 25% da população era portuguesa ou da primeira geração de nascidos já no lugar. Proporção que aumentaria muito se lhe fosse acrescentada a segunda geração e os que se achavam de passagem, "estantes e habitantes", segundo a terminologia da época. Dos 180 desarmados, 74 tinham entrado sem licença legal, 14 tiveram-na, e 4 foram no desempenho de cargos. Sabe-se, outrossim, que 25 eram casados com portuguesas ou filhas de portugueses, 29 com castelhanas nativas ou da Europa e 20 com "filhas de conquistadores", que representavam a aristocracia local.

Mesmo depois do Tratado de 1668, pelo qual a Espanha reconheceu a independência de Portugal, ainda sentiam "os comerciantes e todos os habitadores" do Brasil, segundo o governador Martinez de Salazar, "ânsia e cobiça de vir a Buenos Aires", sentindo-se muito irritado, depois de se lhes "haver proibido a comunicação deste porto, em seguida às pazes, que repugnam grandemente".[3] Num discurso militar e político feito para a defesa do porto, declarava Salazar o quanto importaria para a conservação da terra que fosse tolerada a ida de uns patachos, ainda que somente dois por ano, do Rio de Janeiro a fazer permutas com os conterrâneos de Buenos Aires, "*que los de aqui son tan Portugueses como aquellos, por no aver seis casas que no les toque el serios enteramente, ó mas de mitad*".[4] Por isso e por outras razões de congruência, que se originam de não terem por adversários os vizinhos de Buenos Aires, "*pues son todos unos*", conviria, a seu ver, atalhar com esse meio o que com maior dificuldade não se poderia fazer por outro qualquer.

Não se modificará grandemente a situação em 1680 e d. José de Garro chega então a manifestar seus receios sobre a possível ação dessa

3 Cf. Machain, op. cit.

4 Cf. Ibid.

espécie de quinta coluna lusitana, estabelecida em Buenos Aires num momento em que a Coroa de Lisboa pretende fazer valer sua pretensões sobre a margem esquerda do estuário do Prata. Em carta dirigida ao vice-rei de Lima, o arcebispo d. Melchior de Linan y Cisneros declara ao governador buenairense: "Esta cidade, Senhor, em sua maior parte, compõe-se de portugueses, seus filhos e descendentes, e a ardente paixão que os une aos outros, que com pouco dissímulo, dão a conhecer, faz-me desconfiar dos que lhes deem as mãos".[5] Haverá em tudo isso exagero, como teria havido exagero na rotunda afirmação do procurador Manuel de Frias, feita em 1621, quando, referindo-se ainda a Buenos Aires, chegara a dizer: "*Todos quantos portugueses bíven en este puerto [...] son mucho más que los castellanos*".[6] As cifras relacionadas com o célebre "*registro y desarme*" já nos mostram como, passados vinte anos, o número de portugueses ali estabelecidos, se bem que abundante, alcançará, quando muito, o quarto da população local, e mesmo assim se somado aos dos seus descendentes imediatos.

Parcela ainda assim considerável e que, segundo Machain, avultara sobretudo com a chegada ao Brasil do visitador do Santo Ofício, licenciado Heitor Furtado de Mendonça, causa de grande infiltração de criptojudeus de origem portuguesa nas possessões de Castela.

5 Cf. Ibid.
6 Cf. Ibid.

Década de 1960

Sérgio Buarque de Holanda tocando sanfona no apartamento de Heloísa Maria (Miúcha) e João Gilberto. Nova York, 1966.

Acervo SBH

Historiografia portuguesa*

Não são poucas, em nossos dias, as perplexidades a que se expõe o historiador ante a figura do infante d. Henrique. Ninguém, razoavelmente, nega a grandeza sem exemplo de sua obra. O que se discute, e às vezes com algum calor, é a parte maior ou menor que lhe toca na empresa associada ao seu nome. Como sucede muitas vezes em casos tais, esse nome acabou por absorver em sua trajetória ao longo do tempo as figuras menores que o rodeavam. De onde a quase impossibilidade de separar-se o que de direito lhe cabe de contribuições alheias a seu estímulo e iniciativa.

Há, e em número já considerável, quem busque desligar da ação de d. Henrique muitos dos grandes feitos empreendidos em sua época pelos marinheiros lusos. A importância desses fatos independentes de sua orientação tem sido efetivamente realçada, nos últimos tempos, por historiadores do porte de Duarte Leite, José de Bragança, Antônio Sérgio, Veiga Simões, Magalhães Godinho e outros mais, que tendem a ver neles um movimento antes coletivo do que pessoal, largamente animado pela burguesia mercantil do Reino, de notória responsabilidade na própria

* Artigo originalmente publicado em *O Estado de S. Paulo*, 12 nov. 1960. (N. O.)

ascensão da casa de Avis. E não é por acaso, lembram alguns desses autores, que a fase mais ativa da expansão portuguesa na costa da Guiné vem a coincidir, em vida do navegador, com os oito anos da regência de seu irmão Dom Pedro, vale dizer, em outras palavras, com a ascendência política daquela mesma burguesia.

Mesmo assim permanece decisiva a parte de d. Henrique nesse movimento nacional, não apenas individual ou dinástico, a que se associam os descobrimentos marítimos e as explorações de novas terras. Quando se apresentam restrições ao papel absorvente ou até exclusivista que veio a adquirir a figura do infante é para melhor compreender, reduzindo-o a proporções humanas e plausíveis, sua grandeza histórica, não para abatê-la ou negá-la. Longe de constituir invenção moderna ou fruto do zelo patriótico de alguns historiadores portugueses, é fato que, tomado em bloco, parece resistir a qualquer contradita.

O mal desse zelo patriótico, em particular das acerbas reivindicações de primazia – Pierre Chaunu aludia, não há muito, ao "nacionalismo retrospectivo" verdadeiramente incomparável de inúmeros historiadores portugueses –, não está apenas em que ele tende a falsificar ingenuamente o passado, mas também em que provoca, num inevitável contragolpe, outras reivindicações nacionais que, por serem não raro tão pouco científicas quanto elas, podem refazer-se, ao cabo, mais eficazes. Não é assim de admirar que a obra dos navegadores e descobridores portugueses tenha dado origem a increpações injustas ou até absurdas.

O bom remédio, aparentemente, para muitos desses desvarios pode encontrar-se na exemplar sobriedade das crônicas lusitanas do século XV. Elas não se acham isentas, é certo, das tendências deformadoras que distinguem o gênero panegírico. E é o que precisamente se dá com as de um Gomes Eanes de Zurara, dedicadas ao enaltecimento dos feitos do infante. Segundo os usos da época, mal se conceberia herói que não se conformasse a certas normas éticas cujo modelo vinha, de ordinário, dos livros de cavalaria. Conhecido, porém, esse vezo, já se torna relativamente fácil atinar com o que se dissimula.

Aqui e ali parece o cronista ceder, por outro lado, à atração do miraculoso e do sobrenatural. Assim é que na *Crônica da tomada de Ceuta* ainda dá crédito à opinião vulgar de que Santiago em pessoa apareceu a Remigio, e de que um anjo do céu se manifestou a d. Afonso na Batalha de Naves. Detém-se, além disso, em relembrar, como quem acena para fato insólito, prenúncio de outros, que o infante d. Henrique, "do ventre de sua madre, trouxe consigo abraçada à semelhança da cruz de nosso senhor Jesus Cristo".[1]

Na maioria desses casos, no entanto, o autor parece obedecer a fórmulas fixas já consagradas desde os clássicos latinos, e que hão de ser interpretadas nesse sentido. Elas não o impedem de ater-se quase sempre a uma visão direita e discreta dos fatos. Pode-se mesmo perguntar se tal atitude não responderia a uma expectativa generalizada entre o público lusitano de sua época, muito menos crédulo, no que diz respeito às obras humanas e terrenas, do que seríamos tentados a supor.

Notem-se os escrúpulos, por exemplo, com que o mesmo Zurara, na *Crônica de conde dom Pedro*, procura justificar-se pelo fato de anunciar, quase sempre, perdas maiores de parte dos mouros do que dos cristãos e portugueses nas lutas de Marrocos. A causa dessa diferença de tratamento, observa, longe de provir de "alguma afeição ou não devido escrever",[2] prende-se apenas à falta de defesa dos soldados muçulmanos, que só por exceção se vestem de armaduras, ao contrário do que sucede com os cristãos. E "razoavelmente", diz mais, "gente sem armas nunca pode por igual fazer peleja com gente armada e usada de sofrer o peso e o trabalho das armas".[3]

O cuidado do "devido escrever", isto é, com verdade e segurança, levara-o mesmo às partes da África onde contava poder apreender melhor e diretamente o que ia por aquelas terras. De uma de suas crônicas diz que redigira duas vezes, emendando sempre o que conhecia errado, "deixando as particularidades em que nunca se pode achar verdadeira certidão".[4]

1 Zurara, *Crônica da tomada de Ceuta.*
2 Id., *Crônica do conde dom Pedro.*
3 Ibid.
4 Ibid.

E mesmo onde parece admitir misteriosas ou milagrosas aparições, mal se pode pretender que Zurara lhes dá crédito cabal. Ele próprio refere, e aparentemente para aprová-la, a estranheza com que d. João I se dirigira certa vez ao capitão Afonso Furtado e ao prior do hospital por darem atenção a agouros de marroquino velho em vez de cuidarem de seu serviço, e sendo homens de tamanha autoridade lhe fossem a falar um em "astronomia", outro em "semelhanças e feitiços".

É bom observar que, entre historiadores portugueses quatrocentistas que, diretamente ou não, trataram da fase henriquina, é precisamente Zurara quem mais parece distanciar-se dessa indiferença ante as manifestações miraculosas, alheia às regras canônicas. O mesmo crédulo, seguramente o mais realista, ainda é Fernão Lopes, que supera de longe seus contemporâneos portugueses e tem lugar dos mais eminentes na historiografia europeia da Idade Média. Mas Fernão Lopes pertence a uma fase anterior à de Zurara, embora não falte quem chame a atenção para a sua modernidade aparente. Se essa modernidade tem a ver com aquele robusto realismo, conviria lembrar que o seu é um realismo de timbre bem medieval, adverso às fantasmagorias humanísticas ou renascentistas, e afeito antes às formas tangíveis que a divina sabedoria pôs e ordenou neste mundo.

É ela tão somente, é a sabedoria divina, que guia os passos dos homens, de tal sorte que seu bom ou mau sucesso valerá por um juízo da Providência. "Mas temos", diz a *Crônica de d. João I*, "que o mui alto senhor Deos, que em sua providência nenhuma coisa falece, que tinha disposto de o Mestre ser Rei".[5] A própria morte do Andeiro e ainda a do bispo de Lisboa parecem a Nun'Álvares, e naturalmente ao cronista, nada menos do que coisa sagrada, "obra de Deus", que se quisera lembrar do reino de Portugal, livrando-o dos inimigos.

As formas visíveis, ainda que muito importem, importam sobretudo na medida em que espelham um plano eterno. Não admira que possam deixar algum lugar para aparições misteriosas como as dos cometas pres-

5 Lopes, *Crônica de D. João I.*

ságios – ainda uma herança quase automaticamente aceita dos clássicos da Antiguidade – ou como a profecia do alfageme, que também se acha na *Crônica do Condestabre.* E talvez porque a visão corpórea é tida como imperfeita, comparada à espiritual, onde o Espírito Santo alumia os olhos da alma, e porque os "humanais feitos se julgam segundo a intenção", há pouco espaço, nos escritos do mesmo Fernão Lopes, para a descrição da figura humana, coisa acidental, em verdade, de pouco peso no cumprimento dos decretos da Providência.

Entre os autores quatrocentistas portugueses, as peculiaridades físicas das personagens retratadas só costumam gravar-se, de modo geral, quando fogem ao comum: as referências à "cara inglesa", por exemplo, em tal ou qual descendente da rainha dona Felipa, ou ainda a algum defeito corporal mais marcado. Mesmo no retrato que o mais notável desses cronistas nos deixa de dona Filipa, o que sobressai não são os aspectos físicos, mas os dotes do espírito. Mais prolixa nesse particular, ainda que bastante sumária, é a descrição do duque de Lencastre: "homem de bem feitos membros, comprido e direito, não de tantas carnes como requeria a grandeza do seu corpo, e seria de idade até 60 anos, de poucas cãs, segundo tais dias, e de boa palavra, não muito trigosa".[6]

A propósito, é de notar como os defeitos que ferem mais o ouvido do que o olhar surgem com relativa frequência nos escritos de Fernão Lopes. Em Dom Pedro, o Cru, de Portugal, a primeira coisa que lhe chama a atenção é a gagueira. De seu homônimo de Castela, ocorre-lhe lembrar que "ciciava um pouco na fala". E do conde de Arraiolos diz que não tinha voz clara: isto, acrescenta tranquilamente, por causa "de um cerco em que comeu ratos".

Um aspecto que passaria por moderno, quase atual, no cronista de d. João I, está no lugar considerável que dá à gente popular e humilde, quando na de Zurara essa mesma gente quase se apaga e é tida em pequena conta. A discrepância pode provir, em grande parte, da disparidade das situações que um e outro deveram relatar. Ao passo que Zurara des-

6 Ibid.

creve um tempo em que a pobreza e os estados de cavalaria procuravam recobrar o velho esplendor, Fernão Lopes pinta, sobretudo, com o declínio da velha nobreza, a ascensão da burguesia citadina e a agitação da arraia miúda de Lisboa e do Porto, tendendo quase a identificar-se com os ideais destas.

Ainda que não trate da gesta henriquina, testemunha ele, como nenhum outro, antes ou depois, as condições gerais que deveriam propiciar a expansão ultramarina de Portugal. Parece exato falar, nesse caso, em ascensão da burguesia. Contudo é mister admitir a expressão com alguma reserva. E apesar de ser dos temas diletos da moderna historiografia portuguesa o vincular-se a expansão ultramarina, em seu começo, aos apetites materiais dessa classe burguesa, o assunto merece ser clareado de outro aspecto.

A reserva àquela palavra "burguesia" teria pouco a ver, certamente, com a participação, esta ativa e indubitável, dos mercadores, mecânicos, e gente ainda mais ínfima das cidades, na elevação da dinastia de Avis, mas antes com as implicações eventuais de tal participação. Não custa a muitos crer que a condição de "burguês" corresponde a alguma realidade uniforme, imutável, capaz, por isso mesmo, de reagir de forma aproximadamente igual em qualquer época e em qualquer lugar. Ora, parece descabido querer pensar, a propósito da gente popular que em fins do século XIV ajudou a alçar ao trono português o Mestre, na classe que, passados quatro séculos, ira levantar-se, na França, contra os tronos e os altares. Mas seria menor a diferença que já separa o "povo miúdo" de Fernão Lopes dos "*popolani*", miúdos ou grossos, pouco importa, de Dino Compagni ou Giovanni Villani, que antecederam de século e meio ou mais o cronista português?

É significativo que, enquanto o populacho florentino é conduzido a mudar a ordem política de sua República, em parte pela própria ambição, mas principalmente pelo gosto de novidades – segundo o pretendem aqueles mesmos e outros historiadores italianos da época –, o de Lisboa e o do Porto esforçam-se, ao contrário, por querer resguardar ou vingar tradições caprichosamente quebradas. Contra el-rei d. Fernando, o primeiro gesto de revolta do povo, encabeçado pelo alfaiate Fernão Vasques, é suscitado pela notícia de que o soberano vai casar com mulher de condição mais baixa: "como verdadeiros portugueses lhe vinham dizer que tomasse mulher filha de Rei, qual convinha a seu estado, e que quando com filha de Rei casar não quisesse, que tomasse uma filha de fidalgo".[7]

Temem, os povos, que esse desafio d'el-rei nos bons e antigos usos fosse origem de inovações arriscadas. E não errarão nesse juízo, pois desde que passou a reinar dona Leonor, quem o diz é ainda Fernão Lopes, "aprenderam as mulheres a ter novos jeitos", diferentes dos "que se acha nos anciãos tempos que outra Rainha de Portugal fizesse",[8] e não é essa a causa principal das muitas mudanças que logo padecerá o Reino?

A alta estima que, depois disso, continuará a ter a nobreza em contraste com o povo humilde, só afeito a baixos sentimentos e interesseiros, é tema constante entre os cronistas portugueses do quatrocentos. Ainda aqui Fernão Lopes parece, por vezes, abrir exceção. Não se pode, porém, afiançar que fosse de todo estranho a um modo de sentir que seria corrente e invencível em seu meio. O Mestre, quando se decide a manter o conde João Fernandes, por lhe parecer que um tal ato é de sua honra e serviço, mostra nisso a "diferença que há dos filhos dos Reis aos outros homens". Assim o diz Álvaro Pais, quando o beija na boca depois de ouvir seu assentimento. E assim cuida, por certo, o cronista que anota o episódio e as palavras.

No final da *Crônica de d. João I*, não deixa ainda Fernão Lopes de assinalar, louvando-a, a distinção que fazia o condestável entre os homens de elevada e os de baixa condição, quando desordenavam do regimento que lhes dera. Assim, sempre que se tratava de cavaleiros ou honradas pessoas, limitava-se Nun'Álvarez a exprobrar-lhes o mal feito com tristeza e temperança. Mas se fossem de menor condição esses desordeiros, a uns matava-lhes os cavalos, a outros feria nos corpos, de maneira que os pequenos tivessem grande medo e os fidalgos o mais profundo respeito e acatamento.

7 Ibid.

8 Ibid.

Fernão Lopes que, por momentos, parecera fazer suas aspirações dos representantes das classes populares, muitos deles "nobilitados" agora e voluntariamente esquecidos de sua origem baixa, não se mostra menos do que os outros, inimigos de usança que possam servir de ameaçada ordem tradicional. Mas não é isso o que mais nos importa aqui. O mais importante é que não pensavam nem agiam diversamente dele as gentes do "comum povo" apesar do largo espaço ocupado por elas em sua narrativa. Nada faz crer que essa "burguesia" lusitana, tão ativa nas lutas de 1363-1365, pretendera levar consigo à tona algum princípio verdadeiramente inovador.

Bem diferente dela parecem, pela mesma época e depois, aqueles burgueses de Gand, que também pelejam por fazer um "mundo novo", nas próprias palavras de Philippe de Commynes, mas que não querem dar crédito senão aos de sua laia, olhando com mau olho os poderosos e os grandes. O cronista flamengo ou borguinhão ainda está longe de compartilhar desse modo de ver. Nem se poderia esperar outra coisa de quem, como ele, pertence por sua origem aos privilegiados. Contudo, um seu contemporâneo, o secretário Nicolau Maquiavel, registra placidamente, no pórtico de sua biografia de Castruccio Castracani, o fato de todos ou quase todos os que no mundo operam grandíssimas coisas terem tido "baixo ou obscuro o nascimento de origem".

Assim podia cuidar um autêntico florentino, e não só no século XVI como no trezentos. Para um português da era das grandes navegações, tal pensamento, porém, seria inconcebível ou inconfessável, ainda quando afetasse admitir que tão digna é a nobreza do espírito quanto a do sangue, pois todos saíram do mesmo barro. E que a "burguesia" portuguesa daqueles tempos ou há de ser julgada segundo padrões peculiares, ou sua revolução, se efetivamente lhe cabe esse nome, saiu gorada de nascença. Os ofícios mecânicos e mercantis que tinham feito a grandeza das repúblicas italianas e das cidades de Flandres continuaram a ser tidos ali em má conta pela mesma gente que antes os exerceram.

É mister frisar essa distinção quando as alude à "revolução burguesa" que parece inaugurar a expansão portuguesa no mundo. Os historiadores que frisaram esse problema foram movidos largamente pela ambição de reagir contra as explicações idealistas da origem das navegações e dos descobrimentos marítimos. E sobravam-lhes razões para isso. O infante não foi, por certo, o simples idealista ou o cruzado que se comprazia por vezes em pintar a historiografia romântica. Daí, porém, há um longo caminho para cuidar-se que ele, ou que o infante Dom Pedro, ou ainda que os reis portugueses da era dos grandes descobrimentos representavam e sequer prenunciavam a moderna "mentalidade" burguesa e capitalista, que não busca apenas o lucro, mas é sobretudo meticulosa, sóbria, previdente e amiga de calcular perdas e ganhos.

Por mais que se tenha pretendido o contrário, tudo faz crer que já a conquista e ocupação de Ceuta fora uma empresa constantemente perdulária, posto que gloriosa. Se não há como negar que a avidez dos despojos de uma guerra curta contribuiu para o assalto à praça, é bem duvidoso que os promotores da façanha estivessem aparelhados, como o tinham estado os de Gênova duzentos anos antes – quando realizaram um golpe semelhante contra a mesma Ceuta –, para uma obra que não requer ardidez de cavaleiros, mas tino de bufarinheiros e regatões.

Depois disso, as próprias riquezas que resultarão para o Reino, dos feitos de Guiné, riquezas em escravos negros principalmente, mas também em ouro, em marfim, em malagueta, não darão para cobrir o muito que neles se gasta. Durante toda a vida do infante permanecerá deficitário o negócio da África. Outro tanto há de ocorrer em épocas ulteriores. É sabido que os erros políticos e os desmandos financeiros de d. Afonso V deixaram exaurido o tesouro régio. De que vale o fruto das expedições no além-mar se o próprio soberano se vê obrigado a confiscar a prata das igrejas, prometendo pagar (e não o há de cumprir) apenas metade do valor, para atender a projetos grandiosos (e não os há de realizar) e necessidades comezinhas?

Mais pecuniosos, embora seu filho e sucessor não pareça adverso a gastos suntuários que traduzem antes amor à ostentação do que opulência real. O resultado, dizem-no Rui de Pina e Garcia de Resende, é que d. João II nunca alcançará recurso bastante para ir em pessoa à África, como sempre o desejara. E, apesar do muito dinheiro que cobrou dos judeus, e do que lhe ia do ouro da Mina, consegue, quando muito, saldar metade dos compromissos assumidos pelo pai com os confisco às igrejas, isto é, a quarta parte do valor desse confisco.

Seria de esperar, em seguida, que o feito do Gama, quando abriu caminho novo para a terra das especiarias, servisse para aliviar a penúria do Reino e da Coroa. A verdade é que as rendas do Oriente estarão ainda longe de pagar o que custam as expedições, sem falar o que se perde em terças, ordinárias, casamentos, moradias, graças especiais e faustosas embaixadas. No mesmo ano em que se descobre o Brasil, o próprio d. Manuel é forçado a negociar os juros da dívida real para fazer face às despesas crescentes. A dívida, contudo, não deixará de avolumar-se, apesar disso, de ano para ano, levando o rei, por fim, quase à falência declarada.

É impossível dissimular essa procissão de desastres financeiros quando se considerem as especulações de muitos historiadores recentes, que buscam discernir os fundamentos econômicos da expansão portuguesa. Diga-se, de passagem, que a busca é perfeitamente legítima e até necessária. Se há algum engano nesse caso, o engano não está no alvo, está na linha de mira. É bem possível, e até provável, que os descobridores lusitanos fossem alentados de início por uma "burguesia" numerosa e atuante. Mas querer fabricá-la à imagem de modelos abstratos, destacados do tempo e do espaço, é fazer uma construção retrospectiva e evanescente. Tratava-se de uma burguesia, se é preciso recorrer à palavra mágica, mas antes de tudo seria uma burguesia portuguesa e quatrocentista, ambiciosa de presas e honras, mas alheia a certas virtudes mais prosaicas que nos evoca hoje esse conceito.

O grosso dos cabedais apurados ao longo da aventura ultramarina de Portugal destina-se sempre à aquisição do indispensável para o custeio da mesma aventura. Sem um apelo constante à importação de matérias-primas e artigos manufaturados, ficaria o Reino praticamente impossibilitado de levar avante sua política de expansão. Para principiar, faltava-lhe madeira boa e bastante que alimentasse sua marinha desfalcada pelos constantes naufrágios e avarias. E além da madeira, era mister comprar no estrangeiro tudo quanto requeria a construção naval: cachamago, estopas, alcatrão, breu, betume para calafetagem, cânhamo para amarras e enxárcias. Soma-se a tudo isso a exigência de material para escambo: lãs e linhos de Flandres, capas de Inglaterra e Irlanda, estanho das mesmas ilhas britânicas, artefatos de Nuremberg, objetos de cobre da Europa Central, transportados para Lisboa em barcos de Dantzig, Lübeck ou Hamburgo.

Não admira se os ganhos obtidos nas expedições fossem constantemente inferiores aos gastos exigidos para seu equipamento. Como justificar, em circunstâncias tão adversas, a teimosa demanda dos que vão em busca de mares nunca dantes navegados? A pergunta permanecerá seguramente sem resposta para os que se atenham a critérios econômicos próprios de nosso tempo. E talvez não seja grande exagero em dizer das grandes navegações portuguesas, que pertencem menos à história do que à pré-história da economia moderna.

Rio: o primeiro século*

"*Guanabara, autrement dit Genevre, en Amérique.*" Com o topônimo português estropiado – intencionalmente – assim nomeia Lery o sítio da terra do Brasil onde ele e mais treze companheiros desembarcaram certa manhã, no verão de 1557, para vir plantar a semente do Senhor. A intenção de aproximá-la da Roma huguenote volta a insinuar-se logo adiante, quando o cronista nos oferece uma sumária descrição da França Antártica. Nada seria mais grato a tão devotos corações do que recuperar, após seis meses de peregrinações, um pouco das cenas familiares da sua Saboia, que tinham deixado à 8 e 9 de setembro de 1556, em obediência à vocação missionária. A Guanabara, com efeito, parecia-lhes copiar Genebra. Ainda que bordada de serras menos altaneiras, a enseada espaçosa é como uma réplica do Lemano, ao passo que a terra firme, abraçando-a em quase todo o circuito, muito se assemelha à de lá, quanto à situação.

Três semanas depois da chegada, já os pastores Chartier e Richier podiam mandar a Calvino boas notícias do país. Em sua carta de 1º de abril, o vice-almirante Nicolas Durant de Villegagnon, que ainda

* Artigo originalmente publicado na revista *Manchete*, Rio de Janeiro, 30 jan. 1965. (N. O.)

não se revelara o "Judas do Brasil", aparece do modo mais lisonjeiro. Mostrava-se, em verdade, autêntico pai e irmão dos missionários, invocando ao seu lado Jesus, único medianeiro entre o Pai celeste e os homens, e deleitando-se com a palavra de Deus, que antepunha a todas as lições dos doutores antigos. "Dirige," – acrescentavam – "de maneira sábia e prudente, a comunidade, que oferece o aspecto do templo que Priscila e Áquila mantinham em sua casa, ou daquele outro, que existiu na morada da ninfa, e assim podemos crer que em breve nascerão aqui muitas igrejas, para a glória de Deus e o aumento do reino de Cristo."[1]

Mas não duraria muito o idílio. Já no pentecostes vão surgir os primeiros dissídios entre o comandante e os ministros de Calvino. A cauda da dúvida girava em torno de uma questão muito debatida entre papistas e reformados. Era lícito, perguntava-se, deitar águas ao vinho na consagração? Villegagnon entendia que sim; os pastores discordavam. Dessa desinteligência vai nascer outra, relativa à presença real de Cristo na Eucaristia. Aguça-se logo a contenda quando o vice-almirante levanta a voz, num casamento, para censurar publicamente Richier. Afinal, para que se aplaquem as desavenças, alvitra-se que um dos pastores vá a Genebra submeter o caso a Calvino. Villegagnon prontifica-se a aceitar a arbitragem com uma condição: Richier se absteria de administrar os sacramentos ou de aludir em sermão aos tópicos discutidos, até que chegasse à solução.

Isso não impede que pouco depois se acentuem as diferenças. O vice-almirante vai desmandar-se agora em atos sucessivos que fecham o caminho a qualquer reconciliação. Cansados de tamanhos vexames, decidem então, os calvinistas, abandonar a ilha onde, protegidos pelo Forte de Coligny, se congregavam na maioria os colonos, e dirigem-se para uma praia já povoada de franceses descontentes.

Os que não padecem de perto as mesmas tribulações tenderiam a reprovar o gesto como abertamente sedicioso. Sobretudo por isso, que, cindindo a comunidade, ameaçava duramente o bom sucesso da primeira tentativa de apostolado empreendida entre pagãos por uma das igrejas

1 Cf. Gaffarel, *Histoire du Brésil français au seizième siècle.*

saídas da Reforma; a segunda ocorrerá três anos depois e será destinada por Gustavo Vasa à evangelização dos lapões. Nem esse motivo, porém, nem os constantes protestos de fidelidade que lhe manda Villegagnon da Guanabara, parecem ter constituído a razão decisiva para a atitude de reserva com que Calvino vai acolher as queixas de seus ministros. Até então, e ainda mais tarde, quando irá condenar a conjuração de Amboise, Genebra não definira claramente a posição que há de assumir o verdadeiro crente ante as insolências dos poderosos. E entre o dever de obediência e o de resistência tende a inclinar-se para o primeiro e tergiversar sobre o segundo.

Mas Villegagnon não tinha vindo para fundar a república dos santos. Se buscara o apoio de Coligny fora, com certeza, na esperança de ganhar, com isso, o favor da Coroa. Não foi o adepto de Genebra, mas o almirante de França, que ele quis homenagear quando deu seu nome ao baluarte de madeira construído na Ilha do Serigipe. Por outro lado, a ideia de erigir-se na longínqua América um asilo para as vítimas das perseguições religiosas poderia sorrir a Coligny. Só depois de assegurar-se esse apoio – mas também as simpatias do cardeal de Lorena, que via nele principalmente o cavaleiro de Malta –, Nicolas Durand viera fundar a 10 de novembro de 1555 seu estabelecimento na Guanabara. Ainda não era a cidade que congregaria os colonos, nem havia, naquele ilhéu, espaço para tanto. A cidade, com o nome de Henriville, em lembrança do rei, ficaria, ao que parece, onde hoje existe a Santa Casa de Misericórdia.

Evitando comprometer-se em demasia com os protestantes, que em numerosos casos se expatriaram de bom grado, Villegagnon tratara de recrutar os primeiros colonos, em sua maioria entre criminosos das cadeias de Paris e Ruão. Contudo, as dificuldades maiores com que lutará de começo não lhe virão dessa gente, mas de aventureiros já instalados no lugar. Certo trugimão normando, amasiado com uma índia e que ele pretendera caçar à força, segundo as leis cristãs, deu o primeiro sinal de revolta. Seguido de partidários, fugiu para o continente, disposto a abrigar-se entre o gentio ou homiziar-se em alguma povoação de portugueses. Posteriormente descobriu-se um projeto de matar o comandante e seu Estado-Maior. Revelada a trama, foram detidos e algemados os cabeças de conluio. Um deles, que procurou escapar, pereceu afogado, o segundo foi estrangulado, outros reduzidos à escravidão.

Logo uma peste devastadora se manifestou entre os índios, tendo chegado, segundo depoimentos contemporâneos, a dizimar oitocentos índios, e não foi difícil aos franceses descontentes convencer os naturais de que aquele mal, provavelmente adventício e antes ignorado no país, fora obra de Villegagnon. Um clamor grande logo se levantou no meio deles, ameaçando a sorte da Colônia. Só não se consumou a ameaça por se acharem os colonos confinados à ilha e menos acessíveis, por isso, aos assaltos do gentio.

Se tudo isso ocorreu antes de chegados os pastores, pode imaginar-se o que sucederia depois, quando às divergências pessoais se somou o ódio teológico. Um francês que se abrigara por esse tempo em São Vicente e se dizia senhor de Bolés, referiu ao padre Luis da Grã que no Rio de Janeiro havia três parcialidades com seus respectivos chefes, um dos quais Villegagnon, "e que todos os três se chamam hereges". Levado à Bahia, o trânsfuga deu ao governador Mem de Sá notícias pormenorizadas sobre as condições de defesa do reduto francês.

A decisão de Mem de Sá de libertar a Guanabara desses forasteiros amadurecera justamente no momento em que Villegagnon julgara de melhor aviso ir à Europa defender-se dos adversários católicos e huguenotes e alcançar novos socorros para a Colônia, ficando o forte Coligny sob o comando de seu sobrinho Bois le Comte. Pela mesma época, em novembro de 1559, chegava à Bahia, à frente de uma armada, o capitão-mor Bartolomeu de Vasconcelos e Cunha, com o fito expresso de ir combater os franceses. Ao mesmo tempo escrevia o governador-geral à Capitania de São Vicente pedindo ajuda, em homens e armas, para a expugnação projetada, combinando que deveriam encontrar-se na entrada da Barra do Rio de Janeiro em dia e hora aprazados.

A armada, duas naus e oito embarcações menores, chegou à Guanabara em março de 1560 e ainda deveu esperar um bergantim e várias canoas saídos de São Vicente. No dia 15, depois de inutilmente intimados os franceses, começaram os atacantes a desembarcar na ilha. Num golpe de audácia conseguem alguns penetrar na torre de madeira, apoderando-

-se da pólvora. Desanimados, abandonam os defensores o reduto, carregando suas máquinas de guerra. A luta, nessa fase, prolonga-se por quase dois dias e duas noites, rematando-a a vitória dos portugueses.

Vitória incompleta, é bom dizê-lo. Pois uma parte da gente de Bois le Comte, provavelmente com antigos trânsfugas, todos irmanados agora contra o inimigo comum, tiveram como fortificar-se na praia de Uruçumirim, hoje do Flamengo, de onde, passadas poucas semanas, ainda saíram a apoderar-se da Ilha de Paranapucu, mais tarde chamada do Governador. Mem de Sá, com certeza por lhe falecerem meios, renunciou momentaneamente a uma ação definitiva, preferindo rumar para o sul, onde, a exemplo do que já o fizera Tomé de Souza, vai tomar providências visando ao bom governo dos estabelecimentos portugueses nessas partes. Entre outras, distingue-se por seu notável alcance a que muda para o Campo de Piratininga os moradores de Santo André da Borda do Campo, com o que verdadeiramente tem começo a Vila, hoje cidade, de São Paulo.

Não poderia ser mais oportuna a medida, pois até aquela boca do sertão já chegavam, e cresceriam nos anos imediatos, as importunações dos tamoios, açulados e ajudados pelos franceses da Guanabara. Congregar aquela gente em núcleo bem situado para opor-se a novas tiranias dos contrários era o primeiro passo para consolidar-se ali o domínio lusitano. Mas o trabalho não seria cabal enquanto se conservassem os intrusos na Guanabara, e dizem testemunhos contemporâneos que, ao saber da vitória de Mem de Sá, muito lamentou a rainha dona Catarina não se deixassem no Rio de Janeiro almas que o povoassem e armas que o defendessem.

Aludindo poucos anos depois àqueles intrusos, assim se exprimirá Anchieta em carta mandada de São Vicente ao padre-mestre Diogo Laynez:

> A vida dos franceses neste Rio está hoje não só apartada da Igreja Católica, mas também feita selvagem. Vivem conforme os índios, comendo, bebendo, bailando e cantando com eles, tingindo-se das suas tintas pretas e vermelhas, adornando-se de penas de aves, andando nus, por

vezes só com uns calções e, finalmente, matando os contrários segundo o rito dos mesmos índios e tomando nomes novos com eles, de sorte que nada lhes falta senão o comer carne humana, que no mais sua vida é corruptíssima.[2]

Essas palavras são escritas de São Vicente a 8 de janeiro de 1565, e já então se acham em vias de concluir-se os aprestos para a definitiva pacificação, conquista e povoamento do Rio de Janeiro. Duas semanas após, exatamente a 22 de janeiro, sai da mesma São Vicente, onde fora buscar reforços para os contingentes formados na Bahia e engrossados no Espírito Santo, a expedição colonizadora encabeçada por Estácio de Sá, sobrinho-neto do governador. Sem encontrar oposição da parte dos franceses e tamoios, desembarcou tranquilamente Estácio, entre 28 de fevereiro e 1º de março, no sítio que elegeu para assento da nova cidade: uma estreita várzea da Península de São João entre o Morro do Cara de Cão e o Pão de Açúcar.

Se não tinha esperança de alastrar-se nesse pouco espaço, a verdade é que o povoado, com o baluarte de taipa que logo se fez, o casario coberto de palha, as granjearias de mantimento, a cacimba de água potável que por milagre acharam José Adorno e o juiz pedâneo Pedro Martins Namorado, apresentava elementos de resistência requeridos por sua posição em terra de contrários. A tal ponto que se dependerá, com bom sucesso, dos assaltos repetidos que lhe darão durante os quase dois anos que separam essa fundação inicial da chegada da frota com que Mem de Sá vem desbaratar o inimigo. A frota, abrangendo os galeões de Cristovão de Barros e trazendo o segundo bispo do Brasil, Dom Pedro Leitão, só chegará, de fato, a 18 de janeiro de 1567. Logo ao dia de São Sebastião, padroeiro da cidade, as forças luso-brasileiras, acometendo-a com grande brio, penetram a tranqueira do Uruçumirim e rendem-na ao cabo de uma peleja áspera, onde cairá mortalmente ferido o capitão

2 Anchieta, Carta de 8 jan. 1565.

Estácio de Sá. Com essa e, dias depois, com a captura do Paranapucu, apagam-se afinal os últimos vestígios da França Antártica.

Sossegadas as coisas da guerra, cuida-se agora de mudar a cidade para lugar menos acanhado, se bem que igualmente defensável, pois são sempre possíveis as surpresas desde que os franceses, desalojados na Guanabara, se vão concentrar em sua maioria nas redondezas do Cabo Frio, constituindo assim um foco de perigos que só se extinguirá oito anos mais tarde. O lugar escolhido para o novo assento é o morro chamado do Descanso e logo do Castelo, quase a cavaleiro do antigo Forte de Coligny e da respectiva ilha, que, do nome do vice-almirante francês que a conquistou, passara a chamar-se do Virgalhão ou Viragalham.

Abatido o espesso arvoredo que a encobria, passou-se à construção dos primeiros fortins, entre eles o de São Sebastião, e também a casa da Câmara e Cadeia, o Colégio da Companhia de Jesus, animando-se, além disso, os moradores que quisessem deixar a Vila Velha da Várzea da Cara de Cão a construir ali suas moradas. Mal ou bem se foram acomodando os primeiros no lugar, enquanto o governador-geral ia ordenando as coisas tocantes ao governo político, ficando o espiritual entregue principalmente aos jesuítas.

A maior parte da área hoje ocupada pelo centro urbano forma então uma imensa paisagem anfíbia entremeada de lagos com os seus cinturões de mangues, que vão favorecer depois a instalação de curtumes e atanados. Para começar, há, quase no sopé do morro, a Lagoa Grande, mais tarde de Santo Antônio, que cobre totalmente o espaço formado hoje pelo Largo da Carioca e se prolonga até a Praça Floriano Peixoto. Por uma das bandas está ligada ao Mar da Prainha (Praça Mauá) através de um sangradouro natural, cujas águas se misturam, em tempo de chuva, às da Lagoa da Pavuna (Largo do Rosário), e pouco adiante às do Polé.

Do lado oposto é dividida por uma estreita faixa de terreno, provavelmente brejos e mangues, da Lagoa do Boqueirão. Esta última, que compreende a área atual do Palácio Monroe e do Passeio Público, comunica-se por sua vez com outra, posteriormente chamada de Desterro, existente entre os morros chamados, também depois, de Santo Antônio e de Santa Teresa. Mais extensa, incomparavelmente, é a Lagoa da Sentinela, que vai desaguar no Saco de São Diogo e só principiará a ser aterrada na segunda metade do século XVIII para dar lugar à Cidade Nova e ao Mangue. Nas partes do sul ainda se acham várias outras: a da Carioca, por exemplo, que cobrindo o Catete atual, se alonga quase até a Praia de Francisco Velho (Botafogo) e a do Botafogo, aproximadamente entre as atuais ruas Marques de Olinda e Carlota, sem falar na de Sacopenopã, que hoje persiste com o nome de Rodrigo de Freitas, o senhor do antigo Engenho Del-Rei, fundado por Cristovão de Barros.

Até meados de 1568, quando Mem de Sá se retira para o norte confiando a capitania a seu primo Salvador Correia de Sá, o povoamento devia confinar-se quase só ao Morro do Castelo. E embora logo a seguir se começassem a fabricar engenhos de cana em sítios mais apartados e também na Ilha do Governador, pouca segurança se oferecia para a extensão maior do sítio urbano. Mostra-o no trabalho que há de dar ao mesmo Salvador de Sá uma poderosa investida dos franceses, que, saídos do Cabo Frio, onde já tinham fortaleza, tentam assenhorear-se do lugar. Só a contar de 1575, quando o dr. Antonio Salema, um dos sucessores de Mem de Sá, encarregado de governar as capitanias "de baixo", inclusive a do Rio de Janeiro, que elege para residência, desaloja finalmente os franceses daquelas vizinhanças e expele os tamoios para o sertão remoto, se acharão aparentemente realizadas as condições mínimas de segurança.

Desde esse momento, segundo as maiores probabilidades, o casario que já vinha descendo a Ladeira da Misericórdia ao tempo de Salvador de Sá (1568-1571) e de seu sucessor Cristovão de Barros (1571-1575), começa a espraiar-se por uma das raras zonas relativamente enxutas da baixada contígua, a que acompanha a linha da beira-mar em direção a um morro que se compreende na sesmaria alcançada em 1573 por Manuel de Brito e posteriormente doado por ele aos monges de São Bento. Quando principia a chamar-se assim a Misericórdia? Uma tradição publicada por Simão de Vasconcelos na segunda metade do século seguinte atribui a Anchieta as origens do hospital que lhe dá o nome, e associa-se à necessidade de se abrigarem, recebendo os devidos cuidados, os enfermos da armada de Diogo Flores de Valdez, que aportou ao Rio em 1582.

Nada autoriza vivamente a impugnar, ou a aceitar, tal versão. Sabe-se, no entanto, que um templo da Misericórdia já aparece em data muito anterior àquela. Por outro lado, em certa relação do sucedido com a mesma Armada Real, que no ano imediato mandou do Rio de Janeiro Pedro Sarmiento de Gamboa a sua majestade, apenas se diz que receberam os doentes os confrades da Misericórdia (sinal de que já havia a irmandade) e, com sua pobreza que é muita, começaram a curá-los, tendo pedido a Flores que os ajudasse com algo, pois nada tinham, e lhes deu ele em uma ocasião 100 reais, e jamais passou disso, não sendo de admirar que com tamanha negligência perecessem ali mais de duzentos doentes, além dos 150 que já tinham morrido na viagem. Isso não prova muita coisa, a não ser que faltavam na cidade acomodações bastante para doentes tão numerosos, o que é explicável pela pobreza do lugar.

Sobre esse último ponto insiste particularmente Sarmiento, e não só onde quer denunciar a pouca caridade do general da Armada, de quem se mostrava desafeto. Povo, diz em outra oportunidade, "*que es pobre por ser de poco poblado y de pocos indios, y tierra de mucho bosque, aunque los portugueses la solenizan por la mejor tierra del Brasil*".[3] Recém-povoado de poucos índios e muitos matos, isto é, de pouca terra aproveitável nas imediações para lavoura e pasto.

Se a primeira e a última razão parecem bastante plausíveis, já a segunda se torna menos convincente à vista do que resulta da mais antiga estimativa conhecida da população do Rio de Janeiro, distante dois anos apenas da informação de Sarmiento. Segundo esses cálculos haveria ali, em 1585, cerca de 750 brancos para cerca de 3.000 índios e seus descendentes, quer dizer, quatro vezes mais índios. Nada se conhecendo nos dois anos de intervalo que explique tamanha desproporção em favor dos índios, o motivo bem poderia estar no fato de se acharem estes, em sua maior parte, confiados aos cuidados dos jesuítas, por conseguinte inacessíveis, ou quase, aos moradores brancos. Cabe notar, aliás, que em texto contemporâneo geralmente atribuído a Anchieta, se pretende que as duas aldeias de índios

3 Sarmiento, *Facundo*.

cristãos entregues aos padres e situadas, respectivamente, a uma e a sete léguas da cidade teriam, entre ambas, seus 3 mil índios.

Isto significa, se as cifras são razoáveis, que a totalidade dos índios então disponíveis para sustento e remédio dos moradores brancos estava a cargo dos ditos padres. Naquele total se compreendiam expressamente os da Aldeia de São Lourenço, que Anthony Knivet, com força de expressão, irá chamar de "canibais", mas que não o eram, em sua maioria, senão os temiminós domésticos de Arariboia, mudados em 1573 da proximidade da Bica dos Marinheiros para o outro lado da baía. Parecerá quase incrível, no entanto, que já não existisse com vida nenhum dos muitos mil tamoios apresados pelo dr. Salema na crudelíssima guerra que em 1575 lhes movera, dos quais só uma parte aceitou a fé e com isso escapou à escravidão.

Desses escravos, se é certo que numerosos foram para São Vicente, de onde saíra gente, com o capitão Jerônimo Leitão a ajudar Salema na guerra do Cabo Frio, outros, sem dúvida, caberiam aos moradores do Rio de Janeiro, uma vez que foram capturados em "guerra justa". Teriam os padres levantado embargos contra essa posse? O que se sabe é que ao tempo daquele governador suscitaram-se inimizades entre ele e os jesuítas, com muitas excomunhões e devassas, dividindo-se com isso o povo do Rio de Janeiro em duas facções, porque, escreveu Gabriel Soares, "os homens que favoreciam os padres ficaram odiosos com o governador, e os que favoreciam a ele ficaram odiosos com eles".[4] Seja como for, é mais do que possível que, já então, estivesse lançado ali o germe da oposição que no futuro e por inúmeras vezes moverá a cupidez dos colonos aos religiosos que se batem pela liberdade dos índios.

Disporiam assim os jesuítas de uma espécie de monopólio do trabalho indígena – índios da casa e índios das aldeias –, o único verdadeiramente possível em terra ainda carente de recursos para a compra de escravos de Guiné, mais um privilégio dos jesuítas, que em 1585 os teriam em bom número em suas fazendas do Rio, segundo se tira da

4 Soares, *Tratado descritivo do Brasil.*

Informação do Brasil para o nosso padre. Compreende-se que essas circunstâncias parecessem intoleráveis a muitos moradores, dando causa àqueles conflitos.

Tudo isso, e mais o fato de serem na Guanabara os mesmos religiosos quase exclusivos, durante tão longo tempo, no tocante à assistência espiritual da população, pode ter contribuído para instituírem-se no Rio de Janeiro, já em 1575, administradores prelatícios desligados da diocese da Bahia. Mas se a intenção fora a de diminuir o quase monopólio de que desfrutavam os jesuítas em matéria religiosa, não se pode dizer que resultasse edificante a medida, ainda que a muitos desses prelados não se pudessem negar virtudes cristãs. Assim, o primeiro, padre Bartolomeu Simões Pereira, irá morrer com suspeita de envenenamento. O segundo, João da Costa, se incompatibilizará em breve tempo com o povo, vendo-se obrigado a sair para São Paulo. O terceiro, Mateus da Costa Aborim, morrerá envenenado, depois de profligar desmandos dos escravizadores de índios. O quarto, d. fr. Máximo Pereira, não permanecerá mais de um ano entre seu rebanho, tornando logo ao Reino. Outro, o padre Lourenço J. Mendonça, tendo havido no intervalo algumas dissidências e uma eleição pelo clero, terá a casa incendiada pelo povo amotinado e será remetido a Lisboa por "crimes indignos de seu estado", dos quais se livrou, mostrando-se inocente. O dr. Antonio de Martins Loureiro, que lhe sucedeu após uma desistência, será vítima de envenenamento, com o que, guardando embora a vida, perde o juízo. Seu sucessor, depois de dois interinos, o dr. Manuel de Sousa de Almada, terá sua casa alvejada a tiros de canhão.

Entretanto, a situação privilegiada que tiveram de início os jesuítas, com seu colégio de pedra e cal e cubículos forrados de cedro "que não dão vantagem aos de Coimbra, antes lha levam pela vista" sobre o mar, segundo escreve o padre Fernão Cardim, sua igreja bem ornada e de famosas relíquias – entre elas um braço de São Sebastião e uma cabeça das Onze Mil Virgens – seria corrigida de modo mais eficaz. Os beneditinos, já em 1589, os carmelitas no ano seguinte e em 1592 os primeiros franciscanos – capuchos de Santo Antônio – vêm de algum modo quebrar aquele privilégio.

Tratando-se em certos casos de religiosos menos rigoristas no que respeita à escravização do gentio, é natural que fossem jubilosamente acolhidos da população. Ao menos no caso dos padres bentos parece documentado esse júbilo em memória manuscrita só recentemente divulgada pelo benemérito historiador d. Clemente da Silva Nigra. Consta, com efeito, desse papel, que foram os monges recebidos com muito calor, e não só do governo como de todo o povo: "A cidade se fazia olhos pelo ver, querendo cada qual levar os ditos padres para as suas casas os hospedar". Logo o governador, que era, pela segunda vez, Salvador Correia de Sá, lhes deu a escolher entre os sítios da cidade aquele que lhes aprouvesse. E como se agradassem muito de uma terra e outeiro que ficavam na ponta da praia, falaram a Manuel de Brito, cuja terra era dele e a tiveram em doação para todo o sempre.

Outra causa de alegria que traz o estabelecimento daquelas ordens pode vir da oportunidade que se oferece para a construção de igrejas novas, onde, sem excessivos incômodos, possam muitos moradores desobrigar-se dos deveres devotos. Os moradores da várzea não dispõem nela senão de umas poucas capelas e ermidas, como a de Santa Luzia, a da Senhora do Ó, a Misericórdia, a Ajuda, mesmo estas edificadas, salvo a de Nossa Senhora, quase à encosta do morro, com o que se acham mal postas numa cidade onde o casario já se vai alargando pela vasta praia afora. As igrejas mais importantes, a de São Sebastião e a de Santo Inácio, encontram-se bem na eminência do mesmo morro, como a desafiar a piedade das mulheres e ainda a dos sujeitos velhos e achacosos. Em verdade, essa predileção pelo Castelo tivera sua razão muito nos começos do povoamento e conquista, quando a gente parecia constantemente à mercê de um inimigo implacável, inimigo de seu rei e de sua fé. Mas agora, quando são outros os tempos, e a terra anda de paz, já se tornara ela caduca.

Refere frei Vicente do Salvador como, posta a cidade em maior segurança, logo se fora estendendo pelo vale ao longo do mar, de sorte que a praia já lhe servia de rua principal, e vindo as canoas das roças e granjas dos moradores, ali ficavam descarregando à sua porta ou perto dela o que traziam, sem custar o trabalho dos carretos, como custaria ladeira acima. "Nem eles próprios", ajunta o frade historiador, "nem eles lá subirão em todo o ano, e menos as mulheres, se não fora o estar lá a Igreja Matriz e a dos padres da Campanha, pela qual causa mora lá ainda alguma gente".[5]

Essas condições são reportadas ao tempo em que governou a capitania Afonso de Albuquerque, que cai entre 1608 e, pelo menos, 1614. Não seria muito diversa, contudo, a situação ao tempo em que chegaram ao Rio os beneditinos e carmelitas, pois, escrevendo por aquela época, adverte um visitante inglês que os navegantes, uma vez transposta a barra e passada a Ilha de Villegagnon, começariam a avistar a cidade tanto sobre o morro como na praia ("*both on the hill, and on the sea side*"). Aqui, dizia, é mister não avançar diretamente sobre a cidade – entenda-se a parte que se estende ao longo da praia – senão à altura da Ilha das Cobras, em frente a São Bento, pois o navio correria o risco de encalhar nos bancos de areia.

O Mosteiro de São Bento, só completado, aliás, meio século depois, em lugar da Capela da Conceição, cedida aos monges por Aleixo Manuel e por eles convertida em Igreja da Nossa Senhora de Monserrate, isso em 1602, quando governava o Brasil d. Francisco de Sousa, grande devoto da mesma Senhora, situava-se também num morro, menos fragoso, porém, e, com seus 32 metros de altura, muito mais acessível do que o Castelo, que alcança 63 metros. De qualquer forma o estabelecimento dos beneditinos no velho outeiro de Manuel de Brito, dando mais vida àquela ponta da praia, vai marear, por assim dizer, e durante muito tempo, o extremo da cidade. Contornando o outeiro, alcança-se logo a Prainha, também pertencente, em parte, aos beneditinos e, depois da Prainha, o Valongo, com sua rala população de pescadores e ainda a barra contígua, onde gamboas isoladas vão distinguir e dar nome àqueles ermos.

Entre Santa Luzia e São Bento é que verdadeiramente se configura o povoado primitivo, e aquela Piaçaba, topônimo que lhe ficou dos antigos naturais, constitui durante muito tempo a "praia" por excelência e,

---

5 Salvador, *História do Brasil*.

como se lê em textos seiscentistas, a praia da cidade. É dela que o centro urbano, o mesmo que ainda hoje existe, tira a silhueta exterior desde que o casario abandona o Castelo para ganhar e ocupar a ribeira do mar. Em mapa apenso às *Memórias de Duguay-Trouin*, toda essa parte da cidade de São Sebastião se desenha segundo o plano quadriculado, os tabuleiros de xadrez, que Castela, no afã de dominar e ordenar o Mundo Novo, trata de adotar nas suas Índias. Mas é claro que a planta oferecida por Duguay-Trouin, em vez de dar um retrato individualizado e realista, o que quer é apresentar um esquema formal e genérico.

Parece inegável que no traçado do centro urbano do Rio, como em todos os lugares onde a topografia do terreno foi dócil ao esquema quadriculado, os colonos portugueses trataram de aceitá-lo, mas fizeram-no com mais naturalidade do que reflexão. E menos por obedecer às regras de Vitrúvio, que seguiram os castelhanos, do que para acompanhar, sempre com algum desleixo, um padrão mais cômodo, mais óbvio, e que se fizera corrente na época. É a antiga Piaçaba, mais ou menos corrigida segundo os caprichos do mar, que comporta sucessivos recuos, o ponto de referência natural para o alinhamento das ruas, e antes mesmo de fixar-se no traçado que pouco a pouco vai adquirir, até se converter nas atuais Misericórdia e Primeiro de Março.

A seu modo ela funciona um pouco, sob esse aspecto, como a "praça maior" que, nas cidades da América espanhola e de acordo com as estipulações rigorosas das leis da Índia, é por onde hão de começar as cidades. Aqui, no entanto, o que melhor corresponde à *Plaza Mayor* vai aparecer depois, quando já delineado o centro urbano. Mas suas dimensões amplas, que lhe dão dignidade especial, não nascem da vontade dos homens, mas de um fenômeno natural e superior a eles. Nascem com o recuo das águas do mar que, aumentando a superfície enxuta em frente ao Convento do Carmo e ameaçando, com a possibilidade de novas construções, fechar ali a vista do mar, leva os frades a pedir em 1642 o aforamento de todo terreno fronteiro à sua igreja até a praia. Assim se constitui, um pouco ao acaso, a vasta praça, onde durante algum tempo se levanta o pelourinho, símbolo da autonomia municipal, e com isso se chama então Largo da Polé. Depois, com a importância assim adquirida, passa a ser o Largo ou Terreiro do Paço. Hoje, finalmente, a Praça Quinze de Novembro.

Para o interior, a fronteira desse centro urbano – um quadrilátero irregular, balizado nos ângulos pelos morros do Castelo, Santo Antônio, São Bento e Conceição – é traçada pela sanga natural que comunica as águas da Lagoa Grande com as do mar, na altura da Prainha. Em 1641 ordena a Câmara a drenagem do sangradouro, fazendo abrir a vala que segue o trajeto da atual Rua Uruguaiana, chamada durante muito tempo Rua da Vala. Para além desse canal ficam os campos da cidade, onde se estendem as pastagens comuns e se inverna o gado para o corte. Cinco anos depois, em 1646, como não bastasse tal providência para a vazão das águas, contrata a mesma Câmara a construção de um cano de pedra e cal por onde se desvie parte delas, em linha reta, na direção do mar, à altura do Terreiro do Carmo, e é essa a origem da rua chamada do Cano, hoje, Sete de Setembro.

Em meados do século XVII, esta, com as mais vias que lhe correm paralelas – Caminho de Capueruçu (atual Rua da Alfândega), Desvio do Mar (Ouvidor), de São José, da Cadeia (Assembleia), assim chamadas depois de 1639 – ou transversais, já se conhecem em sua maioria, e vêm, algumas, já do século anterior. Geralmente são de pouca consideração, mesmo por volta de 1648, quando andou no Rio o inglês Flecknoe. De outra forma explica-se dificilmente como, em sua descrição da cidade, impressa pouco depois, chega ele a pretender que a cidade só abrange três ou quatro ruas, inclusive a que olha o mar e é de todas a principal. Ruas estreitas, de casas baixas e mofinas, bem condizentes com a pobreza do lugar. Nessa pobreza a cidade do Rio vai viver todo o século e de lá só se libertará no começo do seguinte, com o descobrimento das minas e o Caminho Novo, que inauguram, também para ela, a Idade do Ouro.

O povo, que suporta quase resignado essa pobreza, vai aprendendo, por outro lado, a tolerar mal os excessos dos maus governos, que lhe comprometem a autonomia e procuram sufocar-lhe a vontade. Entre seus naturais, que já em 1642 ganham as honras e privilégios tradicionalmente outorgados aos cidadãos do Porto – e são os primeiros a recebê-los no Brasil –, apura-se um gosto nas liberdades locais, um crescente sentimento de independência, raramente desmentidos nos anos e séculos seguintes, e para os quais se conhecem poucos paralelos na Colônia.

É certo que, durante larguíssimo tempo, ou porque vinha dos primeiros dias da cidade, ou porque muitos e assinalados serviços à terra e a seus moradores parecessem justificar semelhante preeminência, pôde tolerar, às vezes com impaciência mal domada, o senhorio exorbitante e oligárquico que sobre ele exerce uma família poderosa. Entre 1565 e 1661 – 95 anos –, a mesma dinastia dominou praticamente a cidade e a capitania. E nenhum dos seus membros ou colaterais, depois de Estácio e de Mem de Sá, pareceu resignar a um único período de governo, assim sucedeu com Salvador Correia de Sá, o velho, que esteve no poder duas vezes, Martim Correia de Sá, seu filho (duas vezes), Duarte Correia Vasqueanes, tio de Martim (três vezes), Salvador Correia de Sá e Benevides, filho do mesmo Martim (três vezes), Tomé Correia de Alvarenga, primo do segundo Salvador (duas vezes). Somando-se esses períodos, consecutivos ou intercalados, temos mais de meio século de domínio diretamente exercido pelos Correia de Sá.

Com a revolta de 1650, dirigida contra Sá e Benevides depois de uma primeira tentativa frustrada em 1642, o povo toma consciência afinal de que é chegado o momento para emancipar-se da tutela. Pode-se dizer que o movimento representa seu acesso à plena maturidade política, e como tal chega a ser considerada entre os próprios contemporâneos. Comentando-a, escreve judiciosamente um historiador dos nossos dias, Charles R. Boxer:

> A sedição do Rio de Janeiro de novembro de 1660 a abril de 1661 foi acontecimento de suma importância na história do Brasil, e sua verdadeira significação nem sempre pareceu devidamente considerada pelos autores modernos [...] Se Salvador alcançou uma tardia vitória militar, os resultados políticos e econômicos do sucesso favoreceram, ao cabo, sobretudo os insurretos. Os Correia de Sá conservaram o posto hereditário de alcaide-mor da Cidade de São Sebastião, mas tratava-se de uma sinecura meramente lucrativa, que assegurava magníficos proveitos ao proprietário absenteísta, residente em Lisboa. Depois de 1661 não lhe

é atribuído o menor valor político. A rebelião do Rio de Janeiro marca praticamente o fim do domínio oligárquico na cidade pelos Correia de Sá e é um primeiro passo à frente no caminho da autonomia e independência do Brasil.[6]

---

6 Boxer, *The Golden Age of Brazil, 1695-1750.*

Movimentos da população em São Paulo no século XVIII*

Fatores de dispersão demográfica

Nas capitanias paulistas[1] a expansão de povoamento processou-se durante longo tempo segundo moldes que não encontram quase paralelo, pela mesma época, em outros lugares da América portuguesa. Partindo de um núcleo originário, em geral da própria Vila de São Paulo, e sem contar com poderosos influxos de fora, chega ela a cobrir grande porção do espaço utilizável das redondezas, de sorte a formar, terra adentro, um rosário de sítios urbanos que servem para marcar a paulatina ocupação do solo.

Parece certo que cada nova extensão da área assim assenhoreada se faz à custa do núcleo primitivo ou, em menor escala, dos secundários,

* Artigo originalmente publicado na *Revista IEB*, São Paulo, 1966. (N. O.)

1 Por essa designação entendem-se, no presente trabalho, aquelas terras das antigas donatarias que hoje correspondem à área do estado de São Paulo, quando muito à do Paraná, excluídas, por conseguinte, as que sucessivamente lhe tinham sido agregadas e subtraídas nos tempos coloniais.

que vão recebendo desfalques às vezes consideráveis em suas populações. E não é menos exato dizer ainda que essas sangrias, como de ordinário sucede nos movimentos colonizadores, costumam verificar-se depois de saturados aqueles núcleos. Faz-se mister porém ter em conta que o grau de saturação requerido para os transbordamentos não se pode medir, no caso, segundo escalões que seriam válidos para a Europa, com seu território desbravado, ocupado e cultivado por povos relativamente sedentários.

O fato é que o multiplicar-se, entre nós, de vilarejos novos, não exprime forçosamente um aumento no número de habitantes de toda a região.

O nascimento de um povoado pode, em realidade, originar-se da simples escassez, no termo da vila madre, de espaço disponível e acessível à abertura de roçados, quando todo ele, ou a maior parte, já tenha donos, ou por qualquer outro motivo se acha sem préstimo para as lavouras. Em tais circunstâncias, os habitantes desejosos de terrenos para os granjeiros vão naturalmente acorrer às áreas em que eles se oferecem de sobejo, podendo chegar assim à situação de proprietários de bens rústicos, a qual se não é inerente à cidadania, lhe dá entretanto mais realce e dignidade. Quando a Câmara da Vila de São Paulo, chamada a opinar sobre a conveniência de erigir-se pelourinhos em Mogi, corrobora uma afirmativa do capitão Gaspar Conqueiro, o qual, para se justificar a medida, alegava haver na dita Vila de São Paulo "muyta gente e estarem apertados e não terem donde levarem", não se atribuía a semelhantes palavras um significado menos compatível com as condições reais de mofino lugarejo, onde se abrigavam, se tanto, trezentas cabeças de casal, sem incluir os índios. O que pretendiam dizer, com certeza, os camaristas e o capitão, era que todas as terras, no círculo de 12 léguas de largo em que se estenderia o termo, ou já estavam dadas ou ficariam a distância tamanha que não fazia bom proveito o lavrá-las e nem, comodamente, nelas morar.[2]

A outra causa e mais frequente desse alastrar-se da população associa-se ao próprio regime de trabalho rural que adota e que, fundado

---

2 Cf. o Processo de elevação de Mogi a vila, de que há cópia na Prefeitura Municipal da mesma cidade, em Leopoldo e Silva, *Notas de história eclesiástica*. Mogi das Cruzes e seus fundadores: Barueri, Parnaíba, Cotia, p.51 et seq.

quase unicamente no esforço de Carijós, sempre é dispersivo e perdulário. Nada a esse respeito é mais revelador do que a constância do estribilho com que se usa alegar nas petições de novas terras o estarem as antigas gastas e imprestáveis. Ao requerer sesmaria em 1635 nos campos do Juqueri, recorda, por exemplo, Amador Bueno que os lugares existentes na Vila de São Paulo "não são contínuos no dar fruto do que neles se planta e se cansarem em poucos anos".[3] É característico que os próprios europeus recém-vindos depressa se afeiçoem àqueles métodos predatórios e até os façam mais danosos com a ajuda de suas ferramentas, tão eficazes no produzir como no desbaratar.

O trabalho rural e os religiosos

O mesmo pode dizer-se das ordens religiosas, que, dispondo de maiores recursos, graças às piedosas dotações que recebem, e tendo mais meios para disciplinar a gente de sua administração, pouco fazem, via de regra, no sentido de melhorar os métodos. Quando em 1635 o padre Aleixo Moreira, reitor do Colégio da Companhia em São Paulo, faz um pedido de sesmaria, apesar do dito Colégio já ter muitas posses, as razões em que ampara não superam as do comum dos suplicantes.

O caso merece mais demorada atenção pela luz que jorra sobre o problema. Sabe-se como, àquela época, viviam os padres sobretudo do fruto da fazenda de Carapicuíba, legado que receberam, vinte anos antes, de Afonso Sardinha e sua mulher, além da aldeia de Pinheiros, doada desde 1580 aos índios catecúmenos por obra do governador Jerônimo Leitão. No seu requerimento observa, porém, o reitor que não havia já terras capazes na referida paragem de Carapicuíba, onde assistia parte dos índios da administração do Colégio para fazer roça e lavouras destinadas à continuação e sustento da casa e dos religiosos, ou para subsistirem o administrador, visto estarem as mesmas terras "já cansadas e tornadas

3 *Sesmarias*, III, p.88.

em campos geraes sem algum mato".[4] Essas mesmas razões irá mais tarde lembrá-las o padre Manoel da Fonseca, ao notar como "as terras de nossa América descaem muito, tanto que lhes faltam as madeiras, e os seus lavradores não se aplicam aos arados e mais instrumentos com que a Europa se fazem eternas as fazendas".[5]

Durante o tempo em que estiveram os jesuítas na posse dessa e de outras fazendas, nada indica que as fizessem cultivar só para o próprio sustento e o dos índios. Sendo a famosa "fragata dos padres" quase o único meio de transporte marítimo que durante largo tempo se conheceu entre Santos e outros lugares da costa, além das sumacas do sal ou de alguma embarcação de particulares, e valendo-se notoriamente lavradores e mercadores de seu préstimo, quando desejavam colocar fazenda no Rio de Janeiro e outras praças, parece provável que deles saiu o exemplo desse recurso, com as vendas que mandavam fazer dos efeitos da lavoura e do artesanato praticado pelos administradores. A verdade, porém, é que, no cultivo na terra, não chegaram a implantar métodos mais aperfeiçoados do que os outros lavradores, e que seria meramente quantitativa a vantagem que porventura revelassem nesse particular sobre eles.

Não dispomos, é certo, de documentários que autorizem maiores precisões sobre o meneio das fazendas dos jesuítas em São Paulo. Pode-se afirmar, porém, que não passavam de empresas tímidas e apagadas, em confronto, por exemplo, com a de Santa Cruz no Rio de Janeiro. E nesta, julgada embora por ilustre historiador um "grande estabelecimento agrícola-industrial" modelar para o tempo,[6] com suas 7.658 cabeças de gado bovino, 1.140 cavalares, 200 ovinos, os 700 servos, roças de mandioca, algodão, feijão, várias oficinas-ferraria, tecelagem, olaria, casa de cal, casa de farinha, engenho de descasca de arroz, engenho de açúcar em começo, engenhoca de aguardente, curtume, fábrica de canoas e sumacas, tudo isso na ocasião em que se procedeu ao confisco,

4 *Sesmarias*, II, p.6.

5 Fonseca, *Vida do venerável padre Belchior de Pontes*, p.120-1.

6 Leite, *História da Companhia de Jesus no Brasil*, p.57.

não há notícia de que abrigasse aquele recurso com que, "na Europa, se fazem eternas as fazendas".

Na Capitania de São Paulo, mesmo considerando que o inventário dos bens dos padres não se seguiu de imediato à sua expulsão, nada lembra, sequer remotamente, qualquer coisa de comparável a essa fazenda modelo. Nas terras de Carapicuíba, Embu, Itapecerica, Araçariguama, o que mais se encontra são panos de algodão – ao todo umas poucas centenas de varas ao lado de gêneros de subsistência. Apenas na Fazenda de Sant'Ana, termo da cidade de São Paulo, se apontam animais de criação (119 vacuns e 5 cavalares) e, exceção notável, arados e grades.[7] Fora isso, não há como pretender que tais estabelecimentos pudessem fazer inveja a muitas outras propriedades particulares da época, mormente no que diz respeito à criação de bovinos,[8] ou lhes pudessem servir de exemplo.

É verdade que, confiscados os bens dos jesuítas, também não se mostraram solícitas as autoridades no adaptar, para as terras agora incorporadas à Coroa, métodos mais avançados. Na instrução que, em 1766, se expede ao então capitão-geral de São Paulo, d. Luís Antônio de Souza Botelho Mourão, Morgado de Mateus, para o regime das fazendas que foram dos padres, todo o empenho é posto na necessidade de se regerem nas mesmas fazendas com maior proveito e sem maior gasto para o Real Erário, dizendo-se, expressamente, que os efeitos nelas produzidos deveriam vender-se "pelo mayor preço que pudesse alcançar, conforme o estado da terra".[9] É claro que numa empresa, destinada tão manifestamente ao lucro imediato, não havia lugar para melhoramentos que só a prazo lento podem trazer vantagem.

---

7 *Arquivo Nacional.* Col. 481: Bens confiscados aos jesuítas em São Paulo – 1771-82.

8 Assim, num único inventário, o de Maria de Lara e Araújo, mulher do capitão João Gonçalves Figueira, registram-se nada menos de 5.106 reses pertencentes ao casal. Cf. *Arquivo do Estado de São Paulo,* T. C. 1731-35. Inventários não publicados. Caixa 36. Pela data do documento, 1734, mal se poderia presumir que a comunicação mais fácil com as vacarias do sul fosse responsável pela presença de tão numerosos rebanhos na capitania, pois a estrada de Cristóvão Pereira, concluída no ano anterior, serviu nos primeiros tempos quase exclusivamente às Minas Gerais.

9 *Instituto de estudos brasileiros da Universidade de São Paulo.* Manuscrito da Coleção J. F. de Almeida Prado: "Coleção de todas as ordens que se acharam para a administração das fazendas que foram dos padres jesuítas cometidas pela Mesa da Junta do Rio de Janeiro ao governador e capitão D. Luiz Antonio de Souza Botelho Mourão".

O regime agrário

O curioso é que, se houve em São Paulo general avesso, em princípio, ao imediatismo e imprevidência característicos dos estilos de lavoura ordinariamente praticados na capitania, foi sem dúvida esse mesmo Morgado de Mateus, agora encarregado de fazer cumprir semelhante determinação. Tal como o descreve, em carta de maio de 1768 ao conde de Oeiras, resumia-se no seguinte o sistema usual. Pede um homem sua sesmaria de légua em quadra; tiram-se as informações necessárias e, não aparecendo dúvidas, a terra lhe é outorgada nas condições requeridas. Fica desde logo sem cumprimento a cláusula que manda proceder à demarcação antes da posse, nem é possível cumpri-la, porque se acham cobertos de sertões de uma cerrada mataria que estorva qualquer tentativa de medição. Nesses termos, chega o homem ao lugar onde lhe parece que principiam suas terras, demarca-as por estimativa, deita abaixo as árvores, deixa a lenha secar, bota fogo e, em seguida, vai plantando à mão uma semente aqui, ali outra, sem mais benefício fica a esperar o tempo da colheita. Apanha, finalmente, o que escapou aos macacos e papagaios, mas sempre tira muito pouco, porque a terra, intacta e fertilizada daquelas cinzas, paga com liberalidade o que recebeu.

Passando a safra, deixa descansar o solo e de novo crescer o mato, que agora não vem tão frondoso, de sorte que, derrubada essa capoeira, já produz menos a terra e outro tanto, com mais razão, ocorrerá depois da segunda. Ao cabo, "escandalizada a terra com os fogos que tem experimentado", deixa de dar mato e se converte naqueles campos gerais de que fala o padre Aleixo Moreira em sua petição. Desfrutada, assim, e sucessivamente, a extensão toda da sesmaria, sem estercos, sem arados, sem sistemática rotação de cultivos, desaparece por completo o solo fértil ou surgem algumas demandas com o vizinho a respeito das demarcações que nenhum chegara a fazer. Desta sorte, acrescenta:

> Se achão as campinas desta vizinhança de São Paulo, sem dar fruto, do mesmo modo as de tôdas vilas desta Capitania e, o que peor é, por seguirem o engodo do mato virgem, largam a habitação das povoações

> e vão atraz do mato, afastando-se cada vez mais da sociedade civil, reproduzindo-se a viver sem missa e sem doutrina, familiarizando-se com as feras.[10]

Em outro escrito, onde bate na mesma tecla, lembrando a propósito como, de tanto sair atrás do mato, os fregueses de Cotia, que dista 7 léguas da cidade de São Paulo, são agora fregueses de Sorocaba, que está a 12 léguas de Cotia, já Morgado de Mateus ameniza esse pormenor. Isso de andarem os homens todo tempo fora do povoado e metidos no mato, sem observarem sequer as obrigações espirituais, entende-se, nota, com a maior parte do povo da Capitania, não com os filhos do Reino que tenham seus negócios na cidade, e nem com os bons fidalgos paulistas, que guardam seu antigo modo de vida e mostram toda a civilidade que se pode pedir. Por outro lado, dá a entender que o costume de se irem alongando os habitantes, em sua maior parte, da sociedade civil e recaindo no gentilismo, é coisa relativamente nova, pois os antigos sabiam congregar-se em povoados.

Povoados seiscentistas

Isto ele não o diz de modo tão expresso, mas é o que sugere a sua alegação de que os núcleos urbanos ainda subsistentes vinham do tempo dos donatários; ou seja, precederam a incorporação da capitania à Coroa e, em parte, a conquista do ouro das gerais. "As Vilas", observa com efeito,

> e as Povoações Civis que tem esta Capitania, quaze todas as fundarão os primitivos Povoadores; aquellas de que pude alcançar a sua fundação, quaze todas forão feitas ao tempo do donatários, e antes do descobrimento das Minas; a última foi Pindamonhangaba, a qual foi feita Villa por ordem de S.P por ordem de S. Mag, de doze de julho de mil

10 *Documentos interessantes para a história e costumes de São Paulo*, v.73, p.20.

> seiscentos e cinco; tudo consta dos papeis antigos desta Comarca; desde esse tempo para cá não houve mais fundação alguma.[11]

Como se explica a presença e permanência de tantos estabelecimentos fixos, quando admite-se que os habitantes de São Paulo foram sempre afeitos àquela rústica solidão em que na maioria jaziam, sem muitas vezes saber que houvesse general para os governar e pároco para os desobrigar, de maneira que vinham a carecer de toda polícia e doutrina? Não se trataria antes de fenômeno recente, distintivo de uma era de declínio, mais exatamente daqueles sessenta anos que separam dos tempos digamos, em que ainda foi possível fundar Pindamonhangaba, esse outro em que se recompõe São Paulo em capitania separada, vindo a governá-la e de novo organizá-la, o mesmo d. Luiz Antônio?

A verdade é que, só por força de expressão, se pode pretender dos fundadores daquelas vilas e povoações civis, que largaram atrás de si algum vazio demográfico, um *hollow frontier* fadado a apagar-se sem deixar vestígio. Ao menos na etapa inicial, não se deu assim, senão mal se explica a constelação de vilas que, até avançado o século XVII, vai sucessivamente alargando a faixa colonizada: uma exceção pode ser apontada nos estabelecimentos erigidos sobre os mais frágeis alicerces, como o foram certas aldeias missionárias que redundaram afinal em taperas, quando não mudaram de assento (por injunção, talvez, de velhas práticas tribais ainda atuantes entre carijós reduzidos e mamelucos, somadas ao esgotamento e erosão do solo), ou então como algum minguado vilarejo do porte de Cotia, por exemplo, que chegou a ter duas e parece que três fundações. O caso de Sorocaba é diferente: falta, não apenas no espaço, mas no tempo, continuidade efetiva entre a São Felipe, do Araçoiaba, que embora assinalada em velhos mapas, deve ter tido uma existência provisória até se evaporar no meio dos sonhos refulgentes de d. Francisco de Souza, e a vila de Nossa Senhora da Ponte, que Baltazar Fernandes vai fundar daí a cinquenta anos. Contudo, resta o fato de ter havido também ali povoação ermada.

---

11 *Documentos interessantes para a história e costumes de São Paulo*, XXIII, p.4.

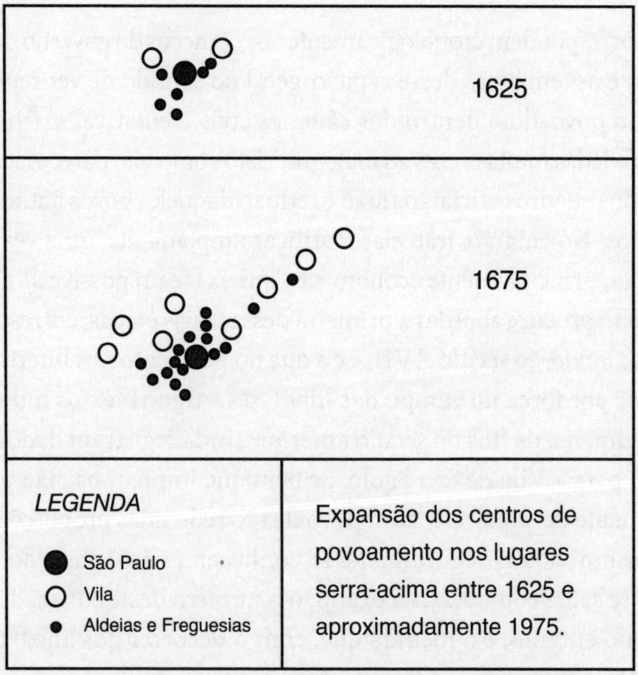

Expansão dos centros de povoamento nos lugares serra-acima entre 1625 e aproximadamente 1975.

Não foi por acaso que acima se aludiu a uma etapa inicial de povoamento provocadora da momentânea atrofia quando muito, raríssimas vezes de completo colapso, dos núcleos originários. De fato, o expandir-se das correntes de população paulista sobre áreas sempre mais extensas integra-se durante os tempos coloniais em duas fases definidas: uma, inaugurada logo depois de bem firmados os europeus no planalto, interrompe-se quase abruptamente na última década do século XVII (à exceção de Pindamonhangaba), aviltada por Morgado de Mateus e já pertencente ao setecentos, associa-se à vitalidade mais persistente dos poços ribeirinhos do Paraíba durante os grandes descobrimentos de ouro, e a segunda, que se desenvolvendo a princípio em ritmos vagarosos após a restauração da Capitania, ganha logo alento, prolongando-se até além da Independência.

Só para a última dispomos de base estatística abundante, embora por vezes caótica e em certos casos infidedigna. Os mais antigos maços de população da capitania, que se guardam no Arquivo do Estado de São

Paulo, correspondem cronologicamente aos começos do governo de d. Luís Antônio e às tentativas desse capitão-geral no sentido de ver represada a expansão povoadora dentro dos cânones civis. Tentativas artificiosas, é certo, e fadadas muitas vezes ao malogro, visto como não parece fácil conter nos rígidos quadros oficiais o fluxo e refluxo daqueles povos naturalmente indômitos. No entanto, irão elas frutificar amplamente, uma vez criadas condições, principalmente econômicas, que as façam possíveis.

Quem procure abordar a primeira dessas duas etapas, correspondente, *grosso modo*, ao século XVII, e é a que no momento nos interessa, terá de entrar por força no campo das hipóteses. Alguns textos municipais, principalmente de fins do século anterior, ainda registram dados demográficos para a Vila de São Paulo. Se bem que imprecisos, não parecem inteiramente desprezíveis; num povo de tão reduzidas proporções, onde todos os indivíduos seguramente se conhecem, não é absurdo pretender que se saiba com razoável exatidão o número destes. Passado aquele tempo, no entanto, e à medida que, com o decorrer dos anos, cresce a população, vão emudecendo os textos a respeito.

Estimativas da população

Um paciente esforço de levantamento dos nomes que figuram nos papéis de cunho oficial, como sejam, atas e registros do Conselho, inventários, testamentos, sesmarias, cartas de datas de chão, atos cíveis de natureza vária, livros de assuntos de óbitos, batizados, casamentos, poderia servir, à falta de melhor, para se conhecerem algumas características demográficas e, com precaução, para se investigar o processo evolutivo da comunidade no período correspondente. Numa época em que praticamente a maioria dos "moradores" e "vizinhos", nas acepções que então se dão a este termo, e só para eles é plausível esperar notícia certa participativa ativamente da vida pública, parece natural que os seus nomes venham assinalados na totalidade, ou quase, em tais documentos, de sorte que não seriam incalculáveis esses totais. Além disso, é também de admitir que a quantidade maior ou menor dos nomes assim arrolados, através das épocas sucessivas, sirva para refletir as flutuações ocorridas na estrutura demográfica.

Esse esforço benemérito e altamente fecundo já o tentou um historiador para a Vila de São Paulo, valendo-se dos largos recursos proporcionados pelo Arquivo Municipal, que durante longos anos dirigiu, e também de outros acervos de documentação publicada ou inédita. Por discutíveis que sejam certas conclusões retiradas pelo sr. Nuto Santana dessa sua valiosa resenha – e diga-se desde já que algumas parecem menos aceitáveis –, não há como recusar notável valor a uma contribuição que poderia abrir perspectivas novas para o estudo de nossa vida seiscentista.

Inaceitável, para começar, é a crença em que se funda o mesmo historiador de que o normal seria um crescimento contínuo e progressivo da população da vila, que colide com os altos e baixos oferecidos na sua pesquisa para alguns quinquênios. Partindo daquele pressuposto, julga que os declínios e, em alguns casos, as bruscas quedas são unicamente atribuíveis ao não figurarem os nomes de todos os indivíduos nos papéis públicos – mas semelhante fato não seria válido também para os anos e períodos em que se oferecem índices mais elevados? –, e nesses casos procura "corrigir", dando-lhe um acréscimo que julga razoável, de 10% e 12%, as cifras em que se sugerem índices baixos para tal ou qual época.

Ora, é bem sabido que os povos não costumam crescer sempre de maneira regular e uniforme, apresentando, ao contrário, fases estacionárias e regressivas. Até no Velho Mundo, onde é de supor que se apresente naturalmente mais estável a estrutura demográfica e social, menos sujeita à ação de fatores que na América tendiam a produzir, ao lado de saltos vertiginosos, quedas notáveis e grandes deslocamentos de população, constitui fenômeno relativamente recente o crescimento mais ou menos regular no número de habitantes: na realidade não chega a abranger os dois últimos séculos.

A equivalência entre as cifras arroladas pelo sr. Sant'Ana para fins do século XVI e os ralos dados demográficos que para a Vila de São Paulo nos proporcionam documentos da época asseguram, aparentemente, certo grau de objetividade às mesma cifras. Para o decênio de 1581-1590 envolve seu elenco 171 moradores, e uma ata de Câmara de 1589 alega "passar a villa de cento e cincoenta moradores" e ir-se em aumento.[12] Cinco anos antes, em maio de 1584, segundo consta de ata de 23 do dito mês e ano, passavam de cem os moradores da vila.[13] Entenda-se: cem cabeças de casal, excluídos, além dos outros componentes das famílias, também forasteiros, carijós, escravos e talvez homiziados.

Se o mesmo aumento de 50% num quinquênio manteve na década seguinte ou se não foi a tanto em consequência de desfalques ocorridos no intervalo (numa ata de 1591 alude-se, de fato, a "cento e coarenta moradores",[14] sinal de que teria havido declínio em confronto com 1589), resultariam, ainda assim e sem dificuldade, trezentas e mais cabeças de casal para fins da década, o que não discrepa dos levantamentos tentados, que apresentam um total de 308 nomes para os anos de 1591-1600. Não se tenha como certo que tal equivalência se manterá ao longo de todo o século seguinte, quando o incremento da população, sua crescente complexidade, a concorrência de elementos adventícios, cujos nomes não figuram forçosamente na documentação oficial, e a maior estratificação da sociedade podem ter contribuído para a seleção dos mais aptos a ascender na escala social e participar da vida pública, diminuindo a possibilidade de estabelecer-se rol tão expressivo dos habitantes da vila.

Já houve quem notasse, com efeito, como em 1585, embora se tivessem oposto embargos em São Paulo à escolha para cargo da República de Domingos Luís, o Carvoeiro, sob a alegação de ainda não ser homem da governança, o mesmo Carvoeiro acabou entrando para ela e fez boa figura. Mas em 1626 "temos prova de que já exigia desistência do ofício para empossar-se um alfaiate em cargo da Câmara".[15] Três anos antes, como os oficiais do Conselho instassem com o capitão-mor e ouvidor da capitania para fazer guardar as leis de sua majestade no tocante aos impedimentos para o exercício de cargos da República, ainda se escusara

12 *Atas da Câmara da Vila de São Paulo*, I, p.376.

13 Ibid., p.237.

14 Ibid., p.410.

15 Moura, Nossa Nobreza, p.64.

aquela autoridade de atender a semelhante apelo, alegando estar ocupado e mal disposto.[16] Esses impedimentos recaíam tanto sobre os mecânicos quanto sobre os cristão-novos e os que tivessem parentesco com outros oficiais do governo.

É notório, aliás, que nem então, nem mais tarde, chegará a ser rigorosamente vedada a ascensão a lugares eminentes de pessoas saídas da classe popular, e com isso se possibilita sempre a inclusão do maior número nos papéis públicos. Pode-se afirmar que se acham, em geral, mal delineadas as fronteiras que separam da "nobreza" os do povo, de sorte que sobem, muitas vezes, os últimos a lugares teoricamente reservados àquela, e também não se pejam os nobres de exercer ocasionalmente ofícios tidos por indignos de seu status.

Em Itu, isso já no começo do século passado, espantou-se uma visitante de verificar que os moradores da vila, sendo "todos pelo menos nobres", se aplicavam a empregos mecânicos que "pelas leis do Reino derrogam a nobreza".[17] Compreende-se, pois, que o total de seiscentos portugueses (ou luso-brasileiros) existente em São Paulo por volta de 1636, segundo informação encaminhada a sua sacra majestade, nessa data,[18] não discrepa notavelmente dos números apurados na documentação oficial. Sugere esta 625 cabeças de casal para o decênio imediatamente anterior, abrangendo-se entre eles os incapazes de usar armas, ao passo que na primeira estimativa são apenas incluídos os homens de escopetas.

Elaborados com auxílio das fontes mais várias e abundantes, por isso mesmo capazes de espalhar com certa aproximação a realidade demográfica, os elencos propostos pelo sr. Nuto Santana, distribuídos em quinquênios, dão o quadro seguinte:[19]

16 *Atas da Câmara da Vila de São Paulo*, II, p.496.

17 Silva, Jornais das viagens pela capitania de São Paulo (1803-04), *Revista do Instituto histórico e geográfico brasileiro*, XLV, p.18.

18 Informe de Manuel Juan de Morales de las cosas de San Pablo y maldade de sus moradores, hecho a sua magestad, 1636, p.187.

19 Sant'anna, *Metrópole*, III.

Quadro 1

1601-1605 - 374	1651-1655 - 534
1606-1610 - 534	1656-1660 - 438
1611-1615 - 483	1661-1665 - 471
1616-1620 - 530	1666-1670 - 370
1621-1625 - 600	1671-1675 - 441
1626-1630 - 541	1676-1680 - 471
1631-1635 - 625	1681-1685 - 758
1636-1640 - 772	1686-1690 - 513
1641-1645 - 806	1691-1695 - 332
1646-1650 - 503	1696-1700 - 290

De tais cifras, não se pode evidentemente esperar que supram de modo cabal a completa ausência de censos demográficos para os períodos que visam cobrir. É de presumir que elas não só excluirão em certos casos parcela mais ou menos ponderável de moradores ou vizinhos de São Paulo, como eventualmente hão de computar indivíduos que, a rigor pertenceriam a outras vilas, por se acharem de ordinários nelas domiciliados com suas roças e bens móveis, já que uma discriminação precisa se faz quase impossível nesse particular. O mais que delas resulta é uma noção mais clara das flutuações demográficas que então se registram entre os povos de tão intensa mobilidade, além de um instrumento precioso para se medirem aspectos dos mais significativos na vida da comunidade.

A vila mal plantada

Qual o motivo de tais flutuações? A resposta, que logo se impõe, aponta para aquela mesma instabilidade que distingue a gente de São Paulo em toda a era seiscentista. Perdida numa boca de sertão, a vila mal plantada não se sente com razões poderosas para durar. "E digo", escreve um jesuíta castelhano, que quando se vissem apertados por algum braço forte a que não pudessem resistir, desamparariam suas moradas e seus bens, indo com mulheres e filhos, escravos e toda a sua fazenda, meter-se naquelas brenhas e desertos em busca de novas terras, pois não se lhes dá muito deixar suas casas, que são feitas só de barro e taipas, de sorte que em qualquer parte poderão erguer outras semelhantes.[20]

Largar sua vila, ajunta a mesma testemunha, também é coisa que pouco se lhes dá, porque salvo nas três ou quatro festas principais, raros são os homens ou mulheres que nela se encontram, preferindo morar sempre nos sítios da roça ou então pelos campos e matos, à procura de índios, onde gastam a vida.

O perigo de se ver despejada a vila de moradores, que depois de 1600 parece avultar, já se fazia sentir desde o século antecedente. Em 1565, quando mal se haviam fixado junto à Casa de Piratininga os antigos habitantes de Santo André, aparecem os oficiais da Câmara de São Paulo a queixar-se perante Estácio de Sá do pouco zelo do capitão loco-tenente no ajudá-la a defender-se do gentio contrário, principalmente tamoio, e em livro de atas hoje desaparecido, mas que Azevedo Marques ainda pôde ler e utilizar, protestam, se ele não cumprisse a obrigação, "de nos irmos todos a caminho das villas do mar e despovoarmos esta villa".[21] Em 1603, ao ter notícia de uma provisão do governador-geral do Estado, Diogo Botelho, mandando dar a terça do gentio descido, acordam os oficiais da Câmara, através de requerimento do procurador, em representar energicamente contra a dita provisão e lembrar, que indo ao sertão recado do conteúdo, bem podia acontecer que ninguém voltasse da entrada onde muitos tinham ido buscar remédio para a sua pobreza,

20 Pastells, *Historia de la Compañia de Jesus en la provincia del Paraguay*, p.189. O governador d. Luis de Cespedez Xeria, do Paraguai, também escreve pela mesma época que, morando na vila quatrocentos soldados com mulheres e filhos, é sempre nos campos a assistência de todos, só indo à vila em dias de festas maiores, e então entram armados de escopetas, rodelas e pistolas, isso publicamente e com a anuência das justiças. Cf. *Annaes do Museu Paulista*, I, p.249.

21 Azevedo Marques, *Apontamentos históricos, geográficos, biográficos, estatísticos e noticiosos da província de São Paulo*, II, p.217.

e preferissem mudar-se para o Rio da Prata, deixando mulheres e filhos, com o que ficaria a capitania sem morador e as minas sem benefício.[22]

Passados três anos, recrudesce o perigo; escrevendo dessa vez ao donatário, insistem os camaristas em alegar que estavam "as coisas desta terra com candeia na mão e cedo se despovoará".[23] Repete-se a ameaça, em 1610, e então chega a ser apresentada ao conselho provisão de d. Francisco de Souza pedindo que não abandonem a vila os moradores, por serem eles necessários ao descobrimento e entabulamento das minas da capitania.[24]

Durante grande parte da era seiscentista, dizer que São Paulo se encontra praticamente destituída de sua população masculina, e que nela apenas sobram mulheres, velhos e crianças, torna-se quase refrão nos textos municipais. Desde 1596, aliás, dizia-se em mais de uma ata da Câmara que todos os homens válidos eram idos com o capitão Jerônimo Leitão à guerra do gentio, não restando senão mulheres.[25] E em 1628, segundo resulta de conhecida relação jesuíta, só se tinham deixado ficar na vila 25 indivíduos capazes de tomar armas, além dos velhos que pela sua muita idade já não podiam caminhar nem pelejar.[26]

Não se desaprova, apesar de tudo, a terra, antes parece que a ela cada vez se apegam os seus naturais, e dessa naturalidade tiram mesmo razões de sobrançaria. Se tantos saem reiteradamente a talar brenhas e capturar índios, o certo é que todos querem logo voltar para em casa gozar do fruto de suas fadigas, por isso que a existência deles "no ensino yr y volver", como está na *Relación de los agravios*. E se, de ordinário, chegam a consumir dois e três anos, poucas vezes mais, nessa andanças, embora haja exceções notáveis como a de Ascenço Ribeiro ou a de Antônio Raposo Tavares, nada impede que possam aparecer os seus nomes em grande maioria dos levantamentos organizados sobre a base de quinquênios.

22 *Atas da Câmara da Vila de São Paulo*, II, p.130.

23 Azevedo Marques, op. cit., v.2, p.225.

24 *Atas da Câmara da Vila de São Paulo*, II, p.279.

25 *Atas da Câmara da Vila de São Paulo*, I, p.297.

26 Relación de los agravios que hicieron algunos vecinos y moradores de La Villa de San Pablo de Piratininga, p.23.

As depressões demográficas: fatores endógenos?

Convém notar, todavia, que insistir na infixidez do povo de São Paulo é apenas um modo de até certo ponto reformular, não de responder, a questão que aqui mais importa, relativa às constantes flutuações assinaladas no movimento da população. De fato, se aquelas ausências mais ou menos longas do elemento masculino e cálido dessa população não representam afinal uma causa decisiva para os baixos manifestados na expansão demográfica da vila, restaria fazer apelo a outros fatores geralmente responsáveis, e não só em São Paulo e no Brasil, nem apenas no século XVII, por oscilações semelhantes.

Para as fases em que tende a incrementar-se e sem estorvo a população, poderá satisfazer a resposta singela dos que recorrem ao seu aumento vegetativo, reforçado aqui e ali por um maior influxo de forasteiros, mas os momentos de declínio, que tantas vezes interrompem aquele ritmo expansivo, reclamam explicações sem dúvida mais complexas. É hoje sabido como esses momentos podem surgir mesmo sem a interferência de estímulos externos capazes de precipitá-los, tais como guerras, doenças ou fomes. Época em que uma diminuição sensível da natalidade, provinda em parte da pressão das tendências variáveis da vida social e familiar dos habitantes, como seja, digamos, o fato de ser muito acentuada a diferença de idade entre cônjuges, para citar só esse, entre outros exemplos que seriam menos explicáveis ou mensuráveis, redundará forçosamente num déficit populacional.[27]

A carência entre nós de pesquisas em arquivos eclesiásticos, que transcenderiam demasiado o âmbito do presente estudo, impede, por ora, qualquer pronunciamento decisivo a esse respeito.

Todavia, parece lícito admitir-se, ao menos provisoriamente, que os possíveis fatores internos de depressão demográfica – e entre estes poderia ter algum papel a própria mobilidade da população masculina da vila – não devem ter variado sensivelmente durante o ocorrer do século

---

27 Cf. Lutge, Das 14/15 Jahrhundert in der Sozial und Wirtschaftgeschichte. *Studien zur Sozial und Wirtschaftgeschichte*, p.294 et seq.

XVII, ou essas variações se mostram muito atuantes numa sociedade como a nossa, de cunho predominantemente rural, por isso refratária aos vaivéns que distinguem sempre a vida urbana. É, pois, sobre fatores mais claramente exógenos daqueles desfalques que cumpre, por enquanto, dar mais atenção, e em primeiro lugar sobre os que se acham mais bem documentados, e é o caso das chamadas doenças públicas, entre elas a varíola.

A peste das bexigas

A primeira epidemia notável de que ficou notícia nas crônicas paulistanas já se verifica logo depois da criação da vila e prende-se com certeza àquela praga famosa das bexigas, que, importada em 1563 para os Ilhéus ou Pernambuco, se tornou geral em toda a costa e no sertão, alastrando-se até o Paraguai. Em carta, datada de janeiro de 1565 e dirigida ao padre-geral Diogo Lainez, da Companhia, refere Anchieta como em Piratininga foi muito cruel o mal – "*se encruelesció mucho*" – , tanto que em breve espaço morreram numerosíssimas pessoas, na maior parte inocentes, de que cada dia ficavam e batizavam três, quatro, às vezes mais. O que, acrescenta, "*para población tan pequeña fué buena renta para N. Señor*".[28] No combate ao mal, o mesmo padre José, que tinha ganho fama de bom cirurgião, se mostrou diligentíssimo, chegando a sangrar diariamente dez a doze pessoas. Era no seu entender a medicina melhor em tais casos, e que poucos se achavam em condições de aplicar, desde que, segundo resulta de um depoimento do padre Leonardo Vale,[29] haviam seguido para Guanabara com Estácio de Sá os barbeiros da terra, que faziam ofício de cirurgiões.

Não há registro de outra praga de igual natureza e virulência em São Paulo no restante do mesmo século ou até em todo o seguinte. A epidemia de 1589, que infestou sobretudo as Índias de Castela e cujas devastações na cidade de Assunção vêm descritas pelo padre Nicolau

28 Monumenta historica societatis Iesu, LXXXVII; *Monumenta Brasiliae*, IV. p.179.

29 *Monumenta Brasiliae*, IV, p.212.

de Techo em seu livro com palavras que lembram as de Anchieta sobre a praga de 1565,[30] não consta que houvesse atingido fortemente estas terras. Da que cito, anos depois, em 1597, assola principalmente as chamadas "Capitanias de cima", contribuindo para retardar a conquista do Rio Grande do Norte, há indício de que baixou até a costa de São Vicente e chegou a escalar a serra. A única lembrança, porém, que dela ficou na documentação conhecida está numa ata da Câmara de São Paulo de 1599, onde se lê que o alcaide José Álvares teve de ser substituído no cargo por Bernardo de Quadros, visto que andava enfermo de bexigas.[31] Seria talvez da espécie branda, que pouco perigo e facilmente se curava – a mesma a que se refere Anchieta, como sendo a mais comum nestas partes –, pois não há notícia de que causasse muito estrago.

Durante as primeiras décadas do século XVII e até muito mais tarde, raros são os casos de invasão do planalto pelas varíolas que tenham deixado sinal nos textos conhecidos. É possível que, escarmentada já então por outras experiências, buscasse a gente evitar esse mal interrompendo, tanto quanto lhe fosse dado fazer, os contatos com o litoral, por onde ele costumava entrar. Em 1666, a Vila de Santos é inçada da enfermidade, que principiara a grassar quatro anos antes no Maranhão, e depois de alcançar o Ceará e Pernambuco, acabou derramando-se pela costa inteira. Logo se estabeleceu verdadeiro cordão sanitário para impedir que invadisse os lugares de serra-acima. Oitenta moradores da Vila de São Paulo subscreveram um requerimento do contratador dos dízimos, Lourenço Castanho Taques, o Moço, para se proibir o trânsito no caminho do mar, por causa dos danos que podia causar o mal das bexigas. A cobrança dos dízimos, que alguns anos antes chegara a produzir 13 mil cruzados, não dera agora mais de 6 mil: se era difícil recolherem-se os atrasados em tempos normais, o que se podia esperar em ocasião de doenças? Mas afinal, as cautelas adotadas tiveram o melhor efeito dessa vez: a 24 de abril, podiam anunciar os procuradores dos reais dízimos que o Senhor,

30 Techo, *História de la provincia del Paraguay de la Compañia de Jesus*, I, p.159-93.
31 *Atas da Câmara da Vila de São Paulo*, II, p.61.

em sua grande misericórdia, tinha poupado a vila de tamanho desastre, "avendose já dado ocasião de se atear na terra" o mal.[32]

Outras doenças públicas

Mas se ainda podia ser contida a praga das bexigas, nem por isso estariam livres os habitantes do planalto de outros males infecciosos. O das disenterias, por exemplo, que sob o nome de febre ou enfermidade dos catarros irrompeu com grande intensidade em fins de 1630.[33] A tal ponto, que não pôde haver sessão na Câmara a 16 de novembro por se acharem todos os vereadores doentes de achaque. E em dezembro, anunciava-se que o caminho do mar não pudera ser consertado devido a "muita fome e à doença do catarro e outras doenças".[34]

Rebenta de novo o mal no ano seguinte, e também nos últimos meses, de modo que, em novembro, são adiados os trabalhos do caminho do mar. Isso, diz uma ata da Câmara, porque todos "estavam em grande aperto de fome e doenças e não era possível fazer-se de presente, e que passado as doenças, havendo mantimentos todos estavam presentes".[35]

Caindo, como de ordinário caía, em tempo de colheita ou benefício, era natural que frequentemente se fizesse acompanhar a enfermidade de penúria de mantimentos, esse outro mal crônico de nossa sociedade colonial.

A correlação entre as epidemias graves e as crises de gêneros alimentícios faz-se especialmente sensível depois que, no ano de 1654, toda a capitania, beira-mar e sertão, se vê assolada pelo sarampo. Menos maligna do que a varíola, por isso que afetava com relativa brandura os europeus e seus descendentes, essa pestilência costumava lavrar com extrema letalidade, no entanto, sobre os indígenas, que, formando o grosso da população da vila e capitania, e sendo desprovidos de proteção hereditária

32 *Atas da Câmara da Vila de São Paulo*, VI, anexo, p.485 et seq.
33 *Atas da Câmara da Vila de São Paulo*, IV, p.70
34 Ibid., p.73.
35 Ibid., p.101.

contra a infecção adventícia, o que os fazia vítimas inermes de sua fúria, eram largamente sacrificados com prejuízo para todos.

Por ocasião da praga de 1654, que se prolongou durante vários meses, tiveram de ser tapados em maio, ou antes, todos os caminhos das serventias para a vila e o mar e, em agosto, apesar de insistentes requerimentos, não tinha sido possível ainda consertar aqueles ditos caminhos e nem as pontes, porque toda a terra andava infestada do mal.[36] Seguiram-se naturalmente grandes fomes e sabe-se pelo menos de um caso em que precisaram ser sustentados os índios de administração do que aos brancos se pôde tomar ou poupar. Assim é que os 130 alqueires de farinha de trigo de Valentim de Barros, que por morte deste tocavam aos filhos menores, tiveram de ser dados aos gentios da casa, ameaçados de inanição, e disso deveu prestar contas ao juiz a curadora dos órfãos.[37]

Não só padeciam os moradores em resultado de tais devastações, como a própria fazenda real acabava igualmente prejudicada pela diminuída cobrança de direitos que elas se seguiam. Se as bexigas do ano de 1666 puderam estorvar, como foi dito, a arrecadação dos dízimos, mesmo sem ter chegado a alastrar-se no planalto, que dizer de outras infecções, mais leves, embora que, dando em cheio nas vilas serra-acima, tendiam a desorganizar toda a produção e impedir as serventias? Da peste dos sarampos, que atacou São Paulo em 1668, não se sabe que tivesse causado tamanho dano, nem se julgam as autoridades na obrigação de adotar providências mais enérgicas no sentido de prevenir o contágio: a única de que ficou notícia foi a proibição de se sepultarem na vila os mortos desse mal.[38] Sem embargo disso, deixaram de satisfazer em tempo seus compromissos os contratadores do pedido real,[39] e a desculpa dada foi a de que os devedores se escusavam com as doenças gerais de atender às obrigações.

Já em 1677, nova epidemia de sarampo, a terceira de que há notícia na documentação municipal, provocou todos os contratempos que se

36 *Atas da Câmara da Vila de São Paulo*, VI, p.93 e 97.
37 *Inventários e testamentos*, XV, p.221.
38 *Atas da Câmara da Vila de São Paulo*, VI, anexo, p.586.
39 Ibid., p.600.

podem esperar de uma praga de grandes proporções. Por causa do dito mal, andou a vila vazia de moradores, que todos tinham ficado nas suas roças ou fugido para elas, e além disso, não só estavam danificados os caminhos, que ninguém consertava, embaraçando-se assim o acesso à vila, como deixavam de fazer-se obras públicas de emergência: as da enxovia, por exemplo, que não se tinham terminado por não aparecerem índios com o madeirame para envigá-la.[40] Depois disso, não admira que o procurador do Conselho tenha proposto suspender-se a cobrança do dinheiro do real donativo.

Não há notícias de que essa ou outra enfermidade contagiosa voltasse a alarmar vivamente os habitantes do planalto antes de acabado o século, salvo quando em 1692 deixam os vereadores de acudir à sessão da Câmara de 2 de julho "a respeito da peste".[41] Esses termos lacônicos, e não há dela outra informação, impedem-nos de saber de que peste se trataria, qual a sua extensão, ou mesmo se chegou efetivamente a atear-se no planalto, pois a ausência dos vereadores pode significar apenas que, receosos da infecção, se tivessem retirado para seu sítios. Não fosse a época do ano que se julgou necessária a cautela, pode suspeitar-se que seria nada menos do que um assalto de febre amarela, o temível "mal das bichas" ou "achaque do bicho", que alcançara Pernambuco desde novembro de 1685, num barco provindo de São Tomé ou Angola, e durante sete anos não parou de lavrar naquela e em outras capitanias, descendo a costa até vir infestar Cananeia e Paranaguá.[42] Ainda em 1691, asseverava o padre Antônio Vieira que a bicha continuava a morder na Bahia, e com especialidade os religiosos do Colégio.[43] Um ano mais tarde, já se teria

40 Ibid., p.471.

41 *Atas da Câmara da Vila de São Paulo*, VII, p.419.

42 Ver a respeito Fernandes, *Memórias históricas da Província de Pernambuco*, IV, p.23 et seq.; Jaboatão, *Novo orbe seráfico brasílico ou crônica dos frades menores da província do Brasil*, II, p.353 et seq.; Pita, *História da América portuguesa*, p.253 et seq.; Silva, *Memórias históricas e políticas da Bahia*, II, p.138 et seq. e 239-246. Em Paranaguá, onde, como na Cananeia, rebentou a enfermidade desde 1686, em breves dias chegou a dar à morte famílias inteiras, segundo se pode ler em Santos, *Memória histórica da cidade de Paranaguá e seu município*, I, p.54-55. Essa epidemia dará origem a um clássico da literatura médica luso-brasileira, o *Tratado único da constituição pestilencial de Pernambuco*, de João Ferreira da Rosa, modernamente reimpresso em *Morão, Rosa e Pimentas*.

43 Vieira, *Cartas*, III, p.617 e 642.

dissipado ali o mal, embora em Pernambuco, segundo notícia recolhida por Fernandes Gama, continuasse a causar estragos.

Note-se de passagem como, nesse último decênio do século, a mesma doença vai grassar com intensidade nos lugares mais diversos e apartados do continente, sem respeitar latitudes ou estações.

Nem sequer a remota Nova Inglaterra havia de livrar-se da sua sanha, pois naquele mesmo ano de 1693, em que acabava de largar o Brasil, ela iria cair inopinadamente sobre Boston, de onde se expande por outras partes da América inglesa.[44]

Se a peste de 1692, em São Paulo, nada tem a ver com essa epidemia, pode-se ainda pensar numa nova investida da varíola, que no ano imediato irá causar tremenda mortalidade entre as escravarias da Guanabara, onde, não fossem as medidas tomadas pelo governo e a caridade dos Irmãos da Misericórdia, inúmeros cadáveres ficariam insepultos nos caminhos, pasto de urubus e cães famintos.[45] Tanto mais plausível é essa presunção, quanto dos livros de receitas e despesas da Câmara de Curitiba, vila de planalto, de topografia semelhante à de São Paulo, constam para os anos de 1693-1694 o pagamento de 10 tostões de pólvora e chumbo, "que se deu a quem foi guardar o caminho do mar das bexigas".[46]

A simples ausência de mais notícias na documentação municipal paulistana faz supor que o planalto, dessa vez, não chegou a ser castigado pelo flagelo.

Resumindo, é lícito pretender, apesar dos exemplos citados, que em todo o curso do seiscentos andaram longe os surtos epidêmicos de assumir nesses lugares de serra-acima as proporções calamitosas que atingiram em outras partes do Brasil e do continente americano. A razão mais geralmente oferecida para semelhante fato, ou seja, a de se mostrarem os ares do planalto infenso à propagação das epidemias, parece desabonada pela consideração de que, principiado o século seguinte, torna-se também ali muito frequente o aparecimento de graves doenças infecciosas.

44 Brindenbaugh, *Cities in the Wilderness*, p.240-1 e 399-400.

45 Coaracy, *O Rio de Janeiro no século XVII*, p.217.

46 *Boletim do Arquivo Municipal de Curitiba*, VI.

Escravatura e pestilência

Uma das causa dessa maior resistência do planalto paulista à ação das doenças públicas no século XVI deve ser sobretudo procurada nos próprios hábitos dos seus povoadores, que têm as vivendas dispersas pelas roças, quando não andam nos matos e sertões, com o que ficam muito menos expostos aos contágios. A essa é preciso juntar a circunstância de, mais naturalmente protegidos pela distância e mais facilmente defensáveis devido à serrania e aos caminhos apertados que levam à matinha, serem relativamente escassas, entre eles, as ocasiões de contato com os portadores das doenças, que são, via de regra, os africanos recém-desembarcados. Conforme se procurará mostrar em seguida, e este último o motivo provável para o fato, tendo-se em conta que, justamente a partir dos primeiros anos do setecentos, quando se tornam menos evitáveis as possibilidades de comunicação direta entre a gente de serra-acima e o gentio de Guiné, tende também a cessar o que poderia parecer uma relativa imunidade do planalto às infecções.

Em 1700, ainda pôde ser retida em Santos a epidemia de bexigas, que invadira então toda a costa. Tapado o caminho do mar, por ordem da Câmara, a 7 de janeiro, tais são os prejuízos causados com a medida ao povo e mormente aos mineiros e mercadores, atraídos pela fama da riqueza dos descobertos novos dos cataguases que, já a 25 de fevereiro se revoga a decisão e fica desimpedido o caminho para os negócios necessários, desde que se tenha certos cuidados, sob pena de multa para quem não os tenha. O motivo manifesto da revogação prende-se, aliás, não só àqueles prejuízos e à perda que iriam sofrer os quintos de sua majestade, como ainda ao ter-se já acabado o maior perigo dos contágios.[47]

Mas se a doença, dessa vez, deixa de subir a serra, outro tanto não acontecerá dois anos depois. Em 1702, no mês de setembro, reclama-se vereança por não a terem feito desde logo (a sessão anterior caíra efetivamente a 1º de maio), em resultado do mal nefasto.[48] Ora, é a contar dessa

47 *Atas da Câmara da Vila de São Paulo*, VII, p.533 e 535.

48 *Atas da Câmara da Vila de São Paulo*, VIII, p.34.

época que temos um recrudescimento na importação de pretos em São Paulo, quase sempre com destino às minas de ouro. Já em 1700, chegara a subir o custo deles no Rio de Janeiro por efeito da concorrência de paulistas, que iam comprar àquela praça. E ainda que em Lisboa fosse embargada, então, pelo Conselho Ultramarino, a pretensão dos mesmos paulistas, que queriam ter licença de mandar duas vezes ao ano um navio até a costa da África, de preferência a Angola, para trazerem escravos, pouco tempo durará o embargo. As razões alegadas para a oposição de que com licença solicitada se prejudicariam os serviços dos engenhos e lavouras de tabaco, e também de que, dispondo de africanos em quantidade, perderiam os de São Paulo seu valor antigo e se acostumariam ao ócio "como os moradores das outras conquistas", não impedirão que já no ano imediato um alvará régio lhes conceda o direito de irem comprar no Rio de Janeiro duzentos negros, anualmente, dos que fossem de Angola, assim como outros que se achassem naquela cidade e recôncavo.

Em agosto de 1702, quando lavraram em São Paulo as bexigas, representou à sua majestade d. Álvaro da Silveira e Albuquerque, empossado no mês anterior no governo do Rio de Janeiro, fazendo ver a conveniência de se executar com menos aperto a dita licença. Com duzentos negros apenas, observava, dificilmente se poderiam remediar os paulistas, não só para suas lavouras como para a lavra e benefício das minas, em virtude de serem estas "muito dilatadas e distantes os Rubeiros uns dos outros".[49] E de fato, proibido aquele negócio, haveria de parar o das minas e teria el-rei grande quebra nos quintos.

É significativo, por outro lado, que a 25 de janeiro de 1705 requeresse o procurador do Conselho da própria Vila de São Paulo que, para o bem comum do povo, se não deixasse forasteiro algum trazer escravos com o fito de os vender na terra. Isso, em parte, porque adquirindo-os, como atravessadores, de segunda e terceira mão, no Rio de Janeiro e em Santos, vendiam-nos a preços altíssimos, já que, esgotada a cota permitida de duzentas peças, se tornavam dificultosos os despachos.

49 *Atas da Câmara da Vila de São Paulo*, VII, p.533 e 535.

Acontecia também que as somas em dinheiro resultantes de tais vendas saíam ora sob forma de ouro em pó, com sério prejuízo para os quintos, ora em metal amoedado ou embarretado, o que destituía a terra de todo cabedal, como já antes se tinha experimentado em saques similares. O terceiro motivo em favor da proibição alvitrada vinha expressamente do grande perigo de que as tais peças trouxessem consigo o mal das bexigas, "como por vezes tem sucedido depois de cá estarem", e ainda de se não guardarem as ordens relacionadas com a quarentena consignada aos escravos pretos, "porquanto os vão recolhendo os seus condutores e vendendo-os sub-repticiamente, com notável prejuízo deste povo, exposto a um contágio pestilento".[50]

O temor não parecerá justificar-se sensivelmente durante os primeiros tempos, mas se confirmará de modo cabal a partir de 1720, justamente quando se desenvolve a exploração das minas de Cuiabá, descobertas dois anos antes, ou as dos Goiases, que se irão descobrir dois anos depois. Isso, muito provavelmente, porque os africanos destinados àquelas minas vão forçosamente passar pela vila de São Paulo e redondezas, o que não acontece aos que vão às Gerais, para onde existem percursos mais cômodos e breves que não tocam na dita vila. Assim, os que dela saíssem, marchando à paulista, quer dizer, andando a pé da madrugada ao meio-dia e uma ou duas até três horas da tarde no máximo, consumiriam, na jornada a Ouro Preto, sem contar os pousos, dois meses pelo menos, e bem mais se acrescentasse o tempo de viagem desde o Rio de Janeiro, onde costumavam ir comprar os negros, ao passo que pelo caminho novo de Garcia Rodrigues Pais, que sai diretamente do Rio de Janeiro, não chegavam a gastar vinte dias. Antes de fazer-se o de Garcia Rodrigues, o mais trilhado era o caminho velho, de Parati e Taubaté, que se podia percorrer todo em menos de trinta dias, marchando nesse caso de sol a sol,[51] e ainda aqui se dispensava o trajeto pela vila de São Paulo.

Embora nos faleçam dados seguros acerca do número de escravos que conduziam, por exemplo, as primeiras "monções de povoado", parece

50 *Atas da Câmara da Vila de São Paulo*, VIII, p.34.

51 Para as distâncias cf. Antonil, *Cultura e opulência no Brasil*, p.238 et seq.

presumível, pelo que se apura de épocas posteriores – quando o declínio das lavras cuiabanas e até mato-grossenses, e a abertura do caminho por terras através de Goiás, que reduz o monopólio das canoas –, serem fatores tendentes a diminuí-lo, que excedesse consideravelmente o dos passageiros livres. E, de fato, em 1767, certa frota de 45 canoas chegou a levar 400 negros, segundo consta de documentação guardada no arquivo de Cuiabá,[52] e nada sugere que se tratasse de caso excepcional. Ora, como cada canoa de monção costumava transportar, geralmente, um máximo de dez homens, além de marinhagem,[53] tem-se que a relação entre escravos e livres seria de 8 para 1. Outro documento da mesma fonte mostra que em três anos entraram nas minas de Cuiabá cerca de 3 mil escravos só pela via fluvial,[54] sem falar nos que seguiram por terra através de Goiás, sobre os quais não há notícia certa.

Da necessidade de se dispor mais abundantemente de africanos, preferidos ordinariamente aos índios da terra no lavor das minas, teria nascido, ao iniciar-se a navegação regular dos rios, uma intensificação notável do tráfico negreiro por intermédio de Santos. Mostra-o a providência tomada em 1722 pelo governo de Rodrigo César de Meneses, quando instituiu o regimento para cobrança na alfândega desse porto dos direitos dos escravos importados, não apenas de Pernambuco, Bahia e Rio de Janeiro, como de Angola, Cacheu e Minas.[55]

52 *Biblioteca e Arquivo Público do Estado de Mato Grosso*. Manuscrito L. 1760-68, Papeis Diversos.

53 *Biblioteca Nacional*. Seção de Manuscritos. Cod. DC x LIV 28-17. Carta do Ilmo. Sr. Conde de Azambuja ao Val de Reys em que se relata os sucessos de sua viagem para o sei governo de Mato Grosso em 1750.

54 *Biblioteca e Arquivo Público do Estado de Mato Grosso*. Manuscrito L. 1769. Officios da Provedoria da Real Fazenda da Vila de Cuiabá. Do ofício em questão, dirigido pelo provedor Francisco Barbosa dos Guimarães ao general Luis Pinto de Sousa Coutinho, consta que o único meio de conhecer-se o total de escravos entrados na Vila de Cuiabá entre 1764 e 1767 era consultar o Livro da Intendência. Os negros que iam por terra não puderam ser captados e "não há nem houve em termo algum registro ou numeração deles", pois deixavam satisfeitos os direitos na Capitania de Goiás. Já não existe no referido Arquivo do Livro de Registro da Intendência e nem se acharam os mapas constantes das relações da Fazenda anunciados em *post-scriptum* ao mesmo ofício. Também não foi dado encontrar entre os papéis do Arquivo do Estado de Goiás, incorporados atualmente ao Museu das Bandeiras, na cidade de Goiás, informações sobre as remessas de negros a Cuiabá pelo caminho terrestre.

55 *Documentos interessantes para a história e costumes de São Paulo*, XII, p.67 et seq.

O simples confronto entre a frequência e a gravidade dos surtos epidêmicos ocorridos em São Paulo ao principiar a terceira década do setecentos, e o que se dera no mesmo período do século antecedente, serve para revelar decisivamente a correlação íntima entre as entradas em massa de escravos negros na capitania e o desenvolvimento daqueles surtos. O das bexigas em 1720 e ainda mais sério em 1724 o dos sarampos em 1726, novamente a varíola em 1730 e 1731, e depois, com breves intervalos, em 1737, em 1744, em 1746, em 1749, para ficarmos na primeira metade do século, bastam para mostrar, de sobejo, como o planalto paulista não era refratário à calamidade.

No de 1724, são as netas do capitão-mor Pedro Taques de Almeida das primeiras pessoas que caem enfermas, e para prevenir riscos de contágio, metem-nas em uma casa isolada "no fim da cidade".[56] Em 1749, instam os moradores da Rua da Boa Vista perante o Senado da Câmara, no sentido de não serem despojados para ceder lugar aos bexiguentos, que eram em grande número. Ao cabo, encontra-se certa morada de casas devolutas existentes nas proximidades e que pode servir de abrigo e recolhimento aos doentes, contanto que pague aluguel ao dono quem quer que ponha algum deles nas ditas casas.[57] Ainda não se tinha chegado ao extremo de expulsar os variolosos do recinto da cidade, coisa que vai acontecer pela primeira vez, segundo parece, em 1785.[58]

No entanto, já se assinalam com alguma insistência ordens de prisão contra pessoas que, pondo em perigo a vida e saúde dos moradores, escondem enfermos nas suas próprias vivendas, sem dar aviso às autoridades.

As fomes gerais

Se tudo leva a pensar que só no século XVIII as grandes epidemias puderam agir de modo efetivo no sentido de limitar a expansão demográ-

56 *Atas da Câmara da Vila de São Paulo*, IX, p.334.
57 *Atas da Câmara da Vila de São Paulo*, XIII, p.94.
58 *Atas da Câmara da Vila de São Paulo*, XVIII, p.207.

fica no planalto paulista, o mesmo não é lícito dizer de outra calamidade, a das fomes gerais, cujos efeitos se fazem manifestos desde o começo da colonização. Em realidade, esse flagelo é inseparável, muitas vezes, do primeiro, que reduzindo ou mesmo suprimindo os braços necessários às colheitas, diminuem infalivelmente os suprimentos de gêneros de alimentação. Foi o que já se notou a propósito do mal das disenterias em 1630-1631 e dos sarampos em 1654, mas parece fora de discussão que seria o acompanhamento quase obrigatório de todos os surtos epidêmicos.

Além disso, é certo, no entanto, que muitos outros fatores militavam em idêntico sentido, fazendo com que se visse a capitania reiteradamente devastada por fomes coletivas. Merecem particular menção, a esse propósito, causas climáticas ou meteorológicas, incluindo prolongadas estiagens, dilúvios, inundações e geadas, que estragam com frequência as lavouras. E ainda a ação dos bichos daninhos, sobretudo formigas, gafanhotos, ratos, os psitacídeos em geral, "pássaros de bico redondo", como era costume chamá-los, ou mesmo a dos animais de criação, que destruíam, às vezes sem remédio, roçados e safras, apesar de insistentes providências acauteladoras que se anunciavam. Ao lado dessas causas, que não estão no arbítrio dos homens evitar, cabe referir os resultados nefastos do rápido processo de erosão a que um trabalho rural de cunho primitivo expunha sistematicamente as terras lavradias. Acrescente-se a tudo, que a carência de comunicações reduzia os habitantes a depender unicamente dos recursos propiciados por essa economia rudimentar ao extremo, deixando-os desamparados contra os séquitos de tantos malefícios.

Se já para os surtos epidêmicos são poucos, porém, ou insatisfatórios os dados de que dispomos, o mesmo e, em maior grau, é verdadeiro para as grandes fomes públicas. Sabe-se tão somente de contínuas medidas adotadas pela autoridades com fito de se atalharem suas consequências mais graves, como sejam, por exemplo, as proibições de se exportarem cereais ou reses de uma para outra vila, ou da capitania para fora dela, e ainda as campanhas incessantes contra atravessadores de gêneros, os quais se tornavam mais atrevidos justamente nas ocasiões da penúria.

Mais uma vez aqui a detida análise, ainda por fazer-se, dos documentos paroquiais, permitiria eventualmente uma justa avaliação de sua importância, embora nada faça crer que fornecesse esclarecimentos muito precisos sobre a fase que ora nos interessa. Se é certo que os registros de óbitos, conservados até hoje, tendem a avolumar-se e fazer-se mais regulares e homogêneos no documentário concernente ao século XVIII, outro tanto já não se pode dizer, ao menos no que toca à Vila de São Paulo, de muitos papéis quinhentistas e seiscentistas, que se mostram omissos e praticamente inutilizáveis para aquele fim.

Os párias

Convém notar, aliás, que esses documentos eclesiásticos só são válidos, de maneira geral, para a parcela do povo que, mesmo depois de viverem condições miseráveis, ainda se dá por feliz quando, à hora da morte, dispõe de assistência espiritual, podendo assim ser nomeada nos assentos de óbitos. Outros, e em número considerável, devem desaparecer, sem deixar vestígio algum, no meio de bruto sertão onde os meteu talvez o medo da inanição ou a esperança de remédio. Numa época em que a Europa inteira – com especialidade os reinos ibéricos – se vê infestada de multidões de figuras marginalizadas – gaudérios, mendigos, vadios, delinquentes aventureiros de toda espécie –, as mesmas que dão matéria a um verdadeiro gênero literário, oriundo significativamente da Espanha, o das novelas picarescas, não se espere que nosso meio colonial se ache isento de excrescência semelhante.

O certo é que a situação tende a assumir feições ainda mais críticas, comportando enorme massa de elementos meio aluviais, prole dos carijós e mamelucos, que formam o grosso da população e vivem um pouco à maneira de hóspedes numa sociedade que não chegou a dominá-los por completo. Hóspedes geralmente importunos, mas muitas vezes desejados, visto que se mostram capazes de aturar os serviços mais duros e mais penosos, serviços poupados até a escravos, riqueza que, desbaratada, não mais se restaura. Em outras palavras, ainda que feita de gente inconstante, infiel, ociosa, frequentemente indômita, como se dizia, pode ter sua função social definida e que não se pode facilmente suprir.

É dela, em grande parte, que se valem particulares e governantes na luta contra o gentio e o castelhano. E é ela – especialmente os índios domésticos, mas também mamelucos pobres e "bastardos" – que sustenta os sertanistas "assim pellos rios como por terras pellos largos conhecimento que tem de tudo que possa servir de alimento".[59] Isso mesmo escrevem os oficiais da Câmara de São Paulo, em representação datada de outubro de 1726 ao governador da capitania. E acrescentam que sem essa gente não se fazem os descobrimentos de ouro, "por ser só ella a que sabe talar o sertão e navegar os rios".

Nas roças, nas queimadas, nos mutirões, em ofícios de vária natureza, é muitas vezes infalível o seu préstimo, e assim também na condução de cargas e viajantes a maiores ou menores distâncias. Pelo menos em um caso, quando em 1743 se cuida de fazer estradas para transportes entre Curitiba e Paranaguá, logo foi embaraçado o serviço por amor ao sistema velho. Se se fizer a estrada (alegam os autores de um veemente protesto), e ainda mais com a exclusividade requerida pelos contratadores, que monopolizariam todo transporte durante oitos anos, os homens pobres da vila e termo de Curitiba não vão ter do que sustentar-se, pois "pella mayor parte viviam e vivem de conduzir cargas do dito porto para esta villa e della para elle".[60] A vista de tais razões, só muitas décadas depois será possível retomar a obra projetada. Assim também, já no século XIX, ainda há de recomendar um capitão-mor de Porto Feliz que se respeitem aqueles indivíduos sem ocupação definida, porque, observa, "com os vadios deste Pais he que se formão as tripulações das repetidas expedições que desta Villa partem para Cuyabá".[61]

Fora da sujeição a que se acharam presos tantos dos seus antepassados, vegetam esses elementos sem ofício constante, sem parada, sem teto certo, contentes do que venham a ganhar de algum jornal, quando não de latrocínios ou empreitadas criminosas, tendo de seu, se tanto, a palhoça que mal os abriga e a roupa do corpo, que só tiram depois de imprestável.

59 *Ordens régias*, p.65.

60 Termos de Vereança de Curitiba, p.37.

61 *Arquivo do Estado de São Paulo*. T. C. 54-2. n.5.

E chega a acontecer que não tendo como decentemente trajar-se para as desobrigas da quaresma, usem do curioso expediente testemunhado, em 1767, na freguesia de São Roque, por um frade capucho. Indo o religioso a essa freguesia na ocasião da Páscoa, foram confessar-se uns trinta ou quarenta homens, se não mais, e todos com o mesmo casaco, o qual sucessivamente iam vestindo e despindo, como se outra roupa não tivessem para ir com decoro à cerimônia.[62] Explica-se que de tal miséria devesse sair a grande safra das calamidades públicas.

A própria dispersão dessa gente e a sua solidão, inimiga dos contágios, ainda as pode resguardar das pestes. Que força humana, porém, ou que milagre, as livraria da fome sempre ameaçadora?

Não fugiria o Brasil, particularmente São Paulo, à regra que se tornara geral, mesmo em países altamente cultivados, onde métodos menos rudes de lavoura, e sobretudo a presença de uma rede viária, eram capazes de corrigir os desastrosos efeitos das más colheitas. Em eloquente testemunho de Vauban, datado de 1698, refere, de fato, o autor da *Dixme Royale*, que aproximadamente seis décimas partes dos habitantes da França viviam então à beira da mendicidade, ou "não se acham em estado de dar esmolas, por estarem em situação de pedi-las". Segundo um economista de nossos dias, que cita e glosa esse testemunho,[63] as condições assim descritas são distintivas das eras em que impera o "nível de vida tradicional", e isso se faz bem claro, no seu entender, para quem atine com amplitude, então, e a frequência do fenômeno, os padecimentos

62 *Documentos interessantes para a história e costumes de São Paulo*, XXIII, p.383.

63 Fourastié, *Machinisme et Bien-Être*, p.71. Reportando-se a um especialista na história social do tempo de Luis XIV, observa o autor que numerosos óbitos deixavam de ser apontados nos arquivos eclesiásticos por ocasião das fomes gerais, visto como a população errante era a mais atingida pelas catástrofes. Homens, mulheres ou crianças, tangidos pela penúria, pereciam constantemente nos caminhos. Muitíssimos deixavam de ser levados às igrejas ou assinalados aos vigários, e estes por sua vez deixavam de incluir os nomes dos desconhecidos nos assentos de óbitos. Ao lado da contribuição de Ernest Labrousse, lembrada por Fourastié, para o conhecimento da importância das fomes crônicas durante o Antigo Regime, cabe acrescentar a obra já clássica de Wilhelm Abel dedicada aos "ermamentos" – *Wustungen* – de ocaso da Idade Média, quando o papel devastador das fomes coletivas parece superar o das guerras mais brutais e até o das maiores epidemias. Assim, as fomes dos anos de 1308 a 1318, que flagelaram grande parte da Europa, teriam ocupado, pela sua atrocidade, extensão e duração, lugar sem paralelo entre as catástrofes registrada nos séculos XIV e XV. Abel, *Die Wustungen des ausgeheben Mittelalters*, p.74 e passim.

que pode suscitar, e também as barreiras que se opõem ao crescimento das populações.

Com alternâncias de bem-estar relativo e de acerba miséria, a situação assim pintada refletiria um estado que, na Europa Ocidental, vem da Idade Média e se prolongará até meados do setecentos. Só a partir de então é que principia a esboçar-se uma tendência diferente, já pressagiando os tempos modernos. Por conseguinte, importaria dividir a história dos níveis de vida, durante o Antigo Regime, em duas fases claramente diversas: uma que se estende até o século XVIII, na qual imensas massas populares são vitimadas pelas grandes fomes (e as grandes epidemias) periódicas, ao ponto de não se poderem medir hoje, em muitos casos, as consequências desses males. A outra, a seguinte, em que a expansão demográfica tende finalmente a emancipar-se do ritmo milenar das fomes.

Como enquadrar aqui as condições dominantes na São Paulo seiscentista, com sua vida econômica não apenas "tradicional", no sentido dado acima à palavra, mas rudemente arcaica? Numa terra onde o regime rural é ainda, com pequena diferença, de pura herança indígena, onde não chega a ser regra a lavoura propriamente comercial, e o trabalho verdadeiramente assalariado ainda é quase exceção, seria lícito esperar que fossem menos alarmantes as ameaças? Que remédio, que alternativa, se ofereceria assim a povos em aparência tão indefesos ante o perigo de danos que, pela própria natureza, não se previnem e nem se subjugam?

Antes de mais nada, é necessário relembrar que os dados utilizados até aqui, acerca da população de São Paulo no século XVII, só incluem a menor parte dessa mesma população, aquela que aparece mencionada na documentação oficial e cujos indivíduos não são apenas enumeráveis, mas, nome por nome, cadastráveis. E justamente aquela parte que tem como se defender melhor dos flagelos públicos, sejam estes as fomes, pois dispõem de maiores recursos para delas se libertarem, sejam as doenças, pois as epidemias mais letais e mais frequentes, varíola, por exemplo, ou o sarampo, afetam de preferência os índios e os mamelucos, que não vêm incluído em tais papéis.

Pode-se com certeza afirmar que a maior parte, imensamente maior, e a mais exposta àquelas calamidades, não seria em proporção ao total, inferior aos seis décimos que a França de Vauban e Luís XIV se achava longe do estado de poder dar esmolas, visto como ela própria estaria no caso de mendigar. Por outro lado, o exame de vários textos da época não parece sugerir que fosse muito oscilante aqui a sua proporção, já que o volume da massa anônima ficava sempre na dependência dos apresamentos mais ou menos caudalosos, da capacidade de resistência oferecida pelo gentio e seus mais próximos descendentes aos rigores da vida na roça, nas aldeias, nas vilas, tão destoante de sua antiga tradição tribal e, enfim, da vulnerabilidade deles, e também dos "bastardos", a mazelas e achaques de civilizados.

Os habitantes não arrolados

Notícias díspares, correspondentes às épocas mais diferentes, e que evidentemente não têm uma precisão estatística, animam, não obstante, a tentar o cálculo dessa proporcionalidade para São Paulo. Assim, já em 1606, acreditava-se que para a luta contra o gentio contrário dispunha a capitania inteira, Cananeia inclusive, e sem contar velhos, mulheres e crianças, de mais de trezentos "portugueses", isto é, europeus de naturalidade ou ascendência, para mais de 1.500 cativos.[64] É certamente da prole desses cativos, somada à das levas novas de índios, muitas vezes "livres" e quanto mais livres naturalmente mais desprotegidos contra as calamidades públicas, que se comporá mais tarde a grande massa do povo, a que não se pode rastejar em papéis oficiais, onde só figuram, senão os *beati possidentes*, sem dúvida a parte mais conspícua da população.

Trinta anos mais tarde, é que Manuel João Branco irá apresentar à sua majestade a informação já referida sobre os habitantes da Vila de São Paulo, capazes de usar armas. Aos seiscentos portugueses, ou seja, luso-brasileiros, com escopetas agora existentes na dita vila, poderiam juntar-se entre os índios a ele sujeitos e os naturais da terra (estes, possivelmente carijós forros e mamelucos), mais de trezentos arcos.

64 Azevedo Marques, op. cit., II, p.226.

Passados perto de quarenta anos, em 1674, um relatório endereçado ao Conselho Ultramarino diz também de São Paulo que em si e nas outras sete vilas de seu recôncavo teria 20 mil vizinhos.[65] A palavra "recôncavo" não é aqui de clareza cristalina. Se quisesse indicar as vilas do serra-acima, além de São Paulo, seria preciso falar em oito, não em sete, a menos que os dados já fossem antigos, de antes de 1661 pelo menos, que é quando se ergue o pelourinho em Sorocaba. E se pretendesse abranger o litoral, o número seria maior. Além disso, àquela outra expressão "vizinhos" não se pode atribuir o sentido próprio, ou então seria preciso imaginar um crescimento vertiginoso, em realidade explosivo, da população de ascendência europeia, brancos e mestiços, que nada autoriza a admitir aqui para a segunda metade do século XVII. A boa explicação seria a de que aqueles 20 mil seriam todos os elementos em condições de levar armas, sem exclusão dos carijós.

Tal explicação parece, aliás, roborada pelas notícias que dá no Paraguai, dois anos depois, precisamente em 1676, um castelhano, depois de viver longamente em São Paulo, onde tomou estado, teve descendência e chegou a contratador do pedido real, de sorte que podia falar com alguma verdade das coisas daquela vila e de toda a capitania. Segundo esse informante, que se chamava João Monjelos Garcez e devia ser pessoa de bom entendimento e boas letras, pois viera ao Brasil pela mão de Salvador Correia de Sá, somavam na capitania os homens de guerra um total de 24.800. Entre estes, 20.200 seriam índios.[66]

É interessante notar como de todos esses informes resulta sempre, aproximadamente, a mesma proporção numérica entre a camada dominante, formada de "portugueses" e "brancos", e a grande massa, composta ora de índios pagãos, ora de carijós, mamelucos e escravos. Assim,

65 Inventário dos documentos relativos ao Brasil existentes no Arquivo da Marinha e Ultramar, organizado por Eduardo Castro e Almeida, VI, p.133. O parecer do Conselho Ultramarino, com o relatório ou informação aqui aludidos, acha-se publicado em Prado, *Paulística*, p.78-85.

66 Acuerdo del Cabildo Justicia y Regimento de esta ciudad de la Assumpción efecto de combocar a los jefes militares a consejo de guerra e meditar en el modo de expulsar a los portugueses y mamelucos de San Pablo de su servicio militar na cantidad de 3.000 hombres comandados por Francisco Pedroso. Ano de 1676, p.112.

em 1606, quando, nas palavras dos oficiais da Câmara de São Paulo, ainda andavam "com a candeia na mão" as coisas desta terra, haveria para mais de 300 "brancos", mais de 1.500 índios, por conseguinte, cinco vezes menos cristãos de escopetas do que índios de arcos: os últimos representariam, pois, mais de oito décimos do total. Em 1636, seriam este e os "naturais" 3 mil no mínimo,[67] para 600 luso-brasileiros: de novo, mais de oito décimos. E essa proporção, de oito décimos, se manterá sem mudança quarenta anos depois, quando existirão na capitania cerca de 4.600 brancos e 20.200 índios. Por menos seguras que sejam as cifras apresentadas, não é provavelmente fortuita a coincidência nas relações respectivas: em todos os casos, dois décimos de luso-brasileiros, que se poderiam de certo modo comparar àqueles quatros décimos que na França de fins do mesmo século logram sobressair da grande massa miserável.

Distribuição espacial dos habitantes

É verdade que, se o número relativo de "índios", no conjunto da população, parece manter apreciável regularidade e constância ao longo de todo esse século, a proporcionalidade pode variar de um para outro lugar. Nesse ponto, mostra-se singularmente valioso o depoimento de João Monjelos, tanto mais quanto ajuda apreciar a distribuição espacial dos habitantes em seus diferentes estratos. Como se destinasse o relato a inteirar as autoridades castelhanas acerca dos recursos ofensivos e defensivos de que dispunha a gente de São Paulo, é natural que incluísse, além dos índios, também e sobretudo os elementos capazes de tomar armas de fogo, distribuídos pelas diferentes comunidades.

Entre parênteses, faz-se mister esclarecer o sentido verdadeiro e bem definido que entre castelhanos, diversamente do que se dá com os por-

67 Quase três décadas mais tarde, isto é, em novembro de 1660, consta de um bando e quartel mandado publicar por Salvador Correia de Sá, que será São Paulo, então, "de mais de 3 mil homens". *Registro Geral da Câmara Municipal de São Paulo*, II, p.594. Seriam, estes, "homens de armas", e o mesmo total será dado por João Monjelos em 1676, quando o número de vizinhos é estimado em oitocentos.

tugueses, ao menos no Brasil, assume aquela designação de "vizinhos". Segundo tradição de origens medievais, vigente também em Portugal[68] e que se mantinha intacta nas Índias de Castela, aplicava-se esse nome ao chefe de família, dono de bens de raiz, resida neles ou não. Quem aspire à condição de vizinho deve, em primeiro lugar, estar domiciliado e com família no recinto urbano por determinado período, e cumprir as obrigações estipuladas no *fuero*. Entre os privilégios do vizinho, está o de poder participar das eleições, mas a ninguém se isenta do dever de tomar armas em caso de necessidade pública.

Outra parte da população é a que se constitui dos simples moradores. Em contraste com os primeiros, não dispõem estes forçosamente de bens fundiários na vila ou seu termo, e podem devotar-se a ofício mecânico ou a mercancia achando-se, no entanto, excluídos de participarem das deliberações do Conselho e de acesso, em geral, às magistraturas. No que diz respeito a pagamentos de tributo e taxa, não se estabelece qualquer distinção entre as duas categorias, e nem no que toca às obrigações militares.[69] Nas informações dadas por Monjelos, os homens da guerra, que, depois dos índios, são os que em maior número aparecem, hão de recrutar-se, pois, tanto entre os vizinhos como entre os moradores e dependentes de uns e outros, desde que se achem em idade militar.

Esses esclarecimentos tornam-se tanto mais necessários para a melhor inteligência do quadro abaixo, extraído das declarações do mesmo Monjelos, quanto se destinam estas a castelhanos, não a portugueses. Porque no Brasil colonial se ignora, segundo as aparências, uma separação tão nítida entre aquelas duas categorias de habitantes, podendo acontecer que aos moradores, ou a quem assim se chame, sejam associa-

68 Em Portugal, segundo Herculano, nem sempre o morador, nos primeiros tempos, era vizinho ou arreigado, como também se dizia. Há, além destes, os indivíduos apenas residentes ou não arreigados, e ainda os que são absolutamente estranhos à comunidade e se chamam "homens de fora parte". O ter habitação permanente era condição necessária para a vizinhança. Herculano, A. *História de Portugal*, t.8, p.8 e 11.

69 Ver Moore, *The Cabildo in Peru under the Hapsburgs.* A Study in the Origins of the Town Council in the Viceroyalty of Peru, p.15 et seq.

dos privilégios e deveres que em Castela ou nas conquistas castelhanas pertencem especificamente ao vecino como tal.

Quadro 2

VILAS	VIZINHOS	HOMENS DE ARMAS	ÍNDIOS
São Paulo	800	3.000	15.000
Parnaíba	180	500	3.000
Itu	70 ou 80	200 ou mais	500
Sorocaba	40	100	500
Jundiaí	50	100	250
Mogi	50	100	200
Santos	250	400	500
São Sebastião	40	100	100
São Vicente	50	100	100

Além das provocações mencionadas nesse rol, outras existem na capitania de que pouca notícia tem o declarante, só sabendo que, apesar de se dedicarem os habitantes ao exercício dos sertões, padecem em geral de grande pobreza. São elas, na direção do Rio de Janeiro, as de Taubaté, Jacareí, Guaratinguetá, Parati e Ubatuba. Parece-lhe que essas cinco vilas deverão ter, umas pelas outras, seus quinhentos homens brancos capazes de tomar armas, mas não dispõe de informações mais particularizadas sobre o número exato de vizinhos e índios. Mais miseráveis serão ainda as povoações pertencentes à capitania chamada Conceição (Itanhaém), que correndo a costa do mar em direção a Buenos Aires abrange, além da Vila de Itanhaém, as de Iguape, Cananeia, Paranaguá e São Francisco. Todavia, desde o ano de 1674, tinham-se achado importantes minas de prata na cordilheira próxima à Vila de Paranaguá, de onde distam as ditas minas 10 léguas,[70] o que prenunciava seu aumento em breve.

70 De 26 de março de 1674 é a carta de Agostinho de Figueredo, capitão-mor e governador da capitania de São Vicente, além de administrador geral das minas da repartição do sul, ao capitão Manuel de

Assim, em nenhuma das povoações conhecidas do depoente seria o contingente indígena inferior ao dos brancos por volta de 1676 ou antes, àquela parcela dos habitantes que, constituída predominantemente de descendentes de europeus, mas em cujas veias também pode correr muito sangue dos antigos naturais, há de formar a camada privilegiada da população. Mesmo nas vilas da Marinha, onde é notavelmente menos numeroso, aquele contingente pode superar metade do total. Assim é que em Santos ultrapassa os 50%. Só mesmo em dois casos, o de São Sebastião e o de São Vicente, acham-se ambos os grupos exatamente equiparados.

Dos lugares de serra-acima ainda é a Vila de São Paulo a que apresenta mais avultada participação de indígenas, o que em parte se justifica pela situação da dita vila, numa encruzilhada de caminhos – onde a simples necessidade de transporte em várias direções já reclamaria mais gente de serviço –, pela maior riqueza dos seus habitantes, e a grande extensão dos bens de raiz que no seu termo possuem ou têm aos seus cuidados várias ordens religiosas (uma e outras capazes de sustentar numerosos índios e depender largamente de seus préstimos), enfim, pelas constantes entradas que fazem aqueles habitantes ao sertão, carreando de volta sucessivas levas de gentios. Das outras povoações disseminadas no interior, Sorocaba, a única a sustentar confronto com São Paulo nesse particular – em ambas a população indígena vai a mais de 83% do total –, é uma espécie de núcleo pioneiro, de fundação relativamente nova, onde os solos ainda hão de ser altamente produtivos e, perto da fronteira dos carijós, comparativamente fácil a coleta de braços.

Parnaíba, com os seus quase 80% de índios, segue-se imediatamente às duas por esse aspecto. A proximidade em que se acha de São Paulo, favorável ao maior influxo de elementos de cabedal (entre eles basta lembrar o capitão Guilherme Pompeu de Almeida, que para lá tinha emigrado com sua numerosa parentela), desejosos de maiores extensões de terras de lavoura e pastagens, a vizinhança das lavras auríferas de Vo-

Lemos Conde, que servia como provedor das minas de Paranaguá, acerca das supostas jazidas de prata localizadas nas imediações. Durante longos anos ainda se há de falar na prata do Paranaguá, sem que tivessem dado resultado positivo as experiências feitas. Cf. Santos, op. cit., p.443.

turuna e a atividade quase ímpar dos seus caçadores de gentios poderiam explicar o fato. Em Itu, ou Utuguaçu, que Monjelos devia conhecer bem, seria talvez possível esperar mais do que aqueles 71% de índios mencionados pelo depoente. Não resultaria a porcentagem oferecida de apresentar a vila de Domingos Fernandes, mais apartada, por um lado, de São Paulo e da beira-mar, por outro, das nações indígenas, que constituem os principais viveiros de braços, menores atrativos para lavradores sequiosos de terras novas? Esses estorvos ao seu crescimento, por conseguinte ao próprio aumento, que necessariamente o acompanha, da população indígena, só muito mais tarde serão vencidos: primeiro, quando a vila se tornar passagem obrigatória para o porto das canoas, depois quando for um centro de próspera lavoura açucareira. Mas, então, já terá cessado a necessidade de índios da terra, cada vez mais substituídos pelos pretos, africanos ou crioulos.

Menos surpreendente há de parecer o caso de Jundiaí, onde o índice da população nativa é aproximadamente igual ao que apresenta Itu. Povoada por alguns lavradores possantes, emigrados de São Paulo, seu crescimento é cerceado pelo acesso difícil ao gentio da lavoura, que só lhe pode chegar através da Parnaíba, e além disso porque uma extensa e espessa floresta, visitada às vezes pelo Caiapó,[71] e que só no século seguinte começará a desbravar-se, barra-lhe o contato com o sertão ocidental.

Em Mogi, seria ainda mais dificultoso o abastecimento de mão de obra, tanto que sua topografia, por alguns aspectos favoráveis, pois se situa a pouca distância de São Paulo e também do mar, com o qual se comunica por mais de uma vereda, não ajuda a contrabalançar tal desvantagem. E se aqui o contingente indígena – 66% – é o mais baixo que registra o informante para as vilas dele conhecidas no interior da capitania, tudo faz pensar que não chega sequer a essa porcentagem o das comunidades, que não conhecia, do médio Paraíba, separadas igualmente do sertão

71 Embora o *habitat* ordinário desses índios de corso se situasse a oeste do Rio Paraná, acontecia passarem esse rio, e em certa ocasião chegaram a tão pouca distância da Vila de São Paulo que diz um depoimento setecentista, "tocarão o sino da Igreja de Jundiahy, com cujo som aterrados fugirão". Demonstração dos diversos caminhos que os moradores de São Paulo se servem para os rios Cuyabá e Província de Cochiponé, p.462.

pela montanha e das tribos lavradoras pelo deserto. Só assim se explica aquela grande pobreza de que então padeceriam. Nascidas à beira de um caminho, que se destinava desde o começo às minas de metal precioso ainda mal suspeitadas, só se reanimarão após largo compasso de espera, quando a suspeita se confirme e principiarem a refulgir os granetes de ouro na areia dos riachos de além Mantiqueira.

Por agora, no entanto, parece coisa remota ou duvidosa qualquer socorro dessa espécie, e aliás, a riqueza das Gerais já pertence propriamente ao século XVIII. Durante a maior parte do período anterior, o crescimento das populações é dominado unicamente pelo equilíbrio vital de duas componentes, a saber, a presença de terras lavradias e o acesso fácil aos índios da lavoura. Rompido esse equilíbrio por qualquer dos lados, o povoamento corre o perigo de definhar e sucumbir.

Um equilíbrio vital

Em condições normais, o contingente índio ou mameluco – escravos administradores, jornaleiros – não deverá exceder muito aos oito décimos de toda a população, sob pena de levar a um congestionamento fatal para os grupos dominantes e, em realidade, difícil de sustentar-se, porque se nos tempos de fartura há como bem conservar-se tal gente apesar do pouco a que se veem habituados: somente uma espiga de milho a cada refeição, segundo escreve Manuel João Branco, forçando o traço grosso. E mesmo esses 80% só serão possíveis nas comunidades onde uma economia mais diversificada – é o caso da Vila de São Paulo – já as redimiu de um jugo rural avassalador.

É inútil insistir, por outro lado, no fato de que não só sobejidão, também a míngua de mão de obra, pode ser causa daqueles desequilíbrios. Como a existência e sobrevivência de cada comunidade se achem intimamente presas à provisão local dos frutos da lavoura ou do pastoreio, e como a atividade produtiva se acha toda ela, praticamente, confiada a carijós, não custa imaginar o que pode resultar para ela de desastroso do menor desfalque na gente de serviço.

Parece ilusório, além disso, julgar que mesmo em lugares que dependem exclusivamente, ou quase, da atividade rural para sua manutenção, seja sempre possível empregar nela a maior parte dos trabalhadores rústicos disponíveis. Ou ainda, que cada estabelecimento agrário tivesse como sustentar-se das próprias forças, pois só nesse caso lhe seria dado empregar e alimentar numerosa mão de obra. Sabemos hoje que a famosa autossuficiência das produtividades rurais no Brasil Colônia não passa, em geral, de pobre figura de retórica. Em São Paulo, especialmente, nada há que a ela se assemelhe. E se pode acontecer que algum sítio da roça tenha como dar o indispensável aqui à manutenção dos que nele vivem, isso nunca seria perfeitamente exato senão nos anos de boa ou sofrível colheita.

As safras más, resultados de fatores imprevisíveis e indomáveis, colocam sempre o sitiante e sua gente na dependência do vizinho mais feliz, e mesmo assim, quando lhe possa ser de alguma ajuda, o que nem sempre acontece, uma vez que aqueles fatores, agindo sobre extensas áreas, a todos costumam afetar. E já se assinalou como não só as más colheitas, também os maus transportes, têm sua parte de responsabilidade na precariedade da vida humana em meio semelhante. Como levar efetivamente de um sítio a outro, da vila à roça, ou vice-versa, os elementos que se fazem necessários, e na qualidade necessária, para a subsistência dos habitantes, em terra onde não são carroçáveis os caminhos, e onde as cavalgaduras apenas servem para breves percursos?

"*Las bestias descansan en los campos de esta tierras, y los índios cristianos y fieles a Vuestra Magestad acarrean las cargas*", queixa-se Manoel João Branco no texto de 1636, há pouco lembrado. Existe, naturalmente, esse recurso tosco, mas bastante comum, aos índios de carga, que o administrador-geral das minas tem por injurioso aos Santos Evangelhos e aos seus ministros. Sucede, no entanto, que um índio robusto só pode carregar até 1 arroba de peso a distância moderada, e será preciso dois índios para conduzir uma pessoa em sua rede de transporte, ao passo que qualquer cavalo, cavalo ferrado, bem entendido, seria capaz de levar até 8 arrobas de peso, marchando sem descanso horas seguidas. Ora, o uso de se calçarem as cavalgaduras só começa a expandir-se em São Paulo em meados do século XVIII, e sabe-se dos carijós que, se não morrem, depressa se esfalfam e desfalecem justamente nos tempos de penúria, quando mais são requeridos os seus préstimos.

Tudo isso contribui para lembrar, ainda uma vez, como as fomes, ao lado das doenças e constantes fugas do pessoal de serviço, bastariam para afetar negativamente o progresso demográfico da capitania. E já que a relativa proporção desses elementos não podia sofrer mudança apreciável segundo as condições locais de subsistência nas diferentes comunidades, tornava-se imperioso assegurar o *quantum satis* através da busca de novos e sucessivos suprimentos de mão de obra.

Parece certo que as bandeiras escravistas, exigidas pelo regime rural dominante, capturavam muito mais índios – e de preferência índios reduzidos, por conseguinte já acostumados ao mínimo de disciplina e atividade que possa reclamar o mesmo regime – do que o indispensável para o serviço dos habitantes. Também é indubitável que, do excedente das capturas, e sem contar os que fogem ou morrem nos caminhos, vítimas da fome e dos maus-tratos a que se veem sujeitos, muitos acabam negociados em outras capitanias.

Importa, no entanto, acentuar este ponto bem notório, a saber, que a documentação hoje conhecida sobre a ruindade dos sertanistas de São Paulo procede quase toda dos jesuítas das doutrinas guaranis, seus inimigos mais ferrenhos, que tendem certamente a aumentar o número de cativos e também o dos castigos que padeceriam estes às mãos dos mesmos sertanistas. De outro lado, se os de São Paulo vendiam a outras capitanias índios assim apresados, sobretudo quando, suspensas as fontes tradicionais de suprimento, em virtude das guerras holandesas, se reduziram as importações de negros de Guiné, nada autoriza a admitir que mesmo então fosse esse tráfico muito seguido e de extraordinário peso na vida econômica dos habitantes.

Resta considerar o outro componente do equilíbrio vital em que assentam aqui a estabilidade e o processo demográfico, isto é, a presença de terras lavradias nas proximidades dos sítios povoados. Já há pouco abordado, o assunto merece consideração maior na medida, ao menos, em que esse fator de equilíbrio deva, de algum modo, afetar o aumento extensivo da população. Apesar da largueza das primeiras datas de terra e da exaustão rápida dos solos, originada na sua exploração predatória, a própria deficiência dos métodos de transporte já serviria para traçar limites em volta de cada uma das diferentes comunidades ao espaço ideal destinado à habitação e ao cultivo das terras, por conseguinte à subsistência normal dos povoadores.

A verdade é que, mesmo dentro da área assinada como termo para cada vila, o acesso mais fácil àquela polícia e doutrina que pode proporcionar qualquer sociedade civil, por insignificante que seja, não é dado senão aos que se achem estabelecidos dentro de um circuito relativamente exíguo. E ainda que não hesitem muitos em abandonar tais vantagens, pois sempre há os que pela pouca devoção e a muita miséria consentem em renunciar, afinal, aos próprios socorros espirituais quando deixem estes de lhes ir ao encontro, ou então só apelam para eles na última extremidade, também há, e em número com certeza ponderável, quem prefira tê-los logo ao seu alcance.

O "engodo do mato virgem"

O remédio, para estes últimos, está em acorrerem às freguesias novas e aos novos núcleos de povoamento que, situados de ordinários à orla dos lugares onde apareça aquele "engodo do mato virgem" a que se referiu Morgado de Mateus, representam, seja como for, uma esperança de bem-estar. Certo escritor anônimo, provavelmente de fins do século XVII, pode notar como, ocupado Pernambuco pelos hereges, a bondade de outras terras fez logo com que a elas acudissem muitos moradores: tantos, acrescenta, que sendo "do Rio de Janeiro para o sul desabitada aquela costa, sem mais povoações que a de Santos e suas anexas, tem hoje mais vilas e povoações quase que todo o estado para o norte".[72] O autor quer referir-se manifestamente aos lugares de beira-mar, mas não

72 Informações sobre as minas do Brasil, p.161.

poderia dizer o mesmo, e com mais verdade no que respeita a São Paulo ou às capitanias paulistas, dos sítios de serra-acima? Também a esses ocorre muita gente de fora, portugueses-europeus principalmente, e até castelhanos ou naturais de outras capitanias, mas há motivo para crer que seu influxo apenas serve para emprestar maior ênfase a um movimento que sem ele já se ia processando.

Justamente em semelhante processo poderia ser procurada a razão de ser daqueles altos e baixos denunciados nos levantamentos quinquenais relativos ao século XVII. Abrangendo estes a parcela da população mais abrigada contra o assédio das fomes e pestes, parece evidente que não estaria nessas calamidades públicas o motivo principal de tais flutuações? E é inevitável, quando se trate de bem entendê-las, pensar no expediente de que se valeriam os de São Paulo em ocasiões de apertura, segundo o já citado testemunho do jesuíta Justo Mansilla van Surck.[73]

Por outro lado, seria baldado querer explicar a mobilidade que distingue singularmente os homens do planalto, apelando apenas para seu coração aventureiro. A raiz dessa atividade expansionista, o que primeiro se há de frisar, cumpre redizê-lo, é a má distribuição dos solos e é, sobretudo, o mau uso deles, com o que logo se fazem imprestáveis. Atração exercida por áreas espaçosas e vestidas de Mato Grosso, o acesso mais fácil à mão de obra indígena, que nessas áreas se pode empregar, além do mais, fora do alcance direto das justiças civis e das censuras eclesiásticas, a imunidade relativa a opressões e punições que naturalmente confere a assistência em paragem erma, tudo isso vai somar-se, como estimulante enérgico, àqueles fatores. Partir, para tal gente, é fugir à inanição ameaçadora, e em muitos casos é fugir também a vinditas, rancores e extorsões.

Saindo a sós ou em grupos, escolherão essas pessoas o lugar mais conveniente e adequado, de bom mato, bom campo, boas aguadas, onde possam, sem medo de contestações, ir povoar com plantas ou currais de gados. Alguns tratarão, com o tempo, de legitimar uma posse ainda precária, pedindo mercê da terra assenhoreada.

73 Ver p.327. (N. E.)

Como nasce uma povoação

O advento em número maior de novos casais já deve sugerir o bom êxito do estabelecimento, que, no entanto, só se fará considerável a partir do momento em que nele fabriquem igreja. Mas não se espere provisão de capela curada antes de achar-se o sítio razoavelmente povoado e com renda regular, mesmo porque, não haverá de despachar o ordinário qualquer petição com tal objeto antes de assegurar-se de ali existirem recursos para conhecenças ou aleluias e pé de altar capazes de sustentar um cura de almas ou ainda pessoa bonada para padroeira do templo e que se obrigue a dotá-lo com aquela decência que pede o santo ministério. Apesar de tamanhas cautelas, não é raro que, desamparada a freguesia do seu primeiro pároco, ou morto ele, não lhe deem logo sucessor, ora por falta de clérigo de missa, ora por já não se atreverem a mantê-lo os povoadores.

Seja como for, é de começos como esse que irá nascer depois muita vila, ainda quando a afluência de moradores numerosos e sua vontade de aglutinar-se em povoado possam vir de causas menos devotas. Por vezes, é o próprio fundador da capela quem meticulosamente irá zelar pelo seu aumento e permanência, prevendo e de antemão prevenindo os contratempos que hajam de embaraçar seu desígnio.

Bem instrutivo é o caso da capelinha chamada de Nossa Senhora da Candelária de Utuguaçu, que se situa às origens da atual cidade de Itu. Tendo levantado, com seu genro Cristóvão Dinis, templo daquela invocação, e alcançado sucessivas licenças de capelão curado dos doutores Mateus da Costa Aborim, Lourenço de Mendonça e Antônio de Marins Loureiro, todos eles administradores prelatícios do Rio de Janeiro, dispõe Domingos Fernandes, em testamento ditado a 12 de dezembro de 1652, cerca de um mês antes de sua morte, que ali lhe sepultem o corpo e em nenhuma ocasião e tempo o transladem para outro lugar, salvo se mandar Deus que aquilo se despovoe. Somente nesse caso poderiam, por mal de seus pecados, mudar de assento a capela, mas ainda assim, deseja que sejam os seus os últimos ossos a despegar-se. Para ter satisfeita essa derradeira vontade, determina expressamente quem será o padroeiro da dita casa de oração e ainda indica os sucessores possíveis destes e os substitutos daqueles na administração, dando-lhes os nomes.

Além das terças deixadas pelos dois fundadores para aumento da capela, mandava agora o mesmo Domingos Fernandes que se arrendasse metade da légua de terra que lhe pertencia, da Barra do Pirapetingui para jusante, às pessoas que nelas se dispusessem a lavrar, ficando o produto destinado à manutenção do templo.[74] Era como se já tivesse debuxado no pensamento o projeto da vila que, passados sete anos, se haveria de erguer ali mesmo.

Para organizar-se, entretanto, o aglomerado espontâneo em entidade municipal, era mister que atendesse a requisitos complicados, morosos, e nem sempre coerentes, pois se nos primeiros tempos bastava agasalhar um mínimo de trinta cabeças de casal, houve caso – o de Mogi das Cruzes – em que se erigiu em vila uma povoação havendo nela só vinte pessoas, e outro, o de Curitiba, cujos moradores, passando em 1693 de noventa homens "que faz número de três povos",[75] só então puderam eleger justiça, coisa tanto mais estranha quanto ao tempo do capitão Gabriel de Lara 25 anos antes, se chegara a levantar pelourinho no lugar em nome do donatário, Marquês de Cascais. Ou podia acontecer o que aconteceu em Parati e também em Pindamonhangaba, cujos habitantes desprezaram, para começar, todas as formalidades legais, emancipando-se num gesto unilateral e, em verdade, sedicioso, só posteriormente confirmado por ato expresso do poder competente ou por seu tácito consentimento.

Só quando vencidos mal ou bem esse trâmites é que em geral se procedia a requerimento do povo e de conformidade com as ordenações, à nomeação de seis homens principais e reputados de sã consciência para elegerem, debaixo de juramento, os oficiais – juízes, vereadores, procurador e escrivão – que deveriam servir no primeiro Conselho. Isso feito, procedia-se ao levantamento do pelourinho em lugar descente, à

74 *Inventários e testamentos*, XXVII, p.76 e 85. No texto impresso do testamento de Domingos Fernandes aparece por engano Antonio de Morais como um dos prelados administradores do Rio de Janeiro, em vez de Antonio Marins, que é o certo.

75 *Boletim do Arquivo Municipal de Curitiba*, VII, p.36.

escolha de lugar destinado à futura casa da Câmara – que se reuniria interinamente em morada particular –, assim como à demarcação do termo, delimitação do rocio e, havendo sujeito letrado, à elaboração das posturas municipais, dependentes, em todo caso, de aprovação régia. A aprovação régia, por sua vez, não se dava pressa em ser despachada: o sucedido, já em pleno século XVIII, com a longínqua Vila Bela da Santíssima Trindade do Mato Grosso, às margens do Guaporé, ilustra bem as dilações que podiam comportar tais procedimentos.[76]

A Vila de São Paulo: núcleo colonizador

Não são de se desdenhar, por certo, as muitas sangrias que a formação de cada comunidade sertaneja devia impor desde o começo à população da Vila de São Paulo. Quando em 1611 se cogitou de erguer

76 *Biblioteca e Arquivo Público do Estado do Mato Grosso.* Manuscrito Latas de 1751-59 e 1760-68. Redigido o estatuto da vila, erigida em sede administrativa da capitania, foi encaminhado o mesmo em 4 de dezembro de 1755 ao governador d. Antonio Rolim de Moura, antes de ser mandado a Lisboa para sua aprovação ou recusa. Três dias depois, respondia o general sugerindo emendas. De posse delas, convocaram os oficiais da Câmara para uma junta na casa do Juiz de Fora, por não ter ainda o Conselho sede própria, e em presença dos bons da governança e do povo foram lidas em voz alta e inteligível, tanto as posturas como a resposta de d. Antonio. Seguindo-se com a palavra, passou o mesmo Juiz de Fora a fazer prolixa disquisição no sentido de tornar apto o estatuto a servir ao bem comum e à polícia da República. Lavrado o termo da reunião, por todos os presentes assinado, pode subir afinal ano e meio depois, em Lisboa, à Real Presença. Ouvido o Conselho Ultramarino, mandou então sua majestade, passados agora mais de 5 anos, a 22 de agosto de 1760, em carta expedida pelo mesmo Conselho Ultramarino ao capitão-general, que informasse de novo o papel, dando parecer, depois de submetê-lo ao ouvidor da capitania e, ainda uma vez, ao Senado da vila. De conformidade com essas instruções, passou o ouvidor a emendar outra vez o texto recebido, demorando-se minuciosamente em cada um dos cinco capítulos, e de tudo deu conta ao futuro conde de Azambuja em carta de 7 de setembro de 1762. Uma semana depois, a 15 de setembro, fez-se nova junta na Câmara, precedida do edital de pregões afixados em todos os lugares públicos da vila e termo. Lidas então a carta de sua majestade, as do capitão-general, as da Câmara, assim como as mesmas posturas, ordenou-se que os da nobreza e os do povo, ali presentes, livremente respondessem a respeito de cada um dos itens, e de tudo foi lavrado auto com a máxima solenidade e circunspecção, segundo consta do mesmo auto. Isso feito voltou o texto à Câmara, que dava outro parecer a 29 de dezembro. Da Câmara foi tudo mandado ao capitão-general, e este, por sua vez, remeteu os papéis a Lisboa, acompanhados de novo parecer seu. Sabe-se que, pelo menos até 1768, ainda não estava o assunto resolvido, tendo-se passado quinze anos desde que foi iniciada a redação das posturas.

pelourinho em Mogi das Cruzes, as vinte pessoas já estabelecidas no local subscreveram petição nesse sentido às autoridades: ainda é exigido o número e, no entanto, a presença bem documentada de vários indivíduos ali residentes nos anos imediatos e que não constam do rol dos peticionários leva a crer que logo se teria avolumado.[77] Muitíssimo mais consideráveis deveriam ser as migrações encaminhadas mais de trinta anos depois para a área de Itu, a serem exatas as notícias dadas por documentação, que há menos de século ainda se podiam ler, aparentemente, no texto manuscrito.[78] Segundo tais notícias, já por volta de 1653, ano da morte de Domingos Fernandes, 444 casais estariam já estabelecidos nos campos de Piratingui. Na Vila Formosa de Nossa Senhora do Desterro de Jundiaí, a 30 de dezembro de 1656, a Câmara, criada no ano antecedente, outorga chãos a diversos indivíduos (ainda que de dois apenas se tenha notícia certa), sob a condição de fazerem casas no prazo de seis meses, dentro do arruamento fixado: em 1657, a 27 de janeiro, 41 novas datas irão distribuir-se em idênticas condições; a 11 de fevereiro, mais 11, e outras 31 na reunião de 9 de março seguinte, sem falar das que se outorgaram ainda nesta e em ocasiões posteriores, mas de que não ficou documentação.[79] Ao todo, 85 pessoas recebem, em pouco mais de dois meses, quinhões de tamanho variável: entre 5 e 40 braças de testada.

O que parece resultar de cifras semelhantes é que, longe de movimentar apenas família isoladas, muitas das migrações responsáveis pela

77 Cf. *Sesmarias*, I, p.90, 146-7, 190 e 199; *Inventários e testamentos*, IX, p.101; e *Inventários e testamentos*, X, p.84.

78 Documentos inéditos. *A Esperança*, 24 mar. 1867. Já não existem na Câmara Municipal de Itu e nem no Arquivo do Estado os documentos originais relativos a esses episódios da Vila de Nossa Senhora da Candelária utilizados na publicação citada.

79 Prefeitura Municipal de Jundiaí. Cartas de datas – 1867. Ao códice, encadernado e em boa conservação, faltam, no entanto, as primeiras 110 folhas. Na folha 111, por onde começa, lê-se um termo de doação sem o cabeçalho e o requerimento, que deveriam estar na página anterior, e portanto, sem o nome do suplicante. Na data que traz, de 30 do mês de dezembro da era de 1657, segue-se o uso antigo que fazia principiar cada ano pelo Natal e equivale, assim, na contagem moderna, a 30 de dezembro de 1656. Encerra-se o livro, no estado atual, à folha 158, com o começo da petição de Estevão Góis Raposo, sem o texto da doação correspondente. É impossível, pois, estimar o número das datas concedidas em 1657 a partir de 9 de março. Se se admitir, por outro lado, que o número das datas registradas nas 119 páginas iniciais seria aproximadamente proporcional ao das que se preservaram, resultariam, até o dito mês de março de 1657, pouco menos de trezentos concessionários.

formação desses núcleos chegam a assumir o caráter de deslocamentos maciços, capazes de afetar fundamente a estrutura demográfica de áreas já caracterizadas por seu notável índice de mobilidade e dispersão. Obedecendo os moradores ao apelo de espaços amplos, onde o revestimento florestal denso já é uma promessa de fartura, e cedendo a tendências itinerantes dignas dos antigos naturais da terra, bem podia acontecer que, ainda mal arraigadas e definidas, chegassem as novas unidades de povoamento a desdobrar-se e a tresdobrar-se, já quase ao nascedouro, em outras similares, situadas a menor ou maior distância. Revelador, a esse respeito, é o exemplo de Sant'Ana de Parnaíba, centro expansivo de enorme atividade, que em menos de meio século de vida autônoma dera origem à Vila de Itu e ainda à de Sorocaba, oriundas ambas de uma única sesmaria.

É, contudo, sobre o núcleo mais populoso serra-acima que naturalmente atuam com maior intensidade as forças centrífugas visando à ocupação extensiva do planalto. Para citar um caso, basta lembrar, com efeito, que de 85 concessionários de lotes distribuídos no ano de 1657 em Nossa Senhora do Desterro de Jundiaí, perto de terça parte, e seguramente mais, tiveram morada na Vila de São Paulo na década imediatamente precedente, segundo é possível averiguar num sumário cotejo com os nomes que aparecem na documentação municipal paulistana.

Nota-se que, já em épocas anteriores, tinha avultado muito a busca de terras lavradias para aquelas bandas, a tal ponto que as datas correspondentes a mais de trinta pedidos de sesmaria feitos entre 1636 e 1642 se acham localizados entre as margens do Juqueri, do Atibaia, do Jaguari, do Jundiaí, sendo os requerentes, quase sem exceção, moradores na Vila de São Paulo. Parte deles faria seus ranchos – seus "tejupares", como se lê na documentação jundiaiense – ao redor da capela existente da Senhora do Desterro, onde podiam desobrigar-se. Entre os peticionários de datas na Vila de Jundiaí, em 1657, há quem alegue estar lavrando na mesma paragem há doze anos, como Estácio Ferreira, ou mesmo há dezesseis anos, como Antonio Álvares Bezerra, e quer isso dizer que ali assistiriam desde 1645 e 1641, respectivamente. Nem por isso são os "primeiros povoadores" do lugar. Os primeiros povoadores são expressamente Francisco de Gaia e Manuel Antunes Preto, os quais alegam notoriedade do fato e invocam testemunho dos moradores antigos. Mas não seriam os únicos. Igual título é invocado por Manuel Madeira e sua mãe, Isabel Bicudo. Além disso, Maria Jorge e Agostinha Rodrigues se dizem "donas viúvas dos primeiros povoadores". Dos 85 habitantes do local que receberam datas entre fins de 1656 e março de 1657, nada menos de 11 se dizem povoadores ou "dos primeiros povoadores"; 18, netos e filhos de povoador, e 4 casados com filha de povoador. Com exceção de 2, que viviam em São Paulo mas queriam mudar-se para o lugar, todos os mais eram moradores no antigo bairro, agora vila, do Desterro de Jundiaí.

Entre essas pessoas contempladas com datas, muitas eram de largos haveres e, para citar-se um exemplo, cabe lembrar o de João Raposo Bocarro, que tinha sido juiz ordinário em São Paulo no ano de 1644, além de capitão de ordenanças de uma das companhias da dita vila. Aquele, alegando ser o primeiro a ir povoar aquelas terras do sertão do Jaguari e dispor de posses para lavrá-las, alcançara de sesmaria um lote excepcionalmente extenso: 6 léguas de testada por outras tantas de fundo.[80] Contudo, na petição de data que em janeiro de 1657 dirige à Câmara da Vila de Jundiaí, alega que assistia no lugar da vila havia dois anos, vale dizer que, afazendado embora de longa data por aquelas bandas, era no dito lugar morador novo, se comparado, por exemplo, a Manuel José Preto e a Francisco de Gaia.

Ao Preto não se referem outros textos, além da sua carta de data, e nem sequer os escritos genealógicos conhecidos, mas seu apelido sugere que pertencia à numerosa parentela dos Antunes, Rodrigues, dos Hortas, e assim, possivelmente, de Petronilha Rodrigues Antunes, a mesma que, segundo versão publicada por Azevedo Marques,[81] teria feito com Rafael de Oliveira – o Moço –, por volta de 1615, a capela da invocação de Nossa Senhora do Desterro que dará seu nome à vila futura. É significativo como outro que alega, a 27 de janeiro de 1657, ser povoador da vila e mais, "casado com filha do primeiro povoador della", é João Leme do Prado, provavelmente o filho de Pedro Leme, aparentado assim, pela linhagem

80 *Sesmarias*, I, p.272 et seq.

81 Azevedo Marques, op. cit., I, p.12.

materna, aos Pretos, além de genro de Gaspar de Louveira, um dos primeiros moradores da vila, que recebe sua data em frente ao pelourinho.

O interesse especial que possa ter esse caso de Jundiaí está em que ajuda a iluminar alguns dos fatores típicos dos movimentos de população que com tamanha frequência se assinalam no planalto paulista ao longo do século XVII.

Tipos de povoamento: o exemplo de Jundiaí

1) Assim, a migração inicial, anterior possivelmente ao ano de 1620, ao que consta, do estabelecimento de pessoas criminosas que para aqueles lugares se deslocaram com famílias e apaniguados, fugindo à perseguição das justiças, filia-se claramente ao tipo de povoamento por *homizio e couto*. Importado de Portugal, onde tem raízes medievais, alcançou importantes repercussões na colonização do Brasil. Infelizmente, a única notícia que nos resta desse primitivo estabelecimento, tirada de fonte hoje perdida, não chega a declarar as circunstâncias do delito que teria motivado a migração. Dos protagonistas, um apenas nos é conhecido através da documentação oficial acessível, e sabe-se, aliás, que morreu no próprio sertão de Jundiaí em 1654, pouco antes de criar-se a vila. Do outro, além da menção que divulgou Azevedo Marques, só há notícia numa carta de sesmaria passada em 1642 a Sebastião Fernandes Correia e genro; a sesmaria ficava para o lado do Jundiaí, rio arriba, "nas cabeceiras de Petronilha Antunes".[82] Tudo isso, e mais a presença, entre concessionários das datas distribuídas em 1656-1657, na Vila do Desterro, de parentes chegados de Rafael de Oliveira – o Moço –, inclusive dois filhos seus (Antônio Cordeiro e Estevão Fernandes) e dois genros (o capitão Pascoal Ribeiro de Faria e Francisco Gabriel de Távora), é motivo para julgar-se ao menos verossímil a versão do autor dos *Apontamentos*, contra a qual não se ergueu até hoje nenhuma objeção tranquila.

82 *Sesmarias*, I, p.464.

2) A essa, como o fazem crer os muitos pedidos de terras já apontados na região, seria possível juntar nova onda de imigrantes, chamados, estes, a contar da quarta década do século pela generosidade daqueles solos ainda incultos e capazes de contrabalançar a exaustão das terras nas redondezas dos antigos núcleos, em particular da própria Vila de São Paulo. A simples escassez de terras utilizáveis, atraindo os lavradores para regiões mais produtivas, pôde assim representar motivo imperioso de migrações semelhantes.

3) Uma terceira leva, que parece movimentar-se no mesmo rumo, por volta de 1653, já praticamente encerrada a fase da maior procura de terras naquelas partes, merece consideração especial, embora não fosse de todo estranha ao movimento a presença, ali, de solos férteis. O fato de se terem então fixado no sítio da futura Vila do Desterro descendentes de José Ortiz de Camargo, ou antes de seu filho Jerônimo, acompanhado de familiares e parciais, pode ser associado às formosas rixas que, dividindo a capitania em bandos contrários, chegavam agora à culminância. E assim como Parnaíba se teria convertido num reduto dos Pires, Jundiaí preparava-se para ser o verdadeiro baluarte da parcialidade oposta, beneficiando-se com isso da famosa querela de famílias que lhe dava mais moradores e maiores cabedais. É essa claramente uma amostra de como a preexistência de divisões no interior do antigo núcleo pode estar à origem dessa verdadeira dicotomia, por onde a facção momentaneamente vencida é levada a ir formar entidade municipal distinta, com justiça própria e órgãos autônomos de poder. Não escapava, aliás, aos contemporâneos a importância desse motivo de dispersão, tanto que o ouvidor Pedro de Mustre Portugal, escrevendo, em janeiro de 1660, sobre os excessos cometidos pelos bandos que lutavam, cada qual com os gentios que tinham agregado, atribui as tais desavenças o terem muitos moradores de São Paulo desamparado a vila, indo meter-se "no sertão e matos, fazendo novas povoações".[83]

83 *Registro Geral da Câmara Municipal de São Paulo*, II, p.548.

É preciso considerar que de tais fatores – perseguições das justiças, míngua de solos produtivos e presença de divisões internas – só o primeiro pode ser perfeitamente isolado, sem artifício, quando se busque a origem das migrações colonizadoras. Nada indica que a aquisição documentada de novas terras significasse por si só a imediata e efetiva ocupação delas. Mesmo às vésperas do século XIX não se acha d. Rodrigo de Souza Coutinho na contingência de recomendar, em nome de sua majestade, a estrita observância das ordenações, onde estipulam que fiquem perdidas para os primeiros donos as sesmarias não cultivadas? O motivo de tal providência estaria, segundo o ministro, no uso, já inveterado no Brasil, de se outorgarem terras a sujeitos que delas não tiravam partido e só ambicionavam perpetuar para si um privilégio ilícito e nocivo.[84] É certo que não só a falta de cabedais ou de indústria a que se referia d. Rodrigo estaria à origem de abuso semelhante, mas ainda o desejo, entre muitos moradores, de dispor de alguma reserva de solos para dias incertos, coisa necessária em país onde a economia rudimentar deixava a população quase indefesa contra as variedades da fortuna. E isso mesmo parece exato no caso daquelas áreas que apontavam para o futuro caminho de Goiás. Dos que tinham legalizado ali as suas posses, muitos efetivamente iam continuar domiciliados em São Paulo até surgirem razões superiores para largarem a vila, enquanto outros a ela haveriam de tornar, após assistência mais ou menos prolongada no sertão.

É preciso ter em conta que até nas sociedades movediças como eram aquelas, podia conservar-se sempre intacto, mesmo em condições desfavoráveis, o prestígio natural de uma existência plácida estável, que tendia no entanto a abalar-se quando se aguçassem os incômodos e privações. Fora desses casos dramáticos, cabe imaginar que alguma ameaça mais séria ao status alcançado por indivíduos ou grupos, e também todo desafio à ordem dominante, capaz de ir desembocar em comportamentos antissociais, chegassem a ganhar função positiva, na medida em que, sacudindo a sorna, acabassem por forçar novas saídas. Não admira, pois,

84 *Arquivo do Estado de São Paulo*. Avisos e Cartas Régias 1796-1802. Livro 178. fl. 110 et seq.

se a vanguarda dos povoadores das comunidades sertanejas fosse constituída, muitas vezes, de foragidos da justiça e "desterrados".

Aqui se inscreve sem dúvida o primeiro dos tipos, alvitrados acima, o das migrações colonizadoras determinadas pelo afã de escapar ao rigor das justiças. Seria também o caso do terceiro, o das divisões que preexistem no interior da comunidade antiga, forçando, ao cabo, o deslocamento de parte de seu povo? Mais particularmente: seria o caso de migrações como a de Jerônimo de Camargo, que, em 1653, desertara da Vila de São Paulo para ali reaparecer em definitivo oito anos mais tarde, sendo assinalado, durante o intervalo, primeiro em Santos, depois, com sua gente, no sertão do Atibaia e do Jundiaí?

A verdade é que essa deserção não parece filiar-se, senão de forma indireta, àquelas discórdias de família ou ainda às acusações que pesavam fortemente sobre parentes seus e poderiam porventura inquietá-lo no meio piratiningano. Mais do que as brigas privadas, que tantas vezes extravasam em violências (em que não se distinguem menos, aliás, os do bando contrário), o que principalmente desabonaria os Camargos eram certos delitos públicos que lhes são imputados, com ou sem fundamento, a começar pelo mais grave que se poderia esperar, o de inconfidência. Em nenhum dos atos, porém, que ajudariam a configurar tamanho crime, alega-se a participação direta de Jerônimo. E nenhum, provavelmente, o forçaria a ir embrenhar-se, fugitivo, nos matos, para logo reaparecer em Jundiaí, expressamente como "hum dos povoadores" da vila, ao receber a data que suplicara: 20 braças de testada à Rua Direita, saindo da Igreja, e 40 de quintais.

Enquanto isso, seu irmão Fernando, o "Tigre", notório matador de Pedro Taques e rancoroso inimigo dos padres jesuítas, agora restituídos ao seu Colégio, não arreda quase pé de São Paulo, senão para ir até à Bahia a fim de se defender das culpas que lhe assacavam. Também seu fogoso sobrinho Manoel Gil, genro de Fernando, como este sabido "castelhanista", deixa-se ficar na vila, chegando, em 1656, a ter provisão para capitão dos índios da Aldeia de Barueri, sinal do bom conceito em que é tido entre os oficiais da Câmara, que o chamam, aliás, de "pessoa benemérita".[85] Embora venha a receber em janeiro seguinte seu lote de chãos na incipiente Jundiaí, de parceria com Miguel Fernandes da Costa, nada sugere que se achasse ali homiziado, e logo o vemos de novo em São Paulo, onde irá finar-se em 1659 no seu sítio de Bitiratim, termo da mesma vila.[86] E não eram esses os dois grandes incriminados na devassa que há seis anos fizera o ouvidor João Velho de Azevedo: o primeiro por amotinador e homem alevantado, o outro por iguais culpas e ainda por certa palavra destemperada com que ousou ferir a dignidade régia?[87]

Ao lado desses crimes não passaria de simples pecado venial, segundo critérios do tempo e da terra, aquele arroubo de Jerônimo, quando, juiz ordinário em São Paulo, desapareceu um dia da vila sem entregar as chaves da Câmara nem as da arca e cofre dos pelouros aos oficiais novos, que eram da parcialidade oposta. O triunfo dessa facção e também o dos padres da Companhia novamente poderosos representaria para ele, quando muito, uma latente ameaça, cujas consequências, ao contrário de seus irmãos Fernando e José Ortiz – o Moço –, preferiu contornar a arrostar. Dados a projeção de sua família, o séquito que levava e os haveres de que dispunha, a mudança para Jundiaí, onde ia encontrar restos das primeiras levas de povoadores, devia assegurar-lhe ali uma eminência social que em São Paulo parecia perdida no momento.

Migrações em massa

Seu ato, que tinha ao menos um conhecido precedente na capitania – não o fornecera a própria facção dos Pires, quando muitos dos

85 *Registro Geral da Câmara Municipal de São Paulo*, II, p.457.

86 *Arquivo do Estado de São Paulo*. T. C. 1657-59. Inventários não publicados. Caixa 9.

87 Segundo uma testemunha, achando-se Manuel Gil certa vez em casa do capitão-mor Gonçalo Correia de Mesquita, disse que "muita merda para El-Rei Dom João e que vivessem os Camargos". Ao que o chamou o capitão de desavergonhado e atrevido, e como quisesse Gil lançar mão dele, logo se viu atalhado e cercado de armas. Sabia, porém, a testemunha que depois, na Praça da Sé, confirmara suas palavras, ajuntando que as dissera e estava dito. Outros depoentes afirmaram que também teria exclamado "vivam os Camargos que estou em São Paulo, e vivam os castelhanos". Cf. Lima, A devassa do dr. João Velho de Azevedo, p.219.

seus membros emigraram para a Parnaíba logo que principiara a rixa das famílias? –, ia achar depois quem o repetisse, e talvez por motivos menos plausíveis. Um pouco à maneira dos antigos indígenas, que de causas aparentemente frívolas tiravam às vezes grandes divisões. O fato vai acontecer por volta de 1668, quando numerosos moradores de São Paulo – um documento estima-os em cinquenta e tantos – subitamente se retiraram da vila para ir engrossar a população de Sant'Ana de Mogi das Cruzes e de Sant'Ana de Parnaíba, que, acrescentam os textos, "de novo se povoaram". A explicação dada pelos que ficaram e se sentiam roubados era de que, taxadas aquelas duas vilas em menos na contribuição do pedido real para o dote da rainha da Inglaterra e a paz de Holanda, furtavam-se tais pessoas de dar o que podiam e deveriam, se permanecessem na Vila de São Paulo: o resultado era que o povo desta vila acabava diminuindo e ia assim pagar mais do que o justo.[88] Para muitos, não passaria essa evasão de um capricho, pois os sonegadores eram justamente os homens mais ricos da terra, e o que deixavam de dar, iam dar por eles os menos aquinhoados.

Sejam quais forem as motivações econômicas, sociais, até psicológicas ou morais, que se busquem para tal fato, o caso é que, despejando em periódicas pulsações as sobras de seu povo, a Vila de São Paulo se vai projetando no século XVII em novas comunidades, que sucessivamente se vão formando ao largo do sertão. Se o fenômeno não tem o alcance espetacular das grandes entradas bandeirantes, o certo é que a estas se enlaça pela sua origem e serve para clareá-las de luz nova. Que ele se dava com iguais características nas comunidades secundárias ou derivadas, por sua vez erigidas em outros tantos focos de expansão, é desnecessário dizê-lo, embora seja lícito pensar que se revelasse mais sensível no núcleo primitivo e já "saturado" do planalto. Mais sensível e, em certo grau, talvez mensurável, dependendo de pesquisas acuradas

88 *Registro Geral da Câmara da Vila de São Paulo*, III, p.83; e *Atas da Câmara da Vila de São Paulo*, VI, anexo, p.502 e 517. Onde nos textos se diz de Moji e Parnaíba que "de novo" se povoaram não se entenda que se tivessem antes despovoado, o que seria inexato, mas que receberam novo contingente de povoadores, acrescentado ao anterior.

na documentação que se conserva ainda em velhas igrejas, tais como os livros de batizados e de óbitos.

Para Sorocaba, que teve seu pelourinho em 1661, já foi esboçado trabalho semelhante e é concludente: de um total de trinta indivíduos adultos que, segundo os registros, lá faleceram entre 1680 e 1699, com naturalidade declarada (excluído os originários da própria vila), doze, ou seja, mais da terça parte, provinham de São Paulo, cinco do Paraguai (incluída a província do Guairá, que dá o maior contingente), e apenas três de Parnaíba, que se coloca em terceiro lugar, seguida, com dois cada qual de Itu, Mogi das Cruzes, Santo Amaro, Portugal, e de outros com um.[89] A participação apreciável de "castelhanos" do sul, que contribuíam com a sexta parte daquele total, torna-se explicável desde que se considere a circunstância de achar-se o povoado de Baltazar Fernandes situado no caminho das explorações escravistas que iam buscar domésticos nas doutrinas dos padres. Mais curiosidade merece a moderada parcela dos parnaibanos, só o décimo do total, uma vez que Sorocaba, assim como Itu, se acha inserta em um fluxo de expansão povoadora que avança precisamente de Sant'Ana do Parnaíba, o núcleo pioneiro dos irmãos Fernandes.

Safety valve

Ora, se nos ativermos, pelas razões expostas, aos dados demográficos arrolados para a Vila de São Paulo, e os pusermos em confronto com as diversas etapas dos movimentos de colonização do planalto no século XVII, chegaremos facilmente a resultados de notável alcance para o estudo histórico de toda a região, ou seja, o da existência de um nexo estreito entre os desfalques periódicos da população ocorridos na mesma vila e as fundações de novas e sucessivas comunidades sertanejas. Para

89 Almeida, *Achegas para a história de Sorocaba*, p.95 et seq. Daqueles que se presume nascidos na própria Sorocaba é possível que ao menos uma parte tivesse ido de fora, pois não há nesses casos indicação de naturalidade.

mais claramente permitir esse confronto, foi feito junto o diagrama, onde se assinalam nas ordenadas as curvas da expansão e depressão demográficas com as datas correspondentes, e nas abscissas os números que ajudarão a medir os movimentos de população. Ao lado do diagrama paralelamente às ordenadas, aparecem os nomes das vilas seiscentista com as respectivas datas de fundação.

Devido à sua existência efêmera, deixa de ser nomeada a que o governador d. Francisco de Souza mandou fazer com o nome de São Felipe, perto da atual Sorocaba, embora fosse ela talvez responsável, com Mogi das Cruzes, quase sua contemporânea, pelo declínio assinalado ao iniciar-se a segunda década do século.

Quadro 3

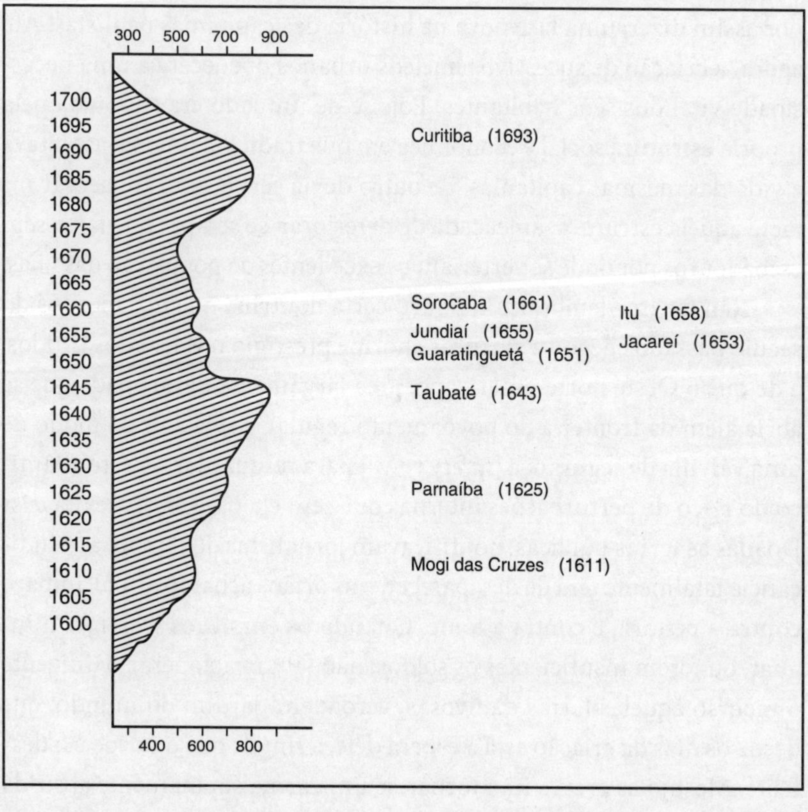

É de notar que, ao lado das fundações de vilas, outros fatores podiam servir para provocar os déficits demográficos. Assim, juntamente com a série de núcleos que alcançam então sua autonomia municipal, caso como os daqueles cinquenta e tantos vizinhos de São Paulo que, por volta de 1668 ou pouco antes, abandonaram a vila, esquivando-se com isso de pagar o que lhes seria taxado na contribuição do pedido real, podem ter ajudado a influir sobre a grande depressão registrada nos quarenta anos que se seguem a 1645. Sobre outra, consideravelmente maior, que se denuncia no último decênio, é inútil dizer que o desfalque porventura suscitado com a única fundação de vila então ocorrida, a de Curitiba, contribuiu muitíssimo menos do que o formidável êxodo para as ricas minas de metal precioso que a esse tempo começaram a manifestar-se.

Justamente com os descobrimentos das Gerais vai inaugurar-se, por assim dizer, uma fase nova na história das capitanias paulistas. Até agora, a criação de sucessivos núcleos urbanos obedecera a uma necessidade vital dos seus habitantes. Pois se de um lado era suscitada pela própria estrutura social e econômica em que tradicionalmente assentava a vida das mesmas capitanias, de outro devia servir para conservar intacta aquela estrutura, ameaçada de deteriorar-se sempre que faltassem escoadouros por onde se verteriam os excedentes da população das vilas.

Não faz isso lembrar um pouco certa doutrina que nos meados do século passado chegou a alcançar enorme prestígio nos Estados Unidos: a de que o Oeste norte-americano, área largamente desocupada que se abria além da fronteira do povoamento regular, devia agir ao modo de uma válvula de segurança [*safety valve*] para resguardar o Leste atlântico do risco de perturbações internas que sem ela pareciam inevitáveis? Doadas as terras públicas, pontificavam jornalistas do tempo, a mendicância fatalmente terá de desaparecer, e os órfãos acharão afinal amparo contra a penúria e contra a fome. Quando os empregos vierem a minguar, ou forem insuficientes os soldos, não faltará ao operário diligente o recurso àquelas terras dadivosas, verdadeiro jardim do mundo, que desde os dias da criação está à espera dele, a fim de que o povoe e o desfrute. Mesmo as greves irão tornar-se uma arma supinamente absurda no momento em que a cada cidadão se apresente, com benesses infindas, a alternativa de poder lavrar aqueles solos para si e para todos.[90]

À sua maneira, a função que vinham tendo no século XVII os espaços livres e utilizáveis ainda existentes ao redor do velho núcleo piratiningano, de assegurar a sobrevivência do tipo de sociedade ali formada desde os inícios da colonização, assemelhava-se, rigorosamente, à espécie de *safety valve* que há cem anos inflamara imaginações anglo-saxônias no norte do continente. Se diferença houvesse, estaria nisso, que aqueles espaços livres, em vez de tingidos de cores tão idílicas, deviam parecer, em geral, uma realidade descolorida e chã, mais refrigério talvez do que esperança. A fome de terras seguia-se sempre à fome de pão e a outras aperturas, que mal se conjurariam se parte do povo não estivesse constantemente apta a emigrar para onde lhe fosse dado recomeçar a vida.

É falível, contudo, esse remédio, e com frequência pode ter efeito maléfico. Pois não parece verdade certa que quanto mais se afundam no sertão e matos, menos conserváveis se tornam os homens, e apartando-se de toda civilidade e doutrina por pouco não se igualarão ao gentio bruto? Além disso, é evidente que a área de dispersão das comunidades sertanejas há de ter seu limite natural marcado principalmente pelas distâncias, e que limitada também é a possibilidade de se abrirem os caminhos e pontes por onde elas se comuniquem, os quais costumam fazer e consertar de mão comum os moradores, sempre com grande incômodo e despesas.

Descortinado, porém, o novo e vasto campo de ação além de Mantiqueira, nem as distâncias, nem as despesas fazem conta, porque tudo paga o ouro dos ribeiros, nem há o perigo da solidão, inimiga de toda ordem civil e espiritual, porque depressa se povoarão as terras. E se o mal das fomes até lá persegue os aventureiros, como já em 1697 sucedeu, e em 1700-1701, quando fugiram muitos para o mato, passando a sustentar-se de frutos agrestes, e chegou o alqueire de milho a oitenta oitavas de ouro, cem vezes o seu custo em povoado, ninguém há de negar que a raiz do mal está agora na impaciência de muito ganhar, não no perigo de tudo perder.

90 Cf. Smith, *Virgin Land*: The America's West as Symbol and Myth, p.234 et seq.

O ouro das Gerais: seus efeitos na capitania

É este, sem dúvida, o efeito mais sensível dos descobrimentos das Gerais: de súbito caduca a antiga válvula de segurança, largamente responsável pela disseminação de núcleos urbanos a pouca distância da Vila de São Paulo, e cede passo a outra muito mais poderosa que, substituindo-a, definitivamente a inutiliza. A área de ocupação do solo estabiliza-se então dentro das fronteiras já atingidas, porque os excedentes do povo acham vazão para mais longe, para as opulentas minas, e só voltará a dilatar-se passados três quartos de século, quando se criem condições totalmente novas, ditadas pelo esgotamento das lavras, e pelas mais amplas perspectivas que se oferecem à lavoura de cunho comercial, baseada no braço escravo.

Nesse intervalo, é certo, há ainda um prolongamento da linha de expansão que aponta para o Sul, onde paulistas, não só de serra-acima, mas sobretudo da beira-mar, estendem-na além de Curitiba, para São Francisco e Laguna, rumo de Viamão e Vacaria.

Mas ainda aqui, na medida em que esse movimento não é francamente estimulado pela Metrópole, empenhada em fazer povoar a terra de ninguém que divida do Brasil a Nova Colônia do Sacramento, pela primeira vez fundada em 1680, animam-no exigência da área mineira, precisada de reses para o abastecimento dos habitantes, e de cavalgaduras para os transportes.

Já se tem em demasia insistido nos nefastos resultados que chegou aqui a ter a sedução exercida pelas lavras auríferas recém-descobertas. Não basta invocar a respeito a alta generalizada, que a acompanhou, dos preços de todos os artigos de consumo e ainda o grande êxodo de habitantes válidos, incluídos naturalmente administrados e escravos, com reflexos danosos sobre a lavoura local e os serviços públicos de toda natureza. Nada sugere, entretanto, que chegassem aqueles resultados a ganhar proporção verdadeiramente catastrófica, senão a prazo muito longo. E há mesmo sinal de que, passados os primeiros transtornos, puderam as terras paulistas atingir certo grau de prosperidade: do contrário, mal se explicaria o fato de, por aquele tempo, se acharem nelas estabelecidos, às vezes de torna viagem, muitos indivíduos enriquecidos nas lavras, e ainda outros que, sem tirar pé de São Paulo, Taubaté ou Parnaíba, se fizeram logo abastados, negociando com os arraiais de mineração.

Efetivamente não há notícia, em época anterior, da presença nas mesmas terras de tão expressivo elenco de homens de cabedal, que puderam, em transações semelhantes, aumentar e consolidar seus bens de fortuna. É suficiente lembrar figuras como as de Pedro Taques de Almeida, o terceiro desse nome, seu filho José de Góis e Morais – o mesmo que chegou a negociar com Marquês de Cascais a compra de toda a Capitania de São Vicente, só não a completando porque tempestivamente interveio a Coroa, chamando a si o negócio já ajustado –, Matias Rodrigues da Silva e José Ramos da Silva, avô e pai do moralista Matias Aires ou, finalmente, mas *not least*, o padre Guilherme Pompeu de Almeida.

Os currais de gado

Do último sabemos, pelo que nos resta de seu livro de assentamentos,[91] que com o sobrinho (e afilhado) Pedro Frazão de Brito e o primo Luís Pedroso de Barros fez companhia de criação de gado nos campos gerais de Curitiba, de onde e de outras fazendas devem ter saído os rebanhos que mandava vender aos mineiros.

Assim é que em 1700, ano de grande fomes, quando um boi de corte chega a valer nas minas quase setenta vezes o preço em São Paulo, enviou pela quaresma 204 reses às mesmas minas, em seu nome e no de Pedro Frazão, devendo o montante em ouro da venda partir-se igualmente entre ambos. Em 1703 saiu de Parnaíba o próprio Frazão, levando dessa vez 310 bois: o produto líquido seria dividido ao meio, deduzido pelo padre o gasto no custo dele e pelo afilhado a soma com que entrara para a compra. Ainda em Minas, no ano de 1704, fora ao seu encontro o capi-

91 Manuscrito do Instituto Histórico e Geográfico de São Paulo. Devo ao sr. Nélio Migliorini, paleógrafo do Arquivo do Estado de São Paulo, cópia que fez e obsequiosamente me ofereceu do original manuscrito utilizado para as notícias acima.

tão Simão Bueno, levando-lhe da parte de Pompeu uma carregação não especificada. Em dezembro de 1705 já se encontrava Frazão de volta em Parnaíba, mas por pouco tempo: a 6 de junho do ano seguinte, viajava outra vez para as minas.

Nesse caso não se trata com certeza de fato isolado, mas de exemplo típico das transações mercantis de caráter ainda acentuadamente patrimonial a que, em dias tão bonançosos, outros se dedicariam em São Paulo, simultaneamente com o "Creso de Parnaíba", e porventura em maior escala do que ele. Pois, não obstante os exageros do genealogista Pedro Taques, há motivo, hoje, para crer que não era sua, então, a maior fortuna paulista do tempo e nem seus os negócios de maior vulto.[92] Os dados do livro de assentamentos, acrescentados a outros testemunhos similares, servem também para mostrar a importância ímpar que já devem então assumir na Capitania os currais de gado. É graças a esse negócio, aliás, que um José de Góis e Morais conseguirá refazer mais tarde a sua fortuna, seguindo aqui o exemplo de muitos outros, pois a experiência já mostrara como no Brasil – quem o diz é autor da *Nobiliarquia paulistana* – eram "os currais de gados e cavalgaduras o verdadeiro estabelecimento para a conservação das casas".[93]

Esse aumento que conhecem agora as fazendas de criar em toda a capitania, e não apenas nos campos de Curitiba e Paranaguá, é a outra consequência direta da exploração das Gerais. Ampliada as pastagens, que muitas vezes passam a dominar e absorver as outras indústrias rurais, alicerça-se aqui, pela primeira vez em vastas proporções, uma atividade econômica largamente "extrovertida" e do tipo especulativo, sem dúvida mais considerável do que a representada em eras anteriores pela produção do trigo e do algodão, quase os únicos efeitos que se podiam inscrever, até certo ponto, sob aquela rubrica. Mesmo quando a competição dos currais novos do Alto São Francisco e da Comarca do Rio das Mortes chegue a ameaçar frontalmente o desenvolvimento dessa indústria, freada além

92 O assunto é exaustivamente tratado no trabalho em preparo que o dr. Herbert Cahn vem dedicando ao "livro de assentamentos" do padre Guilherme Pompeu.

93 Paes Leme, *Nobiliarquia paulistana histórica e genealógica*, I, p.129.

disso pela carência e carestia do sal necessário ao sustento dos animais domésticos, não se apagará de todo essa marca de sua presença, pois do negócio dos gados na capitania pode-se dizer que o seu modo procede e prepara o das tropas do Sul, com o seu centro natural em Sorocaba.

Parece fácil, mas é provavelmente errôneo, julgar que esse progressivo aumento do comércio e cria de vacuns e cavalares se faz inteiramente à custa das demais atividades rurais, que tendem de fato a resumir-se agora nas da simples lavoura de subsistência. O certo é que a produção de algodão e de panos, embora das mais importantes em São Paulo, nunca chegara e nem chegará, do ponto de vista das exportações, a ser de peso enorme em sua vida econômica, e a do trigo e farinhas, ainda que não desaparecesse de todo para uso caseiro e local,[94] principiara a definir muito antes de começado o devassamento das Gerais. Já nas décadas de 1660 e 1670, diminui seu lugar nos textos conhecidos, e no livro de assentamentos do padre Pompeu só aparecem três vezes e em transações de pouca monta, um nada em confronto com outros gêneros da terra.

Paisagem de decadência?

O que parece claramente resultar é que uma funda mudança começa a operar-se então no panorama não só econômico, mas principalmente social da capitania, e que essa transformação é dominada antes pelos problemas relacionados à mão de obra. Com a sensível redução da quantidade de trabalho requisitado agora nas áreas rurais, devida às próprias formas de atividade produtiva a que se devotam cada vez mais exclusivamente os seus habitantes, como sejam a pecuária e a lavoura de subsistência, as energias da população tendem a ser menos absorvidas do que outrora pela demanda de mão de obra. Não é preciso mais para que as

94 Os inventários de começos do século XVII mostram pelas suas alusões a moinhos e a ferramentas especializadas como persiste essa produção, embora declinante. Assim é que no de Mateus Leme, datado de 1703, aparecem treze foices "de segar trigos" e no de Luisa Buena, de 1711, um "moinho de moer trigos". *Arquivo do Estado de São Paulo.* T. C. 1703-05. Inventários não publicados, Caixa 23; e *Arquivo do Estado de São Paulo.* T. C. 1706-12. Inventários não publicados, Caixa 24.

formas tradicionais de vida e convívio desses mesmos habitantes tendam necessariamente a transformar-se, mormente, nos lugares de serra-acima.

De outro lado, o emprego de gente de serviço também podia ser em grande parte poupado com maior difusão de recursos principalmente técnicos, que ajudam a produzir mais em menos tempo e sem apelar a braços numerosos. Não é por acaso que essa difusão maior de meios semelhantes começa a verificar-se justamente durante o período que ora nos ocupa. Bem ilustrativo é o que acontece, por exemplo, no caso do beneficio do algodão. Em outros tempos, quem trabalhasse na limpa dos capulhos descaroçava, quando muito, 1 libra por dia, fazendo todo o serviço à mão. Ora, graças à introdução da xurca ou escaroçador manual, originário da Índia, que nos inventários paulistas não aparece antes de 1680 e só se expande durante o século XVIII, é possível, em prazo igual, limpar até 2 arrobas, que dão de 0,5 arroba a 20 arráteis de lã limpa.[95] Um rendimento, pois, 64 vezes maior do trabalho e que não deixará, ainda, de ser vultoso mesmo quando se tenha em conta que cada aparelho é manejado por duas pessoas, em geral menores, impróprios para serviços mais pesados.

Revolução semelhante e de consequências maiores deve ter sido a que produziu a importação do monjolo de água, utilizado para pelar ou pilar o milho e outros grãos, substituindo o pilão manual, com a vantagem, sobre este, de permitir economia de esforço humano. De origem oriental como a xurca, esse instrumento só se difunde, a julgar pelo silêncio que guarda a respeito a documentação anterior à era setecentista, quando se rarefaz a mão de obra indígena. Com uma expansão rigorosamente confinada por sua vez à área principal da expansão paulista, que vai desde o norte de Minas Gerais até o norte do Rio Grande do Sul atuais, sem o litoral, e abrange a maior parte de Goiás e Mato Grosso, ele parece ter influído fortemente sobre certos estilos de vida que são peculiares à mesma área.

Pode-se perguntar, a propósito, se essa expansão do monjolo não seria até certo ponto responsável pela verdadeira "civilização do milho" que nela

95 Holanda, *Caminhos e fronteiras*, p.270.

se instalou, em contraste com as outras regiões do Brasil, mais adstritas ao consumo da mandioca. Foram além alguns historiadores, pretendendo que ele tenha chegado a afetar a própria localização dos estabelecimentos humanos através da mesma área. Assim é que Capistrano de Abreu, depois de Saint-Hilaire e Richard Burton, chegou a afirmar que a escolha para casas de vivenda dos fundos dos vales, onde corre a água em maior abundância movimentando essas máquinas, é distintiva dos de São Paulo: às margens do São Francisco seria mesmo possível traçar aproximadamente os limites entre as duas correntes de povoamento – a dos baianos e pernambucanos, vinda do Norte, e a de paulistas, idos do Sul –, marcando os pontos em que os altos deixam de ser preferidos para habitação, mesmo onde não há risco de enchentes e entram a funcionar os monjolos.[96]

A esses recursos técnicos, que possibilitavam ao lavrador depender em menor escala de seus administrados e escravos, acrescentam-se ainda os sistemas de auxílio mútuo, que tamanho papel desempenham em nosso meio rural, mormente nas áreas onde prevaleça uma economia de subsistência. Difundidas, embora de longa data, em todo o Brasil, as formas de cooperação vicinal e especialmente o mutirão, onde a tradição europeia e africana facilmente se amalgamaram com as práticas herdadas dos índios, assumiram, como se poderia esperar, notável significado em São Paulo, conforme o atestam velhos e valiosos depoimentos de Morgado de Mateus, Castro e Mendonça, Veloso de Oliveira ou Luis D'Alicourt.

Quando se fala em decadência, a propósito do quadro que assim se oferece na capitania, de uma lavoura mesquinha e sem perspectivas de expansão imediata, pensa-se também na espécie de esclerose a que parece condenada toda a região, e que culminará entre 1748 e 1764, quando deixa ela de ter governo próprio, sujeitando-se a um preposto do capitão-general do Rio de Janeiro. A verdade é que, despejados para as lavras distantes os excedentes de um povo já agora castigado, aliás, e mais do que nunca, por epidemias sucessivas e devastadoras, vão cessar aqueles desequilíbrios demográficos que tinham sido causa da ampliação sem

96 Ibid., p.226 e 244.

descontinuidade da área colonizada. Ao mesmo tempo, diminui a necessidade da caça a índios, uma vez que não se desbravam terras novas, e para as outras, já gastas e sofridas, fazem eles menos falta. Apesar disso, e de um influxo certamente maior de pretos escravos, será mantida até o final do século a predominância quantitativa do contingente indígena, que ainda forma o grosso da população e não só no meio rural.

Faltam-nos, infelizmente, dados demográficos para as primeiras décadas do setecentos, mas o censo de 1730, o Donativo Real, anterior de mais de trinta anos às estatísticas regulares que se compendiam nos maços de população, parecem confirmar essa crença. Não são, é certo, de exemplar precisão e clareza os dados que se registram nesse censo. Assim é que, de 4.329 habitantes da cidade, excluídas as outras freguesias do termo, 260 são dados por "escravos e administrados", sem discriminação, e 55 por "negros", nome que designava indiferentemente os pretos da África e os índios da terra. Deixados de parte uns e outros, restam 1.485 "brancos", 2.113 servos e administrados e 416 escravos. A palavra "servo", indicativa de uma categoria a rigor desconhecida no Brasil, empregava-se para designar simplesmente "gente de serviço", no sentido de índios de administração e por conseguinte é equiparável a "administrados".[97] Formavam estes, por conseguinte, mais de 48% da população computável, e seriam certamente mais da metade do total se somados aos que se acham incluídos, sem maior especificação, ao lado de "escravos", e entre os 55 "negros", não podendo assim ser enumerados. Maior percentagem alcançariam nas áreas propriamente rurais, onde, como os pretos dos engenhos do Norte, continuavam sendo as mãos e os pés dos brancos.

97 Assim, por exemplo, no testamento de Maria Leme da Silva, datado de São Paulo, 1724, encontra-se a seguinte disposição: "Declaro que tenho de minha administração duas servas do gentio da terra de cabelo corredio por nome Marianna e Sipriana. Declaro e hé minha vontade dar como com effeito dou liberdade a dita Marianna a qual deixo forra livre e dezembargada, izenta de toda servidão em agradecimento dos bons serviços q. me tem feito e pelo amor de Deos o devo assi fazer e assi poderá a dita Marianna hir livremente para onde for seu gosto e assistir com quem bem lhe parecer sem que meos herdeiros por si nem por outros a possão obrigar nem estornar de nehua maneira porque quero que logre e goze perfeitamente a sua liberdade". *Arquivo do Estado de São Paulo.* T. C. 1722-1724. Inventários não publicados. Caixa 28.

Considerações sobre o barroco no Brasil*

Não são poucos os que criticam, com razão, o hábito de repartir-se a história da humanidade em partes distintas, estanques, entrincheiradas, uma contra outra, ou então imobilizadas como estátuas num museu. É inevitável, por outro lado, quando se queira entender melhor qualquer período histórico, destacá-lo, ao menos provisoriamente, do processo geral em que se insere, moderar-lhe mentalmente o ritmo e querer fixar, quando possível, seus limites naturais. Haverá nisso uma parcela de artifício, mas artifícios prestativos e inocentes, desde que seja tido apenas como tal. Para captar a própria continuidade histórica é preciso introduzir no curso dos acontecimentos uma pausa momentânea ou uma espécie de adágio, sem o qual se pode perceber como nela se enlaçam as ideias, os sentimentos ou os comportamentos dos homens.

Em si mesmo o recurso nada tem de ilícito. Compara-se, no fundo, ao do observador ou do árbitro que se serve da câmara lenta para acom-

* Artigo originalmente publicado nos *Estudos Históricos*, Marília, 1966. (N. O.)

panhar mais claramente os aspectos de uma contenda esportiva. O erro está no deixar-se enganar pela sedutora precisão da imagem assim obtida e introduzi-la depois, tal e qual, entre os sucessos observados, por assim dizer, a olho nu.

Não se pode afirmar que tenham evitado sempre esse erro muitos dos autores que vêm escrevendo recentemente sobre o barroco; as artes, as letras, a política, a civilização do barroco. E é bem possível que a simples atração de um rótulo cômodo, tomado à História da Arte, principalmente da Arquitetura, ajudasse insensivelmente a reduzir o período assim batizado a um todo coerente, compacto, inconfundível, sempre igual a si mesmo e capaz de admitir confronto, por esse aspecto, com a imagem associada por tanto tempo à fase que o antecede, ou seja, ao Renascimento.

Tudo isso deve advertir-nos contra a aquiescência tranquila e sem reservas a outra "categoria" histórica – a do rococó –, tão serviçal e empolgante na aparência e que muitos historiadores, em sua maioria alemães, tomaram também da Arquitetura para atribuir-lhe latitude imprevista. Fora da Arquitetura o rococó deveria envolver manifestações tão diferentes umas das outras como a pintura de Watteau, por exemplo, e a de Tiépolo; o estilo Luiz XV (o nosso "d. João V"), no imobiliário; a música de Jomelli, Gluck, Cimarosa, até Mozart; o melodrama de Metastásio, as comédias de Marivaux, de Goldoni, de Beaumarchais; o próprio enciclopedismo, a francomaçonaria, as tendências econômicas e sociais que podem redundar na Revolução Industrial da Inglaterra, ou as tendências sociais, econômicas, políticas, ideológicas que desembocarão na Revolução Americana e, ainda mais, na Revolução Francesa.

Formas de etiqueta e pragmática, de trastes e utensílios domésticos, a preferência dada a determinados materiais sobre outros (a seda, o vidro, a porcelana, a madrepérola, a madeira, esta substituindo em grande parte a pedra); estilos de ornamentação e jardinagem; movimentos religiosos como o pietismo, em várias de suas ramificações, e o metodismo; ordenação ideal das classes, das ideias, dos valores, inspirada largamente pela ascensão da burguesia, tudo isso deveria congregar-se e irmanar-se sob um rótulo comum: rococó. Não raro, em um mesmo indivíduo, ostentam-se atitudes e princípios desconexos, até inimigos: aulicismo e sedição; sentimentalidade lacrimosa e epicurismo cético; sensualismo e racionalismo; gosto da mitologia pagã, do catolicismo tridentino, da chinoiserie… Que sutileza de raciocínio não seria necessária para se forjar alguma identidade e estabelecer ao menos uma espécie de contraponto entre coisas tão diferentes.

Não é preciso, no entanto, grande esforço para notar como entre essas formas contrastantes subsistem áreas de convivência possível e até laços secretos, que justificam um mesmo tratamento. E seria talvez vantajoso, para melhor entendê-las, considerar aquelas formas diversas de uma só perspectiva, capaz de apaziguá-las momentaneamente, contando que, logo depois, possam recuperar sua independência, e que o artifício provisório não se torne uma armadilha fatal. O interesse da investigação seria tanto maior para os brasileiros quanto, no século XVIII, ainda mais que no seiscentos (a era propriamente do barroco), parecem achar-se as nascentes de diversas manifestações que, sobretudo na esfera intelectual, se prolongam até os dias de hoje.

E este seria o momento de reduzir o nosso *ralenti*, retomando um pouco o senso da continuidade histórica. O zelo pela investigação do rococó, mais recente ainda do que a moda do barroco, tem contribuído para dar ênfase maior aos aspectos que ajudam a separar e opor esses estilos. Mas se a oposição pode parecer tantas vezes caprichosa onde se trata de continente europeu, que dizer do Brasil, onde as formas importadas coexistem frequentemente e se interpenetram? É o que vemos na arquitetura, quando a partir de meados do seiscentos, as linhas sóbrias e harmoniosas do Renascimento ganham em proporções e desenvoltura, para ir contorcer-se e como volatilizar-se insensivelmente, adaptando-se, primeiro, aos padrões do barroco e depois do rococó.

É preciso dizer que nem sempre recolhemos os padrões com o atraso que permitiria esperar nossas condições de rêmora colônia de um pequenino reino, à orla das grandes correntes artísticas e espirituais da Europa. No ano em que se conclui a feitura do portal do Paço do Saldanha, na capital da América portuguesa, ainda pertencia aos vivos o mesmo José de Churriguera, que, segundo especulações autorizadas, inspirou o responsável pelo solar baiano.

Por outro lado, a herança renascentista continuará vivaz, mesmo em Minas, e bem avançado o setecentos, entre a exuberância barroca e a elegância rococó. No mais notável dos seus artistas, o Aleijadinho, todas essas formas sucedem-se ou justapõem-se, e em suas últimas criações, pertencentes ao limiar do século passado, já anunciam o gosto neoclássico. Seria inútil, aliás, querer delinear no tempo e no espaço as fronteiras de sua inspiração, pois se a indumentária dos profetas do Bom Jesus de Matosinhos pode sugerir evocações medievais ou pré-renascentistas, também o caráter da fachada de São Francisco de Assis de Ouro Preto chega a transcender em mais de um ponto os horizontes da arte luso-brasileira de seu tempo. Situa-se, com efeito (são palavras de Germain Bazin), um pouco à margem da evolução do rococó português e faz pensar nas sábias experiências da Europa Central. "Pela justeza das proporções", acrescenta o mesmo historiador, "pela feliz concatenação de suas partes, pela flexibilidade harmoniosa de suas curvas [...], atinge uma elegância que, no mesmo grau, só iremos encontrar entre certas composições arquitetônicas da Alemanha na era rococó".[1]

Suspendendo essa ordem de considerações, passo agora a buscar o paralelo de tal situação em terreno onde me movo mais à vontade. Também no domínio das ideias e na palavra escrita, vemos as convenções herdadas do quinhentos diluir-se aos poucos, entre nós, sem contudo desaparecer, ao influxo das concepções de vida e dos motivos estilísticos já agora vitoriosos no Velho Continente. A penetração de forças que tendem a minar as antigas expressões lineares e estáticas é igualmente morosa na prosa e no verso, mormente na epopeia, que, mesmo durante o século XVIII, ainda se limita, em geral, a retomar, com pouca mudança, os moldes renascentistas, quando muito, os do maneirismo quinhentista.

Entretanto, já na segunda metade do século XVIII, parecia irremediavelmente comprometida, na América lusitana, a persistência de tais formas. Depois da sátira corrosiva de Gregório de Matos, que denunciara sem piedade as toscas ilusões de grande mundana entre os potentados da

1 Bazin, *A arquitetura religiosa barroca no Brasil.*

terra e, depois de Antonio Viera, que das coisas do tempo queria extrair significados analógicos ou premonitórios, restava um mundo de sombras esquivas ou burlescas, que mal se presta à exaltação épica.

Com o desterro da matéria nobre, alimento daquela exaltação, torna--se também um anacronismo a linguagem própria para manifestá-la. O herói clássico, sempre igual a si mesmo, fabricado de uma só peça, tende a emudecer num mundo que só gosta de falar por alusões, ambiguidade, metáforas, agudezas e equívocos. Se o prestígio antigo, e todavia ainda poderoso, das concepções clássicas pôde embotar as sensibilidades por muito tempo à sedução do novo, não é menos exato que elas se irão reduzindo cada vez mais.

O *moule épique* sustenta-se ainda – forma sem conteúdo –, mas o velho ideal épico dissipou-se. Quando muito, exilado da terra, vai buscar seus motivos na edificante lição de um mundo póstumo, que não conhece a agitação, a inconstância e o declínio. Ao poema heroico sucede a epopeia religiosa.

A simples convicção de que a vida terrena é sonho ou uma farsa, de que os homens se acham exilados no mundo e na mortalidade, o sentimento do tempo, que tudo consome, arruína e mata, explicariam, por si sós, essa crise do ideal heroico. "*No olvides que es comedia nuestra vida y teatro de farsa el mundo todo.*" Já agora a pretensão de eternizar glórias efêmeras parecerá muitas vezes indigna dos engenhos melhores – pois há coisa mais odiosa do que querer dar consistência a uma trama de embuste e vaidades?

Longe de sufocar, porém, toda criação artística, o desengano há de inspirar novos rumos a essa criação. Se alguns se limitam a manifestar em suas obras a própria vacuidade das coisas do tempo, outros hão de buscar a única alternativa lícita para essa solução aparentemente frívola. Conservando, embora, as formas convencionais, cuidam de dar-lhes um conteúdo adequado às convicções e aos sentimentos reinantes. O eterno e o sagrado, contrapostos ao temporal e ao profano, passam a animar essas novas composições. Assim como o velho auto sacramental vai ressurgir nos dramas alegóricos de inspiração cristã, e os romances de cavalaria sobrevivem nas novelas *a lo divino*, também a expressão heroica se converterá na inspiração religiosa.

Apesar de caber nas molduras clássicas, esse mesmo sentimento do tempo fugidio pede, no entanto, uma nova linguagem. A experiência da vaidade dos homens, se por um lado pode conduzir ao deserto e ao eremitério, por outro leva à tentação de aproveitar ao extremo o tempo que passa. Não apenas o *memento mori*, o *carpe dien*, também, escreveu Fritz Strich, "constitui motivo insistente na poesia do barroco".[2] O sentimento da vaidade, da *vanitas*, não dirige os olhos só para o céu cheio de estrelas, mas procura dar colorido e movimento à magia estética deste mundo de aparência e sonho. De onde a importância de uma linguagem particular, estupefaciente, apta a representar com nitidez aquele colorido a esse movimento. Necessidade que não existe apenas para o artista profano, pois exatamente o recurso à imaginação plástica, à expressão metafórica, ao brilho verbal, ao luxo, à opulência exterior, ao delírio, às finezas, às agudezas, a tudo, enfim, quanto, ferindo os sentidos, vá tocar os corações pelo caminho mais curto, presta-se a infundir nos fiéis a ideia do *memento mori* e o medo dos castigos do inferno.

Tanto quanto o romântico, apela o artista barroco para as emoções, ainda mais do que para a inteligência. Por outro lado, esse apelo não procede, no seu caso, de um impulso íntimo irrefreável. Ele não quer exprimir a própria personalidade. E se chega, por vezes, a desdenhar preceitos artísticos consagrados, é a fim de agir com eficácia mais pura sobre os crentes e os comparsas. Sua arte poética não se assemelhará, assim, a um código exigente, mas pode lembrar ocasionalmente algum receituário prático. E a máscara contorcida ou angustiada, que não raro exibe, é capaz de dissimular uma inteligência fria, segura dos próprios meios e só atenta ao efeito exterior. Nisso principalmente separa-se ele do romântico, embora não falte quem veja no barroco uma espécie de antecipação do romantismo.

Uma tal atitude, que já levara os arquitetos àquela concepção da igreja toda de ouro, vemos proliferar, a partir do século XVII, através de todo o mundo luso-brasileiro. Mas a assimilação em larga escala dos diversos elementos da inspiração barroca só tardiamente se realizará

2 Strich, *Goethe und die Weltliteratur.*

no Brasil, e ainda aqui aparece válido o paralelo entre a evolução das nossas artes visuais e o desenvolvimento da poesia colonial. No que toca especialmente à arquitetura, o caráter bastante conservador da maioria das construções eclesiástica mantém-se durante longo tempo e, apesar de algumas exceções, só muda aos poucos, com o influxo de correntes adventícias: o triunfo, em certas zonas, mormente em Minas Gerais, de manifestações que se emancipam das noções tradicionalistas, não é manifesto antes da segunda metade do setecentos.

Assim também, sem pertencerem cronologicamente ao seiscentos, sustentam-se sobretudo de fontes seiscentistas e barrocas alguns poemas de fundo religioso, dependentes, entre nós, do mesmo tipo de inspiração. São poucos esses poemas: poucos e mofinos. Mas é possível que sua própria insignificância deixe a descoberto o que em outros, e penso sobretudo nos pintores, escultores, arquitetos, de nosso barroco-rococó, se viu abrasado numa intensidade de expressão e numa força espiritual que ainda hoje empolgam. Quem sabe se nessa matéria mais ou menos bruta resta alguma coisa – alicerces mal dissimulados, paredes toscas, andaimes inacabados – por onde se capte um pouco do segredo de obras artísticas incomparavelmente maiores.

Num dos casos que nos importam nesse ponto, caberia ao menos um paralelo de ordem cronológica. Quando Antonio Francisco Lisboa acabara apenas de executar o risco primeiro da igreja de São Francisco de Assis de Ouro Preto, certo frade de Itaparica, termo da cidade da Bahia, fazia imprimir um poema de porte épico por onde, através da história de Santo Eustáquio, procurara expressamente mover os leitores à devoção, à paciência e à conformidade nos infortúnios desta vida.

Pretendeu-se que a sugestão para o assunto teria provindo de um poema latino de autor francês, o *Eustachius*, anterior de um século à sua publicação. Não se trata, sem dúvida, de precedente isolado. Na Espanha, o mesmo culto há de suscitar, pouco depois, pelo menos, outra epopeia de cunho religioso, o *El Eustaquio, o la Religión Laureada*, de frei Antonio Montiel.

Santo Eustáquio representa, aliás, uma das figuras quase obrigatórias do panteão sagrado dos séculos XVII e XVIII, ainda que não tanto como São João Nepomuceno, cujo culto, a partir de sua canonização em 1703, se espraia com notável rapidez e intensidade em todo o mundo católico. Na exposição do barroco brasileiro, organizada há poucos anos pela Fundação Armando Álvares Penteado em São Paulo, havia sinal desse culto eminentemente característico do barroco numa escultura que se atribui, bem ou mal, ao Aleijadinho. Nem faltavam marcas, aqui, de outras devoções que nasceram ou se expandiram pela mesma época. A de São José, por exemplo, que já andava longe de ser a figura apagada e até meio escarnecida da hagiografia medieval, o *Joseph le rassoté* de Eustache Deschamps. Ou, e ainda mais, a de Santo Antônio, que tanto pode aparecer com o menino Jesus nos braços ou de espada à cinta: o Santo Antônio militar, legado, talvez, da velha crença que o associa à estirpe de Godofredo de Bulhão.

Quem tenha a santa paciência de ler os seis cantos das *Eustáquidas* encontrará sinais, a cada passo, dessa forma de piedade e também de toda a atmosfera própria do barroco. Pouco importa se o poema de frei Manuel de Santa Maria Itaparica está, cronologicamente, mais próximo do *Uraguai* de José Basílio da Gama, impresso no mesmo ano de 1769, do que da *Música do Parnasso* de Botelho de Oliveira, impressa em 1704. O fato é que, não só segue a este último, no descrever a sua Itaparica, onde ressurgem muitas das louçanias agrestes da Ilha da Maré, mas se apega, tanto quanto ele, a todos os clichês do chamado estilo culto. Ao sol, denomina "roubador de Europa furioso", por onde se mostra bem o leitor de Gongora das *Soledades* ("*el mentido robador de Europa*"). O navio – outro gongorismo – vem a ser "ave de pinho". A cor vermelha é a "que Citereia deu à rosa". O rio: "líquida prata". A baleia: "torre nas ondas soçobrada". A fumaça do inferno converte-se em "serpe de chamas" e até em "negro dente venoso".

Com a descrição das atrozes penas infernais iluminam-se, aliás, alguns dos traços mais típicos de uma arte que se detém acima de tudo no extrínseco e no concreto, naquilo, em suma, que mais facilmente se presta à amplificação retórica. Até mesmo as palavras quase se pode dizer que importam aqui, principalmente, pela sua capacidade de ferir os sentidos, de suscitar surpresa e espanto, não tanto pelo seu significado próprio.

Acontece apenas que esse gosto sem meias tintas pelo extraordinário se torna afinal contraproducente, pois parece certo que o extraordinário não impressiona mais que o normal, desde o momento em que ele mesmo se faz norma. E é o que sucede com aquele cortejo de monótonos horrores que nos proporciona o inferno do itaparicano.

Não é improvável que, em toda a descrição, frei Manuel tivesse à vista o primeiro canto da *Strage degli innocenti*, do *cavalier* Marino, no qual se mostra o antro do "antigo espírito perverso". Aquelas suas víboras "por cabelo cento a cento", que formam as melenas de Lúcifer, copiam o nó hediondo de cem áspides – "*groppo immondo* [...] *di cento aspidi*" – a envolverem, em mordazes amplexos, a cabeça do espírito das trevas. Ou ainda o "horrível friso", que compõe, num diadema, as hidras verdes e as cerastas. E também as cabeleiras "crespas de serpes", ostentadas pelas três "rigorosas ninfas", que, no poema do italiano, rodeiam e atiçam o tirano infernal. Os olhos deste, que o frade compara a dois Etnas denegridos, tinham sido, para o Marino, dois cometas, enquanto os cílios eram lâmpadas. E os seus dentes, que tudo consomem e rasgam, batendo e rangendo com estrondo no inferno itaparicano, têm seu símile na passagem da *Strage* em que Lúcifer, "com amargo estridor", bate os ásperos dentes de "ferrugem e espuma":

Con amargo stridor batte e disgrigna
I denti aspri di ruggini e di schuma.[3]

Por piores reservas que possa dar lugar a experiência marinesca, é muito difícil deixar de admirar a desenvolta agilidade com que o poeta consegue mover-se entre essas cintilações. Nos *Eustáquidos*, ao contrário, a busca da maravilha não se fez sem um esforço a cada passo sensível. Sua imaginação destituída de entretons, que só tem olhos e ouvidos para o excessivo, que conhece unicamente o bem e o mal, o negro e o branco, a neve e as chamas, a boa Ilha de Itaparica e as truculências do inferno,

3 Marino, *Strage degli innocenti*. [Do italiano: "Com amargo estridor, bate e range/ Os ásperos dentes de ferrugem e espuma". – N. E.]

ficou atada às fórmulas exteriores do seiscentismo, que não soube reviver e nem ultrapassar.

No ativo de frei Manuel deve, porém, inscrever-se especialmente o fato de ter sabido escolher e fixar em grande parte a tópica do sentimento nacional nascente, que, a partir de seu livro, se vai incorporar à nossa tradição épica. Um dos elementos dessa tópica é aquela procissão de belezas e riquezas de rincão familiar, herança de Botelho de Oliveira, que, incluído agora num quadro mais frondoso, se transmitirá aos seus sucessores, a começar por Santa Rita Durão.

As excelências das terras americanas são anunciadas, no poema, por um arauto que aparece ora sob o aspecto de estranho anacoreta – essa figura bastante familiar em nossas imagens barrocas –, ora de grave ancião, dotados de suma sabedoria. A invocação do mensageiro providencial – o Póstero do canto V –, que Itaparica nos pinta de desmarcada estatura, cabelos brancos de neve, "Pela velhice carcomidos", trajado de penas e armado de um cajado em que se escora, não representa, aliás, recurso novo. Através de toda a nossa literatura da Era Barroca podemos acompanhar, sob aspectos variados, a presença de tal figura.

Assim, por exemplo, na *História do predestinado peregrino e seu irmão precito*, composta pelo padre Alexandre de Gusmão, da província jesuítica do Brasil, e impresso em 1682 num breve volume, chama-se "Desengano" e é, nas palavras do autor, "outro Proteu", comparável ao de Bento Teixeira, que sabia vaticinar os males "nascidos da mortal temeridade". Embora fale com a voz da experiência e da senectude, traja hábito honesto, mas em tudo espantoso, pois umas vezes aparece de rei, outras de monge, e ora se assemelha a um velho, ora a um mancebo, para assim indicar que em todos os costumes, estados e idades se pode achar o desengano. Não estaria aqui uma prefiguração verdadeira e direta daquele não menos proteico "Póstero", do itaparicano, a "móvel criatura", a qual o diz expressamente, com "vários rostos sempre se mostrava", e ou tinha cor da escura noite, ou do claro dia?

Essa expressão barroca de um mundo em movimento e em metamorfose, o mundo que nas esculturas de Bernini fora traduzido em pedra, parece acalmar-se um pouco na história *Peregrino da América*, de

Nuno Marques Pereira, que já pertence às primeiras décadas do século XVIII e foi aparentemente inspirada na novela de Alexandre Gusmão. Agora desengano se acha transformado em misterioso ancião, vestido à cortesã, de barba crescida e muito alva, cabelos naturais – não postiços – até os ombros, e báculo na mão. Depois de ter ouvido longamente a história das andanças do personagem, delibera declarar-se: seu nome é "tempo bem empregado", por esse motivo leva sempre um relógio de sol e outro de bater horas, imagens próprias de um mundo transitório: vereda de peregrinos, não abrigo de moradores.

Mesmo no *Caramuru* de Durão, publicado para os fins do mesmo século, vamos deparar com uma versão nova do núncio misterioso, na figura de Áureo, o "homem com barba branca e venerando". Este, depois de instruir nos ministérios da fé a uma selvagem agonizante, é testemunha de espetáculo insólito: carregado por espessa nuvem, o corpo do converso vai posar enfim, já petrificado, no cume de uma montanha, e é aquela estátua lendária da Ilha do Corvo que apontava outrora, para os navegantes, o caminho da ignota América.

A novidade, no poema de Itaparica, não consiste, pois, no recurso a esse velho tema do mensageiro providencial. Consiste, sim, em que o seu Póstero, bem longe de ser um simples conselheiro de excelsas e discretas virtudes, espécie de Nestor cristão, apto a guiar o peregrino nos passos difíceis desta vida terrena, torna-se principalmente o vaticinador de dias gloriosos para a terra brasílica. Não é, assim, uma sabedoria antiga o que ele oferece, mas uma visão do porvir que há de ser singularmente grata a corações americanos. Nem é um credo moral o que nas suas profecias se manifesta, mas uma aspiração claramente política e nacional.

E a eficácia comunicativa da visão profética de Póstero, sobretudo onde exclama, acenando para o "vasto e novo mundo" entrevisto em sonhos:

> Quando eu, velho, for mais envelhecido,
> De um rei grande há de ser avassalada.[4]

4 Maria, *Eustáquios*.

Deveria ser apreciável naqueles tempos, pois ainda no século seguinte irá ressurgir, com pequena mudança, em outra composição sacra. Apenas a máquina barroca de frei Manuel cede lugar nesse poema, ou seja, na *Assunção*, de seu confrade Francisco de São Carlos, a um mensageiro mais familiar às almas cristãs. O velho Póstero surge dessa vez transfigurado no arcanjo São Miguel, e é um dos emblemas que adornam o carro triunfal da Virgem Santíssima. Sabiamente dissimulado por mão perita ao rude entendimento dos humanos, faz-se ele o grato núncio de grande monarquia que diz haverá de reger, algum dia, os "luso-brasílicos".

Nascido no Rio de Janeiro por volta de 1763, Francisco de São Carlos, que se chamara, no século, Francisco Carlos da Silva, tomara, já aos 13 anos de idade, o hábito de franciscano. Completados os cursos de Filosofia e Teologia, alcançado o presbiterato, que é a maior das ordens sacras, passa ao magistério em sua cidade natal, torna-se depois visitador das ordens Terceiras e Confrarias Franciscanas, e em seguida é feito lente de Teologia-Dogmática na cidade de São Paulo. A composição do poema deve ser posterior a 1801, o ano em que, ao voltar de Minas, é convidado a ir reger a cadeira de eloquência sagrada no seminário de São José, no Rio de Janeiro, para onde regressara, cinco anos antes, da "ilustre povoação da Pauliceia".

Quase tanto quanto frei Manuel de Santa Maria, o autor da *Assunção* mostra-se um retardatário do seiscentismo e, com efeito, já no canto primeiro, é manifesto o seu empenho de oferecer-nos uma espécie de apoteose barroca. Sabemos que os artistas do seiscentos, na medida em que procuravam servir à sua religião e à igreja, recorriam com frequência às mesmas formas espetaculares que parecem pertencer melhor às glórias terrenas e profanas. Por outro lado, o sentimento que os distinguia e que tantas vezes buscavam manifestar, da vaidade e transitoriedade das coisas do tempo, achava sua contraparte obrigatória na serena visão da beatitude eterna. A variedade da fortuna, a *vanitas*, ia redimir-se verdadeiramente na íntima *constantia* do sábio estoico, no apelo ao imutável e ao permanente, exercendo-se através de todas as vicissitudes de nossa vida mortal.

A tais razões deve prender-se a frequência, nesses autores, dos heróis que, desafiando todos os contrastes, sabem conservar-se fiéis a um mesmo e supremo ideal de vida. O caso de Polieuta, por exemplo, e o do príncipe de Calderón. Ou, se nos restringirmos às nossas humildes medidas brasileiras, o do Peregrino da América e o do Santo Eustáquio, de frei Manuel. Nesses casos o triunfo do efêmero resolve-se afinal num triunfo sobre o efêmero. Mas tal solução é impossível, rigorosamente, enquanto o turbilhão das formas e dos movimentos não estiver represado por artifícios que lhe imprimam algum equilíbrio e simetria. Só assim, ou então através de arrebatamentos e êxtases místicos, há de pairar sobre a incessante voragem uma aparência de sossego, que corresponda melhor às visões beatíficas.

Já foi dito anteriormente que sua ambição não consiste tanto em ultrapassar os ideais literários do seiscentos, que no Brasil, aliás, só chegariam ao paroxismo em pleno século XVIII, quanto em querer acomodá-los, onde possível, e por vezes com alguma relutância, a um gosto mais discreto. Isso não o impede de pretender expressamente que o belo epíteto, ou seja, a surpresa e a maravilha, no sentido do marinismo, é o verdadeiro mistério da arte, se unido ao belo pensamento: rubi engastado em ouro. Quase como Baltasar Gracián, o teórico do conceitismo, quando compara os emblemas, hieróglifos, apólogos e empresas à pedraria preciosa sobre o ouro do fino discurso.

Aliás, a liberalidade com que se socorre dos metais mais raros e das mais ricas gemas para ornamentar pessoas e coisas sagradas é dos traços distintivos de São Carlos. Os símbolos da opulência e da vaidade terrena parecem inseparáveis da devoção desse franciscano, sucessor direto, ainda aqui, dos arquitetos coloniais das nossas igrejas "todas de ouro". A etérea habitação dos bem-aventurados apresenta-se, para ele, posta com diamantes, ouro, pérola e outras riquezas. Expedido pelo Senhor a fim de encontrar a Virgem Santa, morta e ressuscitada corporeamente em Éfeso, o arcanjo Miguel, que com armas de aço é o fatal deus dos combates, e com outras armas o gentil deus dos amores, pertence ineludivelmente àquela celestial mansão. Já seus rubros borzeguins reluzem com a "rica abotoadura de diamantes". Das espáduas nascem-lhe, com pontas de ouro, as argênteas asas. O peito de alabastro é encouraçado de escumagem de prata. No elmo descobre-se, meio inclinada, uma tão fulgurante plumagem que chega a enganar os olhos e

[...] nem sabe a mente
Discernir se é topázio ou diamante
Que assim varia as cores tremulantes.

A ascensão de Maria faz-se em carro majestático, todo chapeado de ouro e com mil emblemas, sob a proteção do arcanjo, que naturalmente desbarata um sem-número de tramas e insídias do diabo. O canto oitavo e último pinta a continuação da viagem por entre constelações, até o momento em que desce Jesus ao encontro de sua mãe. Já agora começa a desvendar-se na distância, com seus altos frontispícios, os áureos coruchéus, as torres, as colunas, os arcos, os frisos, os vastos pavimentos de ouro puro e cristais, tudo banhado numa luz diáfana, o perfil bem-aventurado da Cidade de Deus. O poema não se encerra nesse ponto abruptamente, e sim numa humilde apologia do autor, que, escrevendo sob o signo de Marte, quando outros glorificam o "flagelo que assola a humanidade", pudera eleger objeto tão alto para uma tão piedosa inspiração.

Aqui e ali, ao longo de toda a obra, mostra-se frei Francisco um namorado constante de sua terra, em particular de sua cidade. Esse enlevo sentimental em face dos aspectos pátrios prende-se menos, contudo, à aspiração da grandeza futura da terra do que ao orgulho satisfeito e surdo de pertencer-lhe por ditosa predestinação. O mesmo orgulho que um século antes já animara os arroubos retóricos de Sebastião da Rocha Pita quando aludia à América portuguesa. É com uma profecia que o arcanjo do frade-poeta aponta para o Rio de Janeiro:

Fausto lugar, que inda algum dia
Nobre assento será da Monarquia.

Assento da Monarquia, mas, bem entendido, da monarquia lusitana, abrigo, transitório, embora, e fortuito, da "planta bragantina" e,

Lá da Lísia o lugar mais venturoso.

Esse o bem supremo e ideal que pode almejar para sua cidade. Outras levarão a palma na arte, ou no trato mercantil. Não faltarão as que se prezem de maior brasão em seus palcos e tribunas. Ou as que se julguem mais destras no compasso, medindo "as linhas do celeste espaço". Esta há de contentar-se com a glória de "cuidar de seu Rei, de ser a sua Corte". Não busca ir mais além essa imaginação, só atenta ao *status quo*, e que numa época inclinada à turbulência, se ocupa em ver preservada a boa ordem tradicional. Nem ousa profanar os segredos invioláveis da Providência, já que o próprio arcanjo se detivera diante deles:

> […] ah não quer o Céu que a humanos
> Eu revele ainda mais os seus arcanos.

Se naquele cortejo aéreo que faz desfilar estão presentes a todo instante as "descrições brasileiras", as "pinturas de nosso país", a verdade é que o seu "vasto e novo mundo" não lhe parece separável do reino abençoado que há de exaltar na oração fúnebre sobre Dona Maria I: o reino "fundado em rios de sangue no campo de Ourique". E o destino de seus conterrâneos, "nova raça de heróis, bravos guerreiros", era prolongar ou ressuscitar o lustre dos antepassados da península.

Alheio ao pensamento da Era das Luzes, que, com a exaltação do "bom selvagem", encontrará eco numa ode de outro religioso, o padre Souza Caldas; alheio, também, aos ideais, oriundos do mesmo pensamento, que presidiam a obra de emancipação política dos povos deste hemisfério, frei Francisco, escrevendo já às vésperas da Independência, não tem olhos para o futuro. Nem chega a ser, em verdade, um contemporâneo de seu tempo. O melhor que dele se pode dizer, assim como de frei Manuel de Santa Maria, é que se associam à família dos grandes escultores, pintores, construtores de nosso barroco-rococó: parentes humildes, todavia, e meio desgarrados, de uma raça generosa.

Para alçarem-se ao mesmo nível fazem-lhes falta, sem dúvida, muitas das suas altas virtudes. O deles, além disso, não é um mundo de formas ou cores, é um mundo de palavras, às vezes raras, e de ideias. Quer dizer, de instrumentos com pouco lugar para livremente expandir-se, onde quer que a liberdade se veja cerceada. Sobreviventes do barroco, que é uma arte do Absolutismo, assim como o rococó é uma arte do Despotismo Ilustrado, participariam, no entanto, sem lograr manifestá-las cabalmente, de algumas das inquietações e dúvidas próprias de seus dias.

Raros, mas bem maiores do que eles, teriam meios para transfigurar em beleza e luz essa frustração. Alguns podiam, ainda, cingir-se, e cingiam-se, à expressão de um sentir mais puramente individual e íntimo, mais vizinho do puro lirismo: o caso, em particular, dos árcades mineiros. Mas estes já não se situam comodamente sob a etiqueta do barroco. Nem eles, nem, e muito menos, os grandes músicos da mesma naturalidade e da mesma era, a começar pelo maior de todos, por um José Joaquim Emérico Lobo de Mesquita, que estes já se movem na atmosfera mais clara do neoclássico.

E havia quem se refugiasse naquela cauta hipocrisia que medra sob os absolutismos e os despotismos de toda espécie. É sabido que, no processo da chamada "Inconfidência Fluminense" de 1794, com José Bernardo da Silva Frade – o Silvério dos Reis da suposta conjuração –, reprovasse a Silva Alvarenga uns discursos tidos por ofensivos à Religião e à Coroa, logo lhe redarguiu o poeta: "Ora, vossemecê diz isso por máxima. Faz bem em dizer, que é prudência".

Aquela "máxima", esta prudência, que mal se deixam medir (ou julgar) segundo medidas de hoje, regeram durante longo tempo as palavras, mas esconderam os pensamentos. É que, devido ao seu papel largamente decorativo, a palavra, mormente a palavra escrita, não parecia, naqueles tempos, endereçada para a tradução das recônditas certezas e das aspirações mais profundas. Nas artes visuais, por outro lado, graças ao admirável engenho e ao gênio de alguns dos seus representantes, o barroco, no Brasil, atingiu uma altitude ímpar. Buscando, embora, captar o tempo fugidio em sua própria fugacidade, ou vencê-lo com o esplendor do eterno e do sagrado, ele não pertence apenas ao seu tempo. Assim também nascido e amadurecido no Brasil Colônia, transcende a própria limitação de origem para ir ganhar valor universal.

Os projetos de colonização e comércio toscanos no Brasil ao tempo do grão-duque Fernando I (1587-1609)*

Em um dos capítulos mais provocadores de sua obra mestra, onde expôs como os altos e baixos nas relações entre o mundo mediterrâneo e o espaço atlântico iriam resolver-se, no curso do século XVI, em favor dos povos do Norte, aludiu Fernand Braudel, de passagem, às tentativas "bem curiosas do grão-duque Fernando de Toscana, de acordo com os holandeses, para alcançar o Brasil e as Índias Orientais".[1]

A oportunidade que me ofereceu uma estada de dois anos na Itália, de entrar em contato direto com arquivos florentinos a contar de 1952, permitiu-me recolher alguns textos que poderiam esclarecer as tentati-

* Artigo originalmente publicado na *Revista de História*, São Paulo, jul.-set. 1967. (N. O.)

1 Braudel, *La Méditerranée et le monde mediterranéen à l'époque de Philippe II*, p.167.

vas mencionadas por Braudel, merecedoras, sem dúvida, da atenção dos nossos estudiosos e professores de história.

Os documentos que passarei a reproduzir, em sua maior parte inéditos, representam antes de tudo uma contribuição para quem pretenda realizar trabalho mais largo. Ou melhor, nas palavras que me escreveu, em carta de 5 de dezembro de 1953, o então diretor do Arquivo de Estado de Florença, têm eles um valor "apenas indicativo para ulterior extinção das pesquisas a outras *filze* onde também se acharão certamente notícias sobre o Brasil". As exigências de trabalho constante que me prendiam à Universidade de Roma, impediram-me, então, de ampliar muito mais as investigações iniciadas no arquivo *mediceo*.

Em livro publicado há oito anos[2] tive ocasião de tocar, também passageiramente, no interesse devotado a coisas brasileiras pelo grão-duque Fernando I, em particular em seu curioso plano de mandar colonos toscanos ao Brasil ou, com mais precisão, à Capitania do Espírito Santo, onde sonhara mesmo estabelecer um feudo em favor do segundo ou terceiro filho, no intuito confessado de prevenir possíveis lutas dinásticas depois de sua morte. Procurei, no mesmo livro, relacionar esse projeto do grão-duque com as novas que se faziam quentes no sertão da antiga capitania de Vasco Fernandes Coutinho sobre a existência ali de minas preciosas.

Dos tratos com holandeses a que se refere Braudel não cheguei a achar sinal nos arquivos florentinos, mas é provável que uma investigação mais acurada permita esclarecê-los. Sabe-se, contudo, de certa proposta feita em 1608 ao grão-duque de Toscana por um "humílimo servo de Sua Alteza Sereníssima", no sentido de valer-se ela dos préstimos dos armadores de Amsterdã para o comércio com as Índias Orientais e o Brasil, impressa por Galluzzi em sua história do grão-ducado sob o governo dos Médici.[3] Só muito recentemente vim, aliás, a conhecer a obra clássica de Galluzzi, graças a Engel Sluiter, que não só me chamou

---

2 Referência a *Visões do paraíso*: os motivos edênicos no descobrimento e colonização do Brasil, publicado em 1959. (N. E.)

3 Galluzzi, *Istoria del granducato di Toscana sotto il governo di Casa Medici*.

a atenção para esse e outros passos importantes do historiador toscano, quando em 1965 o visitei em Berkeley, Califórnia, como deles, e também dos *Cenni istorici* de Gustavo Uzieli,[4] me forneceu as reproduções em xerox utilizadas para estas notas.

Segundo essa proposta que não vem, aliás, assinada, seria dispensável ao grão-duque adquirir as embarcações necessárias para o tráfico ultramarino, bastando-lhe fretar na Holanda navios semelhantes aos que têm carta de frete para a Oostlândia, isto é, o Báltico, muitos deles capazes de carregar grandes quantidades de açúcar (ao menos 6.200 *cantari* cada qual) e numerosos quintais de pau-brasil, que se acomodaria no meio da estiva das caixas onde o açúcar é acondicionado. Levariam os navios uma sobrecarga de mercadorias que se destinassem às Canárias, e em troca dessas mercadorias, transportadas a Tenerife ou Las Palmas, carregariam nas mesmas Canárias 200 a 300 pipas de vinho, *che è la miglior mercanzia per il detto Brasile*,[5] ao passo que da Holanda iriam panos, telas, e outros artigos que é uso venderem-se naquelas partes, e de tudo resultaria muito bom negócio a sua alteza sereníssima.[6] Não ficaria aqui o negócio, pois descarregados em Liorne, receberiam os navios alume, sal, arroz e mais produtos, conforme a procura que tivessem, para vender aos portos do Poente, e assim também melaços.

Para terminar lembra o correspondente anônimo que, se assim aprouvesse a S. A. S., bem se poderia fazer na própria Amsterdã o seguro, parcial ou total, das mercadorias levadas nessas viagens entre a Holanda e o Brasil e entre o Brasil e Liorne, com todas as escalas necessárias, à taxa usual, que era de 28%. Mas não seria preciso para interessar no projetado negócio os capitalistas neerlandeses, de longa data especializados nos seguros marítimos, dispondo mesmo de uma Câmara onde se registravam os contratos e se dirimiam as dúvidas eventualmente suscitadas. Somando-se a isso a fretagem dos navios, outra especialidade desses ca-

4 Uzielli, *Cenni istorici sulle imprese scientifiche marittime e coloniali di Fernando I granduca di Toscana*.

5 Do italiano: "Que é a melhor mercadoria para o dito Brasil". (N. E.)

6 Galluzzi, op. cit., p.123-5.

pitalistas, pode-se imaginar a participação eminente que teriam eles na nova política econômica inaugurada por Fernando I.

Não só depois, mas já antes da trégua de 1609, segundo uma autoridade na matéria, grandes mercadores e até burgomestres de Amsterdã tinham o hábito de fornecer embarcações a súditos do rei de Espanha residentes nos Países-Baixos do sul, e até ao próprio rei. "No primeiro quartel do século XVII", acrescenta Violet Barbour,

> Veneza freta barcos holandeses, e a Toscana adquire do almirantado amsterdamês o grande De Hollandsche Tuyn com seus quatro mastros. [...] A companhia inglesa de Moscóvia fretou navios, também de Amsterdã, entre 1597 e 1598. Pela mesma época, firmas lusitanas do Porto fretaram igualmente embarcações holandesas para o comércio do Brasil.[7]

E são esses apenas uns poucos exemplos, entre inúmeros semelhantes, que se assinalam até bem entrado o século XVIII.

Nova e considerável contribuição para o estudo das atividades comerciais e dos projetos colonizadores de Fernando I da Toscana, particularmente no que respeita ao Brasil, aparece em recente publicação de Roberto Ridolfi.[8] Valendo-se de documentos colhidos em arquivos florentinos, dois dos quais vão a seguir reproduzidos – os de número 7 e 9 –, assim como de textos já publicados, o erudito biógrafo de Maquiavel, Savonarola e Guicciardini, se ainda não esgota e nem pretenda esgotar seu tema, ajudará a melhor alinhavar os dados de que dispomos acerca daquelas atividades.

No que toca ao Brasil, uma das informações mais interessantes que traz esse estudo prende-se à expedição, geralmente ignorada de nossos historiadores, que sob o comando do capitão inglês Thornton, se dirigiu em setembro ou outubro de 1608 ao Rio Amazonas. Formada de um galeonete, o Santa Lucia Bonaventura e de uma tartana não nomeada,

---

7 Barbour, *Capitalism in Amsterdam in the 17th Century*, p.31-3 *passim*.

8 Ridolfi, *Pensieri medicei di colonizzazione nel Brasile*, II, p.705-720.

armara-se secretamente Fernando I, incumbindo de organizá-la sir Robert Dudley, conde de Warwick, estabelecido agora na Toscana. Além de escolher para capitanear a galeonete e comandar a expedição seu compatriota Thornton, Dudley fornecera a este minuciosas notícias que teria recolhido ele próprio durante os bons tempos da rainha da Inglaterra, quando navegou por aquelas partes, um pequeno vocabulário de palavras de uso corrente entre os indígenas do lugar, e cartas náuticas da costa norte do Brasil, que igualmente preparara.

Dos dois barcos só o galeonete pôde cumprir integralmente a missão – pois a tartana, impelida por uma tormenta, teve de refugiar-se no Porto de Cartagena, onde a retiveram as autoridades espanholas – e foi, sustenta-o Ridolfi, "talvez o primeiro navio a subir muitas milhas, contra a corrente, o Rio Amazonas". Apenas quando chegou de volta a Liorne, a 10 de julho de 1609, já não pertencia aos vivos Fernando I, o patrocinador secreto da expedição. A safra de tamanhos trabalhos e despesas deve ter parecido pobre: macacos, papagaios, algum indígena, além de muitas notícias que a Dudley servirão mais tarde para compor seu *Arcano do mar.*

Na literatura histórica, a única referência de que tenho lembrança à viagem de Thornton é uma lacônica alusão do barão do Rio Branco na primeira memória sobre a questão dos limites com a Guiana Francesa. Depois de mencionar as expedições de ingleses ao Oiapoque e ao Baixo Araguari, onde aparecem os nomes de Charles Leigth, Robert Harcourt, Edward Harvey e Michel Harcourt, ajunta apenas que de 1608 a 1609 houve outra exploração das costas da Guiana realizada pelo capitão Robert Thornton. Não é possível que tivesse tomado a informação ao *Arcano do mar*, embora cite essa obra várias vezes, como a cita Joaquim Caetano da Silva, senão deveria registrar corretamente o local das explorações: Rio Amazonas, não consta da Guiana. É estranhável, por outro lado, que a dois autores meticulosos como Joaquim Caetano e Rio Branco, conhecedores, ambos, do *Arcano*, escapasse a relação que nele se dá da viagem de Thornton, ao ponto de parecer ignorá-la o primeiro e de enganar-se o outro sobre a região visitada.

Não é possível consultar o *magnum opus* de Dudley e nem as duas outras fontes impressas de maior importância para o historiador da expedição, faltando-me assim elementos para opinar melhor sobre o assunto. Essas duas fontes seriam o livro de G. Temple Leader, *Roberto Dudley, duca di Nortumbria*, publicado em 1896, e o de G. Guarnieri, *Un'audace impresa maritima di Ferdinando I, gran duca di Toscana, etc.*, editado em 1928. Em um e outro insere-se breve relato da viagem de Thornton compilado por Dudley, e que os dois, escreve Ridolfi, tinham extraído ("*entrambi la vevano ricavato*") do *Arcano del mare*[9] do mesmo Dudley, e, no de Guarnieri, além de outros documentos de alto interesse, as instruções náuticas fornecidas por sir Robert ao capitão Thornton, antes da partida. Fica a dúvida para quem melhor do que eu possa resolvê-la.

A dúvida é em parte sugerida por aquela referência de Rio Branco à "exploração da costa da Guiana", em lugar do Rio Amazonas, e pelo silêncio de Joaquim Caetano da Silva, acerca de uma suposta exploração do rio mar, embora pudessem esses autores encontrar eventualmente dados mais precisos na "Breve relação" impressa no *Arcano del mare*, que consultaram e citaram, ao menos o segundo, na mesma impressão de 1661 a que se reporta Ridolfi. Além das obras impressas em que se funda, baseia-se o historiador florentino, para suas conclusões, em documento do Arquivo de Estado de Florença: uma carta do próprio grão-duque, datada de dezembro de 1608, ao seu embaixador junto à Corte de S. M. Católica, onde, mencionando a expedição, que atribui à iniciativa de "alguns mercadores residentes em Liorne", dá-lhe expressamente como fito o "Rio dell'Amazzone". Redigida a carta, quando ainda era cedo para se saberem os frutos da viagem, restaria perguntar se, sendo tal a intenção de Fernando I ou daqueles mercadores, foi ela corroborada pelos resultados alcançados. Ao que só o exame das outras fontes poderia talvez responder.

Além disso, declara a Ridolfi que as instruções dadas por Dudley a Thornton, assim como o *vocabolarietto* indígena e as cartas náuticas das costas brasileiras, foram organizadas com elementos que o próprio conde de Warwick levou de uma viagem àquelas partes. Ora, a única viagem

9 Dudley, *Arcano del mare*, II, p.33.

de Dudley à América do Sul fora, ao que se sabe, a que realizou entre 1594 e 1595, da qual deixou relato que posteriormente imprimiu Richard Hakluyt. Tendo partido rumo a Trinidad e à costa do Paria, sabe-se, pelas suas mesmas informações, que explorou o litoral até o Oiapoque, por conseguinte a Guiana, antes de voltar à Inglaterra através de Porto Rico e das Bermudas. Em nenhum lugar deixa entender que visitou o Rio Amazonas. Na relação que redigiu a pedido de Hakluyt, a mesma que foi por este impressa, consta um pequeno vocabulário de dezessete palavras da língua dos indígenas de Trinidad,[10] e bem poderia ser aquele *vocabolarietto* que forneceu depois a Thornton. Assim também as cartas náuticas que entregou a este pela mesma ocasião, baseadas na experiência própria, deveriam ser as da costa visitada em 1594-1595.

Por outro lado, as cartas geográficas reproduzidas no trabalho de Roberto Ridolfi da edição de 1661 do *Arcano*, e que em parte já tinham figurado na impressão anterior desse tratado cosmográfico, de 1647, deixam sofrivelmente debuxadas a boca e parte do curso do *Amazone ò Orellana*, e também de um de seus afluentes, que só pode ser o Tocantins. Se as notícias levadas por Thornton da viagem do Santa Lucia Bonaventura foram utilizadas por Dudley na composição de seus mapas, não está excluída a possibilidade do galeonete ter atingido, como presume Ridolfi, parte apreciável da costa hoje brasileira, embora elementos aproveitados nos mapas pudessem provir de outras fontes, já que alguns topônimos neles registrados são certamente posteriores a 1609.

* * *

Para a melhor inteligência dos projetos de Fernando I acerca do comércio e colonização de terras brasileiras, seria mister acenar para as origens da expansão territorial e da política marítima de Florença, que antecedem de longe a criação do Principado e mesmo a ascensão de

10 *A voyage of the honourable gentleman Mr. Robert Dudley, now knight to the isle of Trinnidad, and the coast of Paria; with his returne home by the isles of Granata, Santa Cruz, Sant Juan de Puerto Rico, Mona, Zachee, the shoalds called Abreojos, and the isle of Bermuda.* Written at the request of M. Richard Hakluyt, p.164 e 172.

Cosme de Médici, o Velho, pois deita raízes na conquista de Pisa, que data de 1406, e depois na ocupação do Porto Pisano, que, junto à boca do Arno, estava bem situado para transformar-se no escoadouro natural da Toscana. Livorno, na vizinhança imediata de Porto Pisano, fora uma fortaleza – até 1451 em poder dos genoveses – que de início não permitia o fácil acesso a embarcações de maior calado.

A construção ali do porto e mesmo a fundação da cidade de Liorne para substituir precisamente o Porto Pisano, bloqueado pelos bancos de areia e, assim, inutilizado, desde 1540, se não antes, iniciara-se antes do advento de Fernando I, embora seu grande progresso só começasse realmente com ele, depois de 1587.[11] A esse ambicioso neto de Giovanni dalle Bande Nere cumpre igualmente associar o desenvolvimento da frota de guerra toscana, que já em 1608 e 1609 se imporá ao próprio turco, com as vitórias de Bona e do Arquipélago.

Num florentino e num Médici não é de admirar que ao gosto das aventuras bélicas se casasse admiravelmente o pendor para empresas mercantis. A captura de áreas em poder ou ao alcance dos otomanos, em particular a da Ilha de Chipre, tentada já em 1607, prometia gastos e riscos talvez menos compatíveis com as possibilidades do incipiente poderio toscano. Outro projeto que o grão-duque chegara a acariciar, o de obter para um filho seu certas terras feudatárias da Coroa de Nápoles, iria chocar-se quase inevitavelmente com as insolências dos vice-reis. Entende-se, pois, como à sua imaginação devesse parecer um campo mais desembaraçado o remoto Brasil.

Não será alheia, talvez, aos seus planos políticos e econômicos, nesse particular, uma ocorrência quase contemporânea de sua ascensão ao poder. Menos de cinco meses antes de subir ele ao trono, em março de 1588, fora nomeado para governar o Brasil Francisco Giraldes, donatário da Capitania de Ilhéus, adquirida por Lucas, seu pai, com licença do rei, aos herdeiros do primeiro donatário, e foi o segundo, depois de Tomé de Sousa, a receber o título de *governador-geral*. Ainda que os contratempos

11 Roover, *The Rise and Decline of the Medici Bank*, p.275.

de uma viagem acidentada e afinal malograda, a que se segue a morte do governador nomeado, não permitam efetivar-se sua posse, só a escolha de um Giraldes para posto de tão alta responsabilidade, em terra que, segundo fama geral, se preservava zelosamente extreme de todo contato com estrangeiros, devia bastar para desmentir essa fama.

Pertencentes à poderosa casa bancária florentina, em íntimas relações com Lisboa, estariam os Giraldi inteiramente desvinculados de sua pátria ancestral? Cabe aqui o que disse um historiador de nossos dias, referindo-se em geral aos antigos mercadores toscanos: facciosos, suspicazes, egoístas na própria casa, fora dela, da pequena pátria, "deixavam de parte os rancores para sentir com todos os concidadãos uma solidariedade inspirada não apenas em razões práticas, mas em motivos ideais",[12] que tinham sua raiz precisamente naquele apego ao lugar de origem. O certo é que Lucas, pai de Francisco Giraldes, nunca pudera chegar, apesar de sua longa residência em Lisboa, a familiarizar-se direito com a língua da terra. Dele conservou-se um bilhete, endereçado a Tomas Alegre, seu feitor em Ilhéus, onde escreveu nesta saborosa geringonça luso-italiana: "Thomazo, quiere que te diga, manda la assucre deixa le parolle".[13]

Uma íntima e antiga comunhão de interesses ligara, em Lisboa, os Giraldi aos Affaitadi de Cremona, relacionados, por sua vez, inclusive por laços de família, aos Schetz de Antuérpia, donos do engenho de São Jorge dos Erasmos na Ilha de São Vicente. Desde 1527, segundo pôde apurar o historiador belga Jean Denucé, encontramos Lucas Giraldi associado a Giovanni Francesco Affaitado no comércio do açúcar da Madeira. Os Giraldi, informa-nos também Denucé, realizaram, em negócios com as Índias e o Brasil, uma das maiores fortunas do tempo. O inventário do ano de 1568 não menciona senão doze partes em poder dos herdeiros de Giovanni Carlo Affaitado sobre as 97 que comportava a *raigon*. Os filhos de Lucas Giraldes dispunham de cinquenta partes, sendo que um deles, Niccola, contava com 23.[14]

---

12 Sapori, *Mercatores*, p.93.

13 Salvador, *História do Brasil*, p.100 et seq.

14 Denucé, *Inventaire des Affaitadi, banquiers italiens a anvers de l'année 1568*, p.23-4.

Outra família florentina que irá ter lugar de realce na história do Brasil, a dos Cavalcanti, fizera, por sua vez, de Londres, seu centro de operações. Giovanni, Bernardo, depois também Tommaso Cavalcanti ocuparam durante todo o reinado de Henrique VIII posição eminente nas finanças inglesas, ao lado dos Bonvisi de Lucca. Em 1544, Tommaso chega a ser o principal credor do monarca. Este não se cansava de acumular dívidas entre os capitalistas italianos de Londres até que, pouco antes de sua morte, descobriu-se que os empréstimos podiam levantar-se mais vantajosamente na praça de Antuérpia, de sorte que se tornam agora dispensáveis os serviços dos florentinos.

Bernardo Cavalcanti dirige-se a Antuérpia, onde chega em 1546 e 1556 a cônsul dos mercadores de Florença. Tommaso, que no intervalo estivera em Roma à testa da firma bancária, reaparece neste último ano em Londres, tendo deixado em seu lugar, na casa romana Battista, ou Battista de Arcângelo Cavalcanti, mas logo depois surge também em Antuérpia, associado aos Affaitadi, e na mesma firma entra um Giovanni Giraldes. Ainda em Antuérpia vamos encontrar, no ano de 1563, Stratta Cavalcanti, que, de sociedade com François Berty, obtém privilégio para a exploração de um processo novo de refinar sal. Em Londres também aparecem, nos anos subsequentes, apelidos de magnatas florentinos. Já não se devotam estes, porém, com o afinco de antes, às transações financeiras ou aos tratos mercantis. Assim aponta Ehrenberg, no reinado de Isabel de Inglaterra, como residentes ali, um Guido Cavalcanti e um cavalheiro Giraldi, ambos ocupados, porém, no serviço diplomático – o último, ajunta, é embaixador em Portugal.[15]

O cavalheiro Giraldi é, sem dúvida, Francisco Giraldes, aquele mesmo que, tendo servido anteriormente junto à Corte inglesa, irá advogar ativamente, em 1580, perante Catarina de Médici e Henrique III de França, a causa da duquesa de Bragança na sucessão do cardeal-rei. É lícito perguntar se sua nomeação, oito anos mais tarde, para governador-geral do Brasil, não seria um modo discreto, engendrado talvez pelo

15 Ehrenberg, *Das Zeitalter der Fugger*, I, p.282-3 e nota; Denucé, op. cit., p.36; e Goris, *Étudies sur les Colonies Marchandes meridionales à anvers de 1488 à 1567*, p.472 et seq.

próprio Filipe II ou por Cristóvão de Moura, de manter afastado do Reino um adepto fervoroso das pretensões bragantinas, só momentaneamente sopitadas.

O interesse pelo negócio do açúcar, no qual sua família se viu ocasionalmente envolvida, menos, porém, do que os Affaitadi ou os Giraldi, pode sugerir uma explicação para a vinda a estas partes de Filipe Cavalcanti, patriarca do ramo que se estabelece no Brasil. Casando-se com uma filha de Jerônimo de Albuquerque e da índia Arcoverde irá tornar-se ele, por sua vez, abastado senhor de engenho em Pernambuco. Pouco se sabe sobre quando chegou. Jaboatão, seguido de outros, dá a data de 1558, mas Rodolfo Garcia oferece argumentos plausíveis para se acreditar que teria vindo pelo menos uma década antes.[16] Sobre as razões de sua vinda oferece o mesmo Jaboatão uma explicação que parece igualmente inaceitável: a de que envolvido com Pandolfo Pucci e outros, parentes seus, numa conjura contra Cosme de Médici, procurou abrigo, naquele ano de 1558, em Portugal, de onde, não se achando seguro, emigrou para o Brasil.

A verdade é que a célebre conjura de Pandolfo Pucci e de outros, pertencentes à gente mais nobre de Florença, que tentaram fugir, inutilmente, aliás, porque acabaram caçados e presos fora da Itália, não aconteceu em 1558, mas em 1576, quando já Filipe deveria estar fixado de longa data no Brasil. E nem se dirigiu contra Cosme, que já é morto, mas contra o filho e sucessor deste, Francisco I. Em era bem anterior – 1541 – o mesmo Pandolfo Pucci tivera não tanto a vida como a liberdade seriamente ameaçada, e só o salvou o prestígio do pai, mas dessa vez por outro motivo, porque ele e um comparsa desafiavam descaradamente – *sfacciaiamente*, escreve o cronista – as novas e severas leis de Cosme I contra a sodomia.[17] Note-se, entre parêntesis, que também Filipe Cavalcanti se viu acusado em 1591, ante a mesa do Santo Ofício na Bahia, de ter praticado, segundo fama pública, igual pecado,[18] o "vício florentino", como alguns o chamavam.

---

16 Varnhagen, *História Geral do Brasil*, I, p.350.

17 Segni, *Istorie fiorentine dal anno MDXXVII al MDLV*, p.409.

18 *Primeira visitação do Santo Ofício às partes do Brasil – Denunciações da Bahia*, p.452.

Não é impossível que o bom sucesso alcançado no Brasil por esse seu conterrâneo, tanto quanto o de Lucas e o de Francisco Giraldes, deva inscrever-se entre as razões que moverão o grão-duque Fernando I a dirigir sua atenção para a América portuguesa. Numa carta de Filippo Sassetti, escrita de Lisboa a 10 de outubro de 1578 a Baccio Valori, de Florença, depara-se com o seguinte trecho que podia impressionar os seus conterrâneos:

> Do Brasil chegam também açucares, na maior parte brancos, e valem cada 43 libras 4 ducados. Vive naquele país Filipe Cavalcanti, o irmão de Guido e de Stratta, o qual dispõe de vastíssimos cabedais e é homem de grande autoridade, quase sobranceiro a todos, com muitos pajens e cavalos, gastando cada ano em sua casa mais de 5 mil escudos, e seus negócios são engenhos de açúcar.[19]

Do documento nº 10, que a seguir se pode ler, e que suponho ainda inédito, tira-se que, por volta de 1618, data do texto, ainda seria vivo Filipe, pai do Jerônimo Cavalcanti de Albuquerque, a quem o mesmo se refere – "*la cui casa e padre vivono nel Brasile*" –, o que não condiz com informações de Borges da Fonseca, o genealogista. Segundo este, sobreviveu Filipe alguns anos a Jerônimo de Albuquerque, seu sogro, "porém ultimamente faleceu, deixando ainda viva sua mulher dava. Catarina de Albuquerque, a qual foi perfilhada a pedido de seus pais pelo senhor rei d. Sebastião, e faleceu com mais de 70 anos, no de 1614, a 4 de junho".

Se Filipe ainda vivia em 1618, e teria chegado ao Brasil pelo ano de 1548 ou antes, como quer Garcia, devendo já ser homem feito, pode presumir-se que morreu quase centenário. O Jerônimo Cavalcanti de Albuquerque, de quem trata o documento nº 10, foi o filho quarto do mesmo Filipe. Copio aqui o que dele escreveu Borges da Fonseca, e pouco mais se sabe a seu respeito:

19 Sassetti, *Lettere*, p.127.

Cavaleiro da Ordem de Cristo, cujo hábito tomou em 1634. Era senhor de três engenhos em Goiânia como escreveu o 4º donatário Duarte de Albuquerque nas suas *Memórias da Guerra de Pernambuco*, quando se viu obrigado por causa das mesmas a retirar-se para a Bahia, no ano de 1635. Daquela cidade passou a Lisboa, onde alcançou o governo do Cabo Verde, e faleceu solteiro e sem sucessão.[20]

Já agora também sabemos que bem antes disso andou em Lisboa. Não consegui achar as cartas que a sua alteza sereníssima, então Cosme II, primogênito e sucessor de Fernando I, mandava seu secretário de Estado em nome desse Jerônimo Cavalcanti de Albuquerque. O fato, porém, de dirigir-se este ao grão-duque, quando mais não fosse, para lhe pedir talvez alguma certidão de nobreza ou uma confirmação de que Filipe, seu pai, passara em 1519 a Cosme I, é sem dúvida sugestiva de como a ancestralidade florentina continua ainda viva no filho de Dona Catarina, a mameluca pernambucana.

Pelos três primeiros documentos da série anexa, vê-se como o grão-duque Fernando começara por alimentar esperanças exageradas sobre a possibilidade de estabelecer um comércio regular com o Brasil, e eventualmente com as Índias Orientais, através de navios estrangeiros, quer dizer, não portugueses, nem espanhóis e nem necessariamente toscanos, os quais iriam diretamente a Liorne, carregados de mercadorias, principalmente açúcar e pau-brasil, sem precisar tocar em Lisboa ou em algum ponto qualquer das Espanhas. Numa das cartas chega-se a falar num pedido de licença para a ida a cada ano de oito navios, através de uma década, o que perfazia o total de oitenta navios, número que a Francisco Lanzoni, seu embaixador junto ao rei católico, não deixava de ser excessivo.

Relaciona-se o plano, intimamente, à ambição de ver instalado em seus domínios o lucrativo negócio das refinarias de açúcar, tais como os havia em Flandres ou Veneza, e pode ter sido fomentado pelas notícias

20 Borges da Fonseca, Nobiliarchia pernambucana, I, p.413 et seq.

do comércio direto e não autorizado que outros povos – os hanseatas, por exemplo, até 1602 – faziam e continuariam a fazer com o Brasil.[21] Não é impossível que até marinheiros toscanos tivessem participado de alguma dessas expedições clandestinas, pois certa passagem de Galuzzi, que pode ter tido em mãos documentos hoje desaparecidos dos arquivos, alude em seu livro ao comércio clandestino que nas costas brasileiras costumavam praticar os marinheiros da Toscana.[22] A dificuldade estava nisto principalmente, que dispondo embora de apreciável frota bélica, o grão-ducado não tivera ainda tempo de preparar em escala considerável embarcações pacíficas ou especialmente adequadas à navegação fora das águas do Mediterrâneo. De onde o alvitre de recorrer a barcos estrangeiros, não toscanos, e nem espanhóis ou portugueses para o bom sucesso da empresa projetada.

Não lhe devia parecer custoso, ao grão-duque, valer-se agora dos préstimos dos Ximenes, ativos comerciantes portugueses que dispunham de ampla rede de correspondentes em vários lugares da Europa. Agora mesmo já se dispunham a abrir a casa em Florença ou Pisa, com o que se colocavam ao seu alcance direto. Fernando I apressava-se em tirar o melhor proveito para si e para o principado da troca de favores inevitável e, mais do que isso, era como se já visse realizado o que em nossos dias pôde escrever Braudel, repetindo o velho Galuzzi: "*les Ximenes qui marchand portugais se firent florentins*".[23]

Não poderia falar-lhes como de soberano para súditos.

Não quis o Médici, nem lhe convinha, seguir esse caminho reto, prevendo nele estorvos insuperáveis. Resulta dos textos anexos (documento nº 1) que desde 1º de outubro de 1591 pelo menos, escrevera pessoalmente a Tomás Ximenes, pedindo-lhe a intercessão junto à Coroa de Espanha em

21 Sobre o comércio hanseata com o Brasil no século XVI, ver Baasch, Beitrage zur Geschichte der handelsbezeihungen zwischen Hamburg und Amerika, p.91 et seq. Ver principalmente os estudos mais recentes de Kellenzenz, *Unternehmerkrafte im Hamburger Portugal und Spanienhandel*, p.51 e 53, aproveitados em Holanda, S. B. de. *História Geral da civilização brasileira*, I, p.164 et seq.

22 Galuzzi, op. cit., III, p.257.

23 Braudel, op. cit., p.616. [Do francês: "Os Ximenes que são negociantes portugueses se tornaram florentinos". – N. E.]

favor de seu projeto de comerciar diretamente com o Brasil, Cabo Verde e talvez a Índia. Pela mesma época Fernando Ximenes, irmão de Tomás, tratava dos interesses do grão-duque em Hamburgo, ocupando-se do comércio de grãos com a toscana.[24] A realização do plano, tal como o concebera a princípio, não deixava de oferecer dificuldades, envolvendo-o num verdadeiro círculo vicioso. Realizar o negócio por meio daquela casa de marranos, ainda que não judaizantes, era dar parte do lucro a eles, e isso não queria o grão-duque. De outro lado, não podia tratar diretamente com a Coroa espanhola sem o conhecimento deles, pois o próprio Tomás Ximenes era amigo e familiar de d. Cristóvão de Moura, cuidando dos seus negócios em Portugal, e nada se podia fazer no Conselho de sua majestade a respeito do Brasil, sem primeiramente ouvir d. Cristóvão.

Além disso, não podia haver ainda notícia segura quanto ao estabelecimento dos Ximenes na Toscana. Isto mesmo irá dizer ao grão-duque seu embaixador em Madri (documento nº 2):

> porque no que respeita à transmigração destes marcadores destes reinos e de Portugal, não se vá fiar muito disso vossa alteza, que só hão de ter uma sua casa aberta em Pisa ou Florença, com um deles que atenda aos negócios, como fazem em Flandres, Lisboa ou outras partes deste Reino.

Infelizmente fazem falta estudos especiais acerca da ramificação florentina dos Ximenes, apesar dos trabalhos valiosos e pioneiros de Debucé, Kellenbenz e Gentil da Silva, que entretanto só tocam fugazmente no assunto.

Depois de abril de 1592 irá desaparecer o nome dos Ximenes da correspondência ducal sobre coisas brasileiras, mas nem por isso, com todos os obstáculos encontrados, renuncia Fernando I aos seus sonhos. Não é sem interesse, nesse particular, a carta igualmente inédita de 1º de julho de 1595, que aqui se divulga (documento nº 4), onde seu embaixa-

24 Kellenbenz, op. cit., p.242.

dor Francesco Guicciardini, homônimo e certamente parente do grande Guicciardini, morto muito antes disso, acentua a nenhuma resistência que encontraram os marinheiros ingleses de James Lancaster em Pernambuco e a vultuosa presa que ali arrebataram.

O documento não nos traz nenhum fato novo a respeito da ação de Lancaster, mas é bem sugestivo do interesse que a notícia podia despertar na Toscana. O inglês apresentou-se diante do Recife a 9 de abril e permaneceu um mês inteiro naquele porto. A 10 de junho já se podia mandar aviso do sucesso para Florença. É evidente que Fernando não cogitava senão de realizar pacificamente seus projetos brasileiros e nem podia pensar seriamente em lançar qualquer desafio ao poderio espanhol. Nem por isso deixaria de impressioná-lo, porém, a facilidade extrema com que súditos de outra nação eram capazes de semelhante proeza. Mais tarde acolherá em sua Corte a sir Robert Dudley, que acompanhara com interesse as ações de Lancaster[25] e que haverá de incitar o grão-duque a patrocinar, dissimuladamente, embora, sua aventura amazônica.

Apesar de todos os tropeços encontrados até aquele momento, a insistência de sua alteza sereníssima em querer alcançar permissão para a navegação e o comércio do Brasil (ver documento nº 5) e sua esperança no bom sucesso das negociações nesse sentido, ainda que à custa de propinas distribuídas a altos funcionários castelhanos e portugueses, tinha em que sustentar-se. Afinal, a lei de Felipe II proibindo, a 9 de fevereiro de 1591, a navegação estrangeira para os domínios ultramarinos de Portugal não era terminante, pois só se dava aos mesmos estrangeiros o irem *sem licença* àqueles lugares, e o que pelejava por obter o grão-duque, por ora, era apenas uma tal licença.

Ainda em 1605 escrevia-lhe o embaixador Tarugi, de Valadolid, em resposta à carta de S. A., dizendo que oportunamente abordaria o caso da licença, só não o fazendo logo, por não se ter ainda expedido um outro assunto ("*quell'altro negozio*"), pendente ainda, e não convir tratar ao mesmo tempo de dois casos, maximamente, ajunta, por vir: "contra uma

25 *The Voyage of sir James Lancaster to Brazil and the East Indies*, p.xxix.

lei modernamente feita, a qual revoga todas as licenças que porventura tivessem sido concedidas". (documento nº 6)

A carta é de 4 de junho. A lei "modernamente feita" tem a data de 18 de março do mesmo ano de 1605 e alega, com efeito, que tendo sido anteriormente concedidas licenças a estrangeiros de nações amigas para ir aos domínios portugueses, aproveitaram-se eles mal dessas licenças, falsificando outras para inimigos, do que resultava grande prejuízo para o Reino. Por isso publicava-se a lei nova, proibindo a qualquer navio de nação estrangeira o ir à Índia, Brasil, Guiné, Ilhas e quaisquer outras províncias do senhorio de Portugal. Mesmo aqueles estrangeiros residentes ou estantes em alguns dos ditos domínios deles deveriam sair, sendo concedidos aos que se achassem no Brasil, e "mais partes ultramarinas de Cabo da Boa Esperança pera cá", o fazerem no prazo de um ano.[26]

É possível que só depois disso, desalentado com as notícias idas da Espanha, tenha enveredado o grão-duque por outros caminhos mais tortuosos, os quais, se publicados, não seriam de molde a bem sustentar suas relações com a coroa espanhola. A carta a ele endereçada sobre as perspectivas de fazer-se o comércio com as Índias Orientais e o Brasil, recorrendo a armadores e capitalistas de Amsterdã, é certamente de 1608 e, mais certamente, é uma resposta às sondagens suas. O simples fato de aparecer sem data e assinatura não atenderia ao intuito de ter encobertas todas as pistas? A ida da expedição secreta à Amazônia é de setembro ou outubro do mesmo ano de 1608. Confiada a marinheiros ingleses é por ele patrocinada, embora seu nome não devesse aparecer no negócio. E se fosse forçoso que aparecesse responsável, que o atribuíssem vagamente a mercadores de Florença.

De súbito, porém, muda de tática e tenta embarcar num projeto ainda mais ambicioso do que os anteriores: o da remessa de colonos ao Brasil, precisamente à Capitania do Espírito Santo, conforme consta de carta sua de 9 de novembro de 1608, posterior de dois meses apenas, ou menos (documento nº 7), à empresa de exploração do Rio Amazonas.

26 Rau; Silva, *Os manuscritos do arquivo da Casa de Cadaval respeitantes ao Brasil*, p.10.

A mudança deve prender-se provavelmente ao fato de ter recebido no intervalo, datada de Lisboa, 30 de agosto, uma carta assinada pelo engenheiro florentino Baccio de Filicaya, o qual, tendo servido longamente no Brasil com d. Francisco de Souza e Diogo Botelho, indiretamente animava S. A. S. a novos empenhos junto à Coroa de Espanha.

A carta, em *filza* 949, folhas 1.346 à 1.349 do Arquivo *Mediceo*, traz no verso da folha 1347 estes dizeres do secretário Vinta:

> Que o Filicaya mande nova relação por escrito de todo o país e viagem que fez, com mais particularidades possíveis de notícias, por curiosidade de Sua Alteza, ouvindo de bom grado estes avisos.

A 5 de janeiro respondia o Filicaya, anunciando que já tinha pronta a descrição (junto com uma relação) do país, e por ser volumosa deixava de mandá-la pelo correio, reservando-se para enviá-la numa urca que seguia aquele mês para Veneza. Nem a relação nem a descrição foram até aqui achadas no Arquivo de Estado de Florença. Todos os papéis que lá se encontravam acerca de Filicaya, suas duas cartas e duas outras de Fernando I, sendo uma ao seu embaixador na Corte de Espanha e a segunda a d. Cristóvão de Moura, publicou-os Giacomo Gorrini em 1903 (e em parte já em 1901, Gustavo Uzielli nos *Cenni storici*), de onde, vertidas para o português, foram incluídas em nota de Rodolfo Garcia a Varnhagen. Por esse motivo dispenso-me de reproduzi-las aqui.

Não há sinal de outros passos que tivesse dado o grão-duque na esperança de ver concretizado seu novo e mais ambicioso plano. Enquanto aguardava notícias sobre o projeto de colonização no Espírito Santo, ainda procurava alimentar sua curiosidade teimosa de terras remotas, indagando acerca da Serra Leoa, possivelmente mais acessível do que o Brasil ou menos zelosamente guardada. Esse, o objeto da carta endereçada ao cardeal Maria Francesco de Santa Maria, em Roma, à véspera quase do ano novo de 1609 (documento nº 8). Morreu logo depois sem ter tido tempo sequer de saber o resultado da expedição que mandara ao Amazonas.

Sob seu sucessor Cosme II, ainda há algum sinal de tentativas semelhantes de expansão econômica ou política do principado, mas essas mesmas se fazem agora mais espaçadas. Uma carta do embaixador à Corte espanhola, datada de outubro de 1612, trata de dissuadi-lo da ideia, que já se tinha suscitado sob o grão-duque seu pai, de serem mandados dois navios à Índia – já não se fala expressamente em Brasil – fora das frotas regulares, porque "o rei nunca o permitiria" (documento nº 9). Parece que daí por diante se limitam os agentes toscanos a mandar notícias sobre a partida e chegada das frotas, em avisos do teor deste, que é de 8 de agosto de 1618:

> De Lisboa informa da chegada da frota do Brasil, que traz, na maior parte, açúcar, mas das naus das Índias Orientais não há mais novas. Esperamos sua vinda a cada momento.

Década de 1970

Sérgio Buarque de Holanda e família em comemoração de seu aniversário de 72 anos. Da esq. para a dir., sentados: Álvaro; Francisco; Sérgio (filho); Sérgio Buarque de Holanda; Maria do Carmo; Cecília (irmã); e Heloísa Maria (Miúcha). Da esq. para a dir., em pé: Maria Cristina segurando Isabel Gilberto (Bebel); Ana Maria; Maria Amélia. São Paulo, 1974.

Acervo SBH.

Sobre uma doença infantil da historiografia*

O rompante de um príncipe que proclamou o desquite político entre o Brasil e Portugal há 150 anos deu margem ultimamente à impressão de estudos e documentos que, em alguns casos, vieram melhorar o que sabemos do processo de emancipação nacional. Não é deles, entretanto, que me vou ocupar. Prefiro desenvolver as reflexões inspiradas pelo uso notado em mais de um desses estudos, que consiste em omitir simplesmente, ou colocar entre aspas, a palavra independência, como quem acha bom avisar que nossa "independência" não foi bem independência. Não se trata de simples cacoete literário, o que seria de menor importância. Trata-se, sim, de curioso aspecto de uma tendência incipiente de alguns poucos autores nossos para uma historiografia de espécie purgativa, dado que seu principal traço consiste no querer levar o vocabulário histórico a absorver à força os usos e costumes do que possa parecer a mais rigorosa linguagem científica, e purgá-lo depois de qualquer expressão ambígua, imprecisa ou suspeita de inexatidão.

---

* Artigo originalmente publicado em *O Estado de S. Paulo*, 17 jun. 1973. (N. O.)

Antes de abordar essa tendência, lembrarei que todos quantos apelaram, por volta de 1822, para a palavra independência, pensavam, e pensavam corretamente, que ela significava acima de tudo a ruptura dos vínculos políticos que prendiam ainda a antiga Colônia à antiga Metrópole. Querer discutir sobre se a quebra desses laços impedia ou não uma dependência econômica em relação a outros países já é outro assunto. Quando se falava em independência era soberania política diante do reino europeu que estava em jogo. Poucas nações que se presumiam independentes, a começar por Portugal, podiam furtar-se então a alguma forma de sujeição econômica, intelectual, em alguns pontos política. Basta isso para indicar como é falha a alquimia dos que julgaram descobrir de um jato a historiografia verdadeiramente científica, com o só expelir palavras tidas por imperfeitas ou vagas.

Essa noção simplista faz pensar, ao primeiro relance, no ideal da linguagem perfeita que, no começo deste século, ainda perseguia a Lógica. A grande diferença está em que a grande atenção desta se dirigia muito menos para as palavras do que para a sintaxe. É sabido que a maioria dos nossos vocábulos nasceu de formas metafóricas e que quase todas guardam ainda uma zona de imprecisão a que Bertrand Russel deu o nome de penumbra, termo que tem um sentido específico em inglês, pois serve para designar aqueles entretons que envolvem a sombra total produzida por um corpo opaco se o intercepta a luz. O maior interesse pela preposição do que pela palavra prende-se, na Lógica, ao ser possível numa proposição reduzir até certo ponto essa área de imprecisão que as palavras comportam. Wittgenstein, discípulo, antes de ser mestre (por algum tempo) do próprio Russel, precursor do positivismo lógico do Círculo de Viena, escreveu isto em suas *Investigações filosóficas*: "cada sinal em si parece coisa morta. O que lhe dá vida? No uso ele vive".

É claro que o ideal científico da perfeição vocabular é teoricamente inseparável da expressão não só unívoca, mas também imune aos estragos do tempo. Esse último ponto parece de alta serventia quando se queira mostrar como os critérios de exatidão de que se pode servir o discurso histórico não se confundem forçosamente com os que se podem exprimir através dos símbolos matemáticos ou das fórmulas químicas:

o grande problema da História não se reduz a um problema de palavras. Durante muito tempo acreditou-se que o mister do historiador estaria em oferecer datas certas e fatos certos, pois uma vez bem acertados, os fatos e as datas são a única coisa em História que pode resistir a toda dúvida. Pois se o desenvolvimento dos métodos mais acurados de crítica das fontes documentais visou justamente a escoimá-las de qualquer engano, por que acrescentar-lhes a exigência de interpretação dessas fontes, com o risco talvez inevitável de introduzir no material colhido elementos subjetivos ou irracionais? Não seria como deixar entrar pela janela o que se expulsou pela porta principal?

Em nossos dias parece definitivamente condenada a História unicamente factual, fundada na pressuposição de que existem fatos "puros", isolados das condições tantas vezes complexas em que se situam. A esse pressuposto pode opor-se o argumento de que a maior ou menor importância que possa ganhar na história qualquer fato é largamente ditada pela importância maior ou menor que lhe emprestaram, no curso do tempo, os homens e os acontecimentos vindos depois, em suma, pela sua projeção no futuro. E quem diz que essa projeção não venha acrescida de resíduos de afeições e rancores efêmeros, e que todos os fatos que impressionam o historiador sejam isentos dessa impureza e outras sujidades? A simples seleção dos fatos envolve já uma elaboração. Um autor moderno – William Aydelotte –, que se dedicou a um tipo de História que se chama quantitativa na França (ou "serial", segundo explicação de Pierre Chaunu) e nos Estados Unidos "cliométrica", notou, a propósito do comportamento do eleitorado na Inglaterra vitoriana, que os dados informativos tomados pelos recenseadores, e que se apontam muitas vezes como o exemplo mais nítido de dado bruto, são registrados em geral de acordo com normas que requerem boa dose de generalização e reflexão.

Não há como negar que a superstição do fato, o fato puro, ante o qual um historiador se omitia tanto quanto possível, provinha de um afã louvável, mas falacioso, de objetividade. Ora, precisamente o mesmo se pode dizer do tipo de historiografia que, com modos parecidos, procura preencher a lacuna alargada com o declínio da História simplesmente factual. A diferença entre uma e outra é grande: à velha superstição do fato puro substituiu-se a nova superstição do vocábulo puro, ou seja, perfeitamente unívoco, petrificado, e válido para todo o sempre. Resultado: em vez daquelas coleções de fatos e datas rigorosamente obtidas por métodos críticos conduzidos até a última perfeição, estaríamos para assistir ao surto de uma disenteria torrencial de palavras expurgadas e palavras-chave, próprias para balizar o fluxo dos acontecimentos. Como sucede a todos os simplificadores, os vassalos desses critérios põem neles uma inexpugnável confiança e voltam-se contra os mais céticos com uma suficiência e um glorioso azedume, parente daquela acidez de mulher feia de que falava, se não me engano, o célebre doutor Johnson há coisa de dois séculos.

O caso de Mirabeau

Ninguém pode dar-se por satisfeito, naturalmente, com uma terminologia imprecisa, em História como em tudo mais, e no entanto é certo, por outro lado, que a boa maneira de enfrentar a versatilidade das convenções vocabulares não está em procurar enjaulá-las em categorias rígidas e abstratas para poder manejá-las à vontade. Tais convenções, para começar, têm mudado de significações ao longo dos tempos, e algumas passaram a querer dizer hoje o oposto do que queriam dizer anteontem. Exemplo? Em 1817, no Brasil, quem quer que ousasse chamar-se patriota seria provavelmente um candidato à forca, ao passo que hoje, aquele que se inculque de não patriota corre perigo semelhante, ou pior. Outro exemplo: a palavra "liberdade" significou até 1789 "privilégio" e "direito senhorial", mas passou a designar o contrário depois que se deixou contaminar pelos novos princípios de igualdade e fraternidade.

Evidente, o uso de uma só e mesma expressão para indicar coisas diferentes e até opostas é sempre de natureza a produzir algumas confusões, mormente em espíritos já confusos ou prevenidos. Conhece-se o caso de Mirabeau quando propôs à Assembleia Nacional da França, já revolucionária, a fórmula: "nós, os representantes do povo...". Houve quem lhe perguntasse logo se a palavra "povo", nessa declaração, devia significar *plebs* ou *populus*. A pergunta não perturbou o tribuno, que desejava usar de propósito um termo suficientemente elástico para poder dizer ao mesmo tempo muito e pouco. E a palavra, ainda que ambígua, e até por causa dessa ambiguidade, prevaleceu. Posta no plural – povos –, costuma designar indiscriminadamente os três Estados da monarquia, até mesmo no Brasil, onde Dom Pedro era imperador pela graça de Deus e unânime aclamação dos povos. E podia acontecer que o mesmo vocábulo tivesse também a acepção espanhola de *pueblo*, isto é, povoado ou aldeia. Nem por isso parecia pouco preciso, ao contrário, num topônimo como, digamos, os Sete Povos das Missões do Uruguai.

É talvez lastimável, mas é inevitável, a contingência em que nos vemos de ter de lidar sempre com vocábulos de sentido equívoco, ou sujeitos a variações, mormente quando destacados de seu contexto originário. Digo inevitável, porque até agora não se descobriu o modo de evitar, e não só na História, a presença sempre incômoda dessas multivocidades que, com meu natural pedantismo, eu ousaria subdividir em multivocidades sincrônicas e multivocidades diacrônicas. Recorrendo a termos ainda mais complicados, mas termos de Saussure em seu curso, de Linguística geral, eu acrescentaria que a linguagem é radicalmente impotente para defender-se dos fatores que deslocam, a todo momento, no espaço e no tempo, as relações do significado e do significante, em consequência da arbitrariedade do signo. Passados hoje mais de cinquenta anos, desde que foi elaborada, não perdeu essa análise nada do seu valor, ao contrário, apesar de pesquisas novas terem mostrado que a relação mutável e ao mesmo tempo imutável não é propriamente entre o significante e o significado, mas entre o significado e o objeto, é, em suma, a motivação objetiva da designação, submissa, como tal, à ação de diversos fatores históricos.

Mesmo as ciências mais exatas não conseguiram superar ainda os problemas que acarreta a expressão vocabular. Já se tem notado como, nem sempre, é possível nas ciências utilizar um "sistema de linguagem" definido, por isso seria preciso refazer seu vocabulário a cada novo passo, mudando-o de acordo com os progressos científicos realizados. Assim é que palavras como "matéria" e "átomo", segundo Rutherford, ou "matéria" e "energia", segundo Einstein, não são a mesma coisa que antes eram: a boa inteligência desses vocábulos está sempre em função de uma teoria em mudança constante. O resultado é que, na terminologia científica mais rigorosa, a absoluta precisão ou, para usar o nome técnico, a acribia jamais passou de um ideal, ao menos enquanto não foi dado substituir os vocábulos de uso comum por símbolos especiais e imperecíveis. Como querer essa precisão no saber histórico, que visa abarcar uma realidade naturalmente inconstante e movediça? Se fosse dado alcançá-la, o que teríamos provavelmente seria, em lugar do rigor científico, a rigidez cadavérica. Parodiando Henri Poincaré, sem trair seu espírito, pode-se dizer que, se não fôssemos tão ignorantes, deixaríamos de empregar palavras imprecisas, que só levam a um conhecimento relativo, mas apesar disso nossa ignorância não há de ser absoluta, porque, se assim fosse, não conseguiríamos nem aquele conhecimento relativo.

Problema de visão

Um exemplo curioso do que eu chamei multivocidades diacrônicas oferece-nos um historiador de mérito – mas não vou dar o nome –, em estudo publicado não há muito, acerca do que chamou "atitudes de inovação no Brasil", entre 1789 e 1801. O historiador chega a fazer, em dado momento, circunspectas digressões acerca do desenvolvimento do militarismo na Colônia, a propósito de certa passagem de Luís dos Santos Vilhena, professor régio de grego na cidade de Salvador, que nos deixou preciosas cartas ou notícias soteropolitanas e brasílicas, acabadas de escrever em 1802. Vilhena, no seu modo de entender, apesar de ter observado argutamente aquele desenvolvimento do militarismo, não mostrava "possuir boa visão do fenômeno geral". O interessante é que o dito mestre de grego nada diz, no trecho citado, sobre o militarismo e o seu desenvolvimento. O historiador foi atraiçoado aqui pela própria obsessão de vocabulário preciso, que o impediu de entender a passagem em questão, e é o caso de dizer que, por esse motivo, é ele quem não mostrou "possuir boa visão do fenômeno".

O que está literalmente na passagem é que a cidade de Salvador era, "das colônias do Brasil, a mais frequentada de gente policiada". Aconteceu que, ao ler "gente policiada", o comentador não teve dúvidas: Vilhena queria falar em polícia, portanto em gente armada, portanto em militar. O estranho é que não lhe passou pela cabeça que a palavra "policiada" pudesse ter, e no caso tinha, com certeza, o sentido de "cultivada", "refinada" e, em suma, "civilizada", ou seja, quase o oposto daquilo que a palavra "polícia" costuma evocar atualmente. O que o cegou, provavelmente, foi a convicção inabalável de que uma só e a mesma palavra só pode ter um só e o mesmo significado. Convicção que está à base de sua tendência para ostentar generosamente as suas aspas, pois uma palavra posta entre aspas é às vezes para ser entendida sem que o escritor deva ser responsabilizado pelo mau uso. Em outros casos trata de suprimir a expressão dúbia, ou inexata, seguindo o princípio de que o melhor mesmo é eliminar para iluminar.

A propósito caberia lembrar o trabalho de Lucien Febvre, publicado primeiramente em 1930, sobre a evolução da palavra civilização, com os acréscimos e precisões introduzidas em 1954 por Émile Benveniste, em artigo incluso numa homenagem coletiva a Febvre. Segundo resulta das conclusões dos dois autores, comparáveis em interesse às que outrora chegara Henri Sée, completadas e melhoradas depois por Henri Hauser sobre o histórico da palavra "indústria" em suas relações com a evolução industrial, o vocábulo civilização, que desde começo do século XVIII existia ocasionalmente como um termo de prática forense, por onde se torna civil um processo criminal, começa a tomar o sentido atual na segunda metade do mesmo século e se dissemina largamente só depois da Revolução Francesa. Tendo surgido, com o novo significado, quase simultaneamente na França e na Inglaterra, a questão da prioridade continua indecisa, mas não está excluída a possibilidade de seu aparecimento independentemente de qualquer influência recíproca nos dois países, quando civilização tomou o lugar de polícia.

Segundo mostrou Benveniste, a invasão maciça de termos em *izar* corresponde bem a um tempo de grandes mudanças, e poderia ilustrar isso com a observação de um personagem de Balzac (*Autre étude de femme*), de que "organizar" é palavra do Império e nela cabe Napoleão de corpo inteiro: em realidade sua criação é anterior, mas só então adquirira força nova. É característica a oposição que "civilização" encontrou de parte de espíritos mais conservadores, como o já lembrado dr. Johnson, que preferia "civilidade", termo estático, enquanto "civilização" sugere antes um processo. Para o caso de "civilização", um rápido exame, sujeito a correção, faz-me crer que o primeiro brasileiro a empregá-la na acepção moderna foi, em 1798, José da Silva Lisboa, o futuro Cairu, ao traduzir um verbete de MacCulloch sobre a origem do comércio, no qual diz que a divisão territorial do trabalho muito contribuiu para aumentar a riqueza e acelerar a civilização do gênero humano. Não é de admirar, aliás, num leitor assíduo de Adam Smith, que já estivesse familiarizado com a palavra nova.

Seu emprego, porém, em obra destinada a público reduzido e especializado, não é de se supor que tivesse logo divulgação mais ampla. O próprio Silva Lisboa ainda escreve polícia em 1819, no plano, só parcialmente desenvolvido, de seus *Estudos do bem comum*. Já antes disso, em 1816, um espírito mais arejado e cosmopolita como José Bonifácio serve-se, quando ainda em Portugal, da expressão que, anos depois, irá figurar no título de uns "apontamentos" seus oferecidos à Assembleia Constituinte brasileira. Até 1815, inclusive, só escrevia "polícia", ao tempo em que Vilhena redigia suas cartas é muito provável que as formas "civilização" ou mesmo "civilizado" não tivessem entrado no Brasil no uso vulgar. Não teria com facilidade uma alternativa senão a de recorrer à "policiada" quando pretendia aludir àquela gente que frequentava Salvador, mais do que outros lugares da Colônia. Embora já não fosse residência dos vice-reis, a cidade baiana era mais populosa do que o Rio de Janeiro, por conseguinte mais cidade, talvez, e até nisso se justificaria o haver nela maior número de gente "policiada", pois "polícia" prende-se ao grego *polis* (como também "civilização" procede de *civis*, *civilis*, *civitatis*).

Uma atenção maior para a possibilidade dessas variações semânticas e o abandono de um raciocínio pronunciadamente realista na acepção medieval e escolástica, onde as ideias, naturalmente perenes, se acham convertidas em coisas, poderiam talvez evitar esses desacertos ou simplificações dogmáticas. É curiosa a perplexidade de que parece tomado o nosso historiador diante de palavras como "classe", com o sentido que tem classe social. Suas hesitações pareceriam em parte bem fundadas, por isso que, nas condições atuais, a definição da palavra "classe" há de carregar em si boa dose de arbítrio. Outro tanto ocorre, aliás, com uma infinidade de outros vocábulos, como, por exemplo, "medieval", que só teria maior consistência no espírito daqueles personagens de anedota, que entravam num palco declamando: Nós cavaleiros da Idade Média! Apesar disso, ninguém pôde libertar-se, até hoje, de seu uso. No caso de "classe", a dificuldade em clarear o conceito ainda é mais considerável quando se adote a tradicional tripartição em "alta", "média" e "baixa", porque uma ideia naturalmente vaga não ganha nitidez, ao contrário, se a ramificarem. Entretanto não falta entre sociólogos modernos, principalmente sociólogos norte-americanos, como os da chamada escola de W. Lloyd Warner, quem discrimine meia dúzia de classes ou até mais. Suspeito que isso decorra da ausência em inglês de uma expressão para "pequena burguesia", por exemplo, que passaria a ter seu correspondente aproximado em "baixa classe média".

Outro motivo talvez para as dúvidas que possa ter o historiador diante do vocábulo "classe" estaria nisto, que as verdadeiras classes, no sentido de conjuntos e indivíduos distribuídos entre as extremidades da escala social, teriam surgido tarde e se dividem, em geral, segundo a maior ou menor capacidade econômica. Antes delas o que havia eram "ordens" (exemplo, ordem da nobreza), estados ou corpos. A passagem se daria com a Revolução Francesa e, melhor, com a dissolução dos estados gerais. Mas como explicar o fato de um historiador tão rigoroso como Marc Bloch dar a um dos seus dois volumes sobre a sociedade feudal o subtítulo de "As classes e o governo dos homens", no qual se trata não apenas dos problemas das classes, como até da consciência de classe? Restrinjo-me de propósito a um autor francês, com o qual estão mais familiarizados os leitores dos *Annales*, que tanto influíram sobre os estudos históricos em São Paulo, mas poderia lembrar que Otto Hintze remonta ao começo da era carolíngia a formação das classes, tais como hoje costumam ser entendidas.

Classes e ordens

A explicação justa seria a de Albert Soboul, para quem a existência das ordens não excluía a existência das classes. A ordem correspondia à forma jurídica, mas a realidade social já era a classe, e aos historiadores cumpre não se enlearem na estrutura aparente das ordens, simples máscara daquela realidade social. E Ernest Labrousse, que aceitou a explicação, ponderou ainda que a Revolução não marcou a passagem da sociedade de ordens para a sociedade de classes. Nem Soboul, nem Labrousse, ao que parece, trataram a esse respeito, do ocorrido do outro lado da Mancha, onde a passagem da ordem para a classe se processou de modo mais tranquilo, mas não menos efetivo. Note-se que o próprio Adam Smith empregava quase indiferentemente, em muitos acasos, as duas formas, classe e ordem – *order* –, ambos com a mesma dimensão econômica. Poderia ainda mostrar como há exemplos anteriores, até exemplos portugueses, do emprego de "classe" para designar, ao contrário, os velhos estados do Reino.

Uma grande dificuldade para o entendimento e a solução do problema veio-nos com as traduções espanholas de Max Weber. Depois de ter defendido "classe" como categoria puramente econômica, percebeu o sociólogo alemão que era insuficiente esse conceito para abraçar todas as formas de estratificação, e recorreu então a outro, capaz de indicar "estilos de vida" sobranceiros; em teoria, à presença do mercado, corresponderia mais propriamente a grupos de status dependentes de uma estimação social particular, positiva ou negativa, da honra. Para nomeá-la serviu-se de uma expressão – *Stand* –, que designa as "ordens" tradicionais, mas ao lado desta admite dezenas de outros significados. As confusões que tal recurso poderia suscitar em outras línguas são menos sensíveis no alemão, devido à singular flexibilidade de seu vocabulário. Para evitá-las lembrou-se o tradutor espanhol de tirar do antigo castelhano ou aragonês uma expressão – estamento – que se torna inconfundível, porque arcaica, e ainda se presta mais a derivações. Agiu um pouco à maneira do próprio Weber, quando precisou em outro caso de outro conceito muito específico, e então aproveitou um termo tomado ao grego e à literatura patrística, isto é, *carisma*, com o derivado carismático.

É fora de dúvida que a solução espanhola foi engenhosa, mas as consequências foram imprevistas: uma vez adotado, o simpático arcaísmo rapidamente ganhou vida própria, tornou-se insaciável e exclusivista, padecendo de um processo inflacionário, já agora difícil de conter. Daí o acreditar-se que de uma sociedade estamental, como se resolveu que era a do Brasil por volta de 1822, seria disparate falar-se na presença de classes dominadas pelo mercado. Não é esse, certamente, o ponto de vista de Weber. Em sua obra mestra, de publicação póstuma e que só é dado conhecer em forma fragmentária justamente na seção relativa às estratificações sociais, diz-se de modo expresso que as diferenças de classes estão entrelaçadas, nas formas mais várias, às distinções de status, ou seja, às hierarquias estamentais. Está visto que a análise feita por Weber pode sujeitar-se a revisões, mas me parece também que uma distorção delas não é indiscutível.

O trato mercantil

Não é indiscutível, por exemplo, a teoria de que o Brasil dos tempos da Independência deixava de comportar classes só porque se deliberou que tínhamos então uma sociedade estamental. Seria querer dar mais força ao antigo mito da avassaladora preeminência, àquela época, dos proprietários rurais, a chamada "nobreza" da terra. Em verdade, é oportuno frisar, as elites do Primeiro Reinado vêm bem mais da classe dos comerciantes urbanos do que da aristocracia rural. Negociantes ou filhos e genros de negociantes que, em todo caso, deveram ao trato mercantil sua riqueza e prestígio, apareceram em quase todos os ministérios de Dom Pedro I, com Baependi, Barbacena Valença, Caravelas, Cachoeira, entre outros, bem como no Conselho de Estado e mais ainda no próprio serviço do Paço. Até o pai dos Andradas tivera parte saliente no velho e lucrativo comércio fluvial de Cuiabá e Mato Grosso. Compreende-se assim que um personagem da eminência da baronesa de São Salvador de Campos dos Goytacazes, baronesa já do tempo do rei velho ou, mais exatamente, do regente d. João, pois teve o título em 1812, continuasse a figurar no corpo do comércio da Corte, com casa de negócios na Rua da Glória.

Viúva de Braz Carneiro Leão, negociante de grosso trato na praça do Rio, parente, entre outras figuras importantes, do Marquês de Queluz, nascido em uma rapariga de Mariana de um cônego da Sé, na mesma cidade, e que no rol dos estudantes da Universidade de Coimbra aparece como filho de pais incógnitos, a baronesa de São Salvador de Campos dos Goitacazes foi sogra do Intendente Geral de Polícia da Corte, o desembargador Paulo Fernandes Viana, falecido pouco antes da Independência e, aliás, também do alto comércio. Por esse lado seria avó da futura duquesa de Caxias. Não é sem interesse observar aqui que a mulher do futuro visconde do Rio Branco, por sua vez, e a de Caxias, sempre se trataram de primas. Rio Branco, aliás, era filho de negociantes na Bahia e casou com filha de negociantes no Rio. Esses exemplos mostram como as frondosas oligarquias de origem mercantil dos tempos de Dom Pedro I, que eu hesitaria em chamar "burguesia", podem prolongar-se no Segundo Reinado através de relações de sangue e, deve acrescentar-se, também de compadrio. É verdade que o desenvolvimento da lavoura cafeeira na Bacia do Paraíba é de molde a dar mais importância agora aos senhores rurais. Por outro lado, não é menos certo que os barões do café, com umas poucas exceções, se hão de notabilizar muito mais pelos títulos ganhos do que pelo exercício, mesmo indireto, do poder.

Isso acontece no Rio, onde a Corte portuguesa, atraindo numerosos fidalgos reinóis, serviria para retardar a ascensão social e política dos arrivistas, muitas vezes antigos caixeiros, embora houvesse algum nobre, como o filho do conde de Linhares, que casou com neta de Braz Carneiro Leão e filha de comerciante estabelecido à Rua Direita, teve o título de marquês de Maceió e foi ministro de Dom Pedro I. Em várias províncias verifica-se também essa ascensão da classe mercantil. Depois do notável estudo de A. J. Russell-Wood, baseado nos livros da Misericórdia do Salvador, sabe-se como, na Bahia, ela começara já em meados do século XVIII. Em Pernambuco são comerciantes, não só Domingos

José Martins, o da sedição republicana de 17, como, após o consulado de Luis do Rego, o presidente da primeira Junta do Governo, Gervázio Pires Ferreira. Mesmo em São Paulo, algumas figuras mais prestigiosas do tempo da Independência, como Manuel Rodriguez Jordão, seu sobrinho Antônio da Silva Prado, o futuro barão de Iguape, o brigadeiro Luís Antônio e seu irmão Francisco Antônio de Souza, pai de Francisco Inácio de Souza Queiroz, eram do comércio, ainda que vários se dedicassem mais tarde à lavoura.

Alguns aspectos do problema que, durante longo tempo, quase passou despercebido, já começaram a chamar a atenção de uns poucos historiadores. Em obra coletiva que se imprimiu ultimamente sob a orientação do sr. Carlos Guilherme Mota, com o título de *1822: dimensões*, ele é abordado de passagem pelo sr. Fernando Novais, onde mostra como a velha estrutura colonial já cambaleante em face da importância crescente daquilo que o autor chama – com razão? – a camada burguesa, e principalmente no de Maria Odila da Silva Dias, os dois da Universidade de São Paulo. No último, já se fala da necessidade de aprofundar o estudo do "predomínio social do comerciante e das íntimas interdependências entre os interesses rurais, comerciais e administrativos" para o melhor entendimento do processo de nossa emancipação política. Não sei se o alto nível desses trabalhos se mantém nos demais capítulos do volume, que ainda não li. Apesar disso, é impossível esconder a impressão melancólica produzida pela bibliografia crítica final, na qual os efeitos naturais de uma digestão má se fazem manifestos.

Nos comentários críticos da referida bibliografia excomunga-se implacavelmente, por exemplo, o uso de vocábulos como "povo", "fatal", "classes", além de alguns mais. Em certo passo é verberado um autor que "fala até em pecado de incoerência" e que diz outras coisas de "precisão bastante relativa para que [sua linguagem] possa ser considerada científica". Em realidade não é fácil descobrir o que possa haver de especialmente impreciso em formas tão correntes como "pecar por omissão [...] por incoerência", a menos que só seja científico o uso da palavra como sentido limitado de transgressão da lei cristã. Contudo, palavras como "pecar" e "pecado" como sinônimos de "errar" e "erro" existem, sempre existiram em português, e descendem com pouca corrupção, de formas latinas que existiram, muitos séculos antes de Cristo com esse significado. Assisti certa vez a uma comédia italiana chamada *Peccato che no sia una prostituta* e tenho medo de algum mau tradutor capaz de pôr um título onde se insinue que é lícito pecar até por extremos de virtude. O fato é que, em contraste com o seu contramodelo inglês, aqui a heroína resiste impávida às tentações do mundo. Mas como... heroína? Ora, a palavra mais do que ambígua já se tem tornado até mafiosa.

Dotes de improvisação

Ainda que pareçam grosseiros em demasia tais exemplos, para merecerem reparo, creio que nessas manifestações muito cruas melhor se desvenda um processo mental que em outras, inteligentes e elaboradas, gosta de vir encoberto. Ao lado, aliás, de uma despótica intransigência, se há alguma coisa que denunciam esses comentários, são justamente os notáveis dotes de improvisação e de imprecisão, desses que não se mudam nem depois de muitas horas de voo. Lê-se assim, nos comentários em apreço, que as ideias de certo autor mostram "um certo marxismo", ao passo que outro parece marxista, só que "leva longe demais a ortodoxia". Ora, no primeiro caso, aquele "certo" só pode querer dizer, "não certo", ou imperfeito, ou não quer dizer nada. No segundo, palavras como "longe" e "demais", além de vagas, só terão relativo valor se conhecido um ponto de referência preciso: sem isso, "lonjura" e "demasia" dependerão forçosamente do prisma do sujeito que escreve, mas que aqui não se explica. Igualmente subjetiva é, no texto, a própria palavra ortodoxia. Que ortodoxia? Também nesse ponto o *orthos* e o *doxa* só podem ficar por conta de quem escreve. Posso adiante ir procurar resposta no *Capital*, pois toda gente está cansada de saber que Marx não era marxista?

Até no rol dos livros laboriosamente resenhados, fruto de levantamento que contou com o auxílio da própria Fundação de Amparo à Pesquisa de São Paulo, a falta de rigor e exatidão patenteia-se a cada instante. Para ser menos prolixo, só lembro, entre obras citadas como básicas para entender-se a "Independência" do Brasil, o livro de um general português, Morais Sarmento, publicado em 1924 no Porto, sob o título: *D. Pedro I e sua época*. Não tenho o livro, mas conheço uma réplica que lhe deu o dr. Gonçalves Cerejeira. É dispensável, em todo caso, ler o livro ou a réplica que só pode tratar, como efetivamente tratou, de Dom Pedro I de Portugal, que uns chamam de Cruel e outros de Justiceiro. Ora, este nada podia ter com a independência de um país que, ao seu tempo, ainda sonhava ser achado. Em realidade, entre Dom Pedro I de Portugal, o da Índia de Castro, e o Dom Pedro I do Brasil, o da Domitilia de Castro, correram uns quinhentos anos mal contados. À vista dessas coisas, o leitor inteligente há de sentir-se diante de algum árdego navegador lusíada que, tendo deixado a barra do Tejo com uma armada portentosa, na porfia de achar terras incógnitas, enfrentasse muitas e procelosas tempestades ao largo do mar oceano para, ao cabo, nem terra descobrir, nem nada, salvo um baiacu de espinho.

À primeira vista passariam essas atrocidades por exagero polêmico, mas será útil referi-las para mostrar como, de fato, a pouca vigilância e o desleixo não se compadecem com o mister do historiador. De outro lado, a ideia de que esse ofício só ganha cunho verdadeiramente científico se fizer uso de uma terminologia simplificadora a um tanto sestrosa não passa de uma má caricatura de outra ideia, esta legítima, a saber que o zelo pela linguagem e, se quiser, até os recursos estilísticos adequados, são instrumentos que o historiador que se preze não deva jogar no lixo. Lidando com o concreto e com o abstrato, com o único e com o múltiplo, com o individual e com o genérico, à própria espessura e densidade do material que estuda repugnam a locução rala, descolorida, indiferenciadora, inerte ou informe. Se isso pode acontecer em outras disciplinas (não parece obrigatório que aconteça, bastando, para mencionar só os mortos, os nomes como os de Galileu, Buffon, e de Humboldt, grandes cientistas e grandes escritores), já da História dificilmente se dirá o mesmo.

Naturalmente, o bem escrever, no caso, não deve ter um fim em si e não visa apenas a deleitação estética: História não é gênero literário. Contribui, entretanto, para se esposar e melhor transmitir a complexidade do real. Pode lembrar-se ainda uma vez a esse propósito palavras de Lucien Febvre quando, referindo-se à Pirenne, disse que uma das maiores virtudes do mestre belga estava em saber como "exprimir fortemente o que é forte". Fernand Braudel, que gostou da fórmula e a citou num prefácio a uma homenagem ao mesmo Febvre, retomou-a agora em outro prefácio, redigido para a coletânea de estudos do historiador norte-americano Frederic Lane, que os colegas e antigos discípulos deste reuniram em livro. Observa ainda Braudel que o novo homenageado criou um estilo próprio e perfeitamente apropriado ao assunto que se especializou: a História de Veneza e das navegações venezianas. Esse estilo se explica, diz, dentro de uma armação deliberadamente rigorosa, pela curiosidade do específico que é próprio do historiador: por isso também que Lane – acostumado a cumprir com rigor o seu mister – adotou uma linguagem apta a tratar de seu tema dileto, e que há de ser saboreada como se saboreia um vinho de bom cru ou desses pratos raros, que Lane sabe apreciar, na qualidade de homem e de cidadão do mundo.

Alberto Torres, um precursor*

Em uma das páginas do admirável estudo que dedicou ao pensamento e à vida de Alberto Torres, mostrou Barbosa Lima Sobrinho como o vivo interesse despertado entre os integralistas pela obra do escritor fluminense nasceu largamente de um mal-entendido. Mas esse interesse teria bastado, acredita, para tornar o mesmo escritor suspeito de pendores totalitários e alvo de gerais desconfianças, após os momentos de alto prestígio intelectual de que desfrutou entre os anos de 1932 e 1935. Nada, com efeito, permite discernir nas suas ideias tendências totalitárias, indígenas ou forasteiras, das que vicejaram naqueles dias. Não sei se me engano, mas sempre vi nelas alguma coisa como fruto do obstinado esforço de um honesto político da Primeira República no sentido de racionalizar suas próprias frustrações como administrador. Guindado um dia à presidência do Rio de Janeiro, onde era endêmica a crise econômico-política desde o declínio do café na bacia do Paraíba, havia enfrentado, com efeito, uma oposição sem tréguas, que os limites da lei mal continham, levando até um processo de *impeachment*. Talvez por isso, suas preocupações, sua própria linguagem, seus raciocínios,

* Artigo originalmente publicado em *Leia*, São Paulo, 14 jun. 1978. (N. O.)

seu estilo de pensar nos parecem hoje irremediavelmente vincados pela marca dos tempos em que foram elaborados.

Assim, a partir de aturada meditação sobre os problemas de governo, teria chegado a conclusões que fortemente destoavam em alguns casos de opiniões políticas que se tinham naturalizado no país, apesar da influência do positivismo mais fiel à ortodoxia comteana. De onde a aparência de novidade que ofereciam aos contemporâneos. Em março de 1917, quando morreu, os totalitarismos estavam, quando muito, ainda em embrião no mundo inteiro. E se vivesse bastante para alcançá-los, é pouco provável que os abraçasse, dando outro rumo aos seus pensamentos. Um de seus discípulos diletos, e o mais famoso, Oliveira Vianna, irá tornar-se paladino da pureza racial e do "arianismo", sendo ele próprio mestiço evidente, antes de tornar-se um dos turiferários do Estado Novo. Alberto Torres, entretanto, nunca havia deixado de ser intransigente adversário dos racismos e, apesar de tudo, ainda pretendeu prezar demais as liberdades públicas para aplaudir o sacrifício delas.

Com tudo isso não me parece que o interesse suscitado por seus livros entre nossos fascistas verdes tenha sido inteiramente gratuito. Se estes não tinham como neles discernir pendores para o totalitarismo, ao menos tinham como deles aproximar-se pelo viés do Estado autoritário, que Torres preferia chamar Estado forte. Pela apologia que não se cansa de fazer de um poder bem armado contra os fermentos anárquicos que descobre em nosso pensamento político tradicional, parece difícil não alinhá-lo entre aqueles que, como Francisco Campos, antes de resolvido o problema de glândulas, ou Azevedo Amaral, já na fase da cegueira, procurarão encaminhar na mesma direção sua crítica às ideias preponderantes na República Velha e vão passar, durante algum tempo, como aliados da pregação totalitarista.

Rotulado em sua época de "sociólogo", hoje seria considerado antes um politólogo, se bem que politólogo amador. E num momento como o nosso, em que os politólogos amadores se fizeram legião, e se são infinitamente mais possantes e falantes do que os cientistas políticos, não custa tentar rastrear na obra de Alberto Torres a origem de alguns dogmas que ultimamente vêm ganhando força entre os responsáveis pela condução do regime que nasceu da contrarrevolução de 1964. Não se pode redondamente afirmar que tenham sido bebidos nas teorias do escritor fluminense, mas é fora de dúvida que se filiam ao mesmo clima de opinião que as envolveu com grande atraso.

Para começar, no projeto da revisão que Alberto Torres chegou a elaborar para a Constituição Brasileira, os presidentes da República e dos estados passariam a ser escolhidos não pelo voto popular direto, e sim por "um eleitorado especial", em que entram senadores, deputados federais, presidentes de "províncias autônomas", que assim se chamariam os estados da União, membros das assembleias legislativas, do Supremo Tribunal ou dos tribunais da segunda instância e do Tribunal de Contas, lentes e professores de institutos superiores e secundários de ensino, além de outras sumidades. Entre estes é mister não esquecer, pelo papel de realce que tem em todo o processo, um Conselho Nacional, que ideou e ao qual, republicano histórico que era, não ousa chamar Conselho de Estado, para não lembrar uma instituição imperial de execrada memória. Assim como não tenta dar o nome de moderador a um *poder coordenador*, que igualmente preconiza.

Embora lhe desagradem vivamente as eleições populares diretas, Alberto Torres não vê como razoavelmente evitá-las para a escolha dos congressistas ou mais precisamente dos deputados. Para o Senado quer, ao lado de cinco cidadãos nomeados para o país inteiro, e um para cada província autônoma e para o Distrito Federal – num total de 21 –, mais um terceiro grupo, este de 37 pessoas, que, tais como os presidentes e os eventuais substitutos destes, seriam escolhidos por "eleitorados especiais", formados de um número naturalmente limitado de personagens de alto coturno. Ora, quem não vê que hoje tal sistema se acha, com pouca corrupção, à base da figura que se convencionou chamar de "senador biônico"? Figura perfeitamente *sui generis* e que, de fato, não tem similar em lugar algum do mundo dito civilizado e só por isso, talvez, é defendida como própria de uma democracia autenticamente "brasileira". Não por encontrar suporte em nossas tradições, pois nossas tradições nada oferecem de comparável, não por melhor condizer com supostas condições nacionais, que se costumam forjar, arbitrariamente, ao sabor das circunstâncias de momento, mas sim por seguir o inexpugnável princípio do "mau, mas meu". Não seria esse, afinal, o grande título de glória invocado em favor de tais fabricações?

Parece claro que essas ideias não se tornariam potáveis para homens de boa-fé, sem recurso a subterfúgios semelhantes. Não lhe ocorre, por isso, fazer o elogio da casuística nos termos em que chegou a fazê-lo, por exemplo, o general Ernesto Geisel, trezentos e tantos anos depois das *Provinciales*. Limitou-se Alberto Torres a estabelecer uma linha de separação entre a moral e a política, sem todavia, levar essa ideia às últimas consequências. Se quisesse levá-las às últimas consequências, chegaria ao ponto a que chegou em particular Carl Schmitt, um dos teóricos do Terceiro Reich, cujas ideias sobre a "revolução" que por si mesma se legitima, investindo-se no exercício do poder constituinte, ecoam claramente na exposição que explica entre nós o Ato Institucional nº 1, de 9 de abril de 1964, de lavra de Francisco Campos. De Schmitt é bem conhecido o conceito, que desenvolve, de uma política alheia a toda consideração ética e fundada essencialmente na parelha amigo-inimigo, o que lhe dá um conteúdo irracional. Chegando-se a esse extremo, a "astúcia política" e, em verdade, os argumentos casuísticos, já não se fariam necessários para a construção do Estado "revolucionário".

Alberto Torres acredita que todos os países têm um regime constitucional ostensivo e um regime constitucional verdadeiro, mas subterrâneo. São essas as palavras suas, mas quem não vê que, para usar a terminologia posta em moda pelos que mandam no Brasil, aquele regime verdadeiro, porém subterrâneo, representa, nem mais e nem menos do que a célebre e tão celebrada "democracia relativa"? Poderia dizer, em outras palavras que, sendo sempre relativo em sua aplicação o princípio eminentemente democrático de que todo poder emana do povo, há sempre um abismo entre esse princípio, redutível e alguns preceitos baseados em valores universais e absolutos, e o uso ou o abuso que deles fazem os homens. Recomenda certa "maleabilidade" na realização dos preceitos. Não chega, contudo, a concluir que, sendo entre nós costumeiro o abuso, melhor será que se faça "ostensivo" o regime constitucional "verdadeiro" mas "subterrâneo". Isto é, tornar relativo o que é absoluto. Ou vice-versa.

E depois bater palmas, exclamando: "Tendes aí, meus senhores, nossa democracia relativa".

Liberal a seu modo, ou seja, liberal na medida em que reclama "a mais ampla liberdade de crítica", além de algumas outras liberdades, que se ver incorporadas ao Estado autoritário e por ele como que absorvidas, não se detém muito em explicar essa quadratura do círculo: nesse ponto e em alguns outros mostra afinidades com o positivismo que afinal rejeitará. Mas se aceita em termos o liberalismo, um liberalismo do qual foram cautelosamente extirpadas, por assim dizer, as partes chamadas pudendas, o que decididamente não admite é a democracia. E aqui se revela bem um antimoderno, dado que, enquanto o liberalismo tem hoje numerosos inimigos, o ideal democrático, variamente interpretado, embora, consegue sustentar-se bem. Acatam-no tanto as democracias ocidentais como as democracias populares. Até os fascismos acatam-no quando buscam legitimar-se através de plebiscitos. A esse respeito, entretanto, o atual regime brasileiro é uma incógnita, e há, entre alguns dos seus sacristãos, quem anatematize tanto o liberalismo quanto a democracia.

Não deixam de existir também pontos de contato entre ele e a pregação do escritor fluminense. Pois este quer um liberalismo cerceado (em alguns casos, aliás, repele-o sem ressalvas) e, quanto à democracia, já se sabe que acabou por arrancá-la de seu Panteon. É verdade que se referiu certa vez a uma "democracia social", sem reprová-la aparentemente, e suspeito que foi a primeira pessoa no Brasil a empregar essa fórmula, hoje cediça. Mas pode-se imaginar seu alcance depois de ler em um dos livros que deixou coisas assim: "precisamos tirar da noção do governo a ideia de um mandato direto ou de uma ação direta do povo na gestão dos seus negócios". Seja como for, parece mais do que provável que Alberto Torres não hesitaria, se fosse vivo, em subscrever opiniões tais como as do cidadão Edson Arantes do Nascimento, vulgo Pelé, para quem o povo brasileiro não sabe votar. Por isso mesmo chega a afirmar (Torres, não Pelé) que deseja um governo *para* o povo, nunca *pelo* povo. É a volta de Dom Pedro I.

Naturalmente, nem todas as suas ideias, que nossos últimos governantes adotaram, talvez sem conhecer o pai delas, podem merecer restrições. Não há talvez quem não acolha irrestritamente uma decisão desses governos quando correspondem a um conselho de Torres. O qual disse: "Substituamos a denominação República dos Estados Unidos do Brasil pela de República Federativa do Brasil". Por outro lado, não se pode sustentar que todas as ideias dele têm sido servilmente copiadas. A ideia do bipartidarismo, por exemplo, não lhe pertence, simplesmente porque defendia abertamente a supressão de quaisquer partidos políticos, por julgá-los nocivos, ao menos nos países novos.

Há naturalmente outro aspecto, e da maior importância, por onde seu ideário se há de chocar, e até violentamente, com os pontos de vista de governos que se distinguem, acima de tudo, por sua origem, sua mentalidade e sua fidelidade castrenses. É que Alberto Torres foi sempre, e visceralmente, antimilitar, e não só antimilitarista. Se tivesse forças para isso, cuidaria de expulsar os soldados – como Platão quis expulsar os poetas – de sua República.

Mas quem haveria de cuidar da defesa nacional? Não é o problema, adverte, uma vez que todos os cidadãos podem ser separados para a guerra. E quem, pergunta, se encarregará de defender os interesses do capital, em que se apoiam os governos contra as pretensões do radicalismo? Resposta: a política basta. Foi a solução adotada pela pequena República da Costa Rica ao suprimir o exército, deixando em seu lugar apenas a força policial. Assim pôde afinal conquistar a paz interna que falta às suas vizinhas centro-americanas, e ainda uma prosperidade relativa. Relativa porque muito mais não se pode fazer em uma *Banana Republic*. E quem diz que, por esse caminho, não conseguirá libertar-se algum dia dos imperialismos frutívoros que ainda a oprimem? O perigo está em que, antes disso, a própria polícia venha a cansar-se dessa ditosa *pax costarricensis* e, aproveitando algum pretexto, que não falta nunca, aceitar a nobre missão de liquidá-la.

Aqui, porém, penetramos em regiões etéreas, onde a respiração se torna dificultosa e os caminhos são inseguros.

Não era minha intenção chegar a tamanhas altitudes. Minha intenção tinha sido apenas a de escrever uma apresentação para as cartas que se seguem e que até aqui permanecem inéditas.

Nessas cartas, dirigidas a Ubaldino do Amaral, uma das figuras eminentes da propaganda republicana e da Primeira República, Alberto Torres deixa entrever hesitações e dúvidas (por exemplo: ingressar ou não na maçonaria?) que estão ausentes de seus escritos publicados, nos quais prevalece do começo ao fim o tom imperativo e peremptório. Quem conheça, mesmo superficialmente, sua obra, não pode deixar de interessar-se por esses avessos de costume. E quem não se há de interessar pela face oculta de um pensamento que fez numerosos prosélitos e que, bem ou mal, marcou fortemente toda uma geração de estudiosos talvez ainda influentes em nossos dias?

As cartas de Alberto Torres que a seguir se reproduzem pertencem ao arquivo de Ubaldino do Amaral. Décio Amaral, seu neto, generosamente confiou-me a notável documentação deixada por um dos estadistas eminentes da propaganda e da República, que merecia ser melhor conhecida das atuais gerações, a fim de que eventualmente as utilize em minhas pesquisas históricas, antes de as encaminhar a um instituto onde ficarão ao alcance de um público mais numeroso. Para atender a compromisso que assumi de uma colaboração para o presente número de *Leia*, escolhi e publico-a agora, a parte da correspondência ativa de Torres com Ubaldino que me parece de alguma atualidade, tendo antes obtido para tanto o expresso consentimento de Décio e Heloisa do Amaral. Por isso e mais pelo privilégio que me concederam de poder ter em mãos esse documentário, a ambos quero deixar aqui os meus melhores agradecimentos.

A carta

Rio, 26 de dezembro de 1913.

Meu bom amigo

Aqui tenho em mãos a sua carta de 26 e não posso conter o impulso de continuar a conversação que iniciamos.

Não temos absolutamente desacordo de fundo. Considero um dos maiores riscos da nossa evolução a influência crescente e vigorosa do clericalismo e do jesuitismo. Tenho por grande perigo para o nosso futuro o inteiro abandono da cultura leiga e civil da sociedade, ao passo que o clero, com sua poderosa organização, com o prestígio da tradição, com sua habilidade política e diplomática, vai fundando e desenvolvendo seu poder e autoridade.

Há evidentemente em todo o mundo uma ação política religiosa, organizada com o fim de orientar sobre a anarquia que o liberalismo do século XIX espalhou, por não ter capacidade organizadora, as bases de uma construção reacionária sólida. E esse movimento é apurado com extrema habilidade, aproveitando as igrejas, e principalmente a católica, as forças das aspirações e dos interesses em acesso e não hesitando em confundir-se em associações liberais e envolver-se em correntes de opiniões presumidamente emancipadas.

À reação, natural, contra o espírito de liberdade, dominante no século XIX, a Igreja untou uma consciente e deliberada atividade política. Essa reação resultou de dois fatos: primeiro, de que o liberalismo, em geral, não tinha doutrina claramente, integralmente e diferenciadamente formada, sobre as ideias e as soluções de liberdade; segundo, de que não tinha capacidade organizadora. Os liberais de critério organizador desanimaram perante a desordem de seus confrades.

O "liberalismo" não foi uma corrente organizada, mas organizadora. Exprimiu aspirações, tendências, impulsos, ideais, representando como todos os movimentos automáticos da evolução social, um dos extremos de antítese em que, como as oscilações de um pêndulo, toca o espírito humano, nos processos mentais espontâneos, do indivíduo como da sociedade; ele se destruiu, por si mesmo, por não compreender que, na solução dos problemas sociais, cada ponto intermediário da área em que oscila o pêndulo vale tanto como os seus extremos.

Daí a atitude de custo, de combatividade, de guerra, que ele assumiu, e de que resultou, como todos os males do conflito, seu atual enfraquecimento. O liberalismo, conhecendo o que mais queria, mas não sabendo bem o que queria, lutou contra e não pôde lutar por. Aceitando essa luta, em posição de conflito, encontrou adversário mais consciente, organizado e dentro: sem saber bem o que queria pôr em lugar do que queria depor, faliu por espírito de combatividade, pela insolvência das soluções aos compromissos obstruentos dos programas, por indisciplina pessoal.

A isto acresce que os problemas humanos apresentaram aspectos e fricções diferentes, e o liberalismo acudiu a essas solicitações com ideias vagas e teorias pré-concebidas.

A liberdade, como todas as ideias, carece de organização. Não há aspiração, interesse, necessidade, ideal, realizado pelo próprio impulso de seu estímulo, por força insinuante. Ora, a liberdade não teve até hoje organização em nenhuma sociedade e mesmo ainda no Brasil: primeiro, porque não foi fundada sobre bases práticas, mas apenas sobre a esperança da força virtual de princípios legais; segundo, porque não encontrou ainda os seus estadistas e legisladores.

Combater o clericalismo, como qualquer expressão do sentimento ou da inteligência, por meio de restrições à liberdade, é gravíssimo erro, favorável ideia combatida, exemplo a outros golpes ao espírito liberal, formantes de desordens.

A religião, ou antes, as religiões, aqui como em toda parte, exprimem duas realidades sociais de que nenhum político pode abstrair: uma manifestação da consciência social; uma força orgânica e viva da sociedade presente e futura. Atacá-las, agredi-las, enfrentá-las em linha de batalhas, vale por perpetuar, na vida dos povos, o estado de beligerância, causa das lutas violentas, intestinas e externas.

O Estado deve a essa força da sociedade liberdade e reconhecimento da sua existência, como fator da vida civil e política. A liberdade e o reconhecimento legal das instituições religiosas, a sua representação mesmo no corpo político, têm por efeito justamente transportar o debate e a concorrência das opiniões, do termo misterioso das intrigas e dos manejos, para o da publicidade, evitando assim a conclusão e o maquiavelismo, sempre favoráveis aos mais disciplinados e bem organizados.

Dadas essas garantias, o Estado, órgão de cultura social, deve organizar, manter e desenvolver todos os instrumentos de educação leiga da opinião, propagar a instrução positiva e científica, alimentar a política de liberdade pela imprensa, pela tribuna, pelo ensino; jornais orientados por um pensamento político seguro e completo, livros, folhetos e revistas; e principalmente, escolas, colégios e estabelecimentos de ensino de toda a espécie espalhados aqui e acolá. Em face de cada instituição religiosa, uma instituição leiga de adversão e de propaganda, mas de propaganda de ideias e não de provocações e retaliações de ação por e não de ação contra.

Todos esses deploráveis sintomas, referidos em sua carta, não me têm escapado. No que toca às pessoas, o novo regime preocupa-se tanto nas ideias como da competência. No que toca ao ensino, o que se tem feito, entre nós, é de uma tal incapacidade que faria cobrir os ministros a golpes de chalaça popular, num país em que a opinião pública não tivesse perdido completamente a consciência da causa pública e caída no mais deplorável gosto pelas ideias e pelos ataques de caráter pessoal.

O Brasil é um país sujeito a todos os azares das crises da hora presente. Formado sem direção e sem organização, teve um governo de astrólogo, durante a Monarquia, e uma administração e uma política de caprichos, de incoerências e de vacilações, na República. A incapacidade da nossa política atinge a inconsciência. Esses chefes e diretores da vida pública, que provocam com o formidável símbolo os erros de seu zelo pela sorte da República, nem sabem o que é República, nem alcançam os riscos e os desastres que com suas próprias mãos vão acumulando. O mesmo incidente da política internacional, um abalo de qualquer interesse sério, em nossa sociedade, pode decidir da nossa sorte.

Em meio dessas causas, os estadistas estão pondo panos quentes às crises da desorganização profunda da sociedade e realizando a concepção primitivista da liberdade profissional, num país caracterizado pela mais deplorável perda das condições elementares do critério e do discriminamento, nas camadas superiores de sua opinião, onde muito poucos sabem entender o que têm e pensar por conta própria e que está acomodado, pelo contrário, de uma organização geral da educação capaz, não só de fundar e consolidar o espírito para o hábito do raciocínio e para a capacidade de deliberar e agir.

Em trabalhos que tenho prontos e serão publicados em janeiro, estudo essas e outras questões. Só não tenho senão o apoio das edições de graça, que a Imprensa Nacional me dá, lutando com dificuldades para a própria remessa e distribuição gratuita de exemplares, continuarei a cumprir o meu dever de provocar a atenção e o esforço da nossa opinião, em favor da sorte de um povo dotado de qualidades excepcionais de elevação moral e intelectual, e só abatido por força da insuficiência de sua direção política. E devo dizer que continuo a ter esperança. Em quê? No critério desse povo, na própria gravidade da crise, na segurança e seriedade de meus esforços e das soluções que proponho.

Ainda uma vez, muito obrigado pela bondade com que tem se disposto a conversar comigo, esperando agora que terá desvanecido a suposição de um desacordo entre nossos espíritos.

Creia-me, com respeito e profunda estima e consideração.

amº atº absgº e admº

Alberto Torres

P. S.

Esta carta é uma carta de palestra, mas se lhe vier a ideia de a utilizar, no interesse da República e da sorte deste país, como por exemplo, fazendo-a chegar às mãos dos árbitros de nosso destinos, terei prazer nisso.

A. T.

Uma república não proclamada I*

Um império sonolento e meio envergonhado de exibir em continente republicano os famosos "européis da realeza" caiu por terra certa manhã de 15 de novembro, há noventa anos. Manhã de 15 de novembro? Assim se lê nos compêndios, mas o fato é, quando menos, discutível. Os que estiveram naquela manhã no quartel-general não ouviram a proclamação de Deodoro da Fonseca. Souberam que lá esteve com os ministros, discutiu asperamente com Ouro Preto e à sua saída formou-se um desfile pelo centro da cidade, ele à frente, com Benjamin Constant e Quintino Bocaiúva, os três a cavalo. Como Cristo entre o mau e o bom ladrão, comentara mais tarde. De passagem pela Rua do Ouvidor deram com o barão de Täutpheus, que, em seu sotaque alemão carregado, arriscou um tremulo "Viva Sua Majestade, o Imperador", talvez por ter reconhecido no cortejo algumas figuras republicanas. Deodoro respondeu-lhe com o quepe como era de praxe nas saudações ao monarca – por sinal o mesmo gesto que acabava de fazer junto ao portão do quartel-general –, Quin-

* Artigo originalmente publicado no *Jornal da República*, São Paulo, 17 nov. 1979. (N. O.)

tino com o chapéu de abas largas, Benjamin com a espada. Daí a pouco, porém, o marechal, tomado repentinamente de uma de suas crises de dispneia, largou os companheiros e foi para casa onde ficara o resto do dia trancado nos aposentos, sem querer ver ninguém.

Täutpheus provavelmente não sabia de nada. Ninguém sabia de nada, embora já começava porém a correr boatos desencontrados. Falava-se até em República, mas que poderia surgir de um plebiscito. E também na possível abdicação de Dom Pedro, mas só para 2 de dezembro, data de seu aniversário. Ou até num golpe militar contra um Gabinete considerado infenso às Forças Armadas, não propriamente contra a forma de governo. Pessoas mais bem informadas chegavam a admitir uma proclamação da República não por obra de Deodoro, e sim do vereador José do Patrocínio na Câmara Municipal. A história parecia incrível, mas tinha sua ponta de verdade. O caso é que, sabedor por amigos de que Benjamin Constant, suspenso o desfile com a saída de Deodoro, assegurou a Aníbal Falcão, o positivista pernambucano, de que a República não havia sido proclamada e de que convinha agitar o povo, resolveu assumir a empreitada, esquecido de suas juras de fidelidade eterna e acendrada devoção à causa da monarquia e da herdeira do trono, tendo recrutado previamente um bom número de populares para presenciar o glorioso acontecimento.

Que a República não havia sido proclamada é o que diz Aristides Lobo também pouco depois chamado, com Benjamin, Quintino e outros, a integrar o primeiro ministério do governo provisório, sob o comando de Deodoro. Em artigo escrito no próprio dia 15, possivelmente à tarde, porque de manhã cedo esteve no quartel-general e participou depois do desfile pelas ruas, é o que dá a entender. O artigo, que o vespertino paulista no qual colaborava irá estampar só a 18, embora com data de 15, começa por dizer: "Eu quisera dar a esta data a denominação seguinte – primeiro ano da República –, mas não posso infelizmente fazê-lo. O que se deu é um degrau, talvez nem tanto, para o advento da grande era". O degrau poderia consistir na simples destituição do ministério, não forçosamente a queda do regime, com o que se inicia aquela "grande era", mas já não era pouco. Por isso mesmo intrigava-o a apatia do povo, que – e então sai-se com aquelas palavras bem sabidas – assistiu "bestializado, atônito, surpreso, sem conhecer o que significava. Muitos acreditavam sinceramente estar vendo uma parada".

Parece interessante lembrar a propósito o que diziam observadores qualificados e que, por dever de ofício, tentaram penetrar nos meandros dos acontecimentos. De Robert Adams Júnior, enviado especial e ministro plenipotenciário dos Estados Unidos, junto ao Gabinete de São Cristóvão, o primeiro despacho sobre o assunto (endereçado a James G. Blaine, o então secretário de Estado), que localizei entre a documentação microfilmada do Arquivo Nacional de Washington, traz a data de 6 de novembro e fala já em uma revolução feita pelo Exército e a Armada, no imperador prisioneiro, no ministro da Marinha ferido, em dinastia deposta, Conselho de Estado abolido, Parlamento dissolvido, República aceita pelas províncias principais, ordem mantida. O mesmo, com pouca diferença, que mandavam dizer os ministros (ou cônsules) quando da Independência e do 7 de abril. Neste caso andaria bem informado o diplomata, visto como a 15 de novembro, dia e noite continuou Deodoro trancado em seus aposentos, sem receber visitas.

Enquanto isso, o imperador e família, cercados de amigos, ficavam no Paço da Cidade, para onde se dirigiram depois de descer de Petrópolis, sem que ninguém lhes embargasse a entrada; convocou-se para a mesma noite o Conselho de Estado, e recebeu-se o visconde de Ouro Preto, cuja prisão, ordenada de manhã por Deodoro, foi logo relaxada (mas seria novamente detido, sujeito a vexames de toda espécie, e afinal deportado, com seu irmão Carlos Afonso e com Gaspar da Silveira Martins). Dom Pedro aparentava tranquilidade e otimismo, tendo aceito com muita relutância o pedido de demissão do visconde, e perguntou afinal quem indicaria para a presidência do Conselho em seu lugar.

Ao ouvir o nome de Silveira Martins, aprovou muito a lembrança, e com a sua habitual teimosia, custou a desistir dele, mesmo quando lhe mostraram que a escolha, no momento, seria imprudente. Dirá depois que a primeira lembrança havia sido sua, mas era de regra ouvir antes a sugestão do ministro resignatário. Segundo opinião geral, precisava-se realmente de um homem combativo, e ninguém o seria tanto quanto o tribuno gaúcho, mas que convinha também evitar provocações, e Gaspar era inimigo público de Deodoro. Outra objeção importante era a de que, tendo saído de Porto Alegre, devia este, no momento, andar navegando em alto-mar à altura de Santa Catarina aproximadamente, e só poderia chegar ao Rio daí a dois ou três dias. Como deixar acéfalo o país todo esse tempo?

Por fim houve quem lembrasse o conselheiro José Antonio Saraiva, político liberal de tamanho prestígio que chegavam a chamá-lo de vice-imperador. Acabava, aliás, de chegar da Europa e esteve rapidamente ali no Paço, antes de ir para a casa onde se instalava quando no Rio, em Santa Tereza. Chamado, reapareceu no Paço, e consultado, aceitou em princípio o convite. Parecia um pouco hesitante, o que é explicável, porque não escondia a ninguém, nem mesmo ao imperador, segundo houve quem dissesse, certo ceticismo quanto à solidez das instituições monárquicas no Brasil. Mas o fato é que concordou com a proposta, possivelmente porque, muito cioso de sua boa reputação como homem de Estado, não gostaria de passar por pusilânime diante do momento crítico que parecia atravessar o país.

Adams devia ter informante seguro, para saber que havia conspiradores no Instituto dos Meninos Cegos, território de Benjamin, bem em frente à casa de Deodoro, no Campo de Santana (atual Praça da República). Por outro lado, havia chegado a ouvidos republicanos que se cogitou de Silveira Martins para a presidência do Conselho, quando já se tinha decidido no Paço que o homem seria Saraiva. Tão importante era a notícia que Benjamin conseguiu afinal comunicar-se com Deodoro, sabendo que só a menção de Gaspar levaria o marechal a anuir a ideia de mudança de regime, como de fato aconteceu. Por várias vezes o general chegou a admitir essa ideia, quando se detinha na convicção de que a Monarquia espezinhava o Exército, mas em outras ocasiões mostrava-se reticente ou mesmo contrário a uma revolução.

Gostaria de ter vida ainda para ajudar a levar o caixão do imperador até o cemitério, pois considerava-o apesar de tudo seu amigo. Depois estava para o que desse e viesse.

Uma república não proclamada II*

Não é necessário supor que a referência a Gaspar Martins fosse um estratagema refletido para provocar as iras de Deodoro, pois a decisão de apelar para Saraiva custou a concretizar-se devido à resistência de Dom Pedro e à notícia chegada ao Campo de Santana teria ido com atraso. Contra o estadista baiano, o "Messias do Pojuca", segundo o chamavam também, do nome de seu engenho, é provável que Deodoro não pusesse objeções, embora se tratasse de um liberal, quando as simpatias do militar pendiam para os conservadores. Era, contudo, um liberal aceitável para os conservadores, mesmo para os da "junta do coice", ou seja, para os ultras do partido, desde que na chefia do Gabinete de 6 de junho (1884) os ajudara a podar o projeto Dantas de uma excrescência, que seria perigoso precedente, depois absorvido pela Lei Áurea. Com isso fizera por merecer a apóstrofe de José Bonifácio, o Moço, que lhe disse, em pleno Senado: "Vossa Excelência insiste em afirmar a inconveniência de sua posição como chefe de gabinete, desde que é dono de fazendas".

* Artigo originalmente publicado no *Jornal da República*, São Paulo, 19 nov. 1979. (N. O.)

No entanto, não se mostrava inacessível a certas reformas audaciosas, como a da lei eleitoral que guarda seu nome e que faz passar até contra a vontade do imperador. E ainda agora não tinha estado às voltas com um plano que poderia resultar até uma espécie de monarquia federativa? De viagem já marcada para o estrangeiro, não pôde entretanto aceitar convite de Dom Pedro para, depois já na chefia do governo, tentar executá-lo. Convite idêntico fez-se então a seu correligionário Ouro Preto, que ao cabo o aceitou, para torpedear o projeto.

Ao contrário de Saraiva, o último chefe de governo do Império tinha uma especialidade toda sua, a de defender, com destemor, reformas perfeitamente timoratas, e se, ainda assim, lhe acontecia encontrar opositores, batia-se como um leão pela sua ideia. Foi o que aconteceu nove anos antes, quando, ministro da Fazenda, se lembrou de lançar uma taxa sobre cada passagem de bonde ou trem. Era pouca a soma a pagar, mas como os trabalhadores moravam em geral nos subúrbios e precisavam tomar duas ou mais conduções, acabava representando para muitos uma sangria respeitável. Mas para o ministro tratava-se de ajudar a salvar as finanças combalidas do Império e, assim sendo, era um dever patriótico fazer com que a lei se cumprisse a todo transe. Haveria, talvez, outro modo de resolver a questão, sem prejuízo para a finalidade da lei: o de fazer com que o imposto recaísse sobre as empresas de transporte, em vez de atingir os usuários, e uma delas chegou a sugerir esse alvitre, mas o ministro, desde que se fixava numa ideia, não era homem de recuar e, se contrariado, tornava-se intratável. No caso, sua obstinação produziu afinal o "Motim do vintém", uma agitação sem precedentes nas ruas da Corte, com muitos mortos, feridos, vitrines quebradas, filhos arrancados, até barricadas, desmentindo tudo quanto se dizia sobre a apatia do povo brasileiro. E mesmo agora, não havia "esticado a corda", segundo expressão da própria princesa Isabel na "Memória" dedicada aos filhos, escrita já no caminho do exílio, levando a situação a um ponto insuportável para o exército?

O estereótipo do político jeitoso, acomodatício e sonso que, mal ou bem costuma ser associado hoje à gente mineira, foi tido durante todo o Império como inseparável dos baianos e serve isso para mostrar as diferenças entre Saraiva e Ouro Preto. De estatura elevada, olhos muito azuis, sóbrio no falar, orador medíocre, pouco dado a frases de efeito e tiradas eruditas, não sendo, como não era, homem de ler demais, o "Messias do Pojuca" ajustava-se mal, aliás, física e mentalmente, à ideia que se liga em geral aos naturais da Bahia. Em compensação, tinha um agudo senso das oportunidades, um tato, um dom especial de acomodar-se a situações imprevistas e de se fazer respeitado. Ambicioso como outros políticos menos dotados, sabia no entanto apagar-se quando preciso. Só não conseguiu fazê-lo quando, estadista do Império e até vice-imperador, causou assombro o fato de não ter esperado passar-se nem uma semana, após a queda do Império, para se tornar aderente do novo regime ou, mais ainda, quando se viu o impoluto conselheiro Saraiva, senador do Império, de repente convertido no cidadão Saraiva, senador da República. Nesse passo contou, aliás, com a solidariedade e o aplauso de seu amigo, o visconde de Pelotas, que em carta ainda inédita, ao que parece, animava-o, lá do Sul, a tudo fazer para corrigir "o estado acabrunhador por que está passando o nosso infeliz país". É certo que o vencedor de Aquidabã já havia mostrado, por vezes, veleidades republicanas, mas se dele dependesse, segundo carta, essa publicada, que endereçou a Ouro Preto, não havia o pronunciamento só feito por parte da guarnição do Rio e que chegava à quinta parte do Exército.

Nos conciliábulos do Paço, falou-se em Pelotas para ministro da Guerra e mesmo de um republicano moderado como Quintino para alguma outra pasta, mas convinha primeiramente sondar o marechal Deodoro. Apesar das objeções de Dom Pedro, que não trataria com militar indisciplinado, ficou acertado que Saraiva em pessoa escreveria ao marechal, o que ele fez com pouco entusiasmo. Serviria de portador da carta o major Trompowski, genro de Andrade Figueira, um monarquista ferrenho, ainda mais monarquista do que o monarca. Chegado à casa do destinatário, encontrou Trompowski o marechal tomado ainda de profunda indignação que só o nome de Gaspar Martins lhe podia causar e ali da cama onde estava, no meio da madrugada, foi logo dizendo que já se havia decidido pela República, e responderia depois à carta.

Aos republicanos não parecia interessante dar publicidade aos sucessos e nem mesmo ao fato de estar presente ao Rio o imperador, enquanto não se formalizasse a nova situação, a fim de evitar-se alguma tentativa contrarrevolucionária. Para o ministério do Governo Provisório cogitou-se de Wandenkolk, que, único oficial general da Armada a par do conluio, iria naturalmente para a Marinha, assim como o de Rui Barbosa, que no auge da "questão militar" e agora mesmo, defendia pela imprensa os brios militares, estava bom para a Fazenda como para qualquer pasta aliás. Campos Sales e Glicério, chegados de São Paulo, também seriam contemplados. Glicério, no entanto, lembrou que seria importante um nome rio-grandense, pois já havia outro paulista. Sugeriu então a escolha de Demétrio Ribeiro, que conheceu em Porto Alegre e dele guardava a melhor das impressões. Tudo foi feito na ausência de Deodoro, que, conhecendo mal os "casacas", deu para isso uma espécie de carta branca a Benjamin. Levada a relação ao marechal, não pôs objeções, apenas hesitou ante um nome. "Mas quem é esse Demétrio Ribeiro?", perguntou. Glicério, que estava ao lado, desmanchou-se, então, em elogios ao seu candidato do peito, gabando-lhe os sentimentos republicanos. "Republicano do Rio Grande? Lá só conheci Castilhos, Assis e Ramiro. Mas vá lá", disse. E referendou esse e os outros decretos.

Uma república não proclamada III*

Os decretos de nomeação, assim como a proclamação à nação, igualmente redigida, foram logo preparados, trazendo a data antecipada para 15 de novembro, mas só serão divulgados no dia 18. Os acontecimentos, porém, se iam precipitando, mas apesar do laconismo dos jornais, que só agora podiam divulgar os acontecimentos, já a 17 telegrafava Adams a Blaine, dando notícias quentes: embarque da família imperial, composição do ministério, reafirmação de que reinava perfeita ordem. Insistia em que os Estados Unidos, antes que outros se antecipassem, tomasse a dianteira no reconhecimento da nova república. Mas Blaine não se mostrava pressuroso.

A 30 de novembro, afinal, telegrafou: "Dareis o reconhecimento formal e cordial em nome dos Estados Unidos à nova república, mas logo que a maioria do povo brasileiro manifestar seu assentimento à proclamação e à manutenção do regime".

---

* Artigo originalmente publicado no *Jornal da República*, São Paulo, 20 nov. 1979. (N. O.)

Já se tinha passado a oportunidade da primazia, pois a 21 de novembro deram seu reconhecimento a Argentina, o Uruguai, o Chile. Depois foi a vez da Suíça, França, Santa Sé e a 1º de dezembro o reconhecimento, ainda que "não oficial", das várias potências europeias, com uma exceção, estava garantido. A exceção foi a Áustria, talvez pelo fato de Dom Pedro II e Francisco José serem primos carnais. Mas no dia 6, também o Gabinete de Viena acompanhou os demais.

É verdade que Adams, no Rio, talvez contribuísse para a sobriedade de seu governo. Já no dia 19 começou ele a transmitir as suas impressões sobre o súbito desaparecimento da única monarquia americana e principiava assim, em despacho cifrado: "A revolução que acaba de verificar-se no Brasil é coisa mais extraordinária de que há notícia em toda história. Absolutamente inesperada, produziu-se sem efusão de sangue, sem tumultos, sem pausa no trem da vida cotidiana", e então passa a descrever os fatos. A 27, continua: "o governo ainda está aperfeiçoando sua organização, reina ordem nas províncias. No entanto, há atos que são de duvidosa sabedoria". E contrariando o que se sabe da bacanal de adesões à situação que mal se inaugurava, diz que a melhor gente, tanto liberais como conservadores, mesmo que aceite o fato consumado, mostra-se arredia, preferindo aguardar os acontecimentos.

E finaliza: "É incerto o futuro, e nada se pode antecipar neste país dos imprevisíveis. O ambiente anda tenso e os boatos pululam".

Em outro despacho, tendo exposto suas dúvidas quanto ao alcance de várias medidas do governo, diz: "Concluindo devo manifestar minhas hesitações acerca do efeito de vários atos da presente ditadura militar. O próprio teor dos decretos onde se lê pelo Exército e a Armada, em nome do povo, revela o escasso respeito que se tem aqui pela voz do povo". E tentando decifrar qual seja a ideia de democracia ao alcance, no Brasil, da inteligência desses militares, transcreve palavras de um dos membros do governo provisório, que, falando contra os que se mostram muito ansiosos pela consulta às urnas, diz numa candidez comovente: "Imagina-se só o que será se as urnas se pronunciarem contra nós".

É claro que, da parte do governo, havia especial interesse que os Estados Unidos o prestigiassem com um reconhecimento imediato em caráter oficial. O próprio Adams, quando, mal chegado ao Rio, pôde sentir o vivo interesse com que os adversários da monarquia viam uma eventual ajuda norte-americana a seus planos de sublevação. Em despacho de 9 de setembro de 1889 comunica uma informação que, verídica ou não, provavelmente nunca será confirmada e nem desmentida ao dizer: "Fui advertido, de fonte diplomática aparentemente fidedigna, que os republicanos mandaram ultimamente emissários aos Estados Unidos com o fito de indagarem se nosso país estaria disposto a dar apoio moral e material a uma tentativa de revolução tendente a derrubar o governo do Império". Se verídica a informação, teríamos uma versão nova e adaptada às circunstâncias, da secular tentativa junto a Jefferson, por parte do estudante Maia de Montpellier. De outra República, sem contar os Estados do Prata, gostaria o governo de receber ao menos o apoio moral.

Infelizmente uma pesquisa que pude fazer pessoalmente nos arquivos do Quai d'Orsay sobre a história do Brasil Império mal chegou a alcançar a mudança do regime. Pude, porém, verificar como, já às vésperas da queda do Império, a diplomacia francesa no Rio mostrava o maior ceticismo quanto à possibilidade de uma vitória breve da ideia republicana no país. Um dos agentes diplomáticos, o conde Amelot de Chaillon, fala repetidamente no trabalho que lhe iam dando todos os anos, a 14 de julho, as celebrações da data francesa, porque a pretexto de comemorá-la surgiam torrentes de eloquência brasileira contra o Império. Refere-se a Silva Jardim a propósito dos incidentes produzidos na Sociedade Francesa de Ginástica durante sua conferência e à viagem que fez ao norte, seguindo os passos do Conde d'Eu, mas entende que redundou num malogro. Ao comentar certo boato, de que havia receio na Argentina do genro de Dom Pedro que, para ganhar popularidade, estaria pronto a lançar o país em uma guerra no Prata, descarta esse perigo, mesmo porque, em sua opinião, já se foi o tempo em que o Brasil podia sonhar em arriscar a sorte pelas armas com esperança de bom sucesso. Tem muito pouco caso pelos militares brasileiros e, além disso, julga o Conde d'Eu pessoa doentia, medrosa e pacífica.

Acha que a impopularidade dele vem de ser estrangeiro e tanto parece certo isso que o príncipe Dom Pedro de Saxe-Coburgo-Gotha, sendo brasileiro nato, como de fato é, goza aqui de real prestígio, incomparavelmente maior do que o seu.

Escrevendo em junho de 1889, cinco meses antes da queda do Império, Amelot se mostra incrédulo quanto à possibilidade, ao menos a curto prazo, de algum levante militar, capaz de substituir-se a uma evolução normal, jurídica, tranquila e constitucional da ordem política vigente.

Dois anos antes, entretanto, havia manifestado o mau juízo que fazia de um dos *gros bonnets* do Exército Nacional, exprimindo-o nestes termos: "O sr. general Deodoro dá a impressão de ser um ambicioso, sempre à procura do caminho que há de levar aos pronunciamentos". Admite certa irradiação das ideias republicanas procedentes do Prata, sobretudo no Rio Grande do Sul e em São Paulo, mas atribui isso a uma propaganda que viriam desenvolvendo emissários argentinos nas mesmas províncias. Reconhece que há "nesta terra, a um tempo feudal e democrática", um partido republicano recrutado principalmente entre a mocidade das escolas, médicos, "que por aqui são inumeráveis", além de uns poucos oficiais descontentes e orientados por alguns republicanos sinceros. Mas também diz que esse partido não pode contar com o elemento rural, os fazendeiros (que o novo gabinete liberal saberá domesticar, criando recursos hipotecários, uma espécie de Crédit Foncier que, fornecendo-lhes crédito a baixo preço, há de reconciliar com a Coroa os que se sentiam lesados pela Abolição), os comerciantes, que fazem aqui as vezes da burguesia, o parlamento, onde ele é pouco representado, ou qualquer das forças vivas da nação. "Não creio", acrescenta, "que signifique um perigo atual ou uma ameaça para o Trono".

Palavras essas que fazem pensar naquele "cresça e apareça" a que recorreu certa vez o conselheiro João Alfredo para agredir a campanha republicana. O qual se realizará só pela metade, ou não se realizará, pois o que aparece é unicamente a ditadura militar, mal coberta com um barrete frígio que não lhe assenta direito.

Referências bibliográficas*

A VOYAGE of the honourable gentleman Mr. Robert Dudley... Written at the request of M. Richard Hakluyt. In: HAKLUYT, R. *The Principal Navigations Voyages Traffiques & Discoveries of the English Nation*. Londres–Toronto/ Nova York: J. M. Dent and Sons/E. P. Dutton & Co., 1927.

ABEL, W. *Die Wustungen des ausgeheben Mittelalters*. 2. ed. Stuttgart, 1955.

ABREU, F. de. Sal no Vale do S. Francisco. *Boletim do Ministério da Agricultura*, ano XVI, v.I, Rio de Janeiro, 1927.

ABREU, J. C. de. *Capítulos de História colonial*. Rio de Janeiro, 1928.

ACUERDO del Cabildo Justicia y Regimento de esta ciudad de la Assumpción... Ano de 1676. *Bandeirantes no Paraguai*. São Paulo, 1949.

ALMEIDA JÚNIOR, A. Sobre o aguardentismo colonial. *Revista do Arquivo Municipal*. Tomo 52. São Paulo, 1940.

ALMEIDA, A. de. Máquinas agrícolas. *O Estado de S. Paulo*, 10 ago. 1947.

ALMEIDA, L. C. Achegas para a história de Sorocaba. 2. parte. *Revista do Instituto Histórico e Geográfico de São Paulo*, v.XXXVI. São Paulo, 1939.

AMOROSO LIMA, A. *O existencialismo e outros mitos de nosso tempo*. Rio de Janeiro, Agir, 1951.

ANNAES do Museu Paulista. v.I. 2.parte. São Paulo, 1922.

* As informações entre colchetes são acréscimos da edição. (N. E.)

ANTONIL, A. J. *Cultura e opulência do Brasil por suas drogas e minas.* São Paulo, [Melhoramentos,] 1923.

ANTONIL, A. J. *Cultura e opulência no Brasil.* São Paulo, 1933.

ARQUIVO do Estado de São Paulo. Avisos e Cartas Régias 1796-1802. Livro 178.

ARQUIVO do Estado de São Paulo, T. C. 1731-35. Inventários não publicados. Caixa 36.

ARQUIVO do Estado de São Paulo, T. C. 1657-59. Inventários não publicados. Caixa 9.

ARQUIVO do Estado de São Paulo, T. C. 1703-1705. Inventários não publicados. Caixa 23.

ARQUIVO do Estado de São Paulo, T. C. 1706-1712. Inventários não publicados, Caixa 24.

ARQUIVO do Estado de São Paulo, T. C. 1722-1724. Inventários não publicados. Caixa 28.

ARQUIVO do Estado de São Paulo, T. C. 54-2. n.5.

ARQUIVO Nacional. Rio de Janeiro. Col. 481. Bens confiscados aos jesuítas em São Paulo - 1771-82.

ATAS da Câmara da Vila de São Paulo, I. São Paulo, 1914.

ATAS da Câmara da Vila de São Paulo, II. São Paulo, 1915.

ATAS da Câmara da Vila de São Paulo, IV. São Paulo, 1915.

ATAS da Câmara da Vila de São Paulo, VI. São Paulo, 1915.

ATAS da Câmara da Vila de São Paulo, VII. São Paulo, 1915.

ATAS da Câmara da Vila de São Paulo, VIII. São Paulo, 1916.

ATAS da Câmara da Vila de São Paulo, IX. São Paulo, 1916.

ATAS da Câmara da Vila de São Paulo, XIII. São Paulo, 1918.

ATAS da Câmara da Vila de São Paulo, XVIII. São Paulo, 1920.

AUTO representado na Villa de Vitória. Volume do manuscrito dos arquivos da Companhia de Jesus em Roma.

AZEVEDO MARQUES, M. E. de. *Apontamentos históricos, geográficos, biográficos, estatísticos e noticiosos da província de São Paulo.* Rio de Janeiro, 1879. 2v.

AZEVEDO, A. M. de. *Relatório do primeiro tenente da armada sobre os exames de que foi incumbido no interior da província de São Paulo.* Rio de Janeiro, 1858.

AZEVEDO, F. de. *A cultura brasileira.* [3v. 1943.]

AZEVEDO, F. de. *Um trem marcha para o Oeste.* São Paulo, Livraria Martins Editora, 1950.

BAASCH, E. Beitrage zur Geschichte der handelsbezeihungen zwischen Hamburg und Amerika. *Hamburgische Festschrift zur Erinnerung an die Entdeckung Amerikas,* v.I. Hamburgo, L. Friedrischsen & Co., 1892.

BARBOSA, M. de L. *Les français dans l'histoire du Brésil.* [Paris, A. Blanchard, 1923.]

BARBOUR, V. *Capitalism in Amsterdam in the 17th Century.* Ann Arbor, The University of Michigan Press, 1963.

BAZIN, G. *A arquitetura religiosa barroca no Brasil.* [Rio de Janeiro, Record,] 1956.

BIBLIOTECA e Arquivo Público do Estado de Mato Grosso. Cuiabá. Manuscrito L. 1760-68. Papeis Diversos.

BIBLIOTECA e Arquivo Público do Estado de Mato Grosso. Cuiabá. Manuscrito L. 1769. Officios da Provedoria da Real Fazenda da Vila de Cuiabá.

BIBLIOTECA e Arquivo Público do Estado do Mato Grosso. Cuiabá. Manuscrito Latas de 1751-59 e 1760-68.

BIBLIOTECA Nacional. Rio de Janeiro. Seção de Manuscritos. Cod. DC x LIV 28-17. Carta do Ilmo. Sr. Conde de Azambuja ao Val de Reys em que se relata os sucessos de sua viagem para o sei governo de Mato Grosso em 1750.

BLOCH, M. *Apologie pour l'histoire ou métier d'historien*. Paris, 1949. [Ed. bras.: *Apologia da História ou o ofício de historiador*, Rio de Janeiro, Jorge Zahar, 2002.]

BLOCH, M. *La société féodale*. 1939. [ed. port.: *A sociedade feudal*. 2.ed. Lisboa, Edições 70, 2001.]

BOLETIM do Arquivo Municipal de Curitiba, v.VI. Curitiba, 1908.

BOLETIM do Arquivo Municipal de Curitiba, v.VII. Curitiba, 1924.

BORGES DA FONSECA, A. J. V. Nobiliarchia pernambucana, v.I. *Anais da Biblioteca Nacional do Rio de Janeiro*, v.XLVII. Rio de Janeiro, 1935.

BOXER, C. R. *O Império marítimo português, 1415-1825*. Lisboa: Edições 70, 2005.

BOXER, C. R. *The Golden Age of Brazil, 1695-1750*. 1962.

BRAUDEL, F. *La Méditerranné et le monde mediterranéen à l'époque de Philippe II*. Paris, 1949.

BRAUDEL, F. *O Mediterrâneo ao tempo de Felipe II*. [*La Méditerranée et le Monde Méditerranéen a l'époque de Philippe II* .3v. Paris: Lgf, 1972.]

BRINDENBAUGH, C. *Cities in the Wilderness*: The first Century of Urban Life in America – 1625-1742. Nova York, 1964.

BUARQUE DE HOLANDA, S. *Caminhos e fronteiras*. Rio de Janeiro, [Livraria José Olympio Editor,] 1957.

BUARQUE DE HOLANDA, S. *História Geral da civilização brasileira*. v.I. [São Paulo, Difel, 1960.]

CABEZA DE VACA, A. N. *Naufragios y comentarios*. Madri, 1922.

CÂMARA, A. A. *Ensaio sobre as construções navais indígenas*. 2.ed. São Paulo, [Companhia Editora Nacional,] 1937.

CAMPOS SALLES, M. F. de. Colônia Sete Quedas. *Almanack de Campinas para 1872*, ano II, Campinas, 1871.

CANABRAVA, A. P. *A indústria do açúcar nas ilhas francesas e inglesas do Mar das Antilhas 1697-1755*.

CANABRAVA, A. P. *O comércio português no Rio da Prata, 1580-1640*. São Paulo, 1944.

CARDIM, F. *Tratados da terra e gente do Brasil*. Rio de Janeiro, 1925.

CARTAS avulsas. Rio de Janeiro, 1931.

CARVALHO, A. de. *Biblioteca exótico-brasileira*. v.III.

CHAVES, L. Velhas formas de pagamento. *Portucale*, v.I, Porto, 1928.

COARACY, V. *O Rio de Janeiro no século XVII*. Rio de Janeiro, 1944.

CONI, E. A. *Agricultura, comercio e industria coloniales*. Buenos Aires, 1941.

CORDEIRO, J. P. L. *Braz Cubas e a Capitania de São Vicente*. São Paulo, 1951.

CORTESÃO, J. (org.). *Manuscritos da coleção De Angelis*: jesuítas e bandeirantes no Guairá. Rio de Janeiro, Biblioteca Nacional - Divisão de Obras Raras e Publicações. 1951. v.I (Introdução, notas e glossário por Jaime Cortesão).

CROCE, B. *La storia come pensiero e come azione*. Bari, [Laterza,] 1943.

CRULS, G. *Aparência do Rio de Janeiro*. Rio de Janeiro, José Olympio, 1949. 2v.

CUNHA, E. da. *Obras completas*. Rio de Janeiro, [Companhia Aguilar Editora,] 1966. 2v.

D'ABBEVILLE, C. *História da missão dos padres capuchinhos na Ilha do Maranhão*. Reprodução fac-símile. Paris, 1922.

D'OLIVEIRA, E. L. Tratamento da morpheia. *Revista do Centro de Ciências, Letras e Artes*, v.V, Campinas, 1906.

DEMONSTRAÇÃO dos diversos caminhos que os moradores de São Paulo se servem para os rios Cuyabá e Província de Cochiponé. *Annaes do Museu Paulista*, v.I. São Paulo, 1922.

DENIS, F. *Brésil*. Paris, 1837.

DENUCÉ, J. *Inventaire des Affaitadi, banquiers italiens a anvers de l'anné 1568*. Anvers, 1934.

DIÁLOGOS das grandezas do Brasil. Rio de Janeiro, 1930.

DIÁRIO de viagem de Moçambique para o Rio de Sena, feita pelo dr. Francisco José de la Cerda e Almeida. 1798. Manuscrito da Biblioteca Nacional do Rio de Janeiro, I.

DIAS, J. O pio de piar os milhos – instrumento de origem oriental na Serra da Padrela. *Trabalhos de Antropologia e Etnologia do Centro de Estudos de Etnologia Peninsular*. (Separata), Porto, 1949.

DIAS, J. *Os arados portugueses e as suas prováveis origens*. Estudo etnográfico. Coimbra, 1948. [Lisboa: Imprensa Nacional/Casa da Moeda, 1982.]

DISCRIPÇÃO diária dos progressos da expedição destinada da capitania de S. Paulo para as fronteiras do Paraguay, 1. Parte. Manuscrito do Arquivo de Engenharia do Ministério da Guerra. Rio de Janeiro.

DISSERTAÇÃO a respeito da Capitania de São Paulo, sua decadência e modo de restabelecê-la, escrita por Marcelino Pereira Cleto em 25 de Outubro de 1782. *Anais da Biblioteca Nacional*, v.XXI, Rio de Janeiro, 1900.

DOCUMENTOS inéditos. *A Esperança*. Itu, 24 mar. 1867.

DOCUMENTOS interessantes para a história e costumes de São Paulo, IX. São Paulo, 1901.

DOCUMENTOS interessantes para a história e costumes de São Paulo, XII

DOCUMENTOS interessantes para a história e costumes de São Paulo, XIII.

DOCUMENTOS interessantes para a história e costumes de São Paulo, XXIII. São Paulo, 1896.

DOCUMENTOS interessantes para a história e costumes de São Paulo, XXXI. São Paulo, 1901.

DOCUMENTOS interessantes para a história e costumes de São Paulo, XLI.

DOCUMENTOS interessantes para a história e costumes de São Paulo. v.LXXIII. São Paulo, 1952.

DUDLEY, R. *Arcano del mare*. Impressão segunda, Florença, 1661. v.II.

EHRENBERG, R. *Das Zeitalter der Fugger*. Jena, 1896. v.I.

EPHEMÉRIDES jundiahyenses. *Almanach de Jundiahy Literário, Histórico e Biographico*. Organizado por Tiburcio Estevam da Siqueira e João Baptista de Figueiredo, I. Jundiaí, 1911.

ESBOÇO da viagem feita pelo sr. de Langsdorff no interior do Brasil desde setembro de 1825 até março de 1829, escrito em francês por Hércules Florence. Tradução de A. E. Taunay. *Revista do Instituto Histórico e Geográfico Brasileiro*. Tomo 38, 7. parte. Rio de Janeiro, 1875.

EXPANSÃO paulista em fins do século XVI e princípio do século XVII. Publicação do Instituto de Administração da Faculdade de Ciências Econômicas e Administrativas da Universidade de São Paulo. São Paulo, 1948.

FEBVRE, L. La question du millet. *Annales d'Histoire Sociale*, v.VII, Paris, 1945.

FEBVRE, L. Vers une autre histoire. *Revue de Metafisique et de Morale*, jul.-out. 1949.

FERNANDES, F. *A organização social dos Tupinambás*. [São Paulo, Progresso Editorial,] 1948.

FERNANDES, F. *Análise funcionalista da guerra: possibilidades de sua aplicação à sociedade tupinambá*. [São Paulo, Progresso Editorial,] 1949.

FERNANDES, J. B. G. *Memórias históricas da Província de Pernambuco*. Tomo IV. Pernambuco, 1848.

FERREIRA, C. *Estudos e conferências*. 1939-1943.

FONSECA, M. da. *Vida do venerável padre Belchior de Pontes*. São Paulo, [s. d.]

FOURASTIÉ, J. *Machinisme et Bien-Être*. [3.ed.] Paris: [Les Éditions de minuit,] 1962.

FREYRE. G. Prefácio. In: CRULS, G. *Aparência do Rio de Janeiro*. Rio de Janeiro, José Olympio, 1949. 2v.

FRIEDERICI, G. *Americanistische Worterbuch*. Hamburgo, 1947.

FRIEDERICI, G. *Der Charakter der Entdeckung und Eroberung Amerikas durch die Europaer*. Stuttgart, 1925. v.I.

FRIEDERICI, G. *Die Schiffahrt der Indianer*. Stuttgart: [Nachdr. d. Ausg.,] 1907.

GABAGLIA, L. P. R. *Epitácio Pessoa*. Rio de Janeiro, José Olympio, 1951. 2 Volumes.

GAFFAREL, P. L. J. *Histoire du Brésil français au seizième siècle*. Paris: Maison Neuve, 1878.

GALLUZZI, R. *Istoria del granducato di Toscana sotto il governo di Casa Medici.* Florença, 1781.

GARCIA, R. Exotismos franceses originários da língua tupi. *Anais da Biblioteca Nacional*, v.LXIV, Rio de Janeiro, 1944.

GAY, J. P. *História da República Jesuítica do Paraguai.* [2.ed. Rio de Janeiro, Imprensa Nacional, 1942.]

GAYOSO, R. J. de S. *Compêndio histórico-político dos princípios da lavoura do Maranhão.* Paris, 1818.

GOETHE, J. W. *Máximas e reflexões.* Lisboa: Guimarães, 1992.

GORIS, J. A. *Études sur les Colonies Marchandes meridionales à anvers de 1488 à 1567.* Louvain: Librairie Universitaire, 1925.

GOUROU, P. Qu'est-ce que le monde tropical. *Anales – Economie-Societés – Civilizations.* Paris, abr.-jun. 1949.

GUARNIERI, G. *Un'audace impresa maritima di Ferdinando I, gran duca di Toscana, etc.* Pisa, 1928.

HEGEL, G. W. F. *Ciência da Lógica.* Leipzig, Lasson, 1948.

HEIDEGGER, M. *Sein und Zeit.* 6.ed. Tubingen, 1949.

HERCULANO, A. *História de Portugal.* t.8. [Lisboa: Bertrand, 2007.]

HERNANDEZ, P. *Organización social de las doctrinas guaranies de la Compañia de Jesus.* Barcelona, 1913. v.II.

HISTÓRIA Geral do Brasil. 4. ed. São Paulo, [s. d.] v.I.

INFORMAÇÕES sobre as minas do Brasil. *Annaes da Biblioteca Nacional*, v.LVII. Rio de Janeiro, 1939.

INFORME de Manuel Juan de Morales de las cosas de San Pablo y maldade de sus moradores, hecho a sua magestad, 1636. *Manuscrito da Coleção De Angelis,* I. *jesuítas e bandeirantes no Guairá (1594-1640).* Rio de Janeiro, 1951.

INSTITUTO de estudos brasileiros da Universidade de São Paulo. Manuscrito da Coleção J. F. de Almeida Prado: "Coleção de todas as ordens q'se acharão para a administração das fazendas que forão dos padres Jezuitas comettidas pela meza da Junta do Rio de Janeiro ao Governador e Capitão D. Luiz Antonio de Souza Botelho Mourão".

INVENTÁRIO dos documentos relativos ao Brasil existentes no Archivo de Marinha e Ultramar. *Anais da Biblioteca Nacional*, v.XXXVI. Rio de Janeiro, 1916.

INVENTÁRIO dos documentos relativos ao Brasil existentes no Arquivo da Marinha e Ultramar, organizado por Eduardo Castro e Almeida, VI. *Anais da Biblioteca Nacional*, v.XXXIX. Rio de Janeiro, 1929.

INVENTÁRIO dos documentos relativos ao Brasil existentes no Arquivo de Marinha e Ultramar, organizado por Eduardo de Castro e Almeida. n.VIII. *Anais da Biblioteca Nacional*, Rio de Janeiro, 1936.

INVENTÁRIOS e testamentos, I. São Paulo, 1920.

INVENTÁRIOS e testamentos, II. São Paulo, 1920.

INVENTÁRIOS e testamentos, IX.

INVENTÁRIOS e testamentos, X. São Paulo, 1921.

INVENTÁRIOS e testamentos, XII. São Paulo, 1921.

INVENTÁRIOS e testamentos, XIII, São Paulo, 1921.

INVENTÁRIOS e testamentos, XV. São Paulo, 1921.

INVENTÁRIOS e testamentos, XXVII. São Paulo, 1921.

INVENTÁRIOS e testamentos, XXX. São Paulo, 1939.

ISABELLE, A. *Emigration et colonisation*. Montevidéu, 1850.

JABOATÃO, F. A. S. M. *Novo orbe seráfico brasílico ou crônica dos frades menores da província do Brasil*. Rio de Janeiro, 1858. v.II.

JASPERS, K. *Philosophie*. 2. ed. Berlim, 1948.

JASPERS, K. *Vam Ursprung und Zeit der Geschichts*. Zurique, 1950.

JASPERS, K. *Vernunft und Existenz*. Bremen, 1947.

KELLENZENZ, H. *Unternehmerkrafte im Hamburger Portugal und Spanienhandel*. Hamburgo, 1954.

KIERKEGAARD, S. *Kritik der Gegenwart*. Insbruck, 1934.

KOCH-GRÜNBERG, T. *Vom Roraima zum Orinoco*. v.III. [ed. bras.: Do Roraima ao Orinoco. v.III. São Paulo, Editora Unesp, no prelo.]

KRUGER, F. Die Hochpyrenaen. *Volkstum und Kultur der Romanen*, v.IX, Hamburgo, 1936.

LAFER, H. *Tendências filosóficas contemporâneas*. São Paulo, Companhia Editora Nacional, 1950. 2. ed.

LANE, F. O arado e a terra. *Correio Paulistano*, 21, X, 1951.

LEADER, G. T. *Roberto Dudley, duca di Nortumbria*. Florença, 1896.

LEOPOLDO E SILVA, D. *Notas de história eclesiástica*. Mogi das Cruzes e seus fundadores: Barueri, Parnaíba, Cotia. São Paulo, 1937.

LERY, J. de. *Histoire d'un voyage faict en la terre du Brésil*. Paris, 1880. v.I e II.

LERY, J. de. *Viagem a terra do Brasil*. São Paulo, [s.d.]

LESER, P. Westöstliche Landwirtschaft. Kulturbeziechungen zwischen Europa, dem vorderen Orient und dem Fernen Osten aufgezeit an landwirtschaftlichen Geräten und Arbeitsvorgängen. *Festichrift. Publication d'hommage au P. W. Schmidt*. Viena, 1928.

LIMA, D. P. A devassa do dr. João Velho de Azevedo. In: *Brasília*. Coimbra, 1943. v. I.

LISTA das pessoas que entraram nas funções principais de agosto de 1790. *Revista do INSTITUTO Histórico e Geográfico Brasileiro*, v.IV. São Paulo

LIVRO dos Regimentos dos Officiaes Mechanicos da Mui Nobre Sêpre Leal Cidade de Lixboa. Coimbra, 1926 [1572].

LOGAN, J. *The Black Blocks of China*. Londres, 1904.

LÖWITH, K. *Von Hegel zu Nietzsche*. Zurique, 1941.

LUCENA, A. de. *Arte popular, usos e costumes portugueses*. Lisboa, 1944. v.I.

LUIS, W. *Capitania de São Paulo, governo de Rodrigo Cesar de Menezes*. São Paulo, 1918.

LUTGE, F. Das 14/15 Jahrhundert in der Sozial und Wirtschaftgeschichte. *Studien zur Sozial und Wirtschaftgeschichte*. Stuttgart, 1963.

MACHAIN, L. *Los conquistadores del Rio de la Plata*. Buenos Aires: [s.n.; s.d.]

MADRE DE DEUS, G. da. *Memórias para a história da Capitania de São Vicente*. Lisboa, 1797.

MARIA, M. S. *Eustáquios*. 1769.

MARINO, G. *Strage degli innocenti*. 1632.

MARTINS, W. (org.). *Introdução à democracia brasileira*. Porto Alegre,Globo, 1951.

MAULL, O. *Vom Itatiaya zum Paraguay*. Leipzig, 1930.

MAURIZIO, A. *Die Getreide* - Nahrung im Wandel der Zeiten. Zurique, 1916.

MEINECKE, F. *Vom Gerchichtlichen Sinn und vom der Gerchichte*. Stuttgart. 1951.

MEYER, H. *Die Weltanschauung der Gegenwart*. Paderborn/Würzburg, 1949.

MEYNEN, E. Die Verbreitung des Holzmorser. Eine vergleichende Studie. *Ethnologica*, v.III, Leipzig, 1927.

MILLIET, S. Trigais em São Paulo. In: *Roteiro do café*. São Paulo, 1939.

MONTOYA. Ânua de 1628. In: CORTESÃO, J. (org.). *Manuscritos da coleção De Angelis*: jesuítas e bandeirantes no Guairá. Rio de Janeiro, Biblioteca Nacional - Divisão de OBRAS Raras e Publicações. 1951. v.I (Introdução, notas e glossário por Jaime Cortesão.)

MOORE, J. P. *The Cabildo in Peru under the Hapsburgs*. A Study in the Origins of the Town Council in the Viceroyalty of Peru. Durham: Duke University Press, 1954.

MOTA, O. *Do rancho ao palácio*. São Paulo, [Casa Editora Nacional,] 1941.

MOURA, A. de. Nossa Nobreza. *Revista do Instituto de Estudos Genealógicos*, ano I, n.1. São Paulo, 1937.

NAUCK, E. G. *Zeitschrift der Gesellschaft für Erdkunde*. Berlim, 1938.

NIMUENDAJÚ, C. *The Eastern Timbira*. Berkeley/Los Angeles: University of California Press (University of California Publications in American Archaeology and Ethnology, 41) 1946.

NÓBREGA, M. da. *Cartas do Brasil*. Rio de Janeiro, 1931.

NORDENSKJOLD, E. *Eine geographische und Ethnogranhisehe Analyse der Materiellen Kultur zweiter Indianerstamme in el Gran Chaco*. Goteborg, 1920.

NOTAS de muitas comidas que se fazem de milho. Códice Costa Matoso. Folha 430. V. a 431. Manuscrito da Biblioteca Municipal de São Paulo. Coleção Félix Pacheco.

NOUVELLES Annales des Voyages, tomo LXV, 1835.

ORDENS régias. *Revista do Arquivo Municipal*, v.XX, São Paulo, 1936.

ORDENS régias. *Revista do Arquivo Municipal*, v.XXXVIII. São Paulo, 1937.

ORDENS régias. *Revista do Arquivo Municipal*, v.LXI, São Paulo, 1940.

PAES LEME, P. T. A. Nobiliarquia paulistana histórica e genealógica, v.I. *Revista do Instituto Histórico e Geográfico Brasileiro.* Tomo Especial. Rio de Janeiro, 1926.

PARAIN, C. The Evolution of Agricultural Technique. *The Cambridge Economic History of Europe*, v.I, Cambridge, 1944.

PASTELLS, P. *Historia de la Compañia de Jesus em la província del Paragua*. Madrid, 1912. v.I.

PEREIRA, L. M. *História da literatura brasileira*. Rio de Janeiro, José Olympio, 1950. (Coleção Prosa de Ficção, v.XII)

PEREYRA, M. El maiz entre los Guaranies. *Boletim de Filologia*, v.V, Montevidéu, 1948.

PINTO, E. *História de uma estrada de ferro do Nordeste*. Rio de Janeiro, José Olympio, 1949.

PIRENNE, H. *Les villes du Moyen-Age, essai d'histoire économique et sociale*. Bruxelas, Lamertin, 1927.

PITA, S. R. *História da América portuguesa*. 2. ed. Lisboa, 1880.

POHL, J. E. *Viagem ao interior do Brasil*. Rio de Janeiro, Ministério da Educação, 1951.

PORTO SEGURO, V. de. *História Geral do Brasil*. 3.ed. São Paulo, [s. d.], v.II.

PRADO JÚNIOR, C. *Dialética do conhecimento*. São Paulo, Brasiliense, 1952. tomos I e II.

PRADO JÚNIOR, C. *Evolução política do Brasil*. 1933.

PRADO JÚNIOR, C. *Formação do Brasil contemporâneo* [1942.]

PRADO JÚNIOR, C. *História econômica do Brasil*. 1945.

PRADO, P. *Paulística*. Rio de Janeiro, 1934.

PREFEITURA Municipal de Jundiaí. Cartas de datas – 1867.

PRICE, A. G. *White Settlers in the Tropics*. Nova York, 1939.

PRIESTLEY, Herbert Ingram. *The Coming of the Wthite Man*. Nova Iorque: [Macmillan,] 1930.

PRIMEIRA visitação do Santo Oficio às partes do Brasil – Denunciações da Bahia. São Paulo, 1925.

QUEIROZ, M. I. P. *Guerra Santa no Brasil*: o movimento messiânico no Contestado. São Paulo, Brasiliense, 1980 [1957].

RANGEL, A. *Quando o Brasil amanhecia*. [Instituto Nacional do Livro, 1971.]

RAU, V.; SILVA, M. F. G. *Os manuscritos do arquivo da Casa de Cadaval respeitantes ao Brasil*. Coimbra, 1955. v.I.

REALE, M. (Org.). *Anais do Primeiro Congresso de Filosofia*. São Paulo, 1950.

REGISTRO de um edital que os Ofes. da Câmara mandarão publicar para que se nam venda Agoardente de milho. *Revista do Arquivo Municipal*, v.XIX, São Paulo, 1936.

REGISTRO Geral da Câmara Municipal de São Paulo, I. São Paulo, 1917.

REGISTRO Geral da Câmara Municipal de São Paulo, II. São Paulo, 1917.

REGISTRO Geral da Câmara Municipal de São Paulo, III. São Paulo, 1917.

RELAÇÃO verdadeira da derrota e viagem que fez da cidade de São Paulo para as minas de Cuiabá o Exmo. Sr. Rodrigo César de Meneses. Manuscrito da Biblioteca Pública de Évora. Códice CXVI.

RELACIÓN de los agravios que hicieron algunos vecinos y moradores de La Villa de San Pablo de Piratininga. *Campaña Del Brasil. Antecedentes Coloniales*, v.I. Buenos Aires, 1931.

RELACIÓN verídica de las Misiones de la Compañia en J. S. en la provincia que fue del Paraguay y solución de algunas dudas sobre las mysmas. Obra del P. N. N., misionero de las dichas misiones escritas a instancias del P. N. N., misionero apostolico en la Provincia que fue de Castilla, Faenza, año 1772. Manuscrito da Biblioteca Nacional do Rio de Janeiro. Coleção Benedito Ottoni, I.

RELATÓRIO da Comissão de Engenheiros de Mato Grosso. *Revista do Instituto Histórico e Geográfico Brasileiro*, v.XXXVII, Rio de Janeiro, 1918.

RENIER, G. N. *History, its Purpose and Method.* Boston: The Beacon Press, 1950.

REVISTA do Instituto Histórico e Geográfico Brasileiro, v.IV. São Paulo.

RIBEIRO, D. *Religião e mitologia kadiwéu.* Rio de Janeiro, SPI, 1950.

RIDOLFI, R. Pensieri medicei di colonizzazione nel Brasile. *Il Veltro: Rivista della Civilità Italiana*, Roma, ago. 1962.

RODRIGUES, J. H. *Historiografia e bibliografia do domínio holandês no Brasil.* Rio de Janeiro, 1949.

RODRIGUES, J. H. *Teoria da História do Brasil.* São Paulo, Instituto Progresso Editorial, [s.d.]

ROOVER, R. de. *The Rise and Decline of the Medici Bank.* Nova York, The Norton Library, 1966.

ROSA, J. F. da. *Morão, Rosa e Pimentas.* Recife, 1956.

ROSA, J. F. da. *Tratado único da constituição pestilencial de Pernambuco.* Lisboa, 1694.

ROSSI, C. *Storia della letteratura portoghese.* Florença: [Sansoni,] 1953.

SAINT-HILAIRE, A. de. *Voyage dans le provinces du Rio de Janeiro et de Minas Gerais.* Paris, 1830. v.II.

SALVADOR, V. *História do Brasil.* 1627.

SALVADOR, V. *História do Brasil.* 3. ed. São Paulo, Melhoramentos, [s.d.]

SANT'ANNA, N. *Metrópole.* v.III. São Paulo. [1953]

SANTOS, A. V. *Memória histórica da cidade de Paranaguá e seu município.* 3. ed. Curitiba, 1951. v.I.

SAPORI, A. *Mercatores.* Milão: Garzanti, 1941.

SAPPER, K. *Geographie und Geschichte der Indianischen Landwirtschaft.* Hamburgo, 1936.

SARMIENTO, F. D. *Facundo*. 1845.

SASSETTI, F. *Lettere*. Milão: Casa Editrice Sonzogno, [s.d.]

SCHADEN, E. *Ensaio etno-sociológico sobre a mitologia heroica de algumas tribos indígenas do Brasil*. 1945.

SCHMIDT, C. B. *O meio rural*. São Paulo, 1946.

SCHWEINFURTH, G. *Fostschift Eduard Seler*. Stuttgart, 1922.

SEGNI, B. *Istorie fiorentine dal anno MDXXVII al MDLV*. Florença: Barbera, Biachi & Comp., 1857.

SERAFIM LEITE, S. J. *História da Companhia de Jesus no Brasil*. Rio de Janeiro, 1945. v.VI.

SERAFIM LEITE, S. J. *Nóbrega e a fundação de São Paulo*. Lisboa, 1953.

SERAFIM LEITE, S. J. *Novas cartas Jesuíticas*. São Paulo, 1940.

SESMARIAS, I. São Paulo, 1921.

SESMARIAS, II. São Paulo, 1921.

SESMARIAS, III. São Paulo, 1940.

SILVA, C. I. A. C. *Memórias históricas e políticas da Bahia*. v. II. 2. ed. Bahia, 1925.

SILVA, M. F. R. A. Jornais das viagens pela capitania de São Paulo (1803-04). *Revista do Instituto histórico e geográfico brasileiro*. v.XLV. 1. parte. Rio de Janeiro, 1882.

SILVEIRA, A. *Anais do Primeiro Congresso de Filosofia*. São Paulo, 1950.

SILVEIRA, A. *Itinerário filosófico*.

SMITH, H. N. *Virgin Land*. The Americas West as Symbol and Myth. Nova York, [s.d.]

SOARES, G. S. *Tratado descritivo do Brasil em 1587*. Rio de Janeiro, 1851.

SOUZA, G. S. de. *Notícia do Brasil*. v.I. São Paulo.

SOUZA, G. S. *Tratado descritivo do Brasil*. 1587.

SPIX, J. B. V.; MARTIUS, C. F. P. V. *Reise in Brasilien*. Munique, 1823. v.I e v.II.

STRICH, F. *Goethe und die Weltliteratur*, 1946.

TAUNAY, A. de. E. *História do café no Brasil*. Rio de Janeiro, 1939. v.II.

TAUNAY, A. de E. *História Geral das bandeiras paulistas*. Tomo XI. 2. Parte. [São Paulo, Typ. Ideal, H. L. Canton, 1924.]

TAUNAY, V. de. *Estrangeiros ilustres* [e prestimosos no Brasil. 1896].

TAWNEY, R. H. *Religion and the Rise of Capitalism*. Londres, 1936.

TECHO. N. *História de la província del Paraguay de la Compañia de Jesus*. Madrid, 1897. v.I.

TERMOS de Vereança de Curitiba. *Boletim do Arquivo Municipal de Curitiba*. Curitiba, 1926.

THE VOYAGE of sir James Lancaster to Brazil and the East Indies. Londres, Printed for the Hakluyt Society, 1940.

THEVET, A. *Les singularitez de la France Antarctique*. Paris, 1878.

TÍTULO do registro das provisões que se passaram do serviço de El-Rei Nosso Senhor, que tocam a fazenda de Sua Alteza. *Documentos Históricos*, v.XXXVIII, Rio de Janeiro, 1929.

TOSTES, T. Apresentação. In: ISABELLE, A. *Voyage à Buenos Aires et à Porto Alegre*. 1949.

TURNER, F. J. *The Frontier in American History*. Nova York, 1920.

UZIELLI, G. *Cenni istorici sulle imprese scientifiche marittime e coloniali di Fernando I granduca di Toscana*. Firenze: Pei Tipi di G. Spinelli & C., 1901.

VARNHAGEN. *História Geral do Brasil*. 4. ed. São Paulo, Melhoramentos, 1948. v.I, t.I.

VARRÃO. *De re Rustica*. v.I.

VELOSO, V. *Anais do Primeiro Congresso de Filosofia*. São Paulo, 1950.

VIEIRA, A. *Cartas*. Coimbra, 1928. v.III.

VIRGÍLIO. *Geórgicas*. v.I [W. M. Jackson, 1949.]

VOCABULÁRIO do Estado do Rio Grande do Sul. *Anais do III Congresso Rio-Grandense de História e Geografia*, v.II, Porto Alegre, 1940.

VON WIESER, F. R. *Die Karten von Amerika in dem Islario General de Indias des Alonso de Santa Cruz*. Innsbruck, 1908.

WAGEMANN, E. *A colonização alemã no Espírito Santo*. Tradução de Reginaldo Sant'anna. Rio de Janeiro, Instituto Brasileiro de Geografia e Estatística, 1949.

WAGEMANN, E. *Die deutschen Kolonisten im brasilianischen Staat Espirito Santo*. Munique, 1915.

WEBER, M. Agrarverhältnisse im Altertum. In: *Gesammelte Aufsatze zur Sozial und Wirtschaftsgeschichte*. Tübingen, 1924.

WILHELMY, H. Probleme der Urwaldkolonisation in Sudamerika. *Zeitschrift der Gesellschaft fur Erdkunde*, v.X, Berlim, 1940.

WILHELMY, H. *Siedlung im sudamerikanischen Urwald*. Hamburgo, 1949.

ZURARA, G. E. *Crônica da tomada de Ceuta*. 1453.

ZURARA, G. E. *Crônica do conde dom Pedro*. [s. d.]

Sérgio Buarque de Holanda autografa o livro *Vale do Paraíba: velhas fazendas*, na propriedade do historiador José Carlos Pasin. Roseira (SP), 1975.

Acervo SBH

Índice onomástico

Sobre o livro

Formato: 16 x 23 cm
Mancha: 27,5 x 49 paicas
Tipologia: Minion Pro 11/15
Papel: Offset 75 g/m² (miolo)
Supremo 250 g/m² (capa)

1ª edição: 2011
496 páginas

Equipe de realização

EDIÇÃO DE TEXTO
Frederico Tell Ventura (copidesque)
Luís Brasilino (preparação de original)
Alexandra Fonseca (Revisão)
Michelle do Amaral (pesquisa iconográfica)

PROJETO GRÁFICO E EDITORAÇÃO
Estúdio Bogari

ASSISTENTE EDITORIAL
Alberto Bononi

RR Donnelley

IMPRESSÃO E ACABAMENTO
Av Tucunaré 299 - Tamboré
Cep. 06460.020 - Barueri - SP - Brasil
Tel.: (55-11) 2148 3500 (55-21) 3906 2300
Fax: (55-11) 2148 3701 (55-21) 3906 2324

IMPRESSO EM SISTEMA CTP